LA VIE PRIVÉE DES
Kennedy
À LA MAISON-BLANCHE

Sally Bedell Smith

LA VIE PRIVÉE DES
Kennedy
À LA MAISON-BLANCHE

Traduit de l'américain par Françoise Fauchet

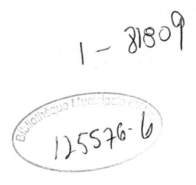

FIRST
Editions

Dépôt légal : 3ᵉ trimestre 2004.
Imprimé en France
Conception couverture : Atelier Didier Thimonier
Photo retouchée par Allison Saltzman
Mise en page : MADmac

Nous nous efforçons de publier des ouvrages qui correspondent à vos attentes et votre satisfaction est pour nous une priorité. Alors, n'hésitez pas à nous faire part de vos commentaires :

Éditions Générales First
27, rue Cassette
75006 Paris – France
Tél : 01 45 49 60 00
Fax : 01 45 49 60 01
e-mail : firstinfo@efirst.com
Site web : www.efirst.com

En avant-première, nos prochaines parutions, des résumés de tous les ouvrages du catalogue. Dialoguez en toute liberté avec nos auteurs et nos éditeurs. Tout cela et bien plus sur Internet à : www.efirst.com

SOMMAIRE

LA COUR DES KENNEDY
Janvier 1961

JOHN « JACK » FITZGERALD KENNEDY, 43 ans. Président des États-Unis.

JACQUELINE BOUVIER KENNEDY, 31 ans. Première dame.

JOSEPH PATRICK KENNEDY, 72 ans. Père du Président. Principal artisan de la carrière politique de JFK.

ROSE FITZGERALD KENNEDY, 70 ans. Mère du Président. Puissance organisatrice de la famille et hôtesse de la Maison-Blanche en l'absence de Jackie.

ROBERT « BOBBY » FRANCIS KENNEDY, 35 ans. Ministre de la Justice. Vice-président *de facto* et confident de JFK. Il se chargeait de transmettre les messages délicats et de recueillir des informations pour son frère. Son exubérante épouse, Ethel, 32 ans, était considérée comme l'une des sœurs Kennedy.

EDWARD « TEDDY » MOORE KENNEDY, 28 ans. Le plus jeune de la fratrie Kennedy. Plus expansif que Jack ou Bobby. Il fut élu sénateur du Massachusetts en 1962. Sa femme, Joan, 24 ans, et Jackie s'éclipsaient souvent ensemble – Joan pour jouer du piano, Jackie pour peindre.

PATRICIA KENNEDY LAWFORD, 36 ans. Sœur mariée à l'acteur britannique Peter Lawford, 37 ans. Habitant en Californie, le couple invitait JFK à des soirées en compagnie de nombreuses actrices de Hollywood.

EUNICE KENNEDY SHRIVER, 39 ans. Sœur la plus proche de JFK. Bienfaitrice des handicapés et des retardés mentaux. Son mari, Sargent, 45 ans, fut le premier dirigeant du *Peace Corps* (organisation de coopération et d'aide aux pays en voie de développement) créé par JFK.

JEAN KENNEDY SMITH, 32 ans. La plus réservée des sœurs Kennedy et la plus proche de Jackie. Son mari, Stephen, 33 ans, fut l'un des principaux membres de l'état-major politique de JFK. Il gérait les affaires de la famille Kennedy.

JOSEPH ALSOP, 50 ans. Influent journaliste du *Washington Post* connu pour son érudition et sa condescendance. Célèbre amphitryon de Georgetown et l'un des premiers supporters de JFK. Il conseillait Jackie sur la manière d'utiliser le pouvoir à Washington et de gérer les femmes journalistes qu'elle qualifiait de « harpies ».

JANET LEE AUCHINCLOSS, 59 ans. Mère de Jackie. Passionnée de cheval et parfaite hôtesse. Comme Rose Kennedy, elle remplaçait fréquemment Jackie dans les manifestations officielles. Son mari, Hugh, 58 ans, fut un beau-père dévoué pour Jackie, à qui il offrit une enfance idyllique au sein de la haute société blanche protestante.

LETITIA BALDRIGE, 34 ans. Connut Jackie à l'école de Miss Porter et à Vassar. Première secrétaire particulière de la première dame, elle orchestra les obligations officielles de Jackie pendant plus de deux ans.

CHARLES BARTLETT, 39 ans. Chroniqueur du *Chattanooga Times*. Ami de JFK depuis l'après-guerre et de Jackie depuis la fin de son adolescence, il les présenta l'un à l'autre. Il abreuvait JFK de conseils et d'informations à la Maison-Blanche.

KIRK LEMOYNE « LEM » BILLINGS, 44 ans. Plus vieil ami de JFK. Il était si souvent présent à la Maison-Blanche qu'il laissait en permanence une tenue de rechange dans la chambre d'amis qu'il occupait. Eunice Shriver disait de lui qu'il permettait à son frère de jouir « d'une entière liberté d'esprit ».

MCGEORGE BUNDY, 41 ans. Conseiller pour les questions de Sécurité nationale. Admiré pour « l'étonnante clarté et la vivacité » de son esprit. Il affichait un air tellement supérieur qu'on disait de lui qu'il « paradait même assis ». Il exerça une grande influence sur la politique étrangère.

BENJAMIN BRADLEE, 39 ans. Chef du bureau de *Newsweek* à Washington. Bel homme, impertinent et perspicace, il partageait la passion de Kennedy pour les indiscrétions des milieux politiques. Sa femme, Antoinette, « Tony », 36 ans, faisait partie des favorites du Président.

OLEG CASSINI, 47 ans. Couturier officiel de Jackie qui signa également des robes pour les sœurs de JFK. Avec son frère Igor, « Ghighi », 44 ans (chroniqueur mondain du groupe Hearst sous le pseudonyme Cholly Knickerbocker), il fréquentait la cour des Kennedy, se faisant accompagner le plus souvent par une jolie femme pour agrémenter les dîners à la Maison-Blanche.

VIVIAN « VIVI » CRESPI, 33 ans. Amie d'enfance de Jackie, connue à Newport. Ancienne épouse de Marco Fabio Crespi, un comte italien. Elle illuminait de sa présence les dîners à la Maison-Blanche et les week-ends à Hyannis et Newport.

CLARENCE DOUGLAS DILLON, 51 ans. Ministre de l'Économie et des Finances. Grand banquier d'affaires républicain, vétéran du gouvernement Eisenhower. Propriétaire du vignoble Haut-Brion, il était connnu pour son goût raffiné, la beauté du mobilier et des œuvres d'art de ses demeures.

PAUL « RED » FAY, 42 ans. Sous-secrétaire de la Marine. Ami de JFK depuis l'aventure du PT-109. Considéré comme le Falstaff de JFK, il racontait « toutes sortes de balivernes » et partageait le penchant de JFK pour la taquinerie et la bouffonnerie.

EVE FOUT, 31 ans. Plus proche amie de Jackie en Virginie. Cavalière hors pair et experte en chevaux. Avec son mari, Paul, 33 ans, elle faisait souvent du cheval en compagnie de Jackie et prenait soin de ses montures.

JOHN KENNETH GALBRAITH, 52 ans. Professeur d'économie à Harvard, nommé ambassadeur en Inde. Conseiller sans portefeuille de JFK, il revint à Washington six fois en deux ans. Auteur de « câbles impertinents », que dévoraient le Président et la première dame.

DAVID ORMSBY GORE, 42 ans. Ambassadeur britannique aux États-Unis. Considéré comme le onzième membre du cabinet de Kennedy. Aristocrate soigné, parent par alliance de JFK, avec lequel il était ami depuis le lycée. Il possédait la grâce naturelle que Kennedy appréciait tant et une intelligence que ce dernier considérait comme exceptionnelle, supérieure même à celle de Bundy.

LYNDON BAINES JOHNSON, 52 ans. Vice-président des États-Unis. Ancien chef de la majorité au Sénat et principale éminence grise de Washington. Il éprouvait un grand ressentiment envers Bobby Kennedy, qui le lui rendait bien. Son épouse, Claudia, « Lady Bird », 48 ans, remplaçait souvent Jackie lors des manifestations officielles.

ROBERT MCNAMARA, 44 ans. Ministre de la Défense. Ancien « petit génie » et président de la société Ford. Célèbre pour sa formidable capacité à citer des faits et des chiffres de mémoire. Il faisait partie des préférés de Jackie, avec qui il lisait des poèmes à haute voix.

RACHEL LAMBERT « BUNNY » MELLON, 49 ans. Connue pour son goût raffiné et son perfectionnisme, elle conçut la roseraie de la Maison-Blanche ainsi que le jardin est. Elle conseillait discrètement le couple présidentiel sur les questions de style et la programmation événementielle. Une « figure très maternelle » pour Jackie. Épouse de Paul, 53 ans, grand connaisseur d'art et de pur-sang fortuné.

MARY PINCHOT MEYER, 40 ans. Maîtresse de Jack Kennedy durant les deux dernières années de sa présidence. Artiste anticonformiste, diplômée de Vassar, comme Jackie. En sa qualité de sœur de l'épouse de Ben Bradlee, Tony, il lui était aisé de camoufler la nature de ses relations avec le Président.

LAWRENCE O'BRIEN, 43 ans. Agent de liaison de JFK avec le Congrès. Fils d'un tenancier de bar du Massachusetts, très estimé pour sa perspicacité politique. Bobby Kennedy le disait capable « de tirer les vers du nez à un mort ».

KENNETH O'DONNELL, 36 ans. Chef de cabinet de la Maison-Blanche. Il supervisait le planning de JFK, s'occupait de la logistique et se faisait la caisse de résonance des débats politiques. Connu sous les surnoms de « Wolfhound » (chien-loup), « Cobra » et « Iceman » (marchand de glace), il était souvent corrosif, notoirement taciturne et férocement loyal.

DAVE POWERS, 48 ans. Bouffon de la cour des Kennedy. Officiellement chargé de l'accueil à la Maison-Blanche, il distrayait JFK en lui racontant des blagues sur le folklore politique. Il tenait souvent compagnie à JFK en l'absence de Jackie et ne le quittait pas avant que le Président lui eût souhaité bonne nuit et demandé d'éteindre les lumières.

LEE BOUVIER RADZIWILL, 27 ans. Sœur benjamine et complice de Jackie. Bien que vivant à Londres, elle se rendait souvent en visite à la Maison-Blanche et à Palm Beach et partagea plusieurs longs séjours de vacances avec Jackie en

Europe. Son mari, Stanislas, « Stas », 46 ans, était un prince polonais haut en couleur qui avait amassé une petite fortune dans l'immobilier à Londres.

JAMES REED, 41 ans. Ministre adjoint de l'Économie et des Finances. Ami avec JFK depuis la guerre du Pacifique. Républicain du Nord qui arpenta les champs de bataille de la guerre de Sécession en compagnie de JFK. Il partageait son amour pour les poèmes d'Emily Dickinson et de Robert Burns.

FRANKLIN DELANO ROOSEVELT JR, 46 ans. Sous-secrétaire d'État au Commerce. Cinquième enfant du trente-deuxième Président. Sa campagne contribua à la victoire cruciale de Kennedy lors de la primaire de Virginie-Occidentale. Ancien parlementaire dont l'alcoolisme ruina la carrière.

ARTHUR M. SCHLESINGER JR, 43 ans. Mouche du coche de la Maison-Blanche et historien non officiel des années Kennedy. Surnommé « le Philosophe de la cour » par le *New Yorker*. Lauréat du prix Pulitzer et professeur à Harvard, il conseillait Jackie sur tout, des livres pour la bibliothèque de la Maison-Blanche aux films étrangers pour la salle de projection.

FLORENCE PRITCHETT SMITH, 40 ans. Grande amie de Jack Kennedy. Hôtesse enjouée qui recevait le Président à New York et Palm Beach. Elle sortait avec JFK à l'époque où il était célibataire. Riche agent de change et ancien ambassadeur des États-Unis à Cuba, son mari, Earl, 57 ans, entretenait des liens d'amitié avec Joe Kennedy et la famille de Jackie à Newport.

THEODORE SORENSEN, 32 ans. Conseiller spécial du Président. Grand génie des mots, « banque de données intellectuelle ». Bourreau de travail doté d'une formidable mémoire, il était très proche de JFK pour les choses de l'esprit mais très peu sur le plan personnel.

CHARLES SPALDING, 42 ans. Ami d'avant-guerre. Diplômé de Yale et auteur à succès à 25 ans. Scénariste à Hollywood et dans la publicité à Manhattan, il partageait le sens de l'humour de JFK ainsi que son amour des femmes et des ragots.

ADLAI STEVENSON, 60 ans. Ambassadeur aux Nations Unies. Ancien gouverneur de l'Illinois, deux fois candidat démocrate aux élections présidentielles. Il contribua à lancer la carrière de JFK et prépara le terrain pour de nombreuses initiatives du gouvernement Kennedy. Confident de Jackie, dont il partageait les intérêts culturels.

NANCY TUCKERMAN, 31 ans. Porte-parole de la Maison-Blanche les six derniers mois du gouvernement Kennedy. Surnommée « Tucky », elle était la plus ancienne amie de Jackie et sa plus proche confidente. Après s'être rencontrées en dernière année d'école primaire à la Chapin School de Manhattan, elles avaient fréquenté l'école de Miss Porter.

PAMELA TURNURE, 23 ans. Porte-parole de Jackie Kennedy. Elle travaillait déjà pour JFK au Sénat. Sa relation avec le Président fut rendue publique par les photos que sa propriétaire distribua aux journalistes, sur lesquelles on voyait le sénateur sortir de chez elle, à Georgetown.

WILLIAM WALTON, 51 ans. Artiste irrévérencieux et ancien journaliste connaissant parfaitement les contre-courants historiques, politiques, sociaux et culturels de Washington. Baptisé « Billy Boy » par JFK, il conseillait le Président et la première dame sur le plan artistique.

JAYNE LARKIN WRIGHTSMAN, 41 ans. Amie et proche conseillère de Jackie pour la remise à neuf de la Maison-Blanche, respectée pour ses connaissances en matière de mobilier et d'arts décoratifs. Épouse du riche pétrolier texan Charles Wrightsman, 65 ans, elle recevait les Kennedy dans sa vaste propriété du front de mer à Palm Beach.

Préface

« Ils ont assurément acquis une chose que nous avons perdue – une sorte de grandeur désinvolte. Après les affaires, il y a toujours la promesse de soirées, de jolies femmes, de musique, de belles toilettes, de champagne, etc. On dénote chez ce jeune homme quelque chose de très XVIIIᵉ siècle, une touche aristocratique. »

Le Premier ministre Harold Macmillan au sujet de John et Jacqueline Kennedy et de leur entourage à la Maison-Blanche.

Le 29 novembre 1963 – une semaine après l'assassinat du Président John Fitzgerald Kennedy à Dallas (Texas) – sa veuve, Jacqueline Bouvier Kennedy, convoque Theodore H. White, dans la propriété des Kennedy à Hyannis Port, à Cape Cod (Massachusetts). Elle souhaite que le chroniqueur, proche de la présidence, rédige un texte sur son mari pour *Life*, le magazine qui a célébré le couple à grand renfort de photos pendant plus d'une décennie.

Durant un entretien de quatre heures, qui se prolongera bien au-delà de minuit, Jackie Kennedy s'exprime avec « sang-froid », d'une « voix calme » sans omettre « le moindre détail »[1]. Au fil d'un monologue décousu, elle évoque l'assassinat, l'amour de son mari mort pour l'Histoire, lié à son passé d'enfant malade, et la manière dont elle désire entretenir son souvenir. Elle ne veut pas le voir immortalisé par les plumes « acerbes » d'Arthur Krock, du *New York Times*, ou de Merriman Smith, le correspondant de la Maison-Blanche à l'*Associated Press*. Versée dans les classiques, elle affirme se sentir « honteuse » de ne pouvoir suggérer une brillante métaphore historique pour désigner la présidence Kennedy.

Elle avoue donc au journaliste son « obsession » pour une chanson extraite d'une comédie musicale populaire, *Camelot*, composée par Alan Jay Lerner (un ami d'école de JFK) et Frederick Loewe, présentée à Broadway quelques semaines après l'élection du Président. Ce spectacle romanesque retrace la légende du roi Arthur, de son épouse, la reine Guenièvre, et des héroïques chevaliers de la Table ronde. Jackie raconte que le soir, avant d'aller se coucher, « Jack » Kennedy, comme le surnommaient ses proches, écoutait *Camelot* sur son « vieux gramophone ». « Je me relevais la nuit pour le lui passer quand il faisait froid »[2], explique-t-elle. Ses paroles préférées venaient à la fin : « Que toujours perdure le souvenir de ce lieu d'exception, de cet instant brillant qui avait pour nom Camelot. »

En quarante-cinq minutes, Teddy White rédigera un article de quatre pages pour le numéro de *Life* du 6 décembre. Corrigé de près par Jackie Kennedy (qui, entre autres modifications, changera « c'était l'idée dont elle voulait faire part » en « c'était l'idée qui l'obnubilait »), le texte explicite l'allégorie que l'on utilise désormais depuis quarante ans pour définir la présidence Kennedy. L'air composé par Lerner et Loewe illustra d'ailleurs l'exposition des tenues haute couture de Jackie Kennedy organisée au Metropolitan Museum of Art, à la bibliothèque John F. Kennedy de Boston et à la Corcoran Gallery de Washington en 2001 et 2002.

Enfant, Jack Kennedy « dévorait les histoires des chevaliers de la Table ronde »[3], selon Jackie. Après la primaire du Wisconsin, durant la campagne électorale de 1960, il lut *The King Must Die*, de Mary Renault, qui retrace le martyre de héros populaires tels qu'Arthur en Grande-Bretagne et Roland en France. Compte tenu du penchant de Kennedy pour les airs de comédies musicales sans grandes prétentions intellectuelles, il était tout naturel que Jackie invite Frederick Loewe pour dîner en comité restreint à la Maison-Blanche, en mai 1962. À la demande du Président, le compositeur interpréta la musique de *Camelot* au piano.

Cependant, de nombreux amis de Kennedy, surtout les intellectuels, tentèrent d'évacuer ou de minimiser ce portrait, jugé impropre et d'une sentimentalité excessive. Ils affirmaient qu'il aurait fait grimacer JFK. Selon l'économiste John Kenneth Galbraith, Jackie regretta d'avoir employé une image aussi « outrée ». L'historien Arthur Schlesinger Jr déplora le « mythe transformé en cliché » : « Personne ne faisait cette association du vivant du Président. Il l'aurait tournée en dérision ! »[4] À ses yeux, Jackie avait accordé à Teddy White « son interview la plus dommageable » : « Le symbole était à la fois légendaire et préjudiciable. Camelot n'avait rien d'un modèle de fidélité conjugale et son histoire s'achevait dans le sang et la mort. »[5]

Il est fort probable que Jackie Kennedy ait regretté ses propos pour ces raisons mêmes. Si la légende arthurienne glorifie le courage au combat (la reconquête du royaume) et l'idéalisme (la quête du Graal), elle évoque aussi, soulignera Schlesinger, la trahison (Mordred, le neveu d'Arthur, s'emparant du royaume et retenant la reine captive) et l'adultère (l'histoire d'amour entre Guenièvre et le vaillant chevalier Lancelot).

Pourtant, jamais Jackie Kennedy ne prit ses distances par rapport à cette image. Il lui importait de transmettre la « magie » de la présidence de son mari – un interlude marqué par de grands desseins, une rhétorique flamboyante et un style très relevé. Fin janvier 1964, dans une lettre adressée à l'ancien Premier ministre britannique Harold Macmillan, elle concédait « l'excès de sentimentalité » lié à cette image mais maintenait sa « pertinence » car ces mille trente-six jours avaient été « un instant brillant » qui ne se reproduirait plus.

Deux ans après l'assassinat, dans *A Thousand Days : John F. Kennedy in the White House,* livre phare sur les années Kennedy, Schlesinger lui-même décrivait « l'enthousiasme débordant de vie, l'éclat, le bel esprit, l'engagement, la résolution »[6] de cette période. Un point de vue dont il ne démordrait pas, pas plus que beaucoup d'autres, et même après quarante ans de révélations tapageuses sur la libido débridée de JFK et les tentatives d'assassinat sur la personne de Fidel Castro commanditées par son gouvernement.

L'image de la Maison-Blanche sous Kennedy a donc été brouillée par les rivalités entre partisans et adversaires de cette mythologie arthurienne. Les milliers d'ouvrages, d'articles de presse et de documentaires télévisés qui leur ont été consacrés sont autant de miroirs de fête foraine dans lesquels le reflet des Kennedy apparaît plus ou moins déformé. Les espoirs étaient si élevés, l'histoire d'amour si forte et la tragédie si grande que la réalité quotidienne des locataires de la Maison-Blanche manquait, semble-t-il, de piquant.

Compte tenu du charisme de Jack et de Jackie, l'entourage du couple présidentiel fut souvent plus ou moins négligé, de même que la nature complexe de leurs relations. Au fil du temps, les sentiments se sont néanmoins apaisés et certains familiers, dont beaucoup ne s'étaient encore jamais exprimés publiquement, ont évoqué les feux de la rampe avec recul, en tenant compte du contexte. L'accès à des courriers et à des documents personnels jusque-là non dévoilés a également permis d'envisager la période sous des angles nouveaux. À travers ces témoignages se dessine une histoire bien plus passionnante que toutes les légendes dont sont entourés les Kennedy. Ce récit, retracé ici, rassemble des personnages choisis par l'Histoire – certains doués de talents extraordinaires, d'autres dotés d'une loyauté à toute épreuve. Tous s'efforcent de guider les États-Unis en des temps périlleux tout en luttant contre leurs propres faiblesses et les tentations du pouvoir. Avec quarante ans de distance, il ressort que la Maison-Blanche des Kennedy n'était ni un modèle de gouvernement éclairé ni un univers de noirs complots, mais un lieu profondément humain.

Certes, les Kennedy étaient des démocrates, pleins de compassion pour les pauvres et les déshérités, mais la comparaison avec un roi et sa reine entourés de leur cour venait fréquemment à l'esprit de leurs familiers. Pour le philosophe politique britannique Isaiah Berlin, invité à plusieurs dîners privés à la Maison-Blanche, ils étaient « bonapartistes ». Le grand professeur d'Oxford établissait même un parallèle avec les frères de Napoléon qui, comme Robert F. Kennedy en sa qualité de ministre de la Justice et Edward M. Kennedy en tant que sénateur, occupaient des postes de responsabilité au gouvernement. À ses yeux, on pouvait déceler d'autres similitudes parmi les conseillers : « Des maréchaux dévoués qui ne se lassaient pas de se faire tirer les oreilles. » Ces « hommes au regard brillant », faisait observer Berlin[7], avaient « une énergie et une ambition folles », ils « allongeaient le pas avec un romantisme fascinant ». Pour sa part, David Ormsby Gore, ambassadeur de Grande-Bretagne à l'époque et l'un des plus proches amis et conseillers du Président, rapprochait l'administration Kennedy de la « cour des Tudors »[8].

Selon, Richard Neustadt, alors professeur de sciences politiques à l'Université de Columbia, « la cour » des Kennedy disposait de l'équivalent « des appartements de Versailles » et on lui laissait « les clés pour le week-end ». La Maison-Blanche était ainsi devenue le point de mire, selon un dispositif comme on n'en avait jamais revu depuis Theodore Roosevelt. Un an après l'investiture, le journaliste Stewart Alsop se plaignait : « L'endroit grouille de courtisans et de dames de compagnie – en place ou en devenir. »[9] Comme il était d'usage à la cour dans les siècles passés, l'entourage de Kennedy gagnait en majesté : de la Maison-Blanche, il se voyait convié dans les lieux de villégiature réservés aux riches et aux privilégiés en Virginie, à Palm Beach, à Hyannis Port et à Newport.

« Jackie voulait un Versailles américain »[10], affirmera Oleg Cassini, son couturier officiel, qui se décrivait lui-même comme « un courtisan de fait proche du roi et de la reine ». « Elle répétait souvent qu'un certain nombre de femmes brillantes, à travers l'Histoire, avaient entretenu une cour », ajoutera-t-il. Jackie admirait en particulier Madame de Maintenon, qui tenait un illustre salon avant d'épouser Louis XIV, et Madame de Récamier, célèbre hôtesse du début du XIXe siècle, qui réunissait autour d'elle les plus beaux esprits de son temps.

Jackie organisa sa vie à la Maison-Blanche en fonction de ses centres d'intérêt, déléguant nombre de ses obligations ainsi que toutes les tâches administratives. « Malgré mes anciennes appréhensions et mon premier sentiment de débordement, je maîtrise désormais ma vie ici et je n'ai jamais été aussi heureuse – non pas à cause de la position que j'occupe mais parce que nous avons préservé notre intimité familiale. C'est bien la dernière chose à laquelle je m'attendais »[11], écrivait-elle à son ami William Walton au milieu de l'année 1962.

Quel que fût le jour de la semaine, le Président Kennedy était toujours entouré d'une « clique arrogante comme j'en avais rarement vu à la Maison-Blanche », selon le vieux conseiller démocrate Clark Clifford[12]. MacGeorge Bundy, le conseiller à la Sécurité nationale, aimait à comparer le groupe de collaborateurs de l'aile ouest aux « Harlem Globe-trotters avec leurs passes par-devant, par-derrière, sur les côtés et par-dessous »[13]. Quand il ne partait pas nager avec son fidèle factotum, Dave Powers, ou quelque ravissante secrétaire dans la piscine de la Maison-Blanche (chauffée à 32 °C en raison de son dos fragile), JFK déjeunait en tête à tête avec Jackie (sandwich au fromage grillé, bœuf froid, consommé) ou s'amusait avec sa fille Caroline, 3 ans, qu'il accueillait dans le bureau Ovale en tapant trois fois dans ses mains.

Pendant ce temps, on pouvait trouver Jackie attablée dans la salle du traité, au deuxième étage de la Maison-Blanche, en train de rédiger des notes de service ou une lettre au ministre français de la Culture, André Malraux, l'un de ses mentors, tout en fumant des cigarettes à bout filtre L & M. Il lui arrivait aussi de faire de l'exercice pour soulager son stress sur le trampoline installé sur la pelouse sud, de se pelotonner dans un coin pour lire *The Cardinal de Bernis : A Biography* de Marcus Cheke ou de s'esquiver dans le solarium de l'école, au troisième étage. Les cris des enfants rivalisaient alors avec les aboiements des cinq chiens et les sifflements des deux perroquets – une ménagerie digne de l'époque de Teddy Roosevelt.

Le soir, Jack et Jackie accueillaient en général huit personnes à dîner – un groupe d'amis proches accompagnés d'un « nouveau visage » : un artiste ou un écrivain new-yorkais. En musique de fond résonnaient des chansons italiennes. La conversation, toujours décontractée et franche, roulait sur la reine de Grèce (« Rien qu'une mouche du coche qui se donne des airs de sauver le monde pour se faire de la publicité »[14], selon Jackie) en passant par la provenance de la chemise rayée de l'ambassadeur de France (de chez Pierre Cardin et non pas de Jermyn Street à Londres), la personnalité de Richard Nixon (« charmant en privé mais terrible en public, sans doute un schizophrène »[15], de l'avis de Jack) et les inquiétudes de JFK concernant l'OTAN (« L'Europe veut avoir les mains libres pour sa défense ! »[16]).

Les Kennedy donnèrent également de mémorables soirées dansantes – une demi-douzaine en moins de trois ans – lors desquelles circulaient de grands plateaux chargés de cocktails exotiques tels le Cuba Libre, un mélange fatal de rhum, de cola et de jus de citron vert. « Les boissons étaient servies dans des verres immenses. On se laissait tous aller à des excès au milieu de l'excitation générale », se souviendra l'écrivain George Plimpton[17]. Les dîners officiels relevèrent la barre en matière de gastronomie (avec, pour la première fois, des menus en français) et de programme culturel, avec l'introduction de Shakespeare et des ballets de Jérôme Robbins. « On trouvait là réunis la jovialité irlandaise, l'esprit de Harvard et la patine des écoles pour jeunes filles de Jackie. Le mélange était enivrant »[18], écrira Nancy Dickerson, correspondante pour la télévision.

Des « grandes pointures » acceptaient de participer à des séminaires « de haute réflexion » organisés par un groupe d'amis et de responsables du gouvernement triés sur le volet, selon l'irrévérent point de vue de Marian Schlesinger, l'épouse d'Arthur. « Ces réunions étaient plutôt empruntées mais inoffensives, un peu à l'image de Voltaire à la cour de Frédéric II de Prusse », commentera-t-elle. Parmi les conférenciers furent notamment invités l'historien Elting Morison, qui disserta sur Teddy Roosevelt (« C'est faux ! »[19] ne cessera de répéter en aparté la fille de l'ancien Président, Alice Longworth, avec une lueur de malice dans l'œil), et le philosophe A. J. Ayer, qui s'exprima sur le positivisme logique (« Pourtant, saint Thomas disait », intervint Ethel Kennedy à deux reprises avant que son mari ne lui intime de se taire). Le jour de la conférence de Rachel Carson, l'ambiance perdit tout son sérieux à cause des rires communicatifs du ministre de l'Économie et des Finances Douglas Dillon.

Derrière cette légèreté se dissimulait une réalité plus sombre – un hédonisme et un relativisme moral annonçant la révolution sexuelle des décennies suivantes. En coulisse, Kennedy multipliait les conquêtes féminines, qu'il n'hésitait pas à recevoir à la Maison-Blanche et avec lesquelles il s'offrait des escapades à Palm Beach, Malibu, Manhattan et Palm Springs. Pour beaucoup de membres de son entourage, il s'agissait de rumeurs ; certains même refusaient d'en admettre l'idée. Néanmoins, une petite poignée de familiers – les conseillers de haute confiance Kenneth O'Donnell et Dave Powers ainsi que le très intime Charles « Chuck » Spalding – furent témoins et même complices de ces débordements. Jackie savait ce qui se passait puisqu'elle s'en confia à sa sœur, Lee Radziwill, à plusieurs amis intimes et même à des membres du gouvernement tel qu'Adlai Stevenson. En public, elle préférait feindre stoïquement d'ignorer les infidélités de son mari, ce qui lui permettait de jouir d'une plus grande latitude pour s'adonner au raffinement de la chasse au renard et à la fréquentation de la jet-set en Europe.

Certains, telle son amie Eve Fout, en Virginie, percevaient parfois sa tristesse et faisaient observer « qu'elle ne se trouvait pas dans la situation conjugale la plus facile »[20]. Beaucoup supposaient que Jackie partageait simplement le point de vue aristocratique européen selon lequel il est normal qu'un homme trompe sa femme. « Tous les Kennedy sont pareils. Ne vous laissez pas émouvoir parce que cela n'a rien de personnel »[21], expliqua-t-elle un jour à Joan Kennedy, l'épouse de Ted. Jackie adorait son père et son beau-père, qui s'étaient tous deux montrés ouvertement infidèles. « Elle avait passé un contrat avec elle-même. Bien qu'ayant découvert que Jack était un coureur de jupons, elle avait décidé de le supporter. Par amour, je crois »[22], affirmera son amie de toujours, Jessie Wood.

Compte tenu de leur jeunesse, de leur beauté et de leur statut social, mais aussi parce qu'ils appréciaient les distractions et la stimulation intellectuelle, Jack et Jackie Kennedy s'attirèrent un prestigieux cercle d'amis et de collaborateurs. Selon Harold Macmillan, ils menaient grand train tant d'un point de vue social (entourés de membres de la haute société internationale et de stars de Hollywood) qu'intellectuel (experts et professeurs) et politique (conseillers et membres du cabinet triés sur le volet). Plus que jamais, sans doute, Washington se divisait nettement entre ceux qui avaient leurs entrées à la Maison-Blanche et ceux qui ne les avaient pas. Observant le cénacle de l'extérieur, la chroniqueuse mondaine Betty Beale expliquera que les personnalités de Washington invitées aux soirées privées des Kennedy « affichaient un ridicule air suffisant »[23].

Au sein de la cour, « très peu de personnes partageaient de réelles affinités »[24], affirmera le journaliste Charles Bartlett, intime de Kennedy. Certains étaient des athlètes accomplis, d'autres se révélaient des cas désespérés sur le plan sportif. Originaires de milieux élevés ou modestes, tous n'en étaient pas moins traités sur un pied d'égalité. Ni Jack ni Jackie n'auraient pu être taxés de snobisme.

Seuls deux amis personnels et trois proches conseillers partageaient la religion du premier Président catholique. Un nombre frappant de membres du cercle des intimes – cinq amis personnels et trois figures du gouvernement – appartenaient au parti républicain, sans compter la famille entière de Jackie, y compris sa demi-sœur Nina Steers, qui publia dans un journal du Tennessee des articles anti-Kennedy durant la campagne de 1960.

Plusieurs familiers étaient sans doute homosexuels, néanmoins, un seul, le journaliste Joseph Alsop, le reconnut. En dépit de l'image machiste de son administration, Kennedy était à l'aise avec les homosexuels, peut-être, comme le pensaient différents amis, parce qu'il comprenait la difficulté de mener une vie clandestine.

La plupart des membres de la cour étaient des stars dans leur domaine, ce qui leur conférait, selon le biographe Willam Manchester, une image « d'élégants mandarins »[25]. Ils se montraient « enjoués, distrayants, dynamiques, cultivés et décontractés »[26], commentera Theodore Sorensen, principal conseiller de JFK. Presque tous étaient séduisants – s'ils semblaient moins gâtés par la nature, tel l'artiste William Walton, marqué par la petite vérole, ils affichaient une subtilité débonnaire.

L'intelligence et la drôlerie représentaient les deux qualités les plus appréciées. JFK « se plaisait en compagnie de ceux qui pouvaient lui apprendre quelque chose, qui communiquaient sur le même mode que les frères Bundy ou Cassini »[27], écrira Sorensen. Jack comme Jackie méprisaient tout ce qui était quelconque. JFK affirmait « abhorrer la vie de banlieue »[28] et ses interminables soirées-cocktails. Adolescente, Jackie confiait déjà à sa sœur son aversion pour les femmes des country-clubs dont la conversation se limitait au choix des monogrammes sur les serviettes pour les invités et la pousse des dents de leurs enfants.

Selon le conseiller Fred Holborn, JFK recherchait « le véritable jeu de ping-pong dans la communication »[29]. Katharine Graham, alors épouse effacée du prestigieux patron du *Washington Post*, avouera avoir été « paralysée et réduite au silence » par sa « terreur » d'ennuyer JFK. Lors d'un dîner chez les Roosevelt Jr, la maîtresse de maison parvint à retenir l'attention du Président en citant Lincoln : « Mon Dieu, j'avais enfin dit quelque chose qui l'intéressait »[30], se souviendra-t-elle.

Kennedy « exécrait le manque de clarté », déclarera Isaiah Berlin : « Si quelqu'un restait vague, peu importaient ses vertus, sa sagacité ou sa position : il ne valait rien à ses yeux. »[31] Il en allait de même si l'on ne se montrait pas loyal à 100 %. « Les Kennedy faisaient preuve d'une grande exigence. Soit vous leur plaisiez, soit ils vous rejetaient. Ils considéraient vraiment les gens comme des courtisans. Ils les manipulaient et se servaient d'eux sans ménagement »[32], commentera Marian Schlesinger.

Ces courtisans devaient littéralement chanter et danser sur commande. Paul « Red » Fay, dont l'amitié avec JFK remontait à la Seconde Guerre mondiale, se retrouvait ainsi régulièrement à beugler une chanson dont le Président reprenait les paroles en riant. Oleg Cassini imitait la démarche de Chaplin ou faisait la démonstration du dernier pas de danse à la mode à New York. « Kennedy se savait tyrannique. Il n'hésitait pas à vous sommer de parler en vous désignant du doigt au milieu de cent cinquante convives. Oui, je faisais le singe savant, et c'est vrai, ce n'était pas très beau. Il se comportait ainsi avec beaucoup de gens. À Palm Beach, après un déjeuner copieux, il avait demandé à tout le monde de faire des pompes. Tous avaient obtempéré, en essayant même de l'impressionner »[33], racontera le couturier.

JFK avait « un sens de l'amitié exceptionnel »[34], écrira Arthur Schlesinger. Son attachement s'appuyait sur la chaleur, la sollicitude et la flatterie subtilement nuancée. À l'instar de Franklin D. Roosevelt, il compartimentait ses relations. « Ses amis formaient différentes strates et chacune d'elles se considérait la plus proche du centre. Mais Kennedy cloisonnait ses amis et les abusait tous »[35], écrira Schlesinger. Les intimes du Président « tenaient chacun un rôle précis sans forcément le savoir »[36], expliquera James Reed, ami de Kennedy depuis la Seconde Guerre mondiale. Même Theodore Sorensen, son alter ego intellectuel, ne savait jamais sur quel pied danser. « Sa position changeait d'une semaine à l'autre »[37], affirmera à son propos le conseiller Ralph Dungan au milieu de l'année 1963.

Kennedy semblait cacher quelque chose à chacun. « Personne – pas un conseiller, ami ou membre de la famille – ne connaissait véritablement le fond de sa pensée ni la totalité de ses actions sur un sujet donné »[38], fera observer Sorensen. Ainsi, Kennedy ne parlait des femmes qu'à certains de ses amis – en règle générale, à ceux avec lesquels il ne débattait pas de questions d'ordre intellectuel. Aucun des membres de son état-major politique n'ignorait sa férocité, ce que Schlesinger

appelait la part « résolue, implacable et impie » de sa personnalité, dont les amis qu'il fréquentait uniquement pour leur
société auraient été choqués. Laura Bergquist[39], journaliste
de *Look*, le qualifiait de « prismatique » : « Il avait de multiples
et curieuses facettes. »

Kennedy détestait la solitude. C'est pourquoi il s'entourait
constamment d'amis et de proches – sans doute, selon certains,
parce qu'il avait grandi avec huit frères et sœurs dans une
ambiance aussi tourbillonnante que celle d'un hôtel. Compte
tenu de cette incessante compagnie, il lui était difficile de se
sentir en profonde intimité avec chacun, mais ce prix ne
semblait pas si cher payé à ses yeux. Hormis une ou deux
personnes en mesure de prétendre avoir eu accès à ses sentiments, la plupart des gens entretenaient avec lui des relations
superficielles. « Jamais on ne vide son cœur en sa présence, ni
lui non plus. Je ne me vois pas me précipiter vers lui pour lui
parler de quelque chose qui m'a blessé, et Dieu m'est témoin
qu'il ne le ferait pas non plus avec moi »[40], commentait Bill
Walton.

Sa fréquentation était soumise à des règles précises. Charley
Bartlett fera observer que JFK « n'était pas un ami facile, quelqu'un avec qui l'on traînait le dimanche. Il fallait toujours
prévoir une promenade ou autre chose. »[41] Chuck Spalding eut
toujours conscience que le temps passé avec Kennedy avait
des limites : « Il n'aimait pas rester avec la même personne plus
de quarante-huit heures, et encore ! »[42] Tout le monde se
tenait constamment à disposition pour les invitations de
dernière minute, mais aussi pour répondre au téléphone à
n'importe quelle heure du jour ou de la nuit.

Dans ses rapports à ses supérieurs à Londres, David Ormsby
Gore soulignait que Kennedy avait mis en place « son propre
réseau privé de renseignements »[43], dont il se servait « pour vérifier les faits portés à sa connaissance sur les personnes et les
événements ». Loin d'en éprouver un trouble quelconque,
ses amis se sentaient au contraire reconnaissants de se voir
l'objet de « la manie de Kennedy de demander à chacun ce
qu'il pense »[44], selon les termes de James Reed.

Jack Kennedy se sentait plus à l'aise en compagnie des hommes. À cet égard, il ressemblait à son père, qui écrivit un jour à un ami : « Les femmes n'ont jamais aucune influence sur nos vies, nous sommes des hommes à hommes ! »[45] Pourtant, plusieurs femmes occupèrent une place importante au sein de la cour. Jack Kennedy avait grandi aux côtés de sœurs enthousiastes, alliant un caractère de petites filles au sens du raffinement, mais qui reconnaissaient l'autorité des hommes. JFK voyait essentiellement les femmes comme des objets sexuels à conquérir ; il ne l'intéressait guère de tomber amoureux, de partager ses sentiments ou de satisfaire ses partenaires.

S'il était volage, Kennedy n'en était pas pour autant misogyne. Il veillait à ce que Jackie demeure dans ce qu'elle appelait « son compartiment bonheur ». « Malgré ses incartades, et Dieu sait s'il y en eut, il était ravi et fier d'avoir épousé Jackie »[46], affirmera Arthur Schlesinger. Qu'elles fussent ses maîtresses, de simples boute-en-train, ses consolatrices, ses copines ou sa compagne, les femmes fascinaient Kennedy. Il s'intéressait à leur allure mais aussi à ce qu'elles portaient comme vêtements et à ce qu'elles pensaient.

Par son éducation (et parce que l'époque ne l'y encourageait pas non plus), il ne prenait pas les femmes suffisamment au sérieux pour en compter parmi ses conseillers. Si une femme tentait d'« accaparer son attention », « cela le rendait fou », selon son ami Bill Walton[47]. Peu à peu, il apprit néanmoins à apprécier l'esprit féminin au contact de Jackie, qui alliait intelligence et originalité, mais aussi de certaines journalistes, notamment Barbara Ward, baronne de Lodsworth, qui travaillait pour *The Economist*. Selon Arthur Schlesinger, Kennedy respectait cette femme de 46 ans pour « sa capacité à formuler les problèmes de manière perspicace et convaincante ». Marian Schlesinger soulignera d'autres aspects de son pouvoir de séduction : « C'était une intellectuelle qui était belle et qui savait choisir ses toilettes. En tant que spécialiste, elle intriguait tous ces garçons. »[48]

Jackie évoluait dans un cercle moins important. « Elle ne devait pas trouver aussi reposant d'être entourée de tant de monde »[49], déclarera Lee, sa sœur. Sur sa ligne de téléphone privée à la Maison-Blanche, « elle appelait quand même un certain nombre d'amis, mais ses conversations restaient limitées »[50], se souviendra Tish Baldrige, sa secrétaire particulière à la Maison-Blanche.

Il a souvent été dit – généralement par celles qui avaient essuyé ses rebuffades – que Jackie n'avait que faire des femmes et qu'avec elle, il n'y en avait que pour les hommes. « Elle les amadouait en leur offrant du vin et des cigarettes »[51], affirmera Pat Hass, qui l'aida à monter l'école de la Maison-Blanche. Il est vrai que Jackie trouvait les hommes plus intéressants que les femmes – surtout à l'époque de la Maison-Blanche où elle évoluait parmi des hommes brillants, puissants et séduisants. (Avant d'épouser JFK, elle avait révélé au journaliste John White son ambition de devenir « la confidente d'un homme important ».) La plupart des femmes de l'époque menaient une vie confinée, dont Jackie n'avait aucune envie. « Elle appréciait la compagnie des hommes pour leur état d'esprit »[52], commentera Robert McNamara, le ministre de la Défense.

Pour Jackie Kennedy, la loyauté était aussi importante que pour son mari – surtout à la Maison-Blanche, où elle avait du mal à sortir du cadre de ses amitiés forgées dans sa jeunesse. Depuis l'enfance, elle avait toujours soigneusement choisi ses amis, avec une préférence pour les personnalités excentriques. La plupart des femmes de son entourage avaient de la cervelle, du style, de l'humour et de l'imagination. « Elle n'aimait pas les têtes vides qui ne parlaient que de manucure »[53], expliquera sa vieille amie Solange Batsell Herter. Elle-même déclarait ne pas apprécier non plus les « arrogantes » qui se mettaient trop en avant. « Elle ne détestait pas la féminité mais les femmes qui recherchent la même chose que les durs à cuire »[54], ajoutera Solange Herter.

En compagnie de ses amis de confiance, Jackie pouvait se montrer insouciante et expansive, toutefois elle tardait à se livrer. « Jackie n'aimait pas les relations superficielles. Elle recherchait quelque chose de plus »[55], affirmera Deeda Blair, dont le mari, Bill, fut nommé ambassadeur au Danemark sous Kennedy. Certes, elle plaçait haut la barre pour l'esprit et l'intelligence, mais elle savait aussi inciter les gens à parler, faire en sorte qu'ils se sentent importants, à l'instar de son mari.

Néanmoins, les plus proches avaient également conscience de son côté « douche écossaise »[56], pour reprendre l'expression de Solange Herter – ouverte et accueillante un moment, distante et préoccupée la minute suivante. Ces « périodes hermétiques »[57], comme les appelait Oleg Cassini, laissaient parfois ses amis perplexes. « Elle se montrait tout à coup enthousiaste, puis l'enthousiasme retombait »[58], fera observer Tish Baldrige.

Bien des observateurs soulignèrent l'incomparable retenue du couple présidentiel. Aucun de leurs amis n'avait d'ailleurs le sentiment de leur être indispensable. Jack Kennedy « donnait l'impression d'être très affectueux et sympathique, mais il faisait preuve d'une grande réserve »[59], un trait mystérieux dans lequel « devaient prendre leur source la fascination et le pouvoir qu'il exerçait sur les autres », selon Arthur Schlesinger. Jackie aussi « restait sur son quant-à-soi », d'après Tish Baldrige : « Elle se suffisait à elle-même. »[60] Aux yeux de Schlesinger, « Jack Kennedy appréciait ses amis tandis que Bobby en avait besoin. Ce n'est pas que Jack n'aimait pas les gens, simplement il n'avait pas besoin d'eux. »[61]

Sans doute l'opinion du conseiller était-elle influencée par la position tangente qu'il occupait à la Maison-Blanche. « Je doute que la vie eût été différente pour lui si je n'étais pas venu à Washington. Je n'avais guère d'influence sur lui, mais il aimait discuter avec moi »[62], déclarera Schlesinger. D'autres, dont Sorensen, exerçaient une réelle emprise sur le Président et le savaient. Ayant pour rôle de rédiger ses discours, Sorensen expliquait : « Je me servais d'idées que j'espérais le voir partager. J'avais l'opportunité de faire entendre ma voix »[63], pour l'aider à se forger ses opinions.

Jack comme Jackie s'en remettaient largement à leur entourage pour glaner des idées, une approbation, de l'aide ou de l'inspiration. Dans la gestion des relations avec l'Union soviétique comme dans le choix des tissus pour les murs de la chambre Bleue, le Président et la première dame s'appuyaient constamment sur les connaissances de leurs amis et collaborateurs de confiance. C'était beaucoup moins vrai pour tous les problèmes d'ordre affectif. Les personnes les plus intimes restaient les membres de la famille. Malgré les liens étroits du clan, certains jouissaient pourtant d'une plus grande familiarité que d'autres. La plupart des amitiés du couple présidentiel dataient de périodes clés de leur histoire respective – pour Jack, il s'agissait des études, de la Marine et de la vie politique, pour Jackie, de l'enfance et de l'école. Il existait par ailleurs des relations nouées dans des temps plus récents, qui reflétaient leurs besoins sur le plan de leurs aspirations personnelles mais aussi sociales, intellectuelles et politiques.

Jack Kennedy souscrivait à la théorie du « grand homme » de l'Histoire et le microcosme qu'il avait instauré à la Maison-Blanche avec Jackie illustrait parfaitement ce concept : un groupe d'individus dynamiques, doués, étonnamment jeunes et résolus qui ne se laissaient pas porter par les événements mais faisaient valoir leurs idées et leurs politiques. Les Kennedy et leur cénacle avaient l'ambition, pour ne pas dire la prétention, de créer une Amérique à leur image et à leur goût. On peut saluer leur remarquable réussite puisqu'ils ont laissé derrière eux, puisant leur source dans les idéaux de Jefferson, une nation plus affirmée, habitée par une vision et une philosophie. Chemin faisant, ils ont dépassé les vains efforts des années 1950 et lancé l'Amérique sur une voie plus élevée, mêlant le raffinement de l'Ancien Monde à la vitalité et la puissance du Nouveau. Ces personnalités uniques se sont croisées à une époque unique, une époque où rien ne semblait impossible.

NDE : Ce livre est basé sur de nombreux témoignages et extraits de magazines. Toutes les références des sources rapportées dans ce livre peuvent être consultées sur le site internet : www.efirst.com.

CHAPITRE 1

L'accession d'un couple jeune et charismatique à la Maison-Blanche

« Où est passée Jackie ? »[1] demandait Jack[a] Kennedy, fouillant la maison de ses parents à Hyannis Port. Au lendemain de son élection à la présidence des États-Unis d'Amérique, une douzaine de proches s'étaient réunis pour la photographie officielle de la victoire. Or son épouse avait disparu. En chaussures plates, vêtue d'un imperméable à col boule en laine verte contre la fraîcheur prématurée de ce mois de novembre, Jackie effectuait une promenade solitaire sur la plage. Jack coupa à travers les dunes verdoyantes pour la rejoindre. Lorsque le couple se présenta enfin au salon, la famille le salua par une salve d'applaudissements.

Ce moment immortalisa le contraste des personnalités du jeune président de 43 ans et de son épouse, alors âgée de 31 ans. Le jour du scrutin, le clan des Kennedy s'était rassemblé dans la propriété du détroit de Nantucket, fief de la famille depuis trente-cinq ans. Tout au long de la journée, jusque tard dans la nuit, alors que les esprits oscillaient entre espoir et déception, Jackie avait fui toute cette agitation dans son radieux salon blanc et jaune. Parmi les sofas en chintz, les tapis accrochés aux murs, les lampes à pieds en Staffordshire et une multitude de coussins, elle suivait les résultats auprès de ses « merveilles », comme les appelait Lady Bird Johnson – de curieux dessins et aquarelles représentant ses proches dans le

---

a) Jack est le diminutif de John.

style de son mentor artistique Ludwig Bemelmans[2]. (Norman Mailer fit un jour remarquer avec condescendance que ce salon était effectivement digne d'un jeune dirigeant jouissant d'une vague importance à Cleveland)[3].

Jack, lui, n'avait cessé d'aller et venir entre les trois demeures des Kennedy : la confortable villa de trois pièces qu'il partageait avec Jackie, la maison voisine de son directeur de campagne, Bobby, où étaient centralisés les téléscripteurs et les standards téléphoniques et la vaste demeure blanche en bardeaux de son père, dont les dix-sept pièces s'agrémentaient d'une large véranda ouverte sur l'océan.

Outre son entourage proche, Jack avait sollicité ses assistants et ses amis stationnés en divers endroits pour obtenir des informations, se rassurer et se distraire. La « mafia irlandaise » – Kenny O'Donnell, Larry O'Brien et Dave Powers – ainsi que Ted Sorensen, dans son ombre depuis près de quatre ans de campagne, partageaient l'angoisse du candidat qui faisait les cent pas, se tapotant les dents de la main droite quand il ne tambourinait pas des doigts sur les tables. Pour détendre l'atmosphère, son ami d'enfance Lem Billings, hôte de Joe et Rose Kennedy, avait fait mine d'essuyer une larme. « Encore un État de perdu. Son score demeure à moins 100 %. Il a perdu l'ensemble des comtés et des États qu'il était censé diriger »[4], avait ironisé en retour JFK.

Après un dîner tranquille, servi dans la salle à manger à la moquette rouge, Bill Walton[5] était resté chez les Kennedy pour tenir compagnie à Jackie. L'artiste, de Washington, était celui dont elle se sentait le plus proche parmi les intimes de son mari. Pour la divertir, il lui parlait de peinture. Lorsque les résultats s'étaient annoncés prometteurs, à 22h30, Jackie s'était adressée à son mari en l'appelant par son petit nom : « Mon lapin, tu es désormais Président »[6]. « Non, il est encore trop tôt » avait-il répondu.

Jackie était partie se coucher avant minuit[7]. À près de huit mois de grossesse, elle s'efforçait d'éviter à son enfant tout risque d'excès de fatigue car elle avait déjà perdu deux bébés, l'un en 1954, au bout d'un an de mariage, l'autre – une petite fille prénommée Arabella – en 1956. Selon la déclaration des médecins, cette mort à la naissance était dûe à « la chaleur et aux bains de foule »[8] lors de la convention démocrate à Chicago. En novembre 1957, Jackie avait néanmoins mis au monde une fille, Caroline, après s'être imposée des mois de repos. Cette fois non plus, elle ne prendrait aucun risque.

Elle s'était réveillée au retour de Jack, à 4h du matin. Même si les résultats demeuraient incertains, il conservait son optimisme. Pendant leur sommeil, des agents des services secrets avaient discrètement pénétré dans la propriété pour en assurer la sécurité. C'est à 9h30 le lendemain matin, que JFK, assis dans son lit en pyjama blanc, avait appris par la bouche de Sorensen qu'il était le vainqueur. Après le petit déjeuner, il était allé faire un tour sur la plage en compagnie de ses proches. Une heure plus tard, tandis que la famille s'adonnait au football sur la pelouse devant la maison, Jackie s'était éclipsée à son tour pour une promenade en solitaire sans que son mari, à son habitude, ne s'en fût aperçu.

Cet après-midi-là, ils se tenaient côte à côte sur l'estrade devant la caserne de la garde nationale à Hyannis. Jamais aussi beau couple n'avait eu accès à la présidence. Du haut de ses 1, 83 m pour 75 kg, la mine bronzée et l'air pétillant, les épaules larges et la taille svelte, il ressemblait à un présentateur de télévision. Il avait un tour de tête particulièrement large puisqu'il portait des chapeaux de taille soixante et un. Son épaisse chevelure châtain (une fierté que ses secrétaires entretenaient en lui massant régulièrement le cuir chevelu) était soigneusement coiffée, ses yeux gris sous ses paupières lourdes affichaient un regard posé et impénétrable. Toute sa chaleur et son charisme émanaient à travers un large sourire radieux.

De son côté, Jackie trahissait ses émotions par un regard extraordinaire si attendrissant qu'un journaliste de Cape Cod écrivit un jour qu'il « serait intolérable d'écrire quoi que ce fût de peu flatteur au sujet d'une personne dotée de tels yeux »[9] – de grands iris noisettes bordés de cils très noirs. Très photogénique, son visage carré était encadré par une chevelure brune légèrement crêpée lui donnant « un air de lionne »[10]. De beaux sourcils fournis soulignaient ses yeux, « malheureusement écartés »[11] à l'entendre, et elle avait un teint de porcelaine, le nez rondelet et une bouche souple surplombant un menton solide. Par égards pour sa grossesse, elle portait un « manteau bouffant violet »[12]. D'ordinaire, elle avait une silhouette de mannequin pour une taille d'un mètre soixante-dix.

Chacun à leur manière, Jack et Jackie s'étaient préparés à cet instant depuis des années. Ils avaient beaucoup appris l'un de l'autre, ils partageaient les mêmes ambitions et étaient impatients de modifier leurs rôles respectifs à la Maison-Blanche. Tous les deux brillants et curieux, ils aimaient les livres et possédaient une très bonne mémoire. Chacun avait l'esprit vif et ironique, marque d'une grande intelligence. D'un humour plutôt pince-sans-rire, Jack expliquait lorsqu'on l'interrogeait sur sa vie de soldat : « Je suis devenu un héros malgré moi. On avait coulé mon bateau »[13]. En général, il brillait dans l'œil de Jackie une lueur malicieuse. Telle « une gamine de huit ans très espiègle »[14], faisait observer Norman Mailer, elle maîtrisait parfaitement le sens du ridicule. Alors qu'un journaliste dur à cuire lui demandait un jour de traduire l'expression française « Honni soit qui mal y pense », inscrite sur sa ceinture en lettres d'or, elle lui rétorqua que cela signifiait : « aimez-moi, aimez-mon chien »[15].

De confession catholique, le jeune couple présidentiel avait grandi dans un milieu fortuné et raffiné – elle à Manhattan, Paris, Easthampton, Newport et Washington ; lui à Bronxville, Londres, Palm Beach, Hyannis et sur la Côte d'Azur. Jackie était par ailleurs liée à la haute société blanche protestante par Hugh D. Auchincloss II, un agent de change appartenant à une famille prestigieuse, que sa mère avait épousé en secondes noces. Outre des séjours au Moyen-Orient et en Asie, Jack passait régulièrement l'été en Europe depuis l'adolescence. À 24 ans, Jackie avait déjà effectué cinq voyages en Europe. De même, le couple affichait un cursus universitaire comparable : Choate et Harvard pour lui, Miss Porter's et Vassar pour elle.

« Le blason du nouveau gouvernement devrait être un chapelet de marguerites sur champ rouge »[16], raillait Jackie.

Elle avait rompu ses fiançailles avec John Husted, un agent de change new-yorkais d'excellente lignée après sa rencontre avec Jack. « Tout ce que je veux, c'est quelqu'un avec un peu d'imagination mais ce n'est pas facile à trouver. Pour moi, c'est l'ouverture d'esprit qui compte »[17], avait-elle expliqué à sa sœur, Lee, un an avant sa première soirée en compagnie de JFK. Leur mariage à Newport, manifestation à la fois sociale et politique, avait été célébré en grandes pompes, au mois de septembre 1953, en compagnie de mille quatre cents invités. Or l'union avait failli échouer dès les premières années car Jackie souffrait de la solitude que lui imposait l'activité politique de son mari. Selon les dires de Lem Billings à Doris Kearns Goodwin, biographe officielle de la famille Kennedy, à ce sentiment d'abandon s'ajoutait « l'humiliation que lui faisait subir Jack dans les réceptions en disparaissant subitement au bras d'une jolie fille »[18].

En 1956, alors que leur relation touchait le fond, Jackie avait révélé ses blessures lors d'un entretien filmé. En témoigne l'une des chutes, dans laquelle on voit l'interviewer lui demander : « Vous en êtes profondément amoureuse, n'est-ce pas ? »[19]. Elle grimace, détourne les yeux, rit et déclare : « Oh non ». Regardant à nouveau son interlocuteur, elle réfléchit avant d'ajouter : « J'ai dit "non", n'est-ce pas ? ». Dans une nouvelle prise, à la même question, elle répond : « Je pense que oui », puis ajoute : « J'ai tout gâché, non ? ».

Au début, cette humeur maussade et la franche aversion de Jackie pour la politique déconcertaient Jack. « Cela le rendait fou »[20] déclarait Billings. Néanmoins, après sept années de mariage, chacun était parvenu à comprendre les points forts et les faiblesses de l'autre avec une grande objectivité. « Malgré toutes les émanations politiques qui flottent autour de nous, jamais elle ne semble contaminée »[21], déclara Jack. Jackie conservera toujours son détachement impertinent, d'ailleurs ses jugements perspicaces et ses observations désabusées finiront par le servir. Elle apprendra à se consacrer à ses intérêts tout en conservant sa forte personnalité, refusant de devenir ce qu'elle appelait « une épouse "plante verte"... banale, inintéressante »[22].

Son intelligence ainsi que sa passion pour l'histoire et son intérêt pour ce qu'il considérait comme « les choses de l'esprit – l'art, la littérature et autres »[23] plaisaient à Jack. À la comparer à ses propres sœurs, « directes et dynamiques »[24], il appréciait « sa plus grande sensibilité, son caractère plus réfléchi, quasi-visionnaire »[25]. Jackie affectionnait sa tendance à se dénigrer lui-même et son « esprit de curiosité toujours en éveil »[26] : « Si je devais le dessiner, je le représenterais avec un corps minuscule coiffé d'une tête gigantesque ». Elle expliquait qu'elle était « fascinée par sa manière de penser »[27] : « Pas un argument ne lui échappe pour servir son raisonnement ». En politique, elle admirait son « assurance placide et sa certitude quant à ses points forts »[28].

Dans le privé, on percevait qu'un lien fort les unissait lorsqu'ils « échangeaient des regards »[29], affirmera Dave Powers. « Jackie est la seule femme à laquelle je l'ai jamais vu témoigner de l'affection »[30], déclarera Vivian Crespi, une amie de longue date. Durant la campagne, Iris Turner Kelso, une journaliste de Louisiana avait été « fascinée » par le « long baiser » avec lequel elle avait vu Jack accueillir Jackie. « Nous aimions nos maris comme une femme aime un homme. Ils nous aimaient et étaient fiers de nous »[31], écrira Jackie à l'épouse du gouverneur John Connally, Nellie, après l'assassinat de JFK. Pourtant la vie intime des Kennedy ne manquait pas de surprendre leurs familiers. Compte tenu de la beauté, de l'intelligence et de la classe de son épouse, les frasques perpétuelles de Jack les laissaient perplexes. Sans doute avait-elle une plus grande capacité à l'aimer. Selon Robin Chandler Duke, qui le connaissait depuis près de vingt ans, « Jack émettait quelques réserves alors que son amour à elle était sans bornes »[32].

L'attitude du couple semblait souvent formelle, en grande partie en raison de son éducation car, dans les pensions de la haute société, les effusions en public étaient taboues. « Nous nous ressemblons dans la mesure où la vie publique de Jack ne représente que la partie visible de l'iceberg. Je me flatte d'avoir fait de sa vie privée un refuge dans lequel il peut trouver amour et sérénité – un foyer confortable et bien géré, peuplé de toutes les choses qu'il aime – des photos, des livres, de bons petits plats, des amis – et sa fille et sa femme prêtes à l'accueillir dans ses moments de loisir »[33], écrira Jackie au journaliste Fletcher Knebel, peu après l'élection. Pour elle surtout, la vie à la Maison-Blanche représentait la possibilité d'envisager la vie de famille sous un jour meilleur, en laissant les années de campagnes incessantes derrière eux.

Pâle, le menton légèrement levé, Jackie regardait avec attention son époux prononcer son discours inaugural, serrant dans ses mains tremblantes des monceaux de télégrammes de félicitations. « Ma femme et moi nous préparons à un nouveau gouvernement et à un nouveau bébé »[34], conclut-il, suscitant un léger sourire chez Jackie. « L'impitoyable Jack, les larmes aux yeux et dans la voix ; c'était bien la première fois que je voyais la moindre trace d'émotion chez le candidat ou son équipe »[35], signala la journaliste Mary McGrory à son confrère Teddy White.

De part et d'autre du couple, sur l'estrade bondée, se tenaient les parents, les deux frères et les trois sœurs de Jack – « tous issus du même moule : la chevelure, les dents et la langue pris dans le même stock »[36], observait l'aristocrate britannique Diana Cooper – en compagnie de leurs conjoints respectifs, tout aussi resplendissants. Les fantômes de l'aîné des garçons, Joe Jr., et de sa sœur Kathleen, tous deux décédés de longue date, hantaient le tableau de famille de leur jeunesse pleine de promesses. Absente, comme toujours, Rosemary, la sœur mentalement retardée de 42 ans, était soignée par des religieuses depuis l'échec de la lobotomie tentée par son père vingt ans plus tôt. Alors que Joe Kennedy avait espéré ainsi tempérer son comportement agressif, elle avait perdu toute capacité de s'exprimer et de comprendre. Son sort n'était connu que de la famille ; pour le public, Rosemary avait été « victime enfant d'une méningite cérébro-spinale »[37], une maladie dont Joe Kennedy affirmait abruptement au magazine *Time* qu'il « valait mieux ne pas cacher ».

Joseph Patrick Kennedy, patriarche de 72 ans surnommé par tous « l'Ambassadeur », s'était lui-même exprimé un jour devant la caserne. Près de vingt ans auparavant, en novembre 1940, Joe avait fui la vie publique après avoir été limogé de l'ambassade américaine en Grande-Bretagne par Franklin D. Roosevelt en raison de sa politique de rapprochement avec les nazis. Grand stratège de la carrière politique de son fils – trois mandats au Congrès, deux au Sénat – Joe était demeuré dans l'ombre, refusant même de paraître lorsque Jack avait remporté l'investiture démocrate au mois de juillet précédent. Néanmoins, cette fois, Jack Kennedy avait passé outre l'autorité paternelle et retardé l'apparition en public de la famille jusqu'à l'arrivée de l'Ambassadeur. Sur l'estrade, Joe Kennedy avait l'air « sévère et blême »[38]. Il regimba lorsque JFK tenta de le pousser dans l'axe des caméras de télévision, un « instant délicat »[39] selon Teddy White. Son hésitation faisait mentir la joie que lui procurait la victoire électorale de son fils. Il avait fallu tant d'années de dur labeur et une détermination de fer, sans compter d'importantes injections d'argent pour faire de Jack le premier président catholique irlandais. Au-delà du triomphe du fils, cette élection représentait une glorification personnelle pour le père.

CHAPITRE 2

Des débuts agités :
rumeurs, grossesse difficile de Jackie

Au dîner, le lendemain de son élection, Jack Kennedy se montra en veine d'effusions. Une fois de plus Bill Walton était invité, en compagnie cette fois de Ben Bradlee, de la revue *Newsweek*, et de son épouse, Tony, une ravissante blonde. Exclu du groupe, Lem Billings était demeuré chez Joe Kennedy. Son absence témoignait non seulement de son statut au sein du clan Kennedy mais aussi de la volonté de Jack de cloisonner ses amitiés. Selon Bradlee : « Jack savait que Lem ne pouvait pas me voir et réciproquement »[1]. Walton considérait Billings tout bonnement comme un « nul »[2].

En regardant Jackie et Tony, toutes deux largement avancées dans leur grossesse, JFK plaisanta : « C'est bon, les filles, maintenant vous pouvez laisser tomber les coussins. On a gagné »[3]. Derrière les rires, Jackie masquait une certaine irritation. Plus tôt dans l'année, la journaliste Dorothy Kilgallen avait fait courir le bruit que l'annonce de sa grossesse avait été organisée pendant la campagne électorale pour éviter que les électeurs ne soient rebutés par le changement d'allure de sa personne d'ordinaire si distinguée. « Croyez-vous que je devrais glisser un coussin sous ma robe pour l'en convaincre ? »[4], avait demandé Jackie.

L'élu oublia rapidement ses railleries, impatient, comme à l'habitude, de passer à un autre sujet. Sur un ton jovial, il demanda à chacun de ses invités leurs suggestions concernant la nomination du gouvernement. Bradlee proposa de remplacer Allen Dulles, le directeur de la CIA depuis près de dix ans, tandis que Walton émettait une suggestion comparable à l'égard de J. Edgar Hoover, responsable du FBI depuis trente-six ans. Jack sembla approuver, c'est pourquoi l'annonce du maintien en poste des deux hommes le lendemain dans les journaux déconcerta Walton et Bradlee.

En ce qui concernait Hoover, Kennedy n'avait guère le choix car le directeur du FBI avait beaucoup trop de prise sur lui. Pendant plus d'un an au début des années 1940, l'agence avait mené une surveillance sur Inga Arvad, une maîtresse de JFK soupçonnée d'être une espionne nazi. Cette sculpturale Danoise divorcée avait frayé dans l'entourage de Hitler et écrit par la suite que le Führer « n'était pas aussi mauvais que le décrivaient les ennemis de l'Allemagne »[5] et « sans aucun doute un idéaliste ». Même après avoir été alerté de la présence de micros et de la mise sur écoute de ses lignes de téléphone, JFK n'avait pas mis un terme à ses rendez-vous galants. Cet acte de défi donnait la mesure de son penchant pour la prise de risques et de son entichement pour cette femme de quatre ans son aînée qui s'était un jour targuée « d'avoir des tas de choses à lui apprendre et d'être ravie de le faire »[6].

Kennedy savait que Hoover[7] détenait le dossier renfermant les éléments précis de ses rapports avec « Inga Binga ». Cependant il ignorait que le FBI avait également suivi de près ses aventures durant la campagne présidentielle. Au rang de ses maîtresses figurait Judith Campbell (future Judith Exner), ancienne compagne de Frank Sinatra, qui fréquentait à l'occasion le truand Sam Giancana. Sinatra les avait présentés l'un à l'autre en février 1960, lors d'un meeting électoral à Las Vegas, parce qu'il pensait que sa ressemblance avec Elizabeth Taylor plairait à JFK. À l'automne 1960, le FBI ne l'avait pas encore identifiée ; des informateurs avaient simplement signalé qu'il pourrait être « compromis » par une femme de Las Vegas.

Ni Walton ni Bradlee n'avaient idée de tout cela. Leur audacieuse recommandation concernant le limogeage de deux icônes de la sécurité nationale ne pouvait émaner que de personnes assurées de leur intimité avec le Président. Walton avait près de dix ans de plus que Kennedy et ils étaient amis depuis le premier mandat de député de JFK en 1947. Fils d'un patron de presse de l'Illinois, Walton avait été parachuté en Normandie le jour du débarquement comme correspondant de guerre. Il avait néanmoins quitté le journalisme à 40 ans pour se consacrer à la peinture. Spirituel et cultivé, il comptait parmi les amis d'Ernest Hemingway.

Avec ses oreilles en feuille de chou « splendidement tarabiscotées »[8], son sourire contraint et ses marques de petite vérole, Walton avait « la tête malicieuse et drôle d'une citrouille décorée pour Halloween », selon Martha Gellhorn. Sa voix langoureuse de baryton était ponctuée de chaleureux petits rires conspirateurs. Kennedy adorait les indiscrétions, or Walton était toujours au courant des tout derniers ragots. Ne mâchant pas ses mots, il se montrait parfois brusque et affichait toujours un air détaché. Il avait « un humour formidable, sans une once d'affectation »[9], écrivait l'ancienne épouse de Hemingway.

Bradlee était entré dans l'orbite de Kennedy par un dimanche après-midi, début 1959, au cours d'une promenade dans son quartier de Georgetown. Le journaliste rentrait d'un reportage à Paris. Il était marié depuis trois ans à sa seconde épouse. Fille de l'éminente famille Pinchot, Tony avait quitté son mari pour Ben à la suite de leur liaison qui avait débuté dans un château du XIXe siècle. Quatre ans plus jeune que JFK, Bradlee était un ami évident pour un jeune politicien ambitieux. Sa famille unissait trois siècles de haute société bostonienne et new-yorkaise (du côté maternel, on trouvait Frank Crowninshield, fondateur de *Vanity Fair*). Comme Kennedy, il avait été pensionnaire (à Saint-Mark), étudiant à Harvard et avait servi dans la marine durant la Seconde Guerre mondiale.

Leurs conversations tournaient invariablement autour de « la vie privée et de l'attitude en public des hommes politiques, des journalistes et de leurs amis »[10] – ce que Sorensen qualifiait de « bruits de cour du XIXe siècle »[11]. Bradlee se montrait obscène à dessein. L'esprit leste, il semblait pourtant que ces idées lui venaient involontairement, sans préméditation. Il était suffisamment original pour porter des tatouages : un serpent lové autour de ses initiales sur la fesse droite et un coq sur l'épaule gauche. Avec ses cheveux noirs lissés en arrière, la raie tracée au cordeau, Ben transpirait la virilité et le culot des écoles privées. Il alliait pratiquement tous les traits chers à Jack Kennedy : la classe, la beauté, l'humour effronté, l'esprit matérialiste et la confiance en soi. Comme il l'admettait lui-même : « Il fallait de la légèreté pour atteindre Jack, pour franchir ses défenses »[12].

« J'ai épousé un tourbillon. Les gens qui tentent de le suivre tombent comme des mouches, moi y compris »[13], déclarait Jackie Kennedy. Durant les dix semaines séparant les élections de l'adresse inaugurale, Jack et Jackie posèrent les bases de la présidence Kennedy en sélectionnant les personnes clés du gouvernement, en établissant les thèmes et en fixant les priorités pour les quatre années à venir. Au lieu d'opérer depuis un poste de commandement unique, Jack Kennedy maintint ses habitudes de campagne. Entre la Floride, Washington, le Texas, le Massachusetts et New York, il parcourut des milliers de kilomètres à bord du *Caroline*, l'avion privé de la famille, sans jamais demeurer plus de quelques jours au même endroit. Il reçut des candidats en entretien, rencontra des dignitaires, prit conseil auprès de ses amis et de « sages », lut un roman (*La Sinécure* d'Anthony Trollope), accorda des entrevues à la télévision et à la presse, se baigna dans les hautes vagues de Floride, joua au football, alla à la pêche, digéra des notes de service et des rapports, passa des heures au téléphone à vérifier des références, assista à des réunions marathon, joua au golf et au tennis, tint dix-neuf conférences de presse, assista à une pièce de théâtre (*The Best Man* de Gore Vidal) et prononça un discours mémorable, devant les parlementaires du Massachusetts, élevant la nation au rang de « ville sur une colline »[14] vers laquelle « tous les yeux sont tournés ».

C'est en répondant à l'invitation du vice-président Lyndon Johnson dans son ranch texan qu'il remplit sa mission la plus délicate. « Nous chasserons le cerf »[15] avait annoncé avec un sourire lady Bird, l'épouse de Johnson. Dans sa jeunesse,

Kennedy avait chassé la grouse en Grande-Bretagne et, plus récemment, la caille, néanmoins ce genre de sport sanguinaire le rebutait. Johnson insista pour qu'il l'accompagne dans l'abri aménagé en attendant qu'on rabatte les cerfs. Lorsque Jack abattit deux mâles en trois coups, Johnson se répandit en compliments. « Quel fantastique tireur » s'écria-t-il, ce à quoi Kennedy ne put que rétorquer : « Merci Lyndon, mais j'ai bien repéré les marques que la corde avait laissées sur les pattes de cette bête »[16].

Du début à la fin, les relations entre Kennedy et Johnson seraient marquées par leurs sensibilités opposées – une différence prononcée de ton et de style. Au Sénat, où Johnson avait régné pendant cinq ans à la tête de la majorité et était largement considéré comme le second homme le plus puissant de Washington après le Président Eisenhower, ils avaient entretenu des rapports cordiaux mais méfiants. Selon Johnson lui-même, le jeune sénateur du Massachusetts n'était que « menu fretin » comparé à lui, la « baleine »[17]. « Pour Johnson, [JFK] représentait le neveu dont on envie le charme lorsqu'il entonne une ballade irlandaise pour l'assemblée et qui s'éclipse avec élégance avant qu'on ne commence à débarrasser la table et faire la vaisselle »[18], écrira Harry McPherson, conseiller de longue date de Johnson.

Le Président et son vice-président s'opposaient en tout ou presque. Physiquement, Johnson ne surpassait Jack que par la taille. Il lui suffisait d'ailleurs de se redresser pour paraître avoir plus de dix centimètres supplémentaires. Ses bras d'une longueur disproportionnée se terminaient par des mains pareilles à des gants de base-ball. Comparé au beau visage de JFK, celui de Lyndon était puissant mais irrégulier, agrémenté d'yeux sombres et tombants, d'un gros nez, d'oreilles proéminentes et d'un menton fort et fendu.

Johnson était né quelque neuf ans seulement avant Jack Kennedy. Dans sa jeunesse, il avait cueilli le coton et travaillé harnaché à des mules dans une équipe de forçats employés à construire les routes. Tandis que l'intellectuel serein se montrait charmant et perspicace, Johnson affichait une humeur changeante et un caractère mal dégrossi. « Lyndon était une personne très dynamique qui remplissait la pièce. Jack était plus réservé »[19], affirmait Ben Bradlee. Johnson était toujours très physique dans son rapport aux autres. Il frappait les poitrines, attrapait l'épaule, se penchait extrêmement près. « Il vous aspirait littéralement »[20], déclarait Orville Freeman, gouverneur du Minnesota puis ministre de l'agriculture du gouvernement Kennedy. « On avait l'impression qu'il vous prenait dans ses tentacules »[21].

Kennedy et Johnson étaient aussi différents dans leur discours. Laconique, Jack s'arrêtait parfois avant d'avoir terminé sa phrase s'il avait dit ce qu'il avait à dire ; Johnson était notoirement loquace, il répétait la même chose de dix manières différentes afin d'être sûr de se faire comprendre. En un sens, deux générations s'affrontaient, l'une s'adressant aux médias, l'autre à la foule sur la place poussiéreuse d'un palais de justice du Texas. Johnson était un excellent conteur qui ne lisait que rarement et s'informait généralement auprès de ses hommes de confiance. Si nombre de compagnons de Kennedy sous-estimaient l'intelligence de Johnson, JFK reconnaissait l'habileté qui se cachait derrière les mots simples et les expressions colorées de son partenaire[22]. À l'instar du Président, Johnson impressionnait par sa mémoire – des faits, des noms et des situations.

Certes la vulgarité de Johnson – qui n'hésitait pas à uriner dans un lavabo au bureau, à se gratter l'entrejambe ou à se mettre les doigts dans le nez en public – donnait envie à Kennedy de disparaître sous terre. Toutefois, même s'il le taxait « de mufle fruste »[23], il admirait son dynamisme, son adresse et son dévouement. Il le considérait comme un cheval de labour chevronné, roué aux ficelles de la politique législative. Depuis son élection au Congrès à l'âge de 28 ans en 1936, fervent partisan du New Deal, Johnson avait construit sa base, cultivé ses alliés, accumulé les reconnaissances de dettes, flatté et échangé des faveurs – bref, usé de tout l'arsenal politique.

Le choix de Johnson à la vice-présidence avait joué un rôle fondamental dans la victoire démocrate. S'il ne s'était pas activement opposé à la candidature de Kennedy en 1960, il avait manœuvré en coulisses pour réunir des délégués et sceller des alliances afin de faire obstacle à sa victoire au premier tour, ce qui lui avait permis de faire figure de candidat de compromis à la convention. La stratégie avait échoué mais Johnson comptait encore le second nombre de voix le plus élevé avec une marge considérable. Lorsque les libéraux hurlèrent qu'un conservateur dépassé du Sud allait ternir son message de jeunesse et de vigueur, Kennedy affirma à ses conseillers que Johnson pouvait délivrer le Sud et se laisser « imprégner de sa touche catholique »[24]. Toujours très pragmatique, Joe Kennedy approuva le choix de son fils, considérant qu'il s'agissait de la « décision la plus brillante »[25] qu'il ait jamais prise.

En outre, Kennedy préférait avoir Johnson « comme collaborateur plutôt que comme rival »[26] au Capitole. « J'ai 43 ans. Je ne vais pas décéder durant mon mandat. Alors la vice-présidence ne représente rien »[27], expliquait-il à son conseiller Kenny O'Donnell. Pour valoriser sa fonction, il assura Johnson qu'il serait chargé « de missions importantes… surtout dans les affaires étrangères »[28]. De son côté, Johnson pensait qu'il serait beaucoup moins appréciable d'être chef de la majorité sous un président actif tel que Kennedy que sous la présidence plus passive d'Eisenhower car Kennedy s'attribuerait le crédit de ses succès législatifs et ne manquerait pas de le blâmer pour le moindre échec. Quelque peu froidement, Johnson avait confié son raisonnement à la journaliste Clare Boothe Luce : « J'ai bien réfléchi. Un Président sur quatre est mort durant son mandat. Je suis joueur, ma chère, et c'est la seule chance qui me soit offerte »[29].

Tandis que JFK sillonnait le pays, Jackie s'occupait à la maison, à Washington. D'instinct elle s'était entourée d'un personnel connu en qui elle avait toute confiance, à commencer par sa secrétaire, ancienne employée de sa mère puis de son mari au Sénat. (Cette confiance-là se révélerait malheureuse puisque, des années plus tard, Mary Gallagher écrira un venimeux livre de mémoires). Pour secrétaire particulière, Jackie choisit Tish Baldrige, qui l'avait précédée de trois ans à l'école de Miss Porter (souvent appelée Farmington, du nom de la ville du Connecticut où elle est implantée) puis à Vassar et qui était aussi une amie de la famille.

Tish Baldrige avait acquis sa discipline dès l'école primaire. Sa scolarité dans un couvent du Sacré-Cœur lui avait apporté un esprit de diligence et d'organisation dont elle avait fait le meilleur usage dans ses fonctions de secrétaire particulière d'ambassade. À Paris puis à Rome, elle avait travaillé auprès de deux femmes exigeantes, Clare Boothe Luce et Evangeline Bruce. Mesurant déjà un mètre quatre-vingt-cinq à treize ans, elle avait développé un tempérament redoutable mais jovial. Lorsqu'un journal grec l'avait décrite comme un « commando de la Maison-Blanche »[30], elle avait ri sans en prendre ombrage.

Son père ayant été député républicain d'Omaha, au Nebraska, ses opinions politiques étaient encore plus ancrées à droite que celles de Jackie. Au début, Tish Baldrige s'était opposée à l'élection de JFK à la présidence car elle le tenait pour un « bluffeur »[31], d'ailleurs elle arborait un énorme badge de soutien à Nixon. Néanmoins, lorsque Jackie lui avait offert le poste à la Maison-Blanche après la convention démocrate, elle s'était immédiatement convertie à sa cause. « Jack Kennedy a fait preuve de cran et d'habileté. Il mérite la victoire en novembre »[32], avait-elle écrit à Clare Luce.

Dans les semaines qui suivirent l'élection, Tish Baldrige répondit à une avalanche de notes de service rédigées à la main (nombre d'entre elles illustrées de dessins très imaginatifs) et à un flot d'appels téléphoniques de la part d'une Jackie submergée par les tracas liés à son emménagement, au choix de sa nouvelle garde-robe, à l'organisation de manifestations culturelles à la Maison-Blanche et à la mise sur pied d'un « changement complet de style d'une Maison-Blanche fatiguée, quelconque et mal fagotée »[33], pour reprendre les termes de la secrétaire. (Jackie préférait le terme érudit de « restauration »[34] car elle détestait le mot « refaire »). « Jackie était tout feu tout flamme car elle souhaitait qu'on se souvienne d'elle comme d'une première dame exceptionnelle. Aucun détail ne lui échappa, elle remania jusqu'à l'en-tête du papier officiel »[35], racontera Tish Baldrige.

En tant que responsable de fait des personnes au service de Jackie, Tish Baldrige embrassa les idées de sa patronne avec un enthousiasme marqué. Lors d'une conférence de presse organisée fin novembre, elle exposa à la « volière » des chroniqueuses mondaines chargées de couvrir les faits et gestes de la première dame, les projets radicaux de Jackie pour la Maison-Blanche : mettre en valeur les artistes américains de spectacle vivant et créer « des opérations de prestige pour valoriser l'art américain même s'il faut pour cela recouvrir certains tableaux par d'autres tableaux ». Ses remarques suscitèrent une levée de bouclier dans la presse et la colère des Kennedy. Ils lui pardonnèrent ce faux pas mais lui firent savoir que les relations avec la presse ne relèveraient plus de ses attributions. « J'ai compris ma première leçon »[36], confia la secrétaire à Clare Luce. « Je ne dois jamais ouvrir la bouche, ni être moi-même, ni me laisser aller, ni plaisanter avec quiconque sur quelque sujet que ce soit concernant la Casa Bianca ».

Le lendemain, le porte-parole de JFK, Pierre Salinger, présentait Tish Baldrige à « une belle jeune femme très inexpérimentée du nom de Pamela Turnure »[37]. À la grande surprise de Tish, cette petite de 23 ans avait été nommée porte-parole de Jackie, une première pour la femme du Président. En tant que réceptionniste au bureau du Sénat de JFK, Pamela s'était portée candidate au poste de la Maison-Blanche en expliquant à Jackie qu'elle pourrait « apprendre progressivement »[38]. Jackie l'avait choisie au détriment d'une « journaliste notoirement pugnace »[39] recommandée par Salinger.

La consternation régnait à la fois parmi les conseillers et les journalistes, pas uniquement d'ailleurs parce que Pamela Turnure était extérieure au cercle étroit de Jackie. Sa propriétaire, Florence Kater, avait surveillé les allées et venues de Jack

Kennedy depuis sa maison de Georgetown à l'époque où Pamela travaillait pour lui. Elle avait envoyé aux médias une lettre et des photos prouvant ses visites. Elle s'était même présentée lors d'un meeting durant la campagne avec une pancarte portant une photo censée montrer Jack sortant de chez Pamela un soir après minuit[40].

À cette époque, les journalistes évitaient cependant de s'intéresser à la vie privée des personnalités publiques et protégeaient plus particulièrement le populaire Jack Kennedy. « Cette femme prétendait qu'il avait une liaison et jugeait la chose immorale » déclara Fletcher Knebel, du magazine *Look*. « Je n'y ai jamais prêté aucune attention. Il m'était parfaitement égal qu'il couche ou non avec elle. Je me disais simplement qu'il fallait être deux pour ce genre de choses. »[41]

Au sein de l'organisation Kennedy, les positions étaient moins blasées. « La rumeur gagnait »[42], racontait Barbara Gamarekian, conseillère de Pierre Salinger. « Le Capitole se demandait s'il était judicieux, dans ces conditions, qu'elle nous accompagne à la convention. Nous avions bien conscience que son ancienne propriétaire tentait de faire publier son histoire ». Selon ses propres dires, Jackie avait demandé à l'épouse de Chuck Spalding, Betty, si elle était au courant d'une telle aventure. Elle lui avait répondu que non mais que même si elle l'avait su, elle ne lui en aurait pas parlé. Quoi que Jackie ait pu savoir, son comportement à l'égard de Pamela demeura affectueux, analogue sans doute aux attitudes du XVIIIe siècle qu'elle admirait tant ; après tout, selon Lee Radziwill, l'une de ses « héroïnes » n'était autre que Louise de la Vallière, favorite de Louis XIV.

Naturellement Jackie savait que Pamela pourrait lui être utile. Dans une biographie autorisée publiée en 1967 sur ses années à la Maison-Blanche, Mary Van Renssalaer Thayer décrit Pamela comme une jeune femme laconique et posée. « Une petite brune menue au teint très pâle et aux yeux bleu-vert dont le regard demeurait imperturbable lorsqu'elle prenait la parole »[43] et qui « semblait volontairement sous-estimer sa beauté. Elle affichait un sang-froid remarquable : jamais elle n'élevait la voix et ne se départait de son calme, même dans les circonstances les plus exaspérantes ». Son entourage ne pouvait s'empêcher de lui trouver une ressemblance physique avec Jackie. Mary Gallagher affirmait d'ailleurs qu'on « aurait presque pu la prendre pour son double »[44].

Pamela Turnure avait reçu une éducation presque aussi bonne. Fille de l'éditeur du *Harper's Bazaar*, elle avait effectué sa scolarité à la Bolton School de Wesport, dans le Connecticut, puis au Mount Vernon Junior College de Washington. À 19 ans seulement, elle travaillait comme réceptionniste à l'ambassade des États-Unis en Belgique, lorsqu'elle avait rencontré Jack Kennedy au mariage de Nina Auchincloss, la demi-sœur de Jackie. Au service de JFK, elle s'était « révélée aussi efficace que diplomate », écrira la biographe. En outre, selon sa mère, Louise Drake, « Pam était toujours très discrète. Il était difficile de la faire parler »[45].

Jack et Jackie fêtèrent Thanksgiving avec Bill Walton à Washington. Le matin, ils partirent se promener près de Middleburg, en Virginie, où Walton achevait de négocier la location d'une résidence secondaire pour le couple. Ce soir-là, le trio s'offrit caviar[46] et champagne pour le dîner. L'accouchement de Jackie ne devant pas avoir lieu avant trois semaines, Jack n'hésita pas à partir pour Palm Beach. Alors qu'il était dans l'avion, Jackie fit une hémorragie « à cause de toute cette excitation »[47], déclara-t-elle plus tard. Le chauffeur de l'ambulance la trouva couchée, vêtue d'une chemise de nuit rose, d'un manteau et d'épaisses chaussettes de laine blanches. « Elle souriait, telle une poupée »[48], dit-il. Toutefois l'inquiétude transparut sur le visage de Jackie lorsqu'elle demanda au médecin si elle risquait de perdre l'enfant.

Le scénario ressemblait dangereusement à ce qu'elle avait vécu quatre ans plus tôt lorsque, un mois avant terme, elle avait mis au monde un enfant mort-né suite à une hémorragie interne. Déjà, elle s'était trouvée seule pour affronter cette épreuve. En 1956, elle était rentrée exténuée à Newport après la convention démocrate et Jack était parti en croisière sur la

Méditerranée en compagnie de son frère Teddy et de quelques amis, dont plusieurs femmes.

Cette fois, Walton parvint à joindre Jack à l'aéroport de West Palm Beach et ce dernier prit immédiatement l'avion de retour pour Washington. Après minuit, le 25 novembre, John F. Kennedy Jr. naissait par césarienne – un événement uniquement gâché par un photographe de l'*Associated Press* qui prit trois clichés au flash alors que Jackie quittait la salle de réveil. « Oh non, pas ça ! »[49] s'exclama-t-elle. Les agents des services secrets saisirent la pellicule et la détruisirent.

L'arrivée de leur second enfant apporta à Jack Kennedy un fils homonyme et plaça le rôle de mère de Jackie au premier plan. La présence d'un nouveau-né et d'une fillette précoce de 3 ans allait apporter à la Maison-Blanche une animation qu'elle n'avait plus connue depuis la présidence de Theodore Roosevelt, qui avait six enfants. Mais la progéniture des Kennedy poserait de nouveaux défis à ces parents désireux de trouver un équilibre entre l'apport d'une enfance « normale » et la demande croissante émanant d'une presse et d'une opinion publique avides d'informations concernant leurs célébrités préférées. Peu après l'élection, lors d'un entretien télévisé avec Sander Vanocur de la NBC, Jackie avait mentionné son besoin de partager la Maison-Blanche avec ses enfants. « Vous aurez beau faire, si vous élevez vos enfants n'importe comment, je ne pense pas qu'on vous accorde beaucoup de crédit »[50], avait-elle déclaré.

CHAPITRE 3

Le style Jackie :
une mode élégante et moderne

Tout au long de sa convalescence après l'accouchement, Jackie Kennedy se prépara méthodiquement à sa vie à la Maison-Blanche. Durant deux semaines, elle travailla d'abord sur son lit d'hôpital, à Georgetown, puis dans sa chambre chez Joe et Rose, à Palm Beach, où elle demeura jusqu'à l'avant-veille de l'investiture. Tandis que Tish Baldrige et ses autres collaborateurs s'occupaient de la logistique, Jackie se plongea dans l'histoire de la Maison-Blanche et de ses intérieurs.

Avec ses seize mille sept cents mètres carrés, la maison du Président, comme Jackie aimait l'appeler, est imposante, néanmoins ce n'est pas un palais. (Par comparaison, la maison du multimillionnaire Bill Gates, construite dans les années 1990 à Seattle, présente une superficie de dix-neuf mille huit cents mètres carrés). Achevée en 1802 sous la présidence de Thomas Jefferson, la Maison-Blanche fut incendiée par l'armée britannique durant la guerre de 1812 puis reconstruite par le Président James Monroe en 1817. Ce fut lui également qui fixa les nouveaux critères de décoration en la meublant dans le style Empire.

Jackie consulta une quarantaine d'ouvrage de la bibliothèque du Congrès ainsi que de nombreuses revues – notamment le numéro de janvier 1946 de la *Gazette des Beaux-Arts*, dans lequel étaient décrites les pièces que Monroe avait commandées à Paris. Après avoir étudié les échantillons de tissu, les plans et les photos de chaque pièce de la Maison-

Blanche, elle griffonna des notes de service et des lettres sur du papier à lignes destinées à son architecte d'intérieur, Mrs. Henry Parish II, surnommée par tous « Sister ». Ayant collaboré à la décoration des demeures des Kennedy à Georgetown et Hyannis Port, elle serait chargée de la première phase des travaux, à savoir une rapide remise à neuf des appartements privés du premier étage, financée par le Congrès à hauteur de cinquante mille dollars. C'était « une femme de qualité et de goût » déclarait Tish Baldrige, « issue du même milieu social », dotée « d'un immense sens du convenable et du raffiné »[1].

Le jour de sa sortie de l'hôpital, Jackie découvrit en effectuant un tour de la Maison-Blanche que d'importants travaux de restauration s'imposaient. Chaque pièce était remplie de médiocres reproductions ; les rideaux étaient verdâtres et l'ambiance aussi froide que celle d'un hôtel. Jackie fut frappée, comme elle l'expliquera plus tard, par l'air « si triste »[2] de la résidence présidentielle. Immédiatement, elle transmit son rapport à Sister Parish par téléphone. « Jackie n'avait pas les yeux dans sa poche. Elle avait passé chacune des pièces au crible sans laisser échapper le moindre détail »[3], se souvint l'architecte.

Même si la Maison-Blanche n'avait jamais fait l'objet d'une vision d'ensemble sur le plan de la décoration, un certain nombre de présidents et de premières dames du XIXe siècle avaient procédé à de considérables améliorations : Teddy Roosevelt avait ajouté l'aile ouest et redessiné le rez-de-chaussée ; l'épouse de Calvin Coolidge, Grace, avait imaginé le concept de la « pièce d'époque » en meublant le salon Vert dans le style fédéral ; Lou, l'épouse de Herbert Hoover, avait complété la collection tandis que les Truman avaient consolidé la structure qui se détériorait.

Cependant, après cette importante remise à neuf, le Congrès avait refusé de financer l'achat de meubles anciens et ni Bess Truman ni Mamie Eisenhower ne s'étaient véritablement intéressées à la mise en valeur du décor. Seul un don généreux effectué en 1960 par un groupe d'architectes d'intérieur – un ensemble de pièces de musée de l'époque fédérale destiné à la salle de réception des diplomates – avait constitué un précédent prometteur pour le projet de Jackie, qui souhaitait conférer à la Maison-Blanche une ampleur historique.

La première dame avait grandi dans une atmosphère de discrète élégance, aussi bien à Merrywood, dans la banlieue de McLean, en Virginie, qu'à Hammersmith Farm, à Newport. Gore Vidal, parent par alliance de Jackie, écrivait que Merrywood lui évoquait « un peu Henry James »[4], qu'il y régnait « une quiétude à dessein libérée des tensions du XXe siècle ». À son avis, Jackie « tentait de récréer l'ambiance paradisiaque de Merrywood ». Elle avait le bon goût dans le sang, de même qu'une solide connaissance générale des différentes périodes de l'histoire des arts décoratifs.

« Notre milieu nous a fortement influencées en ce qui concerne la façon dont il convient de faire les choses »[5], expliquait Lee. Chez elle, Janet Auchincloss faisait régner un formalisme discipliné. Elle était stricte, convenable et vieux jeu. « Toutes les bibliothèques étaient garnies de chintz. C'était très joli mais terne »[6], se souvenait Lee. Jackie avait assimilé le sens du convenable de sa mère en y ajoutant une certaine imagination et un style plus décontracté. Déterminée à faire revivre l'histoire entre les murs de la Maison-Blanche, elle était également résolue à y injecter un souffle de jeunesse et de simplicité. « J'avais l'impression d'être un insecte se heurtant à une vitre. Les fenêtres n'avaient pas été ouvertes depuis des années »[7], expliquait-elle. C'est cet équilibre entre le décontracté et le grandiose qui devait redéfinir l'apparence et l'ambiance de son nouveau cadre de vie.

Jackie avait tout autant le souci de sa propre image. Après avoir examiné des dessins et des pages arrachées dans les magazines de mode, elle entretint une correspondance avec Oleg Cassini. Quelques jours seulement après la naissance de son fils, le styliste lui rendit visite pendant près de quatre heures dans sa chambre d'hôpital. Durant la campagne, Jackie avait essuyé d'âpres critiques en raison de sa prédilection pour l'extravagante mode française. *Women's Wear Daily*, qui s'employait à suivre ses choix, affirmait que les Kennedy se présentaient « sur la liste des grands couturiers parisiens »[8]. En réaction, Jackie montra aux journalistes sa garde-robe de maternité acquise dans « un magasin de la Cinquième Avenue »[9] en objectant, cinglante : « Un journal a déclaré que j'achète pour 30 000 $ par an (l'équivalent de 182 000 $ actuels) de toilettes à Paris et que les femmes m'en veulent. Jamais je ne pourrais dépenser autant, à moins de porter des sous-vêtements en zibeline ». Par la suite, elle peignit une aquarelle représentant des manifestants dont les pancartes disaient : « Jackie et Joan, laissez l'Amérique vous habiller ». Néanmoins, elle comprit que son style vestimentaire avait des répercussions au niveau politique car le syndicat des ouvriers du textile féminin, important soutien du parti démocrate, fit pression sur JFK pour qu'elle porte des vêtements fabriqués aux États-Unis.

Afin de couper court aux spéculations de la presse de la mode, qui, selon elle, « échappait désormais trop souvent à tout contrôle »[10], Jackie chargea Cassini, 47 ans, du stylisme de sa garde-robe officielle. Il ne serait pas son fournisseur exclusif, mais cela ne serait pas mentionné dans son contrat. Dans la biographie autorisée de ses années à la Maison-Blanche, Jackie explique qu'elle désirait avoir affaire à « une seule personne, un Américain, un homme qu'elle connaissait depuis déjà quelques années »[11] afin que « toutes les informations concernant ses tenues puissent être contrôlées par une source unique ». Non seulement elle pouvait converser avec Cassini en français, sa langue maternelle, mais il était versé dans l'histoire, la littérature et l'art de l'Europe des XVIIIe et XIXe siècles. Lorsqu'elle lui demandait une robe « vert Véronèse » ou « bleu Nattier », il comprenait sur le champ.

Avec sa fine moustache, ses cheveux gominés, sa peau bronzée et ses manières élégantes, Cassini était parfait pour le rôle de couturier officiel – une première dans l'histoire de la Maison-Blanche. À sa naissance à Paris, le médecin était arrivé en chapeau haut de forme, cravate blanche et queue de pie, gants blancs et demi-guêtres pour accueillir ce descendant d'une famille noble russe. Le grand-père de Cassini avait été ambassadeur de Russie aux États-Unis sous la présidence de Teddy Roosevelt et ses parents évoluaient dans les milieux aristocratiques européens.

Cassini s'était lancé dans la mode par l'intermédiaire de sa mère, fondatrice d'une maison de haute couture qui s'était effondrée pendant la crise de 1929, poussant la famille à émigrer aux États-Unis. Naturalisé américain, il renonça à son titre de comte. (Il avait choisi le nom de famille plus illustre de sa mère, son père étant le comte Loiewski). Sa carrière de créateur avait démarré à Hollywood avec le dessin de costumes pour les stars du grand écran telles que Gene Tierney, qu'il avait épousée, et Grace Kelly, à qui il avait été brièvement fiancé.

À l'annonce de ses nouvelles fonctions, le *Washington Post* qualifia Cassini « d'homme à femmes facétieux »[12]. Durant la Seconde Guerre mondiale, son unité de cavalerie (à laquelle appartenaient également les multimillionnaires Jock Whitney et Paul Mellon ainsi que le producteur d'Hollywood Darryl Zanuck) avait, selon lui, mené une « vie de rêve » à l'école des élèves officiers de Fort Riley, dans le Kansas, à jouer au polo, chasser le renard et siroter des cocktails en compagnie de Gloria Vanderbilt et Claudette Colbert. À Palm Beach et Manhattan, Cassini fréquentait Joe Kennedy, dont il agrémentait obligeamment la table, au restaurant La Caravelle, de mannequins et de mondaines. Non seulement l'Ambassadeur bénit la nomination de son ami au service de Jackie mais il lui déclara : « Ne les ennuie pas avec des questions d'argent, envoie-moi les factures à la fin de l'année. Je m'en chargerai »[13].

Jackie avait des opinions bien arrêtées en matière de mode mais comme Cassini était un ami de la famille, elle pouvait compter sur lui pour accepter et adopter ses idées. De son côté, le créateur, dont elle appréciait la « délicate simplicité »[14] et l'utilisation modérée de « matières insolites », se sentait libre de procéder avec elle comme à Hollywood. Il créait des « scénarios », « mettait en scène son image » afin que Jackie « reste toujours la même et qu'il émane de son look une certaine discipline ».

La mode fascinait Jackie depuis l'adolescence. À l'époque, elle dessinait des robes au dos de ses feuilles de cours. Durant près de dix ans, elle collabora avec la couturière de sa mère, Mini Rhea, et créa ses propres modèles. Au lycée, elle avait remporté le prestigieux prix de Paris décerné par le magazine *Vogue* en rédigeant de brillants articles à la gloire de la « perfection de la coupe et de la discrétion de la couleur » d'un tailleur ou de l'attrait d'une jupe longue orange « ravissante devant un feu de cheminée »[15].

À une époque où les femmes portaient des jupes larges, serrées à la taille, et des manches bouffantes, Jackie préférait les lignes épurées et la silhouette élancée créées par Givenchy et son mentor, Balenciaga. « Il est vrai que j'aime les vêtements simples et enveloppants »[16] écrivait-elle après la convention du parti démocrate à Diana Vreeland, la légendaire rédactrice en chef du *Harper's Bazaar*. Le style sobre de Jackie correspondait tout à fait à la mode des grandes icônes de la classe supérieure telles que Babe Paley.

Jackie apporta toutefois un souffle de jeunesse. Le *New York Times* écrivait à son sujet qu'elle « avait donné le ton en portant bien avant l'heure des pantalons en tuyaux de poêle, des mèches dans les cheveux, des robes-chemisiers et des tuniques sans manche »[17]. À l'instar de Diana Vreeland, elle vantait les mérites d'un « grand chapeau noir à bords inclinés qui vous donne un air de femme fatale, comme celles qu'on emmène au tango pour le thé »[18]. Elle savait mettre en valeur un simple chandail à col roulé par « des gants à crispin, un béret et une démarche assurée à la d'Artagnan ».

Lors de leur entretien à l'hôpital, Jackie et Cassini abordèrent pour la première fois l'idée d'utiliser la garde-robe officielle pour créer l'image d'un « Versailles américain »[19] à la Maison-Blanche, mettant l'accent sur la jeunesse et l'élégance. Par ailleurs, Jackie souhaitait « continuer à s'habiller selon ses goûts »[20]. Dans une lettre au couturier, elle résumera ses objectifs en préconisant des modèles « qu'elle porterait si Jack était président en France – très princesse de Réthy en plus jeune »[21] – en référence à l'épouse de quarante-trois ans du roi Léopold III de Belgique, dont le style raffiné suscitait l'admiration. Jackie souhaitait que Cassini lui garantisse l'exclusivité de ses tenues afin de ne pas « voir partout des femmes petites et grosses porter la même robe »[22]. Enfin, elle exigeait qu'il prenne des mesures contre la publicité. « Je refuse de voir le gouvernement de Jack harcelé par des articles à sensation et de devenir la Marie-Antoinette ou la Joséphine des années 1960 », écrira-t-elle.

« Chaque fois que j'étais contrariée par les journaux, Jack me demandait de me montrer plus tolérante, comme les chevaux qui chassent les mouches d'un petit coup de tête »[23], se souviendra Jackie. Néanmoins son aversion pour la presse ne s'atténuera jamais. Les journalistes lui apparaîtraient toujours aborder leur travail comme un jeu dans lequel il n'est possible de gagner que ce que les autres perdent. « *Mors tua vita mea est* » déclarait-elle à Cassini pour expliquer son opinion sur leur attitude : « Ta mort est ma vie ». D'une certaine manière, cette antipathie était héréditaire. Lorsque les Kennedy avaient invité la presse au mariage de Jack et de Jackie en 1953, la mère de la mariée, Janet Auchincloss, avait affirmé à Rose Kennedy qu'une telle publicité serait « dégradante et vulgaire »[24].

Au fil des années, Jackie s'était régulièrement entretenue avec les journalistes par nécessité politique. Ses remarques se faisaient tour à tour insipides (« Les femmes sont très idéalistes[25], c'est pourquoi elles réagissent à un idéaliste tel que mon mari »), astucieuses (« J'adorerais savoir quoi dire en toutes situations, comme Noël Coward »[26]) ou impertinentes. « Je ne crois pas que Jack ait beaucoup changé, vraiment pas. Cela ne le dérange toujours pas d'ouvrir la porte aux invités en caleçon »[27], avait-elle déclaré durant la campagne. Lors de ses apparitions dans les meetings, elle était demeurée « ombrageuse et crispée »[28], observait Laura Bergquist, journaliste au magazine *Look*. Elle l'avait un jour repérée « recroquevillée dans l'avion, plongée dans la lecture du livre à succès beatnik, *Les Clochards célestes* de Jack Kerouac ». Avant la participation de JFK à l'émission de radio *Face the Nation*, Jackie avait laissé une note sur le bureau des journalistes disant : « Ne posez à Jack aucune question méchante »[29]. Lorsque Peter Lisagor du

Chicago Daily News avait passé outre cette injonction, elle lui avait « lancé des regards meurtriers »[30] à travers le studio puis lui avait dit que ses questions étaient « absolument atroces ». Ceux qui l'avaient connue dix ans auparavant pouvaient être surpris par son hostilité envers la presse. Après avoir obtenu son diplôme universitaire, elle avait travaillé durant quinze mois au *Washington Times-Herald*. Armée d'un énorme appareil photo Graflex, elle sillonnait la ville en posant des questions souvent comiques, parfois déconcertantes mais invariablement perspicaces. « Comme on pouvait aborder tous les sujets qu'on voulait, je cherchais un groupe de personnages hauts en couleurs et je les interrogeais sur un boxeur professionnel uniquement pour immortaliser leur manière de parler »[31].

Elle demandait à de jolies jeunes femmes si elles préféraient être « la chérie d'un homme âgé ou l'esclave d'un homme jeune ». Dans une école primaire, en Virginie, elle avait posé la question suivante : « Pourquoi les petits garçons sont-ils si méchants ? ». Elle abordait des sujets touchant à l'amour et au mariage : « Une épouse est-elle un luxe ou une nécessité ? », « Que n'avez-vous abandonné après le mariage ? ».

Enfant déjà, Jackie adorait écrire. Elle avait le don de la description et une bonne oreille pour les sonorités de la langue. Dans sa candidature à *Vogue*, elle avait qualifié les décors de Cecil Beaton pour les pièces d'Oscar Wilde de « petits bonbons roses et mauves tout droit sortis d'une bonbonnière »[32]. Elle avait déclaré aux membres du jury qu'elle avait grandi avec « le vague rêve[33] de s'enfermer quelque part pour écrire des livres pour enfants et des nouvelles pour le *New Yorker* ».

Il n'en demeurait pas moins que le journalisme était un métier de canaille pour une jeune fille de bonne famille. Jackie prenait plaisir à fréquenter les rewriters et autres membres du personnel des salles de rédaction, savourant « l'absence de routine[34] et le fait que chaque jour soit différent ». Néanmoins Jackie ne s'identifiait pas au monde de la presse écrite car elle se considérait davantage comme un élément provocateur que comme une journaliste. Mini Rhea affirmait qu'elle abordait son travail comme « un cours de psychologie pratique »[35], se servant de ses enquêtes « pour découvrir la façon de penser des gens, leurs réactions, les erreurs qu'ils avaient commises dans leur vie et les choses qu'ils aimeraient refaire »[36].

En tant que reporter, Jackie se permettait de poser des questions auxquelles elle n'aurait jamais accepté de répondre elle-même. Sous prétexte de sa grossesse, elle avait considérablement réduit ses contacts avec les journalistes durant la campagne. Toutefois, trahissant ses talents « d'agent de l'ombre », elle contribuera largement à la promotion de l'image de marque présidentielle. Deux jours après l'élection, elle avait entamé une collaboration avec Mary Thayer, qui publiait régulièrement dans le *Washington Post* sous le nom de plume de Molly Thayer. La nouvelle première dame acceptait ainsi de raconter ses trente et une premières années dans une biographie autorisée. Molly Thayer n'était pas une journaliste ordinaire ; elle comptait parmi les amis intimes de Janet Auchincloss et connaissait Jackie depuis son enfance à Long Island et Newport. « Molly était comme une tante pour Jackie. Elle l'adorait. C'était une suivante obéissante. Elle était pauvre, elle avait faim, elle avait besoin de cet argent », affirmait Tish Baldrige.

Jackie et Molly s'étaient mises d'accord sur un feuilleton en trois parties qui serait d'abord publié dans le *Ladies' Home Journal* puis édité en petit livre. Molly avait eu droit à un accès exclusif aux carnets de croquis, aux photos personnelles et aux échanges épistolaires familiaux de Jackie. « Jackie écrivait en grande partie au lit, puis Molly reprenait son texte »[37], expliquait Mary Bass, du *Ladies' Home Journal*. Une fois la rédaction achevée, la journaliste avait envoyé le manuscrit pour relecture à Jack et Jackie en Floride. Le premier épisode était arrivé dans les kiosques le jour de l'investiture et s'était vendu « comme des petits pains »[38]. La biographie, selon Tish Baldrige, était « exactement à l'image que Jackie souhaitait donner d'elle »[39].

Elle dressait un enviable portrait rose, dans lequel Jackie rendait un hommage chaleureux à son père et à sa mère en évitant d'évoquer leur amer divorce, alors qu'elle avait dix ans, et les années de rancœur contre les frasques de ce père coureur de jupons et buveur. Jackie ne mentionnait pas non plus l'immense chagrin qu'elle avait éprouvé le jour de son mariage en découvrant que son père ne pouvait pas l'escorter jusqu'à l'autel parce qu'il s'était enivré après que Janet l'a exclu du repas de répétition. Une seule phrase était consacrée au décès de Jack Bouvier, mort à 67 ans, sans qu'il ne soit fait mention ni du cancer, ni de l'alcoolisme, ni de la solitude, ni des revers de fortune qui avaient marqué la fin de sa vie.

Jackie rendait également hommage à la famille Kennedy. Bobby était « le plus droit », « celui pour lequel elle n'hésiterait pas à mettre sa main au feu », Eunice « la plus civique », Pat « la plus intelligente », Jean « la plus ménagère » et la plus « proche » d'elle, Teddy « le politicien né », Rose « la plus croyante » et Joe, celui qu'elle adorait.

Il n'était pas non plus question des secousses qui avaient ébranlé son mariage avec Jack. Jackie qualifiait son mari de « roc »[40], expliquant qu'elle « s'appuyait sur lui en tout », qu'il n'était « jamais irritable ni ombrageux »[41], qu'il « faisait et lui donnait tout ce qu'elle désirait ». Jack était séduit par sa « personnalité à multiples facettes » et admirait « sa capacité à nourrir sa vie intérieure par elle-même », ce qui lui permettait de « s'accommoder » de ses absences qui la rendaient « malheureuse ». Il y avait pourtant une ombre au tableau. Cachée à la page quatre-vingt-quinze de ce livre de cent vingt-sept pages, elle passa inaperçue à l'époque.

Il s'agissait de la description du soir de juin 1951, où Jack et Jackie avaient été présentés l'un à l'autre, lors d'un dîner, par leurs amis communs Charley et Martha Bartlett. Jack Kennedy attendrait ensuite deux ans pour faire sa demande en mariage après une cour épisodique. Or ce premier soir, Jackie avait « immédiatement su en voyant son visage illuminé par le rire et l'intelligence indiscrète que Jack aurait une influence marquée, éventuellement déstabilisante, sur sa vie ». « Effrayée », elle avait « prévu qu'il lui briserait le cœur mais avait très vite décidé que ces peines de cœur en vaudraient la peine »[42]. Le lecteur n'avait aucun moyen de savoir que Jackie avait elle-même écrit cette touchante description prémonitoire alors qu'elle allait devenir la trente et unième première dame des États-Unis. Or ces mots illustraient la véritable nature du couple Kennedy.

CHAPITRE 4

La vie à Palm Beach,
la face cachée du clan Kennedy

Le 9 décembre, Jackie quitta Washington avec le petit John pour un séjour de plus d'un mois à Palm Beach. Jack poursuivait ses allées et venues, néanmoins il tenait nombre de ses conseils importants dans la bibliothèque de quarante-cinq mètres carrés, assourdie par le chintz très convenable de La Guerida, la villa au bord de l'océan de son père. La maison, « longue, blanche, vaguement hispanisante et assez jolie »[1], comme la décrivait John Kenneth Galbraith, avait été conçue en 1923 par l'architecte attitré de la station balnéaire, Addison Mizner, dans un style décrié à l'époque. Lorsque Joe Kennedy l'avait acquise en 1933, au plus fort de la crise, il avait prié un autre grand créateur, Maurice Fatio, d'ajouter une aile.

La propriété était cachée derrière un haut mur dans North Ocean Boulevard. Selon les critères de Palm Beach, elle n'était pas immense puisqu'elle ne comptait pas plus de six chambres. Devant, une large pelouse plantée de palmiers descendait vers la digue. Sur le côté s'étendaient une piscine et un court de tennis, sans oublier « le corral » de Joe, un enclos en bois pourvu de bancs où il venait bronzer nu – enduit de beurre de cacao, coiffé d'un chapeau à larges bords – et gérer ses affaires au téléphone, instrument dont il jouait « comme d'un Stradivarius »[2], selon le chanteur Morton Downey.

Installée dans un angle du rez-de-chaussée, la chambre de Jack et de Jackie possédait une porte-fenêtre ouvrant sur un balcon en surplomb du court de tennis. Après son élection, JFK avait décliné l'offre de déménager à l'étage dans une chambre avec vue sur l'océan ; il aimait celle qu'il occupait depuis 1933 car il pouvait y entrer et en sortir rapidement.

Sur le patio derrière la maison, Lem Billings étirait sa grande carcasse dans une chaise-longue. Il passait des heures chaque jour au soleil à se « délecter du spectacle de la bande »[3] – le défilé permanent des dignitaires, des éventuels candidats, du personnel, des amis et de la famille. Certes, Billings avait une allure discrète : la mâchoire carrée et le regard bleu masqué derrière d'épaisses lunettes à monture en plastique transparent (du même modèle que celles de McGeorge Bundy, le nouveau conseiller à la sécurité nationale de Kennedy avec lequel on le confondait souvent). Néanmoins, il avait un rire âpre et retentissant – relevant du braiment sur l'expiration et du klaxon sur l'inspiration – fréquent, communicatif et si singulier que le présentateur de télévision Jack Paar prétendait être en mesure de reconnaître son ami Lem « parmi des centaines d'autres personnes assises dans le public du studio »[4]. La voix de Billings était également très reconnaissable – grave, râpeuse et nasale.

Billings ne cessait de disparaître et de réapparaître, telle « une mystifiante relique de la jeunesse de JFK »[5], disait Arthur Schlesinger. Une minute, il était assis à bord de l'avion de Jack, partageant avec lui un sandwich et une bouteille de lait en attendant l'arrivée à l'Orange Bowl. L'instant d'après, on pouvait l'apercevoir à la messe du dimanche en compagnie du Président.

Après l'élection, Fletcher Knebel avait été déconcerté de trouver Billings chez les Kennedy à Georgetown. Il passait prendre les réponses de Jackie à une série de questions posées par écrit au sujet de Jack en vue d'un portrait dans *Look*. Jack étant en Floride, Billings devait tenir compagnie à Jackie plusieurs jours. « Je me suis dit : eh bien, c'est curieux. Ce n'est pas le style de vie de la classe moyenne que je connais. Le mari part à Palm Beach avec ses copains et laisse sa femme enceinte à la maison avec l'un de ses amis intimes »[6], se souviendra le journaliste.

Pendant près de trente ans, Billings avait fait partie intégrante de la vie de JFK. Il évoquait à Charley Bartlett « un poney stable, reposant, facile, plein d'entrain et très vif »[7]. Jack et Lem s'étaient rencontrés à Choate, juste après le décès inattendu du père de Billings, un médecin, suite à une infection par un streptocoque. Appartenant à une famille distinguée de Pittsburgh, la mère de Lem était diplômée de Farmington. Les Billings avaient perdu la majeure partie de leur fortune durant la crise de 1929, ce qui avait contraint Lem à s'inscrire sur la liste des boursiers. Membre de l'Église épiscopalienne et descendant des puritains du *Mayflower* et d'aristocrates français, Lem avait attendu la candidature de Jack à la présidence pour passer du parti républicain au parti démocrate.

Lem et Jack avaient pour frères aînés de brillants athlètes également étudiants à Choate, ce qui avait créé entre eux un lien instantané sur lequel s'appuyaient leur impertinence et leurs incessantes taquineries. « Jack avait la confiance en soi d'un orateur passionné, Lem avait un sens de la situation digne de Chaplin »[8], faisait observer David Michaelis dans un livre sur les amitiés célèbres. Ils se donnaient d'innombrables surnoms, notamment « Leem » ou « Moynie » pour l'un, « Kenadosus » et « Rat-Face » pour l'autre. Les plus courants demeuraient toutefois Billy et Johnny. Billings et Kennedy étaient par ailleurs unis par une aversion pour Choate, qui les incita à fonder le club des « Muckers » dont le caractère subversif faillit les faire expulser du lycée. Témoignage touchant de son adoration pour JFK, Billings avait décidé de redoubler sa dernière année uniquement pour rester avec son ami ; il prétendait même être né la même année que lui. Jack et Lem s'étaient inscrits ensemble à Princeton, néanmoins JFK avait dû renoncer à son engagement pour cause de maladie et était entré à Harvard à l'automne suivant.

Après son premier séjour à Palm Beach à Noël 1933, Billings était devenu membre honoraire de la fratrie Kennedy. « Depuis son arrivée, ce jour-là, Lem et sa vieille valise ne sont plus jamais vraiment repartis »[9], déclarait Teddy Kennedy. Billings avait pour mission de faire rire sa famille d'adoption par ses

chansons comiques, ses remarques désabusées et ses anecdotes émaillées de détails colorés », racontait Eunice Shriver,
qui le considérait comme le « meilleur ami » de son frère.

Joe Kennedy avait souvent financé les dépenses de Billings,
notamment un voyage en Europe en 1937, à l'époque où Lem
était un guide touristique ambulant qui parfaisait l'éducation
de JFK sur les points de culture glanés au fil de ses cours d'histoire de l'art à Princeton. Après l'université, Billings avait
obtenu un MBA à Harvard puis poursuivi une carrière irré-
gulière dans la publicité. Il s'était d'ailleurs brièvement rendu
célèbre en inventant le « Fizzies », une boisson gazeuse sous
forme de comprimé qui avait suscité un engouement national.
Enfin, en 1960, il était entré au bureau de JFK sur Park Avenue,
au service officieux de la famille Kennedy qu'il conseillait dans
les domaines de l'immobilier, de l'art et des antiquités. Lorsque
Jack appelait, Billings surgissait à sa porte avec son vieux sac,
et restait parfois des semaines d'affilée. À la Maison-Blanche,
il allait et venait comme bon lui semblait ; il était si bien connu
des services secrets qu'il ne possédait même pas de laissez-
passer officiel.

Billings en savait probablement plus sur les relations entre
Jack et Jackie que n'importe quel autre membre de leur entourage. Avant leur mariage, il avait prévenu Jackie que son futur
mari avait entretenu de nombreuses liaisons au fil des ans et
qu'il serait difficile pour lui de se ranger. Loin d'en avoir été
rebutée, elle lui avait expliqué par la suite qu'elle avait souhaité
« relever le défi »[10]. Après le mariage, « Lem leur avait servi de
médiateur »[11] déclarait le journaliste Peter Kaplan, un ami de
Billings. « Elle l'estimait sans l'aimer vraiment. Il appréciait
certaines choses. Il avait un sens de l'esthétique qu'elle aurait
souhaité trouver chez Jack. Mais elle ne supportait pas son
omniprésence. Elle le raillait même s'il lui était d'un grand
secours à bien des égards »[12].

À cause de sa manie de glousser et de sa détermination à
demeurer célibataire, les amis de Jack s'interrogeaient sur son
orientation sexuelle. « Je ne voyais rien d'ouvertement homosexuel chez lui ; à mon avis, il était neutre »[13], affirmait Red Fay.

Ben Bradlee jugeait Billings « idolâtre. Ses autres amis éprouvaient une grande affection pour Jack, en revanche l'idolâtrie n'est pas un sentiment très viril »[14]. Plutôt homophobes, les Kennedy occultaient chez lui le moindre trait de personnalité trahissant une tendance homosexuelle.

Jack offrit consciencieusement à Billings trois postes dans son gouvernement : la direction de l'organisation de coopération et d'aide aux pays en voie de développement, la gestion d'un projet d'organisme de tourisme et l'ambassade des États-Unis au Danemark. Billings refusa chacun d'eux. « Mon meilleur ami devient président des États-Unis et j'accepterais de passer son mandat au Danemark ? ». Finalement, Billings préféra le rôle de « premier ami »[15].

Le Jack Kennedy qui accueillait ses visiteurs à Palm Beach respirait la santé. Son image d'homme bronzé et en grande forme physique revêtait une importance cruciale sur le plan politique. Durant la période de transition, *Today's Health*, le magazine de l'association médicale américaine, avait publié un article optimiste sur la « splendide condition physique »[16] du Président en s'appuyant sur l'opinion de ses médecins, comme le racontait Bobby Kennedy. Il était cependant signalé, mais presque en passant, que JFK avait connu une longue liste de problèmes de santé depuis l'enfance, à commencer par une scarlatine, à l'âge de deux ans et demi, qui l'avait séparé de sa famille durant trois mois. Outre les maladies enfantines telles que la rougeole, les oreillons et la varicelle, la revue mentionnait des crises de jaunisse, de paludisme et de sciatique. Jack aurait surmonté ces affections grâce à sa « résistance à toute épreuve » et, depuis plus d'un an, n'aurait « singulièrement rencontré aucun problème de santé ».

L'article péchait toutefois par de graves omissions, portant notamment sur ses problèmes de colite, de cystite, de névrite, de gastro-entérite, d'hépatite et de blennorragie, une maladie vénérienne. Il n'était pas non plus fait allusion à ses réguliers séjours dans les cliniques de Mayo et de Lahey, suite à de mystérieux accès de fièvre accompagnés de douleurs, durant son adolescence, ni à ses neuf hospitalisations – d'une durée totale de six semaines – pour diverses infections du tractus gastro-intestinal et de l'appareil urinaire, au cours de son premier mandat de sénateur. L'article passait outre l'ostéoporose qui avait considérablement affaibli ses vertèbres lombaires et s'était accrue suite à des blessures contractées sur le terrain de football de Harvard, puis dans la marine, pour aboutir finalement à trois interventions chirurgicales délicates. Les deux dernières, advenues en 1954 et 1955, avaient tenu Kennedy à l'écart du Sénat durant neuf mois, période de convalescence qu'il avait passée en Floride.

L'oubli le plus troublant concernait la maladie d'Addison[17], diagnostiquée alors que JFK avait eu un grave malaise au cours d'un voyage en Angleterre en 1947. Cette affection est dûe à une défaillance des glandes surrénales qui cessent de produire deux hormones vitales : le cortisol, qui régule le système immunitaire, et l'aldostérone, qui maintient la tension artérielle. Nombre de symptômes constatés au fil des années, notamment la perte de poids, la fatigue et l'aspect jaune de la peau (qui conduisit le chroniqueur Joe Alsop à dire que JFK ressemblait « à un mauvais portrait peint par Van Gogh »[18]), trahissaient une dégénérescence progressive des glandes surrénales. La crise survenue en Angleterre – marquée par des nausées, des douleurs importantes, une faiblesse, de la fièvre et des vomissements – évoquait une manifestation classique de la maladie d'Addison.

Joe Kennedy avait pleuré à l'écoute du diagnostic car, comme il l'avait expliqué à son ami Arthur Krock du *New York Times*, il avait cru que Jack « allait mourir »[19]. La maladie d'Addison impliquait une forte vulnérabilité aux infections ainsi qu'un risque de faillite de la fonction circulatoire. Or, s'il était impossible de le guérir, Jack pouvait suivre un traitement à vie à base de cortisone. Celui-ci prit diverses formes : pastilles sous-cutanées, injections et comprimés. (Joe Kennedy conservait même des réserves de cortisone dans des coffres disséminés à travers le monde pour le cas où). Les médicaments faisaient disparaître les symptômes mais entraînaient des effets secondaires, notamment des insomnies, une certaine agitation, une boursouflure du visage et, selon les taux d'hormones, un appétit sexuel accru ou au contraire diminué. De plus, un stress trop important, comme ses opérations du dos, risquait de déclencher une crise potentiellement fatale. À 40 ans, Kennedy avait déjà reçu les derniers sacrements à quatre reprises.

Today's Health avait réfuté les allégations de Lyndon Johnson et de ses partisans concernant la maladie d'Addison de Kennedy à la convention démocrate. (India Edwards, ancienne membre du comité national du parti avait déclaré qu'il en était au point de « ressembler à un bossu atteint d'une tumeur osseuse »[20]). Les médecins s'étaient contentés de faire allusion à une ancienne « insuffisance surrénale »[21] requérant un traitement « oral » afin de prévenir « toute séquelle éventuelle ». Jamais Kennedy n'admit la vérité à propos de sa maladie de peur de mettre en péril ses perspectives politiques. (Lorsque le porte-parole Pierre Salinger l'interrogea à ce propos, il répondit : « Je ne souffre pas de la maladie d'Addison »[22] et « Je ne prends pas de cortisone »[23]). Pourtant sa mauvaise santé, le fait d'avoir frôlé la mort, les élancements que lui causaient ses maux de dos en permanence et « le nœud à l'estomac », comme disait Billings, que lui provoquait sa colopathie fonctionnelle influaient sur son tempérament et ses rapports avec autrui.

Ses nombreux alitements avaient eu pour unique avantage de stimuler son intérêt pour l'histoire et les biographies. Dans sa chambre d'hôpital, Kay Halle, un ami de la famille, se souvient avoir vu *La Crise mondiale* de Winston Churchill sur sa table de chevet lorsqu'il avait 15 ans. Par ailleurs, l'accablement physique de JFK avait tendance à « l'écarter de sa famille extravertie et grégaire »[24], écrira Schlesinger, à lui conférer une « intensité très particulière ». Dès son plus jeune âge, il avait appris à dissimuler son inconfort et il ne se plaignait que rarement, même auprès de ses intimes. Son entourage remarquait seulement, comme le décrivait Bobby Kennedy, qu'il avait « le visage un peu plus pâle, les traits un peu plus tirés et la parole un peu plus vive »[25] lorsqu'il devait recourir à ses béquilles ou à une canne. En public, en revanche, le nouveau Président donnait l'impression d'être robuste.

Son ressort devint quasi légendaire, au point d'altérer le regard de ses proches sur lui mais aussi son comportement. « J'ai toujours dit que c'était un enfant du destin[26]. Même après être tombé dans la boue en costume blanc, il se serait présenté au bal de Newport », écrivait Joe Kennedy à Jackie. Cette assurance avait contribué à forger ses qualités de chef mais elle avait également favorisé l'insouciance dont il faisait preuve dans sa vie personnelle – l'impression de pouvoir s'en tenir à ses propres règles sans avoir à en supporter les conséquences.

Jackie Kennedy avait vécu chez ses beaux-parents durant de longues périodes, surtout lorsqu'elle prenait soin de Jack malade. Désormais, à Palm Beach, elle devait préserver ses forces dans une ambiance marquée par une certaine promiscuité. « Il y avait tant de monde[27] qu'il m'arrivait de m'apercevoir que Pierre Salinger tenait une conférence de presse dans ma chambre alors que j'étais en train de prendre un bain à côté ! »

Elle était arrivée épuisée après avoir visité les vingt pièces de la Maison-Blanche avec Mamie Eisenhower. Très vite elle s'effondra, demeura alitée cinq jours puis se tint à l'écart, allant marcher seule sur la plage ou prendre le soleil pour se distraire un peu de ses enfants et de son travail. Lors de sa visite, ses courtes escapades n'échappèrent pas à Ken Galbraith. Jackie « ne se sentait pas bien »[28]. De temps à autre, elle s'aventurait jusqu'au terrain de golf pour regarder jouer Jack mais elle évitait les grandes sorties au Bath and Tennis ou à l'Everglades, les clubs huppés dont les Kennedy étaient membres. Jackie avoua un jour à l'ambassadeur de France Hervé Alphand qu'elle préférait Hyannis Port, « une sorte de maison de famille[29] comparable à Colombey-les-deux-églises », à Palm Beach, qu'elle « détestait ».

Dès le début de son mariage, Jackie avait refusé de se laisser happer par l'écrasant clan des Kennedy au sein duquel il n'était pas rare de s'entendre accueillir par un « salut fillette ». Au début, elle avait été considérée comme une « menace »[30] selon Billings, qui la tenait également pour une « sérieuse rivale quant au temps et à l'affection de JFK ». Jack s'était marié tard, à 36 ans, c'est pourquoi sa famille avait peur que Jackie ne « l'éloigne d'elle ». Les sœurs Kennedy – dont les longues jambes et les crinières superbes évoquaient au journaliste Stewart Alsop « des poneys sauvages du Shetland »[31] – la surnommaient « la Deb » et se moquaient de sa voix de bébé, racontera Billings. Elles tentaient de l'entraîner dans leurs nombreuses compétitions sportives mais Jackie résistait : « Pourquoi s'inquiéter de ne pas être aussi bonne au tennis que Eunice ou Ethel puisque les hommes sont séduits par la féminité de mon jeu ? »[32].

Jackie et les sœurs de Jack avaient fini par s'accommoder. C'est néanmoins de Joan, la belle-sœur de 23 ans qui avait lutté pour se faire accepter, qu'elle se sentait la plus proche. Malgré ses talents de musicienne, la beauté de son visage arrondi et ses longs cheveux blonds, Joan ne parvenait pas à se défaire de son sentiment d'insécurité. « Si seulement elle s'était rendu compte de ses atouts[33] au lieu de se comparer aux Kennedy », se lamentera Jackie des années plus tard. C'est dans un document officieux intitulé « Dernières volontés et testament » que Jackie livrera la mesure de son affection pour Joan mais aussi pour Teddy. Sur une feuille de papier à en-tête de l'hôtel jamaïcain où Jack avait emmené la famille en vacances, dix jours après avoir annoncé sa candidature à la présidence, il était stipulé qu'en cas de décès du couple, Caroline devrait être élevée par « Edward M. Kennedy et son épouse Joan… comme l'un de leurs propres enfants »[34].

C'était avec Rose Kennedy que Jackie entretenait les relations les plus délicates. Menue (un mètre soixante), toujours habillée à la dernière mode parisienne, sa belle-mère tirait une grande fierté de sa silhouette superbement conservée pour ses 70 ans. Leurs tempéraments et leurs habitudes s'opposaient souvent, même si elles partageaient maints espoirs déçus dans leur mariage respectif. L'esprit vif et curieux, Rose avait vu ses projets d'études à Wellesley contrariés par son père qui avait décidé de la placer dans des écoles strictes, tenues par des sœurs du Sacré-Cœur, où elle devait porter le voile et se contraindre à des retraites silencieuses de prière et de réflexion. Des décennies plus tard, Rose avouera que cette opportunité ratée avait été son « plus grand regret »[35], une chose qui l'avait rendue un peu triste tout au long de sa vie.

Elle avait élevé ses neuf enfants comme une équipe, organisant leur vie avec une efficacité vigoureuse ; son bureau était rempli de fiches renfermant les informations capitales concernant chacun. Selon JFK, elle était « très forte en matière de progrès personnels »[36]. Néanmoins à la fin de la quarantaine, Rose avait connu le terrible chagrin de perdre trois de ses quatre premiers descendants – deux étaient décédés, la troisième handicapée. Elle avait également supporté les fredaines de son mari durant plusieurs décennies, notamment une liaison avérée de deux ans avec Gloria Swanson. Le père de Rose était déjà un coureur de jupons, mais elle demeurait fièrement stoïque, sans jamais élever la moindre plainte ni susciter le moindre conflit. Pour se protéger, elle se repliait sur ses propres centres d'intérêt, voyageait beaucoup et maintenait une distance, même avec ses enfants. Jack, comme ses frères et sœurs, lui témoignait un grand respect mais il se plaignait aussi à Bill Walton : « Elle n'était jamais là quand on avait besoin d'elle… Ma mère ne m'a jamais vraiment pris dans ses bras »[37].

C'est dans la foi catholique que Rose trouvait le plus grand réconfort. Elle communiait tous les jours et assistait parfois à deux messes dans la journée. Un jour, alors qu'elle poussait Jackie à effectuer une retraite religieuse d'une journée, elle admit : « J'ai eu une longue vie de bonheur ponctuée de quelques événements déroutants et même tragiques. Je trouve que ces balises spirituelles me sont d'un grand secours »[38]. Mais chaque fois que Rose tentait d'imposer sa piété, Jackie se hérissait. Elle avait connu une pratique catholique plus relâchée. Sa mère avait dit un jour à son amie Marion « Oatsie » Leiter de Newport : « On risque de remarquer que Jackie est plus souvent à cheval qu'à la messe »[39]. Jackie admirait la foi de sa belle-mère mais elle se débattait avec ses propres croyances. Un jour, elle avoua à Harold Macmillan qu'elle pensait qu'il n'y avait rien après la mort ou alors peut-être « un vague sentiment de grande paix »[40].

Jackie s'irritait de la discipline excessive à laquelle s'astreignait Rose chaque jour : baignade dans l'océan, six kilomètres de marche et neuf trous de golf (généralement en solitaire). Selon ses propres aveux, Jackie aimait « vivre dans la désorganisation – la liberté »[41], en se concentrant intensément sur la tâche qui l'occupait mais en conservant une certaine souplesse dans les horaires. Elle dormait souvent tard le matin et n'hésitait pas à décliner les invitations de sa belle-mère à venir rejoindre ses invités pour le déjeuner – des habitudes qui agaçaient Rose. Lorsque cette dernière dépassait les limites, Jackie imitait sa petite voix derrière son dos – une insolence qui choquait sa secrétaire Mary Gallagher.

Elle comprenait d'autant mieux les pressions que Rose avait subies dans la vie qu'elle devait supporter l'infidélité de son propre mari. Elle déclara un jour que sa belle-mère avait grandi – et même élevé son fils Jack – dans l'idée qu'il ne fallait pas se dévoiler : « Jack refusait totalement de se mettre à nu »[42]. « Il devait être difficile pour Rose d'être mariée à un homme aussi fort, qui menait sa vie tambour battant sur des montagnes russes, et d'avoir neuf enfants. Elle a failli en perdre le souffle »[43], analysait-elle.

Or la source de cette angoisse existentielle, Joe Kennedy, était par ailleurs le membre de la famille favori de Jackie. Comme son épouse, sa vigueur lui donnait au moins dix ans de moins que ses 72 ans. Il avait un physique élancé, des traits fins et des yeux bleu pâle qui se faisaient tour à tour espiègles ou glaciaux. D'un tempérament emporté et agressif, il compensait ces défauts par un sourire éclatant et une charmante vivacité d'esprit. Pour Jack, sa mère était « le ciment »[44] de la famille tandis que Rose décrivait Joe comme « l'architecte »[45] de leurs vies.

Le père éleva ses enfants dans un esprit de compétition. « Nous ne voulons pas de perdants chez nous. Dans cette famille, nous voulons des gagnants »[46] clamait-il. Tenant forum à la table du dîner, il conditionnait ses enfants à une réflexion rapide et à la défense de leurs points de vue. « Il lâchait de petites bombes puis observait les réactions »[47], racontait Kay Halle. Un jour, un invité au repas compara l'expérience à un « passage dans un tunnel aérodynamique pour intellectuels »[48].

Rares étaient les visiteurs qui affrontaient de gaieté de cœur le regard froid et désapprobateur de Joe Kennedy. Un jour à Hyannis Port, il tança ainsi du regard Jackie qui arrivait au déjeuner avec quinze minutes de retard. Selon Chuck Spalding, Joe était dans « l'une de ses humeurs d'empereur Auguste… Il a commencé à la taquiner mais elle ne s'est pas laissée faire »[49].

Comme le vieux Joe usait très souvent de l'argot, elle lui dit : « Vous devriez écrire des histoires de grand-père pour les enfants. Vous pourriez les intituler "Le Canard et le peps" ou "L'Âne qui n'arrivait pas à sortir de la cabine téléphonique" »[50]. Un silence de plomb s'abattit sur la tablée, chacun s'attendant à une réaction de colère, mais Joe « explosa de rire »[51].

C'est sans doute en raison de son franc-parler que Jackie ne se laissait pas déconcentrer par Joe. Dans ses courriers, elle l'appelait toujours « M. Kennedy » et adoptait un ton pouvant varier de la séduction à la plus grande révérence. « Je lui disais qu'il manquait de nuances », se souviendra-t-elle, « que tout était toujours noir ou blanc avec lui, alors que la vie est beaucoup plus compliquée que cela. Pourtant il ne se mettait jamais en colère ; au contraire, il semblait apprécier ma franchise »[52]. Assis ensemble sous le porche de Hyannis ou dans le patio de Palm Beach, « ils discutaient de tout, de leurs problèmes les plus personnels »[53], expliquait Bill Walton. « Elle se fiait entièrement à lui, elle lui faisait confiance et rapidement elle l'adora »[54].

Joe Kennedy se mettait en quatre pour faire plaisir à Jackie, non seulement parce qu'il l'aimait mais parce qu'il avait conscience de l'atout qu'elle représentait pour son fils. « Joseph m'a raconté qu'il avait offert un million de dollars à Jackie pour qu'elle renonce au divorce avec Jack »[55], lorsque le mariage battait de l'aile au milieu des années 1950, affirmait Igor

(« Ghighi »), le frère d'Oleg Cassini – l'échotier Cholly Knickbocker que William Manchester surnommait « le gibbon »[56] du clan Kennedy. La transaction ne fut jamais prouvée, ni totalement réfutée d'ailleurs. Néanmoins Joe Kennedy se montrait considérablement généreux envers Jackie.

Lorsqu'elle avait voulu s'acheter un cheval, il s'était interposé pour régler la note, un geste qu'elle avait pris soin d'accepter. Avant de proposer une jument baie « splendide et très calme », elle avait effectué de nombreux déplacements en Virginie et examiné vingt-trois bêtes. « Franchement, je ne vois pas l'intérêt de se priver du meilleur pour économiser quelques milliers de dollars »[57], écrit-il en retour. « Vous savez que les Kennedy n'aiment pas les seconds prix. Alors achetez le cheval qui vous plaît et envoyez-moi la facture ».

Avec sa perspicacité habituelle, Jackie avait résumé en un tableau le rôle de Joe Kennedy au sein de la famille dans l'une de ses aquarelles à la Ludwig Bemelmans : la horde des Kennedy gambadant sur la plage tandis qu'un avion traversait le ciel en tirant une bannière sur laquelle on pouvait lire : « Vous ne pouvez rien emporter. Tout appartient à Papa »[58]. Joe avait fièrement accroché la peinture dans sa villa de Palm Beach.

CHAPITRE 5

Jack et Bobby : différents
mais unis contre leurs détracteurs

La nomination de son frère Bobby au poste de ministre de la Justice fut un acte de népotisme impudent, impensable selon les critères des présidences ultérieures. Bobby avait à peine 35 ans et une très courte expérience juridique. Après avoir obtenu son diplôme à la faculté de droit de l'Université de Virginie, il avait été brièvement employé au ministère de la Justice puis avait travaillé comme enquêteur au service de deux comités sénatoriaux, où il s'était taillé une réputation d'interrogateur musclé. Dans l'un de ces comités, un ami de son père, le sénateur républicain Joseph McCarthy, l'avait pris sous sa coupe durant la chasse aux sorcières contre les communistes au gouvernement fédéral. Bobby avait également laissé son empreinte sur la scène politique après avoir mené la campagne présidentielle de son frère d'une main de fer, ce qui lui avait valu d'innombrables inimitiés, notamment celle de Lyndon Johnson.

Toutefois, à l'exception de quelques protestations modérées de la part d'éminents juristes et de certains éditorialistes, la presse et le Congrès donnèrent leur assentiment. Seul un sénateur, le républicain conservateur Gordon Allott du Colorado, émit un vote d'opposition. Les journalistes de Washington s'étaient montrés si obligeants que Bobby en avait réuni une dizaine autour d'un dîner, dans un salon privé de l'Occidental Grill, pour leur demander leur point de vue sur les nominations au gouvernement, y compris la sienne. Son frère Jack était suffisamment sûr d'être immunisé contre les critiques que le soir de l'investiture, il plaisantera lors du dîner annuel de l'Alfalfa Club : « Je voulais simplement donner à Bobby l'occasion d'acquérir un peu d'expérience avant qu'il ne devienne avocat »[1].

L'idée venait de Joe Kennedy, qui avait fait pression sur ses deux fils pour qu'ils effectuent cette manœuvre. À son avis, la plus grande fidélité dans l'entourage du président comme au sein du parti ne remplacerait jamais les liens du sang. Au ministère de la Justice, Bobby serait en mesure de protéger Jack du directeur du FBI Hoover et de ses dossiers compromettants. Jack pourrait s'ouvrir à Bobby en toute franchise dans une atmosphère de confiance totale ; de son côté, Bobby pourrait dire à son frère « la vérité pure et simple, quelle qu'elle fût »[2], comme disait JFK.

Jack et Bobby avaient huit ans d'écart. Jusqu'à la candidature de Jack aux élections sénatoriales en 1952, ils n'avaient d'ailleurs jamais été particulièrement proches. Bobby était petit, il avait des lacunes, se montrait tour à tour mielleux ou sarcastique et souvent d'humeur maussade, à tel point que Jack le surnommait « Robert le Noir »[3]. Alors que Jack fascinait au premier contact, Bobby était quelqu'un qu'on finissait par apprécier. Il faisait souvent mauvaise impression avec sa mèche blond roux, ses yeux bleu pâle sournois, ses manières brusques et ses épaules avachies. Son trait de caractère le plus frappant était sa ténacité physique, très remarquée sur les terrains de football où ses adversaires lui étaient en général supérieurs. « Il me fait penser à un petit âne au milieu de la route qui refuse de bouger alors que les automobilistes klaxonnent à tout rompre »[4], écrivait Joe Kane, cousin et conseiller politique de Joe Kennedy.

Septième enfant, Bobby se disputait avec ses frères et sœurs l'approbation d'un père dont l'attention était essentiellement portée sur les exploits des deux aînés. « On avait l'impression que c'était sur lui que la concurrence familiale avait été la plus rude, qu'il avait été obligé à faire des pieds et des mains pour tout »[5], écrira Arthur Schlesinger. Joe Jr. occupait la vedette tandis que Jack, après avoir réussi de justesse à Choate, avait obtenu les félicitations du jury à Harvard pour sa thèse sur le manque de préparation de la Grande-Bretagne à la Seconde Guerre mondiale, qui avait fait un livre à succès. Bobby s'était sorti tant bien que mal d'une scolarité éparpillée dans divers pensionnats et avait terminé Harvard sans aucune distinction.

Joe Kennedy avait près de 60 ans lorsque Bobby obtint son diplôme en 1947. Il se trouvait à la tête d'une fortune estimée à des centaines de millions de dollars, bâtie sur la spéculation boursière, la distribution d'alcools, la production hollywoodienne et l'immobilier. Pour assurer l'avenir financier de ses enfants, il avait prévu pour chacun une donation d'une valeur de dix millions de dollars. Rendu amer par la fin de sa propre vie publique, Joe avait reporté ses vues politiques sur la génération suivante. « C'est parce que je croyais que l'argent me donnerait le pouvoir que je faisais tout pour en gagner »[6], expliquait-il. « Or j'ai découvert que c'est la politique et non l'argent qui donne véritablement le pouvoir à un homme. Alors j'ai fait de la politique »[7]. Néanmoins Joe avait foi en les mérites de servir l'État. Comme Henry Luce, l'austère propriétaire de *Time-Life*, le faisait remarquer : « Seul un grand auteur parviendrait à rendre le mélange d'égoïsme matérialiste et de dévouement sans borne sur lequel se fonde la motivation de Joseph Patrick Kennedy »[8].

Dans sa grande vision politique, Joe Kennedy briguait une charge élective soit pour Joe Jr. soit pour Jack mais pas pour Bobby (l'Ambassadeur avait brièvement envisagé « d'acheter *The Boston Post* pour en confier la direction à Bobby »[9]). À la mort de Joe Jr. en 1944, l'ambition de Joe s'était recentrée sur Jack, « non pas parce ce que cela lui semblait naturel ou parce que tel était son désir »[10], expliquait le père à John McCormack, parlementaire du Massachusetts, mais parce que Jack se devait de reprendre à son compte les « engagements et les aspirations »[11] de son fils aîné.

Naturellement il avait été demandé à Bobby de venir en aide à son frère le moment venu. Il avait fini par attirer l'attention de son père par son impressionnante candidature spontanée au ministère de la Justice alors que Jack se préparait à une élection sénatoriale difficile. La campagne nécessitait un directeur vigoureux et digne de confiance, poste qui convenait parfaitement aux talents de Bobby. Ainsi il avait forcé l'admiration de son père et de son frère par son loyalisme, sa diligence et sa détermination. Tout au long de la campagne sénatoriale de 1952, les deux frères s'étaient répartis les rôles du gentil et du méchant flics, qu'ils continueraient de jouer dans les campagnes ultérieures jusqu'à la Maison-Blanche : Jack affichait un comportement exemplaire tandis que Bobby se chargeait du sale travail.

À la fin des années 1960, Jack Kennedy avait déjà rassemblé la plupart de ses « dirigeants de la nouvelle génération »[12] qui devaient conduire la nation vers la « Nouvelle Frontière », terre « d'opportunités et de dangers inconnus » mais aussi « d'espoirs à combler et de menaces à écarter », au cours de la décennie à venir. Il émanait un sentiment de volonté unanime de cette équipe constituée d'éléments conscients de leur image d'intellectuels. De fait, elle réunissait plus de cerveaux (notamment une quinzaine de boursiers de Rhodes) qu'aucun autre gouvernement jamais formé, y compris celui de Franklin D. Roosevelt.

La victoire serrée à l'élection influença la composition de l'administration Kennedy : une majorité de 112 881 voix seulement sur un total de 68 832 818 votes, le plus mince différentiel du siècle (49,7 % contre 49,6 %) − « si faible qu'il était en réalité inexistant »[13], écrira Teddy White. « Durant les élections de 1960, il ne fut aucunement question de programme… Les Américains s'intéressaient uniquement à la personnalité des candidats et à la confession religieuse de l'un d'entre eux »[14], observait-il. Seule l'inquiétude suscitée par la puissance militaire soviétique avait trouvé un écho auprès des électeurs. D'ailleurs Kennedy comme Nixon avaient exploité cette peur en affirmant être en mesure de faire front face au chef du gouvernement soviétique Nikita Khrouchtchev.

Malgré sa victoire, le nouveau Président avait conscience des doutes persistant sur son expérience (durant ses quatorze années passées à la Chambre et au Sénat, Kennedy ne s'était « jamais distingué du lot »[15] en défendant une grande cause). Le poids de l'Establishment de la côte Est lui était désormais nécessaire. Dès le mois d'octobre, il avait confié à Cyrus L. Sulzberger dit « Cy », collaborateur du *New York Times*, qu'il tenterait d'imiter Franklin Roosevelt et Harry Truman en installant des Républicains à des postes importants, « dans l'intérêt de l'unité nationale »[16]. Kennedy se reposa largement sur les conseils de deux d'entre eux, Robert Lovett et John McCloy, ces derniers ayant refusé les hautes fonctions qui leur avaient été offertes. Lorsque Kenny O'Donnell, son conseiller de longue date et sans doute la voix la plus libérale de son entourage immédiat, avait mis en doute la sagacité d'une telle présence, Jack lui avait répondu : « Si je fréquente des libéraux de Harvard, ils laisseront ces ahuris de l'ADA[a] envahir Washington. La participation d'une poignée de Républicains brillants peut m'être utile. Quoi qu'il en soit, nous avons besoin d'un ministre de l'Économie et des Finances qui tutoie quelques gros bonnets de Wall Street »[17].

Les trois membres du parti républicain sélectionnés – Robert McNamara, McGeorge Bundy et Douglas Dillon – parurent acceptables à ses conseillers. McNamara et Bundy n'avaient de républicains que le nom. Tous deux avaient voté pour Kennedy et McNamara adhérait à l'ACLU[b] et à la NAACP[c], tandis que Bundy s'était prononcé en faveur du candidat démocrate dès le début de sa campagne. Seul véritable membre du parti, Dillon avait été sous-secrétaire d'État sous Eisenhower et versa

---

a) American for Democratic Action – Organisation prônant des valeurs libérales.

b) American Civil Liberties Union – Organisation de défense des libertés individuelles.

c) National Association for the Advancement of Coloured People – Association de défense et de promotion des Noirs aux États-Unis.

vingt-six mille dollars de soutien à la campagne de Nixon. Néanmoins les trois hommes satisfaisaient aux conditions que Kennedy avait exposé à Sulzberger puisqu'ils avaient des « principes proches des siens »[18]. Tous seraient rapidement promus au rang des intimes du Président.

McNamara dirigeait la société Ford depuis trente-quatre jours seulement lorsque JFK lui proposa le ministère de la Défense début décembre. Ébahi par le tempérament de battant et la vivacité d'esprit de Kennedy, McNamara s'émerveillait de « l'éventail des problèmes auxquels il avait réfléchi et imaginé des solutions »[19]. Kennedy savait déjà que McNamara était un oiseau rare au sein de l'élite financière – un génie des chiffres mais aussi un intellectuel auquel ses collègues chez Ford avaient un jour offert quatre volumes de la monumentale *Story of History* d'Arnold J. Toynbee. Mal à l'aise dans les soirées organisées au country-club, McNamara refusait d'habiter dans la banlieue chic de Grosse Pointe, préférant celle plus éloignée d'Ann Arbor, où il était membre de deux clubs de lecture réunissant des professeurs de l'Université du Michigan. Conformément à la vigueur du style Kennedy, McNamara était en outre un alpiniste intrépide.

Selon Schlesinger, McNamara présentait « d'incroyables dispositions »[20] pour plaire à Kennedy, notamment « un esprit curieux et incisif », une « capacité de travail illimitée » et une « personnalité sans prétention »[21]. De plus, il offrait une image dégingandée d'athlète de plein air tout à fait appropriée au concept de la Nouvelle Frontière. Un mètre quatre-vingt-trois, une épaisse chevelure sombre et brillante coiffée en arrière, le front dégagé et le « teint marbré comme s'il était resté trop longtemps dans son bain »[22], il portait des lunettes à verres non cerclés qui lui conféraient un air d'universitaire. Son allure en apparence austère masquait un tempérament capable de se laisser aller à des émotions intenses au point de verser parfois une larme inattendue.

Âgé d'un an de plus que Kennedy, il avait grandi dans un modeste milieu catholique irlandais de Californie, où son père était directeur commercial chez un fabricant de chaussures. À Berkeley, où il s'était spécialisé en économie, avec la philosophie et les mathématiques comme matières secondaires, il était devenu membre de la Phi Beta Kappa[a], ensuite il avait obtenu un MBA à Harvard. Durant la Seconde Guerre mondiale, il avait été expert en statistiques puis avait rejoint le groupe des dix « forts en thème » chez Ford, où il avait rapidement grimpé les échelons. « Ce que la plupart des hommes doivent aller chercher dans les livres et les rapports, Bob l'a déjà en tête »[23], expliquait Henry Ford sans masquer son admiration.

McGeorge Bundy respirait la même confiance en soi et la même intelligence derrière un visage faussement angélique souligné par des joues roses, des cheveux blond roux un peu dégarnis et une « expression légèrement perplexe »[24]. La généalogie des Bundy remontait aux Pères Pèlerins de Plymouth Rock tandis que dans la lignée maternelle figuraient des Cabot et des Lowell. « Mac » était le troisième de cinq enfants dans une famille où l'on attachait beaucoup de prix au sérieux du discours et à l'art de se débrouiller pour faire mieux que les autres. À Groton, il était célèbre pour ses démonstrations ostentatoires de ses facultés intellectuelles. Un jour, il avait fait tout un exposé sur le duc de Marlborough en s'appuyant sur une feuille blanche.

Mac avait été le premier inscrit à Yale avec trois notes parfaites à l'examen d'entrée. La revue littéraire de l'université le qualifiait de « fine mouche à l'œil malicieux »[25]. Sa collaboration au *Yale Daily News* lui avait valu la réputation d'iconoclaste politique. C'était d'ailleurs à ses commentaires sur les affaires nationales et internationales alliés à ses allures de brahmane qu'il devait son surnom de « Mahatma Bundy »[26].

À l'époque où il lui avait été proposé d'abandonner son poste de professeur titulaire en politique étrangère américaine à Harvard pour celui de doyen de la faculté à l'âge de

---

a) Association d'anciens étudiants très brillants.

34 ans, il avait déjà établi un impressionnant réseau de connaissances, dont faisaient partie Henry Stimson, ministre de la Défense de Roosevelt, Douglas Dillon et Dean Acheson, ministre des Affaires étrangères de Truman. Originaire de Boston, son épouse, Mary Lothrop, était parente avec Ben Bradlee tandis que sa mère était proche de Corinne Alsop, la mère des chroniqueurs Stewart et Joe. Bundy avait également été en contact avec les Kennedy. Durant sa scolarité à Brookline, il était deux classes en-dessous de JFK, par ailleurs il s'était lié d'amitié avec Kathleen durant la guerre et elle lui avait demandé de jouer les maîtres de cérémonie pour un jeu qu'elle organisait à la cantine de la Croix-Rouge américaine à Londres. Bundy et Kennedy avaient renoué en 1957 lors de l'élection de Jack au conseil de surveillance de Harvard. Dès 1959, JFK avait décidé que Bundy siègerait dans son gouvernement. Avant d'arrêter son choix sur le poste de conseiller à la sécurité nationale, le Président avait même envisagé de le nommer ministre des Affaires étrangères.

Douglas Dillon plaisait à Kennedy en raison de son immense expérience gouvernementale. Outre ses années passées au ministère des Affaires étrangères, il avait été ambassadeur en France et jouissait d'une réputation d'internationaliste engagé aux vues économiques conservatrices. En dépit de ses opinions démocrates de la première heure, Joe Kennedy avait confié à son fils que « les Démocrates ne connaissaient rien à l'argent »[27], se souvenait Charley Bartlett.

Malgré ses huit ans de plus, Douglas partageait de nombreux points communs avec Jack. Tous deux étaient fils d'hommes autoritaires ayant réussi par leurs propres moyens. Le grand-père paternel de Dillon, un juif polonais du nom de Sam Lapowski, avait émigré à Milwaukee, où il avait fondé une fabrique de machines et adopté le nom de jeune fille de sa mère, une catholique française. Son père, Clarence Dillon l'avait précédé à Harvard et avait été rejeté des clubs fermés de l'université, affront qu'avait également essuyé Joe Kennedy en sa qualité de petit-fils d'immigrants irlandais. De même,

JFK et Doug Dillon avaient été admis au Spee, une importante marque de reconnaissance à Harvard, même si le club ne valait pas le Porcellian.

Clarence Dillon avait fini par voir sa société cotée en bourse et avait acquis un patrimoine de cent quatre-vingt-dix millions de dollars à la tête de la banque d'investissement Dillon Read. Sa fortune lui permettant de voyager dans toute l'Europe, il avait acheté dans le Bordelais les quelques quarante hectares de vignoble du Château Haut-Brion qui avait appartenu à Talleyrand. Né en Suisse, Douglas Dillon avait terminé deuxième de sa classe à Groton, l'école était alors devenue une véritable frayère de banquiers prêts à s'engager pour défendre le service public. Grand et timide, il avait comme Kennedy régulièrement souffert de problèmes de santé durant son adolescence, notamment une lésion discale qui l'obligeait à travailler debout à un bureau surélevé. Pendant la guerre, il avait combattu dans la marine comme officier sur les bombardiers Black Cat et résisté aux attaques des kamikazes. Ensuite il avait assumé la présidence de Dillon Read. Propriétaire de six résidences aux États-Unis et à l'étranger, Douglas menait grand train, collectionnant les Renoir et savourant les meilleurs crus du Château Haut-Brion.

Ce ne fut qu'après son entrée dans la haute fonction publique qu'il avait enfin échappé à l'emprise de son père. Kennedy et Dillon s'étaient mesurés pour la première fois l'un à l'autre lors de diverses réunions organisées à Harvard et appréciaient chacun la « réserve patricienne et le sens presque britannique de l'euphémisme »[28] de l'autre. Durant sa participation au comité sénatorial des relations internationales, Kennedy avait sollicité l'expérience de Dillon au ministères des Affaires étrangères sur des questions internationales telles que le soutien financier des États-Unis à l'Inde. De plus, ils partageaient un ami commun en la personne de Ben Bradlee, qui avait été attaché de presse de Dillon à l'ambassade à Paris.

Kennedy admirait la discrétion et la vivacité d'esprit de Dillon ainsi que l'absence de dogmatisme dont il faisait preuve à l'égard de la politique économique. « Nous sommes tous les deux plutôt rapides »[29], affirmait Dillon, qui soulignait que les décisions de Kennedy étaient « bien prises. Il ne se laissait pas pousser à faire les choses à la va-vite »[30]. Dillon fut en particulier impressionné par le sens de l'histoire de Kennedy lorsqu'il déclara, durant leur premier entretien au sujet du poste de ministre : « Les gouvernements libéraux se sont échoués sur l'écueil de l'instabilité financière et je ne laisserai pas mon gouvernement connaître le même sort »[31].

Plus que tout autre candidat retenu, Dillon présentait d'excellentes références pour aider à résoudre certains des urgents problèmes dont Kennedy allait hériter à son arrivée au pouvoir. La balance des paiements des États-Unis était précaire ; les investisseurs vidaient les réserves d'or, menaçant la puissance du dollar, en partie du moins par anticipation de l'éventuelle prodigalité de l'administration démocrate. Kennedy était convaincu que la nomination de Dillon au ministère des Finances rassurerait la communauté financière internationale et stabiliserait la monnaie.

« Sur le plan financier, Kennedy était profondément conservateur. Son père avait une grande influence sur ses idées générales »[32], se souviendra Dillon. Son inquiétude concernant la balance des paiements sortait tout droit de l'enseignement de Joe Kennedy. Selon Arthur Schlesinger, le patriarche croyait que « le manque de confiance »[33] viderait l'Amérique de son or, une position ancrée chez JFK qui demeurera d'ailleurs la grande préoccupation de toute sa présidence.

Comme il fallait s'y attendre, le choix de Dillon démoralisa l'aile libérale du parti démocrate. Personne ne fut plus déçu que John Kenneth Galbraith, qui comptait influer sur la politique présidentielle depuis que le jeune sénateur Kennedy lui avait demandé conseil pour ses votes lors de la soumission de certaines lois économiques.

Il était difficile de faire abstraction de ce Canadien d'origine, non seulement parce qu'il mesurait plus de deux mètres mais parce qu'il avait une opinion tranchée en matière économique. Il avait eu un « père pacifiste », éleveur, qui lui avait instillé le besoin pressant d'aider les pauvres « au bord du désespoir » durant la crise de 1929. Galbraith avait obtenu un doctorat à Berkeley et brièvement collaboré au gouvernement de Roosevelt avant d'accepter un poste à Harvard, où il demeurera soixante ans. Disciple de John Maynard Keynes, il partageait l'idée que l'augmentation des dépenses de l'État stimulait la croissance et favorisait la lutte contre le chômage.

Galbraith était l'un des plus grands libéraux à avoir appuyé Kennedy auprès du groupe d'experts de Cambridge durant la campagne présidentielle. Auteur de *L'Ère de l'opulence*, rude mise en accusation de l'impact de la publicité sur la consommation aux États-Unis, il n'avait pas manqué d'idées pour le candidat. « Comme les gens qui aiment s'écouter parler »[34], avait-il écrit à Kennedy, « il y en a indiscutablement d'autres qui sont encore plus excessivement attirés par leur propre composition. Je mériterais sans doute une médaille d'or dans les deux groupes ». Kennedy appréciait ses plaisanteries et n'hésitait pas à riposter. Lorsque Galbraith avait objecté que le *New York Times* le taxait d'arrogance, Kennedy avait rétorqué : « Je ne vois pas pourquoi. Mais tout le monde semble d'accord »[35].

L'élection de Kennedy avait enchanté Galbraith, qui avait proclamé « un gouvernement de riches pour les pauvres s'appuyant sur l'intelligence »[36]. Le bruit avait couru que Galbraith pourrait être nommé ministre des Finances ou président des Conseillers économiques du Président. Mais Kennedy avait conscience de l'extrémisme des vues de Galbraith pour ces deux postes. Cy Sulzberger prédisait des « suicides à Wall Street »[37] s'il était nommé à l'Économie et aux Finances : « Ils croient que Galbraith est fou »[38]. Lorsque Kennedy avait consulté Lovett, l'ancien expert en investissements avait déclaré avec un humour pince-sans-rire : « C'est un excellent romancier »[39]. (Comble de l'ironie, Galbraith publiera *The McLandress Dimension* en 1963 sous le pseudonyme de Mark Epernay, roman taxant le ministère des Affaires étrangères de Kennedy de puits de clichés et de mauvaises idées).

Moins d'une semaine plus tard, Kennedy nomma Galbraith ambassadeur en Inde, un poste de prestige permettant de le caser là où il ferait le moins de mal à l'économie américaine. Galbraith n'en fut pas pour autant bâillonné. Inondant le pays d'un flot de courrier haut en couleurs et de retours réguliers, il continua d'imposer ses idées. Pour Dillon, il surgissait tel un fantôme malicieux pour rôder autour des politiques économiques les plus sérieuses – situation dont Kennedy ne cesserait de s'amuser.

À Cambridge, Galbraith avait eu pour âme sœur Arthur Schlesinger. Ils étaient les deux plus beaux trophées de Kennedy en matière d'éminences grises puisque tous deux avaient été partisans d'Adlai Stevenson, candidat démocrate libéral par deux fois évincé dans la course à la présidence. Tout comme Kennedy avait eu besoin de Républicains après son élection, la présence de « Démocrates dynamiques » (comme Schlesinger nommait les activistes progressistes du parti) était cruciale pour la garantie des nominations mais aussi pour inciter les électeurs à voter aux législatives. Nombre de libéraux se méfiaient du rapprochement entre le père, le frère et Joe McCarthy. Néanmoins les doutes se concentraient sur Jack. Lorsque le Sénat avait voté la censure contre McCarthy (soixante-sept voix contre vingt-deux) pour sa tactique abusive en 1954, Jack avait été le seul sénateur démocrate à s'abstenir. Schlesinger avait bien voulu accepter le prétexte de sa convalescence suite à son opération du dos. (Même à distance, JFK aurait pu voter puisqu'il connaissait suffisamment le dossier et qu'il avait l'habitude de faire voter les membres de son équipe à sa place, parfois même s'ils n'étaient pas informés de sa position exacte). Aux yeux de Schlesinger, Jack était presque infaillible. Exactement du même âge, ils s'étaient liés d'amitié en 1946 alors que Schlesinger enseignait l'histoire à Harvard et que Kennedy venait d'être élu parlementaire.

JFK avait immédiatement compris la valeur de ce jeune lauréat du prix Pulitzer, obtenu à 29 ans pour *The Age of Jackson*. Lorsque Kennedy avait commencé à solliciter son avis, l'ambitieux universitaire avait été séduit par son charme, son « scepticisme » et son « laconisme ». Schlesinger admirait désormais son intelligence « intériorisée et réfléchie »[40] tandis que JFK se servait de lui comme d'une sorte de diapason libéral dont l'oreille absolue lui permettait d'ajuster sa propre position sur la scène politique selon les circonstances.

Né dans l'Ohio, le fils précoce du célèbre professeur d'histoire sociale et culturelle de Harvard, Arthur Meier Schlesinger, avait perdu toute trace de ses origines provinciales au contact de ses compagnons de Cambridge (un peu comme son ami Bill Walton). Il était mince, portait des lunettes, avait un humour très espiègle et un style d'écrivain. Après s'être distingué en tant qu'étudiant, il était devenu enseignant à Harvard, sans avoir pourtant jamais obtenu de diplôme supérieur. Il vouait une grande passion à Franklin Roosevelt et au New Deal.

Si Kennedy était plus conservateur que Schlesinger sur le plan politique, les deux hommes partageaient un sens de l'ironie prononcé, une tendresse joviale pour les aléas de la vie et une grande ouverture d'esprit. Durant la campagne, Kennedy avait pris un malin plaisir à voir ses amis universitaires rallier les vieux briscards de la politique, que Hugh Sidey, correspondant du *Time*, qualifiait d'« Irlandais hargneux ». Lors d'un meeting à Boston, Kennedy avait aperçu Schlesinger et Galbraith dans la foule. Plus tard, dans l'avion, Kennedy avait demandé à Sidey : « Vous avez vu Arthur et Ken piégés au milieu de toute cette fumée de cigare ? »[41]. Le journaliste affirmait : « Il les aimait et les respectait pour leur intelligence mais il avait également conscience de leurs limites en tant qu'intellectuels. Il avait autant besoin de leur stimulation que du pragmatisme des O'Donnell et autres O'Brien »[42].

L'une après l'autre, les suggestions de nomination de Schlesinger restèrent vaines : Stevenson aux Affaires étrangères, Chester Bowles, ancien gouverneur du Connecticut à l'ambassade américaine auprès des Nations Unies et Galbraith aux Finances. Conscient de sa frustration, Kennedy tenta d'apaiser son collaborateur : « Nous poursuivrons ainsi pendant un an ou deux, puis je pense que j'introduirai de nouvelles têtes »[43]. Schlesinger commença alors à prendre la mesure de ce qu'il appelait « l'esprit profondément réaliste »[44] de JFK.

Son épouse, Marian, croyait que Schlesinger « aurait aimé avoir le poste de Mac Bundy »[45] mais il accepta celui, plus nébuleux, de « conseiller spécial » – « un bon titre mais sans attributions très claires »[46], selon Galbraith. Au départ, l'idée de devenir un conseiller sans responsabilités définies inquiéta Schlesinger. « Je ne vois pas très bien ce que je ferai en tant que conseiller spécial »[47], dit-il. Sur le ton de la plaisanterie, Kennedy lui répondit : « Vous savez, je ne vois pas très bien non plus ce que je ferai en tant que Président »[48]. Schlesinger donna son accord sachant, comme il le confia à Eleanor Roosevelt, « qu'aucun historien américain n'avait jamais eu le privilège d'observer d'une aussi bonne place la mise en œuvre de la politique gouvernementale »[49].

« Dans l'esprit de Jack, Arthur devait paraître la bonne personne pour jauger son mandat »[50] affirmait William van den Heuvel, collaborateur de Bobby Kennedy. « S'il laissait pénétrer ainsi quelqu'un dans la place, c'est bien qu'il avait confiance en lui »[51]. Comme Kennedy l'expliquera lui-même à O'Donnell : « J'écrirai ma propre version de l'histoire officielle de l'administration Kennedy mais Arthur écrira probablement la sienne, donc il vaut mieux pour nous qu'il fasse partie de la Maison-Blanche et raconte ce qu'il a vu plutôt qu'il s'inspire, du fond de son bureau à la bibliothèque Widener de Harvard, de ce qu'on écrira sur nous dans le *New York Times* et le *Time* »[52].

La plus lourde tâche de Schlesinger consisterait, du début de la campagne présidentielle à l'arrivée à la Maison-Blanche, à servir de médiateur entre Kennedy et Adlai Stevenson. « Même si Adlai ne faisait pas partie du cercle des intimes, Jack Kennedy voulait toujours connaître son point de vue »[53], expliquera Schlesinger. Il ne se lassait jamais d'insister sur le fait que les deux hommes étaient compatibles malgré leur différence d'âge de dix-sept ans. Tous deux étaient diplômés de Choate, et Stevenson avait étudié à Princeton. Leurs foyers, faisait remarquer Schlesinger, fonctionnaient sur « le même mode et le même tempo »[54], ils attiraient « le même genre de visiteurs européens saugrenus », avaient « le même tempérament enjoué », s'intéressaient au « même style de potins », conversaient « aussi librement et largement sur les sujets les plus divers » et passaient « aussi aisément des sujets graves à la frivolité ».

En dépit de ces affinités naturelles, Kennedy et Stevenson ne furent jamais à l'aise ensemble. En présence de Kennedy, l'homme d'État un peu rond et dégarni se raidissait, « devenait pointilleux et faisait du zèle »[55], se souviendra Schlesinger. Pour sa part, le fringant usurpateur « ne vit jamais Stevenson sous son meilleur jour... caustique, rusé et captivant »[56]. Derrière son dos, Kennedy jugeait son aîné lâche et faible. Critiquant un jour l'équipe du ministère des Affaires étrangères, JFK déclara : « Ils ne sont pas bizarres mais un peu comme Adlai »[57]. Stevenson voyait « une certaine arrogance chez Jack Kennedy »[58] qu'il trouvait désagréable, selon Elizabeth Ives, sa sœur.

Ni l'un ni l'autre n'oublieraient les affronts mutuels de la campagne présidentielle. Kennedy avait fait pression par le biais de ses intermédiaires, notamment Schlesinger, pour obtenir son soutien avant la convention démocrate. À titre de gratification, il lui avait fait miroiter le poste de ministre des Affaires étrangères, que Stevenson convoitait. « Si Adlai avait pris position pour Kennedy... Il aurait pu obtenir ce qu'il voulait »[59], déclarait Schlesinger. Quatre ans plus tôt, Stevenson avait encouragé Kennedy à se présenter à la vice-présidence. Même s'il avait échoué de peu, l'importance qu'il avait prise à la convention de 1956, puis la campagne de grande envergure qu'il avait menée, lui avaient permis de se porter candidat à la présidence proprement dite.

Or en 1960, Stevenson s'était entêté à demeurer neutre. Il avait le sentiment d'avoir fourni à Kennedy un entourage intellectuel et des idées dont ce dernier s'était servi pour élaborer sa propre campagne. Il espérait encore être appelé par ses indéfectibles partisans sous la houlette d'Eleanor Roosevelt. (Kennedy considérait les fidèles de Stevenson d'un œil amusé, faisant remarquer à Charley Bartlett : « Je ne fais l'objet d'aucun culte. Pourquoi Adlai fait-il l'objet d'un culte ? »[60]). La jeunesse et le manque d'expérience de Kennedy le rendaient par ailleurs dubitatif. « Je ne crois pas qu'il soit l'homme qu'il nous faut. Je ne pense pas du tout qu'il soit à la hauteur »[61], avait affirmé Stevenson à la journaliste britannique Barbara Ward.

Lors de la convention, Bobby Kennedy avait fait pression auprès de Stevenson pour qu'il soutienne l'investiture de Jack. « Vous avez vingt-quatre heures »[62], avait lancé Joe Kennedy d'un ton hargneux à Bill Blair, son assistant. Non seulement Stevenson avait refusé mais il s'était présenté dans la salle la veille du vote et avait déclenché une « violente manifestation »[63]. Outré, Kennedy en avait conclu que Stevenson s'était « conduit de manière indécise et stupide »[64].

Quoi qu'il en soit, Stevenson désirait ardemment le ministère des Affaires étrangères et Schlesinger n'avait de cesse de faire valoir son cas. Néanmoins Kennedy ne voulait pas d'un homme disposant de partisans et risquant de constituer son propre réseau d'influence. Souhaitant conserver la mainmise sur sa politique étrangère, JFK choisit Dean Rusk, un garçon pauvre de Géorgie, boursier de Rhodes, connu pour sa fiabilité et sa lucidité mais manquant de poids et d'imagination.

La meilleure offre que Kennedy put faire à Stevenson fut le poste d'ambassadeur auprès des Nations Unies, qu'il éleva au rang ministériel afin d'atténuer son sentiment de fierté blessée. Sur le moment, Stevenson refusa en se plaignant qu'il s'agissait d'une « charge médiocre »[65], ce qui irrita ses amis autant que Kennedy. « Cessez de répéter que Jack a cherché à se débarrasser de vous. Désormais vous devez coopérer »[66], lui écrivit Agnes Meyer, l'épouse du propriétaire du *Washington Post*. Stevenson finit par accepter de mauvaise grâce mais en conserva du ressentiment. Aussi Schlesinger dut-il se résigner à jouer son rôle d'intermédiaire durant les trois années qui suivirent : « Au téléphone, entre l'un et l'autre, à essayer de jouer les interprètes »[67].

CHAPITRE 6

La garde rapprochée de JFK

« Les Kennedy étaient partout. C'était le premier meeting de la Nouvelle Frontière »[1], écrivait Arthur Schlesinger. Une réception était organisée dans la maison de couleur crème de la sœur de Jack, Jean, et de son mari, Steve Smith, trois jours seulement avant l'investiture. La résidence des Smith, située au carrefour de la Trente et unième et de O Street à Georgetown, constituait l'épicentre du territoire à géométrie variable des Kennedy. Le reste de la famille louait des maisons dans la même rue et les environs. Jean et Steve avaient fait dresser une tente chauffée dans le jardin, où les invités dînaient et dansaient sur la musique de Lester Lanin. Il émanait de cette soirée « tout le glamour d'une première à Hollywood »[2], rapportera le *Washington Post.*

L'assistance mêlait pour l'essentiel le clan Kennedy, des universitaires, des vedettes de cinéma et des futurs membres de la nouvelle administration. Robert McNamara, arriva juste après Milton Berle et Jimmy Durante. Frank Sinatra se présenta en compagnie de l'épouse du chanteur noir Nat King Cole ; lorsqu'un journaliste lui demanda s'il sortait avec elle, il répondit d'une voix rageuse : « D'où sortez-vous, de Roumanie ? »[3]. Malgré sa tenue de soirée, Eunice Shriver portait des chaussures de plage parce qu'elle s'était foulé la cheville dans la journée. Son amie Deeda Blair, qui n'avait pas ménagé ses efforts durant la campagne présidentielle, se retrouva à sa grande surprise placée entre JFK et Sinatra, tandis que Marian Schlesinger s'émerveillait des « jolies nymphettes importées de New York »[4].

L'hôtesse, Jean Kennedy Smith, incarnait ce que Ken Galbraith nommait « l'agréable enthousiasme de la jeunesse »[5]. À 32 ans, elle était la benjamine de la fratrie. Si elle avait le menton fort de la famille, ses yeux bleus lui donnaient un regard charmeur et elle se conduisait de manière discrète. Diplômée du Manhattanville College, elle était fine et spirituelle, de sorte qu'elle était celle des sœurs Kennedy avec laquelle Jackie s'accordait le mieux. Les deux jeunes femmes s'étaient trouvées enceintes pendant la campagne et Jean avait donné naissance à son second fils à l'automne.

Steve, son mari, avait été élevé chez les jésuites à Georgetown puis avait travaillé dans la société familiale de remorquage portuaire à New York. Son grand-père, un immigrant irlandais, avait été le représentant de Brooklyn au Congrès durant trois mois. Smith avait hérité des instincts politiques et du sens des affaires dont l'Ambassadeur pensait que la famille avait besoin. « Lorsque les frères Kennedy parlaient affaires, c'était comme écouter des religieuses parler de sexe »[6], commentait Lem Billings.

Fumeur invétéré, Smith était bel homme, maigre et nerveux. Il s'était révélé fin stratège durant la campagne. « Il ramait vers son objectif en silence »[7], déclarait Jack Kennedy, soulignant le style réputé taciturne mais efficace de son beau-frère. Au nouveau gouvernement, Smith serait chargé de régler les crises au ministère des Affaires étrangères.

Jack vint seul à la réception car Jackie était encore à Palm Beach, préservant ses forces et attendant la dernière minute pour laisser Caroline et John, qui devaient demeurer chez l'Ambassadeur sous la garde de leurs nounous, Luella Hennessey et Maud Shaw, pendant la réfection des appartements privés de la Maison-Blanche. Rayonnant, le nouveau Président baignait dans l'euphorie, insistant pour que son petit frère Teddy et son compagnon de régiment Red Fay entonnent des chansons populaires. Néanmoins leurs prestations tombèrent à plat, se rappellera Fay, parce que « les gens s'amusaient trop à faire connaissance les uns les autres »[8].

À son arrivée en avion dans le nord le lendemain, en compagnie de Mary Gallagher et de Pam Turnure, Jackie passa « pratiquement inaperçue, hormis la présence d'une poignée de photographes, d'agents des services secrets et d'autres passagers »[9]. Personne n'étant venu l'accueillir, la première dame fut emmenée par un membre des services secrets dans une Mercury vert vif. Jack déjeunait à Manhattan avec Averell Harriman, ancien homme d'État démocrate. La mère de Jackie, en compagnie des « femmes » du clan Kennedy, recevait six mille invités à la National Gallery of Art. C'était justement le genre de manifestations que Jackie détestait et qu'il lui était conseillé d'éviter.

Son médecin, John Walsh, avait annoncé qu'elle devrait « réduire ses activités durant six mois environ »[10], ce qui lui donnait une bonne excuse pour esquiver tout ce qui lui semblait pénible. En fait, elle avait à peine eu le loisir de se reposer à Palm Beach compte tenu du balai incessant des visiteurs et de la pression que lui infligeait l'organisation de l'emménagement à la Maison-Blanche. Malheureusement, les choses ne seraient guère différentes dans la résidence de style fédéral que possédaient les Kennedy sur N Street, près de la Trente-Quatrième, à Georgetown. Envahie par les visiteurs, la maison à trois étages était entourée de journalistes et de badauds que les services secrets tenaient à l'écart.

Durant des semaines, Jack Kennedy avait préparé son discours d'investiture, ciselant l'annonce des thèmes et des objectifs qui constitueraient le fil conducteur de son mandat. « J'en avais entendu des extraits de nombreuses fois. Des feuilles couvertes de notes s'entassaient dans tous les coins de notre chambre »[11], expliquera Jackie. Jack avait sollicité les conseils de collaborateurs tels que Schlesinger, Stevenson et Galbraith (qui concéderait que la version finale était « moins hardie », « beaucoup plus sage[12] » que la sienne). Kennedy avait également consulté d'éminents journalistes, notamment Joseph Kraft et le doyen des chroniqueurs de Washington, Walter Lippmann, qui avait suggéré de ne pas parler de « l'ennemi » mais de « l'adversaire » soviétique. À cette époque, la distance entre les milieux politiques et la presse était si ténue qu'une telle collaboration n'était pas seulement habituelle mais considérée comme une marque de distinction par la confrérie journalistique.

Personne n'eut cependant plus d'influence sur les déclarations de Kennedy que Ted Sorensen, l'homme raide et austère du Nebraska qui rédigeait ses discours et était son conseiller le plus proche depuis son élection au Sénat. Le plus jeune des collaborateurs de Jack, un an seulement plus âgé que Jackie, Sorensen avait « derrière ses lunettes, un visage carré si distant qu'il semblait taillé dans la glace » et un « sourire aussi spontané que l'ouverture d'une porte de coffre-fort »[13].

Sorensen portait bien son nom d'« alter ego » de Kennedy. Doté d'une mémoire aussi sûre, d'une énergie mentale et physique semblable, il ne tolérait pas davantage les menus propos et se montrait tout aussi direct. Dans son obstination à vouloir s'effacer, il était devenu le prolongement servile de son patron.

Après s'être engagé au service du sénateur en 1953, Sorensen avait non seulement adopté ses inflexions prononcées et ses gestes hachés mais ses boissons préférées, le daiquiri et la bière Heineken, alors qu'il ne buvait auparavant jamais d'alcool. Il avait même développé une lombalgie et durant des années, Kennedy le conseilla sur les tout derniers remèdes. « Je pouvais prédire ce que pensait Jack Kennedy sur la plupart des problèmes, sans parler de ses émotions que je lisais à livre ouvert »[14], se souvient Sorensen. Il utilisait plus souvent « nous » que « je » afin de signaler qu'ils pensaient tous les deux la même chose. Curieusement pourtant, « jamais deux personnes n'avaient été plus intimes et plus séparées »[15], observait Richard Neustadt, professeur à l'Université Columbia et conseiller de Kennedy durant la période de transition.

Sorensen était issu d'un milieu ni très raffiné ni privilégié. Il n'avait jamais vu un rince-doigts avant sa première visite chez les Kennedy à Cape Cod et il n'avait guère franchi les frontières du Midwest. Son père, fils d'immigrants danois, était un juriste libéral militant au Nebraska tandis que sa mère, d'origine juive russe, était une féministe au franc-parler. Ted était le troisième des cinq enfants de cette famille souvent absorbée par des discussions politiques enlevées, ne cachant pas son engagement pour la défense du service public – sans doute l'unique point commun avec la famille Kennedy.

Au début de sa collaboration avec Jack Kennedy, Sorensen connaissait mal les rouages de Washington, cependant il était diplômé de la faculté de droit de l'Université du Nebraska et membre de son association universitaire Phi Beta Kappa. Ses références solides en matière de politique libérale paraissaient en outre utiles à Kennedy : il faisait partie de l'ADA et s'était mobilisé en faveur des droits civiques pour les Noirs dès la première heure. Pacifiste convaincu, Sorensen avait demandé une incorporation à titre de non-combattant, dans l'intention d'effectuer son service militaire en tant que médecin.

Immédiatement, Sorensen avait été impressionné par le fait que Jack « avait le verbe facile, teinté toutefois d'une certaine timidité, sans la faconde et le ton habituellement pompeux »[16] des hommes politiques. Il avait été attiré par son « insistance à vouloir couper court aux préjugés et aux mythes pour aller droit au but »[17]. Compte tenu de sa propre réserve, Sorensen comprenait que Kennedy « détestait les effusions, non par manque de sensibilité mais, au contraire, à cause de sa grande sensibilité »[18]. Malgré la prudence dont faisait preuve Kennedy dans sa politique, Sorensen considérait son patron comme un « homme libre » à « l'esprit indépendant »[19], ouvert aux idées nouvelles et aux arguments de la gauche.

Leur remarquable harmonie intellectuelle avait soulevé la controverse lorsque Kennedy avait publié *Profiles in Courage*, une série de huit portraits de sénateurs ayant mis leur carrière en danger par leurs prises de position. Pour cet ouvrage, Kennedy avait eu recours à l'aide de plusieurs historiens (dont Schlesinger) et d'Arthur Krock du *New York Times*, qui travaillait depuis des années au noir comme éditeur et nègre de son ami Joe Kennedy (et avait demandé au moins une fois une avance de cinq mille dollars). Ils lui avaient fourni des notes de recherche, rédigé et corrigé ses premiers jets. Jack Kennedy avait écrit certaines parties et enregistré une centaine de pages de notes au dictaphone. Or, c'était Sorensen qui avait travaillé à temps plein durant six mois pour élaborer le récit peaufiné ensuite par Kennedy.

Lors de la publication en 1956, Kennedy était apparu comme l'unique auteur du livre. Dans la préface, il remerciait Sorensen – « pour son aide précieuse à l'assemblage 'et la préparation des éléments sur lequel s'appuyait l'ouvrage »[20] – ainsi que les autres personnes l'ayant assisté. Couronné de succès, le livre avait remporté le prix Pulitzer de la biographie en 1957, valant ainsi à Kennedy une réputation nationale d'homme politique de réflexion. À la demande de Joe Kennedy, Arthur Krock avait usé de son influence considérable pour « persuader » le jury de décerner le prix à son fils, au détriment des premier et second choix portés sur les biographies de Harlan Stone et de Franklin D. Roosevelt, unanimement saluées par la critique. « J'ai fait de mon mieux pour qu'il obtienne ce prix. C'est un fait dont je ne tire toutefois aucune fierté »[21], se souviendra Krock.

Plus tard en 1957, le chroniqueur Drew Pearson avait déclaré dans un entretien télévisé que le livre était l'œuvre d'un nègre. La famille Kennedy avait menacé de le poursuivre en justice et obtenu ainsi un démenti prudent précisant que JFK assumait « l'entière responsabilité du concept et du contenu »[22] de l'ouvrage. Il subsistait un doute suffisant pour que Robert McNamara demande à Kennedy dès leur première rencontre si le futur président avait écrit lui-même *Profiles in Courage*. « Je ne me souviens plus exactement de sa réponse mais j'en ai conclu que ce livre reflétait sa pensée même si de nombreuses phrases émanaient de Ted »[23], se souviendra McNamara des décennies plus tard. La hardiesse de sa question lui apparut honteuse lorsqu'il découvrit par la suite que JFK avait « une écriture d'égale qualité »[24], ce qu'il lui prouva à maintes occasions, en sa présence.

Kennedy et Sorensen s'étaient montrés inséparables tout au long de la campagne, qui les avait ballottés aux quatre coins du pays. Véritable bourreau de travail, Sorensen passait régu-

lièrement ses nuits à rédiger les discours. Les autres rédacteurs ne lui arrivaient pas à la cheville. Au sujet des commentaires proposés par Schlesinger pour le discours au *Liberal
Party of New York* (troisième parti progressiste fondé seize ans
auparavant pour lutter contre la corruption et la défense des
intérêts particuliers régnant chez les Républicains et les
Démocrates), Sorensen avait objecté que l'écriture transpirait
trop le style de Stevenson et que ces remarques sonneraient
faux de la part de Kennedy. Sèchement, Schlesinger fit observer
que Sorensen « ne supportait guère les intrus »[25].

Derrière le sérieux et la brillante intelligence, Jackie pres-
sentait la vulnérabilité de Sorensen. « Ted est resté un petit
garçon à bien des égards… Sa façon de se faire mousser quand
il s'adresse à Jack. Il le vénère comme un héros »[26], racontera-t-elle. Sorensen était en outre particulièrement ambitieux.
Même si Kennedy le considérait comme « indispensable », il
devait désormais partager son attention avec de nombreux
rivaux. Tandis que Jack réfléchissait à la composition de son
cabinet, il insista pour obtenir le titre de conseiller spécial
afin de marquer son antériorité et de s'assurer un rôle dépassant la simple rédaction. Le titre avait pris de l'importance
depuis sa création sous Roosevelt et sa dernière utilisation
sous Truman. Au début, Kennedy avait refusé de donner des
titres spécifiques à ses conseillers, puis il était revenu sur sa décision. « Une fois que le titre de conseiller spécial lui fut accordé,
Ted se sentit rassuré et plus détendu »[27], commentera Richard
Neustadt.

Il aurait été impossible de distinguer dans le discours d'investiture ce qui relevait de Kennedy ou de Sorensen. Leurs
styles étaient indifférenciables et la rhétorique trouvait son
origine dans divers discours précédents. Pour produire un
effet de rythme particulier, ils avaient eu recours au chiasme,
une figure formée d'une inversion des termes : « Ne négo-
cions jamais par peur mais n'ayons jamais peur de négocier »[28].
Ils avaient souligné le besoin de renouveau, d'abnégation, de
conciliation, de puissance et de détermination afin de l'emporter dans la « longue lutte naissante » contre « les ennemis

communs de l'homme : la tyrannie, la pauvreté, la maladie et la guerre »[29]. Cherchant à galvaniser plutôt qu'à polariser, le ton ne contenait rien qui puisse choquer la droite ou la gauche. De portée internationale, le discours ne mentionnait aucun problème intérieur, tels que le chômage, les droits civiques ou les soins médicaux des personnes âgées. Par ailleurs, ce sera la plus courte adresse prononcée depuis 1944 car, de son aveu à Sorensen, Kennedy ne voulait pas qu'on le prenne pour un « moulin à paroles »[30].

Jack Kennedy organisa minutieusement les festivités de l'investiture, cherchant à la fois à évoquer le passé et à souligner le passage du pouvoir à une nouvelle génération. Au complet-veston de son prédécesseur, il préféra une élégante jaquette, un gilet gris perle, un pantalon à rayures gris et un haut-de-forme en soie. « À ses yeux, la vue des symboles de la monarchie faisait battre le cœur des gens même s'ils n'auraient jamais accepté un roi »[31], expliquera Lem Billings. « Toute la pompe dont il entoura la cérémonie de son investiture fut donc intentionnelle. Cette occasion devait lui permettre de capter l'imagination, de susciter une forte émotion »[32].

Le jeudi 19 janvier, la veille du grand jour, une violente tempête menaça de compromettre les célébrations. Il tomba plus de vingt centimètres de neige tandis que de cinglantes rafales de vent créaient des embouteillages. Un peu plus tôt dans la journée, alors que Jackie supervisait les derniers préparatifs du déménagement, Jack avait transféré son poste de commande à l'opposé de Georgetown, chez Bill Walton dont la maison de briques rouges se dressait à l'angle de P Street et de la Vingt-neuvième. « Si vous restez ici, je ne pourrai pas bouger »[33], avait prévenu Jackie. Peu fortuné, Walton « campait » dans des pièces spacieuses, entretenues par une fidèle gouvernante. Kennedy tenait ses réunions dans le petit-salon victorien rouge fané, au mobilier usé jusqu'à la corde, tandis que Walton dactylographiait les déclarations destinées à la presse sur sa vieille machine à écrire.

Ce jour-là, Kennedy rencontra pour la deuxième fois le Président Eisenhower. Pour sa première entrevue, début décembre, il avait reçu d'amples instructions. Un petit groupe d'experts réunissant Adlai Stevenson et deux de ses associés, John Sharon et George Ball (futur sous-secrétaire d'État), avait préparé vingt pages de faits et une page de questions sur chaque thème. Eisenhower, qui doutait de l'aptitude de Kennedy à ses nouvelles fonctions, avait par la suite souligné sa « compréhension des problèmes mondiaux, la profondeur de ses questions, sa maîtrise du sujet et sa finesse d'esprit »[34].

La réunion préparatoire à la Maison-Blanche dura deux heures. À sa sortie, un journaliste demanda à Kennedy : « Vous n'êtes pas trop nerveux ? ». Après quelques instants de réflexion, Jack répondit : « Je suis intéressé ! »[35]. À son habitude, il se montrait détendu, à l'image de l'attitude qu'avait suscité quelques décennies plus tôt la question d'une amie sud-américaine l'interrogeant sur sa vie de célibataire. Chiquita Cárcano lui avait demandé s'il avait jamais été amoureux. « Pas amoureux mais très, très intéressé »[36], avait-il répliqué.

À la tombée de la nuit, la couche de neige s'était épaissie. Kennedy appela « Billy Boy » Walton afin de lui proposer sa voiture pour se rendre au concert organisé au Constitution Hall puis au gala qui devait se dérouler à la caserne de la garde nationale. Telle une débutante, Jackie portait une élégante robe longue de soie blanche dessinée par Cassini ; non seulement le blanc était sa couleur préférée mais également « la plus solennelle »[37] à ses yeux. Un jour elle avait écrit qu'elle rêvait d'être « une sorte de directeur artistique général du XXe siècle qui superviserait tout du haut de son fauteuil suspendu dans les airs »[38]. C'est avec cette sensibilité théâtrale qu'elle orchestra sa première grande apparition puis chacune des suivantes. Jackie avait le sens de l'événement, elle aimait se faire remarquer, mais avec distinction. En cette soirée d'hiver, la blancheur de sa tenue offrait un contraste éclatant avec les toilettes colorées de l'assistance. Un collier d'émeraudes ornait son cou et une cocarde lui soulignait la taille – petit hommage au XVIIIe siècle français.

Dans les rues désertes, les pneus de la limousine qui emmenait Jack, Jackie et Walton crissaient sur la neige. « Le trajet parut à la fois inquiétant et émouvant aux trois passagers isolés à l'intérieur de la voiture chauffée. Ils regardaient par les fenêtres embuées sans échanger un mot ou presque. Les lampadaires diffusaient une lumière floue, éclairant de hautes congères »[39]. Comme des équipes de dépannage indiquaient la route en tenant des balises roses et des torches, Jack demanda à Walton : « Allumez les lampes, qu'ils puissent voir Jackie »[40].

Le gala, destiné à recueillir des fonds pour le parti démocrate, avait été organisé en grande pompe par Frank Sinatra et l'acteur anglais Peter Lawford, l'un des beaux-frères de Jack. Sur scène se succédèrent des personnalités aussi diverses que Sir Laurence Olivier, Mahalia Jackson et Eleanor Roosevelt, qui lut un texte d'Abraham Lincoln. Reflétant l'esprit régalien de la soirée, les ouvreuses étaient coiffées de couronnes de faux diamants. Jackie rentra à la maison après le spectacle tandis que JFK et Walton se rendirent au restaurant de Paul Young, où Joe Kennedy avait convié trois cents personnes. Il était 3h48 du matin lorsque le jeune Président rentra finalement à Georgetown.

Par le biais des célébrités de son entourage, la nouvelle administration se parait de strass et de paillettes. Des actrices telles que Angie Dickinson avaient fait campagne pour Kennedy au sein d'une association regroupant également la star du base-ball Stan Musial, l'écrivain James Michener et Arthur Schlesinger. À cette occasion, le conseiller et l'actrice se lieraient d'amitié pour toujours. JFK était en contact direct avec Hollywood par l'intermédiaire de Lawford, le mari de Patricia Kennedy.

Six ans plus tôt, Pat et Peter s'étaient mariés après s'être fréquentés pendant cinq mois à tout juste trente ans. Grande et athlétique, Pat avait les cheveux auburn et de jolis yeux bleus. Comme ses sœurs, elle avait reçu une éducation catholique convenable dans les écoles des religieuses du Sacré-Cœur et était diplômée du Rosemont College, un établissement catholique de la banlieue de Philadelphie.

Fils de Sir et Lady Sydney Lawford, Peter avait appris dès son plus jeune âge à vivre d'expédients et à tirer parti de sa beauté lorsque sa famille ruinée avait émigré à Palm Beach. Lors de son mariage, il comptait déjà plusieurs films à succès à son actif. Les Kennedy étaient fascinés par ses prestigieuses relations, encore que son beau-frère Sargent Shriver le considérait comme un poids léger : « Peter était amusant mais il n'était pas précisément un puissant »[41]. Plus sceptique encore, l'Ambassadeur avait confié à Oleg Cassini que les acteurs anglais étaient « la pire espèce »[42].

Lawford compensait son modeste talent par une personnalité obséquieuse. Il avait usé des relations des Kennedy pour faire partie de la bande à Sinatra, le Rat Pack, aux côtés de Sammy Davis Jr. et de Dean Martin, dont la célèbre comédie policière intitulée *L'inconnu de Las Vegas* marquerait l'avènement. Au moment de l'investiture, les Lawford avaient trois enfants et Pat attendait le quatrième. Sous son apparence de rêve, le couple était en train de s'effondrer et chacun avait cherché le réconfort dans l'alcool et les aventures extraconjugales.

Chaque fois qu'il passait par Santa Monica pendant la campagne, Jack Kennedy s'arrêtait dans la maison au style espagnol de trois mille mètres carrés qu'ils possédaient sur la plage. À leurs réceptions était toujours invitée une armée de vedettes du cinéma, pour le plus grand plaisir de JFK. Sa fascination pour Hollywood avait débuté lorsque son père s'était essayé à la production dans les années 1920 et 1930. Les Kennedy avait grandi en regardant des films inédits dans la pièce de projection aménagée au sous-sol à Hyannis Port. Ils étaient au courant de « l'amitié » entre l'Ambassadeur et Gloria Swanson, qui traversait la propriété dans une Rolls conduite par un chauffeur en livrée lie-de-vin et molletières. Après la guerre, Jack avait séjourné sur la côte Ouest, où il s'était lié d'amitié avec divers acteurs et actrices, dont Lawford.

« Pourquoi Gary Cooper attirait-il les foules ? »[43] demandait-il à son ami Chuck Splading, alors auteur à Hollywood. JFK « voulait toujours savoir s'il en avait – du charisme – ou pas »[44]. Avant de faire son entrée dans une soirée, il aurait annoncé un jour à Inga Arvad : « Bon, c'est le moment de mettre en marche la GP – Grande Personnalité » et elle aurait vu « ce grand et large sourire… chavirer tout le monde »[45]. Kennedy « aimait jouer à faire plaisir aux autres, ce qui est tout l'art de l'acteur »[46].

CHAPITRE 7

La cérémonie d'investiture de JFK

« Nous nous sommes rendus à la cérémonie en traîneau. Il faisait si froid ce jour-là… et la neige était épaisse – pas une branche d'arbre qui ne fût entièrement prise dans la glace. Naturellement, on n'entendait pas un bruit. Les monuments de Washington se dressaient dans cette atmosphère toute blanche. Mais surtout, je me souviens du bleu du ciel… Washington paraissait tout propre ce jour-là, et le dôme du Capitole se détachait clairement sur ce fond bleu – un bleu de Chine. Je n'oublierai jamais ce bleu – ni ce jour »[1], se souviendra Diana Vreeland à l'évocation de l'éblouissante investiture de Kennedy.

Bill Walton était aux premières loges pour admirer « le jeune couple resplendissant »[2] quitter Georgetown pour la Maison-Blanche. Jackie arborait une nouvelle création de Cassini, un manteau de laine et une toque fixée en arrière de sa chevelure. L'ensemble était de couleur « grège », un léger mélange de gris et de beige, avec une rayure sable autour du cou. Sur les conseils de Diana Vreeland, elle portait un manchon assorti de couleur sable. « Je pensais qu'elle allait mourir de froid et je trouvais le manchon très romantique parce qu'il évoquait le passé »[3], expliquait son amie.

Comme la veille au soir, Jackie avait choisi cette tenue modeste pour son effet théâtral, afin de se distinguer des autres femmes autour d'elle qui, selon le *Washington Post*, étaient toutes « emmitouflées dans leur vison »[4]. « Je ne voulais pas porter de fourrure, sans doute parce que les femmes blotties sur les gradins avaient toujours l'air d'animaux à fourrure »[5], déclarera Jackie. Par - 5°C, JFK retira son pardessus avant de se lever pour prêter serment, envoyant un message fort au sujet de sa jeunesse et de sa forme physique – néanmoins il portait des sous-vêtements en thermolactyl. Malgré une nervosité compréhensible, il dégageait une imposante sérénité. Avant de s'avancer sur l'estrade, installée devant le Capitole, « il sifflait tout en se balançant sur ses jambes »[6], commenta Nancy Dickerson.

L'adresse du Président fut précédée par l'intervention du poète Robert Frost – une innovation. Âgé de 86 ans, l'auteur avait accepté de lire son célèbre poème intitulé *The Gift Outright* et rédigé une préface spéciale louant JFK pour avoir « convoqué les artistes aux augustes manifestations de l'État »[7]. L'idée d'inviter Frost était venue de Stewart Udall, parlementaire de l'Arizona que JFK avait choisi comme ministre de l'Environnement chargé des parcs nationaux. Frost et Udall étaient amis et, lorsque Kennedy avait rencontré Udall au sujet de son poste au gouvernement, Udall lui avait rappelé que Frost l'avait franchement soutenu pendant la campagne présidentielle. Udall pensait que Frost pourrait participer en apportant « la bénédiction du poète »[8]. Après réflexion, Kennedy avait habilement répondu : « C'est une bonne idée, mais nous ne voulons pas nous retrouver comme Lincoln à Gettysburg. C'est un maître des mots. Il ne doit pas nous voler la vedette. Qu'il nous lise un poème »[9].

Sur le podium, les feuillets de sa préface s'envolèrent avec le vent tandis que, ébloui par le soleil, il en oubliait ses mots. Après trois lignes, il s'arrêta et, malgré les galants efforts de Lyndon Johnson pour protéger le podium de son chapeau haut-de-forme, ne put poursuivre. Alors de mémoire, il récita *The Gift Outright* d'une voix sonore. Sa présence, d'une grande valeur symbolique, fut soutenue par celle de quelque cinquante autres personnalités littéraires et artistiques, dont Robert Lowell, John Hersey, W. H. Auden et John Steinbeck. Kennedy avait invité ces sommités du monde culturel sur la suggestion de Kay Halle, grande journaliste de Washington, et était heureusement surpris de l'impact provoqué. Avec les projets de Jackie sommairement annoncés un peu plus tôt par Tish Baldrige, la cérémonie d'investiture marquait la première étape de la promotion des arts à la « cour » de la Maison-Blanche.

Il ne fallut pas plus de seize minutes à Jack Kennedy pour lire son discours. Il parla avec fermeté, alors qu'un an plus tôt c'était « les mains tremblantes et la voix chevrotante »[10] qu'il avait annoncé son intention de se faire élire à la présidence. Comme il l'avait espéré, ses idées captèrent l'imagination de la nation. Le *New York Times* établit une comparaison avec la harangue du roi Henri V à son armée avant la bataille d'Agincourt, l'un des textes shakespeariens préférés de Kennedy. Le chef du bureau de Washington du journal, James « Scotty » Reston, qualifia le discours de « remarquable... Véritable renouveau de la langue anglaise »[11]. Dithyrambique, Jackie déclara qu'il était « d'une beauté si pure et si enlevée »[12] qu'elle avait conscience d'assister à « un grand moment ». Elle prédisait qu'il « resterait dans l'histoire comme l'un des discours les plus émouvants jamais prononcés – à l'égal de l'oraison funèbre de Périclès et du discours de Gettysburg »[13]. Plus piquant, Harry Truman n'en fut pas moins impressionné : « Ce fut bref, pertinent et dans une langue accessible à tous. Si je l'ai compris, tout le monde a pu le comprendre »[14].

Jack n'embrassa pas Jackie sur le podium, contrairement à Dwight Eisenhower qui avait déposé un baiser sur la joue droite de Mamie huit ans auparavant. Dans une série d'articles de fond destinés au *Times-Herald,* Jackie avait commenté la cérémonie d'investiture du prédécesseur de Jack sous un angle comique, notant des détails tels que « l'impassibilité de Mrs. Truman, dont le regard était fixé sur un petit dirigeable dans le ciel »[15], la présence dans la loge présidentielle « de vieilles chaises de cuisine »[16] recouvertes de peinture dorée et la remarque d'un employé ayant affirmé que Mrs. Eisenhower allait être « prisonnière des services secrets pour les quatre années à venir »[17].

Ignorant l'aversion du couple présidentiel pour les démonstrations publiques, des téléspectateurs envoyèrent des courriers de protestation contre ce manque d'égards de la part de

JFK pour son épouse. « J'étais fière de Jack mais je ne pouvais quand même pas l'embrasser devant tout le monde, alors je lui ai simplement dit qu'il était merveilleux en lui caressant la joue. Il m'a offert le sourire le plus touchant et le plus vulnérable. Il avait l'air vraiment heureux »[18], confia plus tard Jackie à Molly Thayer.

Trois bus du district de Columbia marqués « Famille Kennedy » emportèrent vivement le clan jusqu'à la Maison-Blanche tandis que le couple présidentiel, accompagné de Bobby et d'Ethel, participait au défilé. Le moment le plus émouvant fut sans doute celui où la limousine à toit transparent de Jack et Jackie s'approcha de la tribune officielle. Joe Kennedy se leva et retira son haut-de-forme dans un salut formel au nouveau Président qui répondit d'un geste rapide. « Ce fut un instant extraordinaire. Père ne s'était jamais levé ainsi pour aucun d'entre nous. Il était toujours fier de nous mais il demeurait l'autorité devant laquelle nous devions nous lever »[19], se souviendra Eunice. Dans son élan, Joe Kennedy honora également Bobby, les autres membres du cabinet et enfin Harry Truman.

Tout aussi marquante fut la présence du onzième duc du Devonshire et de son épouse, Deborah (« Debo »), la benjamine des célèbres sœurs Mitford – « les premiers membres de l'aristocratie britannique à assister à l'investiture d'un président américain »[20], selon Doris Kearns Goodwin. Elle n'était pas sans rappeler l'absence des enfants Kennedy disparus. En mai 1944, Kathleen Kennedy avait en effet épousé le frère du duc, Billy, marquis de Hartington. Qu'elle eût choisi un protestant, tout aristocrate qu'il fût, avait scandalisé sa mère (c'était « un coup porté au prestige de la famille »[21], avait déclaré Rose), alors que Joe en avait tiré une fierté à peine déguisée.

Trois mois plus tard, Joe Jr. était mort dans l'explosion de son avion qui survolait la Manche avec pour mission de détruire les blockhaus dans lesquels étaient cachés les meurtriers missiles V1 d'Hitler. Le mois suivant, Billy Hartington était à son tour fauché par la balle d'un tireur isolé en Belgique. Kathleen, qui avait choisi de demeurer en Angleterre, fut tuée dans un accident d'avion en 1948 au-dessus des montagnes dans le Sud de la France. Elle était enterrée dans son pays d'adoption, à Chatsworth, vaste propriété du Devonshire. Demeurés proches des Kennedy, ces derniers jouissaient du privilège d'assister à la cérémonie aux côtés du Président, dans la tribune officielle.

JFK avait du mal à contenir son émoi tandis qu'il saluait les invités en rejoignant sa place au premier rang, escorté par ses collaborateurs. Quarante fanfares rythmaient le défilé d'apparat auquel participait l'ensemble des corps de l'académie navale et de West Point. Reflétant le mélange des thèmes soulevés dans le discours d'investiture, le slogan de la parade promettait « la paix mondiale au sein de la Nouvelle Frontière »[22] (sur l'un des chars se dressait une réplique bleue et blanche du bâtiment des Nations Unies), même si les blindés, les avions d'attaque A-4D et F-4H et l'étalage de missiles (Pershing, Lacrosse, Nike Hercules et Nike Zues) évoquaient les défilés sur la place Rouge. Jack Kennedy sursauta lorsqu'un cow-boy à cheval sur un bison (« l'air d'un beatnik sur un cheval d'avant-garde »[23], commenta un observateur) se dirigea droit sur la tribune officielle au galop, puis s'arrêta pour échanger quelques mots avant de repartir avec fracas.

Vers la fin de la parade, alors que le ciel s'assombrissait, le nouveau Président aperçut un char surmonté d'une vedette lance-torpille de quatre-vingts pieds de longs, peinte comme une PT-109, embarcation qu'il avait rendue célèbre en effectuant son audacieux sauvetage durant la Seconde Guerre mondiale. Cet acte d'héroïsme avait eu lieu suite à un tragique accident survenu par « une nuit noire » dans le Pacifique. Le patrouilleur à la coque de bois qu'il commandait avait été défoncé par un destroyer japonais de deux mille tonnes surgi de nulle part. Malgré la force de la collision et la bombe explosive projetée par l'ennemi, onze des treize membres d'équipage avaient survécu et nagé jusqu'à une île, Kennedy tirant lui-même un marin gravement brûlé. Ils s'étaient échoués à quarante milles derrière les lignes ennemies et avaient dû patienter là quatre jours pendant que Kennedy cherchait des secours à la nage dans les îles voisines. Il avait fini par rencontrer des autochtones travaillant pour les Alliés qui lui avaient suggéré de graver un message dans une noix de coco qu'ils pourraient ensuite porter à leurs supérieurs.

Le formidable exploit avait immédiatement fait la une des journaux et inspiré à John Hersey un article applaudi dans *The New Yorker*. Le récit du courage de Jack Kennedy avait contribué à définir son personnage sur la scène politique puis s'était révélé essentiel à son ascension jusqu'à la présidence. La légende oubliait néanmoins que si Kennedy et son équipage avaient disposé d'un radar ou s'ils avaient fait preuve d'une plus grande vigilance, la collision aurait pu être évitée. Pour un capitaine de frégate, l'incident était gênant. Inga Arvad racontait que JFK s'était demandé si la marine « lui décernerait une médaille ou le chasserait »[24]. Néanmoins personne ne pouvait nier son courage, ses qualités de chef, sa détermination et sa ressource. Coulée dans du plastique, la fameuse noix de coco trônerait bientôt sur sa table dans le bureau Ovale, témoin de sa vaillance pour tous ses visiteurs.

Au passage du char, Kennedy fit un signe joyeux de la main à ses fidèles hommes d'équipage et demanda à deux de ses plus proches amis de cette époque, installés à l'arrière de la tribune officielle, de venir le rejoindre au premier rang. Les deux officiers, Red Fay et Jim Reed, incarnaient chacun l'une des facettes de la personnalité du Président.

Rayonnant d'énergie, Fay était toujours prêt à plaisanter. Sa famille offrait une version « côte Ouest » du clan catholique irlandais : six enfants sous la coupe d'un homme d'affaires républicain à la poigne de fer – propriétaire conservateur d'une entreprise de bâtiment – que Fay surnommait « le Batailleur » et que Kennedy appelait « le grand industriel ».

C'était par pur plaisir que Fay fréquentait le monde des Kennedy. « Kennedy appréciait les impertinents, à condition qu'ils ne fussent pas grossiers »[25], affirmait le journaliste Rowland Evans, un ami intime de Fay. « Il adorait les galéjades et Red Fay était très fort dans ce domaine »[26]. Pour Fay, Kennedy avait un sens de l'humour irrésistible. « Il avait un rire explosif. Pas bruyant mais si contagieux qu'on avait du mal à se retenir »[27], expliquait Fay.

Peu après l'élection, Kennedy lui avait proposé le poste de sous-secrétaire au ministère de la Marine. Suite à un entretien avec Robert McNamara, que Fay considérait « froid et sérieux »[28], le nouveau ministre de la Défense avait cependant opposé son veto. Bien qu'il eut accepté de laisser carte blanche à McNamara concernant les nominations, Kennedy avait cassé sa décision et confié le poste à Fay. Le Président savait que McNamara n'avait pas tort. Fay manquait d'expérience pour seconder le plus haut fonctionnaire de la Marine car, s'il avait dirigé une centaine d'employés dans la société familiale, la Marine en comptait plus d'un million.

Toutefois Kennedy souhaitait avoir Fay auprès de lui à Washington comme compagnon de virée. De plus Fay était également ami avec Bobby. « Ce fut la seule nomination qu'il nous imposa »[29], se souviendra Roswell Gilpatric, premier adjoint de McNamara. « Nous avons conçu le service en faisant en quelque sorte abstraction de lui »[30]. L'étiquette républicaine de Fay convenait par ailleurs à Kennedy parce que, selon l'intéressé, « il était bon de montrer que le Président était ouvert à des points de vue différents »[31]. De plus, ce qui n'est pas négligeable, Kennedy attendait de lui qu'il lui fournisse des renseignements. « Tu es un ami », lui avait-il souligné en lui demandant de le « tenir informé »[32] sur les membres du Pentagone.

De la même façon, Kennedy enrôla Jim Reed en le nommant d'abord adjoint de Bobby, puis assistant du ministre des Finances. Reed était un juriste formé à Harvard dont le cabinet installé à Springfield, dans le Massachusetts, prospérait. Il avait aidé Kennedy dans toutes ses campagnes, et durant plusieurs années avait investi à ses côtés dans le *Narragansett Times*, un journal de Rhode Island. L'amitié que lui portait Kennedy n'était cependant pas si manifeste.

Reed était un homme à la voix douce, sans prétentions, issu d'un milieu modeste. « Jack était tellement entouré qu'il avait peut-être besoin de quelqu'un de normal comme Jim »[33], déclara Jewel, son épouse. La famille de Reed était originaire de l'Ouest du Massachusetts. Durant la crise de 1929, sa mère avait maintenu la famille à flot en faisant des ménages. Reed était un athlète exceptionnel, ce qui lui avait valu une bourse à Deerfield, principale école rivale de Choate. Il y était devenu, ainsi qu'ensuite à Amherst, un grand joueur de football, de base-ball et de basket-ball attirant des propositions de la part des Boston Red Sox et des New York Giants.

JFK admirait ses qualités d'athlète mais leur réelle affinité trouvait sa source dans l'amour de l'histoire et de la poésie. « Il régnait entre nous une grande harmonie »[34], commentait Reed. « Jack Kennedy se considérait comme un héros mais avec modestie »[35]. Reed était un Républicain, un « yankee protestant ne pouvant a priori que détester Jack Kennedy »[36]. « Or je me suis totalement laissé prendre au charme »[37], expliqua-t-il. Reed avait été surpris par l'humilité de Kennedy et son sens de « l'écoute », qui lui avait donné confiance en lui. « Si quelqu'un comme Jack pensait que j'étais fréquentable, c'est que je n'étais pas si mauvais. Je pouvais le suivre pied à pied dans les discussions intellectuelles »[38], observait-il. Reed avait conscience du charme de JFK, alors que ce dernier « n'était jamais péremptoire mais plutôt, curieusement, un peu sur la réserve »[39]. Jamais Kennedy ne l'asticotait comme il se le permettait avec d'autres amis. Passionné de Robert Burns, Reed citait le célèbre vers du barde d'Écosse pour illustrer le recul dont Kennedy savait faire preuve à son égard : « Oh ! si quelque génie nous accordait le don de nous voir tels que les autres nous voient ! »[40].

Jackie quitta la grande parade à 15h27, dans un état d'épuisement total. Après avoir déclaré : « Je ne partirai pas avant d'avoir vu défiler le dernier homme ! »[41], son mari resta sur place jusqu'à 18h12, soit une heure après le coucher du soleil. Pour lui tenir compagnie, se tenaient à ses côté Robert Kennedy et son épouse ainsi que le couple Dillon. À l'intérieur de la Maison-Blanche, des amis et des proches avaient envahi les salles de réception où l'on servait, dans le plus grand désordre, le « thé » ainsi que des boissons fortes pour ceux qui souhaitaient se réchauffer et se revigorer. Eunice et Pat arrivèrent bras dessus, bras dessous avec Lem Billings, demeuré dans le sillage du clan Kennedy. À leur entrée par la grande porte, Lem se souvint de la scène où, dans *Autant en emporte le vent*, Mammy et Prissy pénètrent avec Scarlett O'Hara dans sa nouvelle demeure. Imitant le regard écarquillé et la voix enfantine de Prissy, Billings s'exclama : « C'est su', on est ouiches maintenant ! ».

Le maelström ambiant se poursuivit tout au long de l'après-midi. Lem et Eunice se rendirent dans la chambre Lincoln et sautèrent sur le lit gigantesque dont la tête haute de deux mètres cinquante était ornée d'oiseaux exotiques et de grappes de raisin sculptés. Au rez-de-chaussée, Teddy Kennedy, « qui avait bu un peu plus que d'ordinaire, dansait comme un fou sur une estrade »[42], rapportera l'ambassadeur de France Hervé Alphand.

La famille de Jackie, les Auchincloss et les Bouvier, se conduisait avec davantage de dignité. L'unique absente, Lee, la sœur de Jackie, était excusée car elle avait mis au monde une petite fille prématurée, à New York, au mois d'août précédent. Après des mois de maladie grave, le bébé avait finalement pu rentrer à la maison, à Londres, fin décembre. Même s'ils participaient à toutes les réceptions, Janet et Hugh Auchincloss semblaient faire tapisserie par rapport aux pétulants Kennedy – ce qui convenait très bien à l'idée que se faisait Janet des convenances. Selon son amie Jane Ridgeway, « En aucune manière Janet n'aurait voulu s'imposer. Jamais elle ne cherchait à se faire remarquer »[43].

Le Washington de Janet Lee Auchincloss abritait les dinosaures que représentaient pour Bill les « gardiens des traditions, des coutumes sociales et des généalogies soignées »[44]. Janet Auchincloss incarnait le snobisme vieux jeu caractéristique de sa génération et de son milieu. Comble de l'ironie, ses ancêtres n'étaient pas plus illustres que ceux des Kennedy. Ses grands-parents, des Irlandais catholiques, avaient fui la famine de la pomme de terre, pourtant Janet prétendait avoir un lien avec la prestigieuse lignée de Robert E. Lee. Ces prétentions amusaient beaucoup Jackie. « C'est une simple Irlandaise BCBG »[45], expliquait-elle à son amie Jessie Wood. En public, en revanche, elle évitait de mentionner ses origines. Pourtant Jackie faisait preuve d'une plus grande ouverture d'esprit que sa mère, préférant juger les autres sur leurs compétences ou leurs actes plutôt que sur leur statut social.

James T. Lee, le père de Janet, avait bâti un florissant empire immobilier en ouvrant la voie dans le domaine de la construction d'appartements de luxe. Tyran inflexible, il pratiquait la boxe tous les après-midi avec son entraîneur particulier. En tant qu'homme d'affaires, Joe Kennedy considérait Lee comme « un vieux renard rusé », qui de plus était « le meilleur du lot »[46]. Néanmoins les tensions nées d'une union difficile avaient fini par séparer Jim et Margaret Lee et rendu Janet anxieuse malgré la grande sécurité matérielle dont elle était entourée. Une gouvernante lui avait enseigné le français, qu'elle parlait couramment ; elle avait appris à monter à cheval dans la résidence d'été familiale à Easthampton et elle avait reçu une éducation convenable à l'école de Miss Spence, à Manhattan. En revanche, elle avait abandonné ses études au Barnard College au bout de deux semestres seulement.

Pour échapper à la domination paternelle, Janet avait épousé John Vernou Bouvier III, un svelte agent de change formé à Yale, de seize ans son aîné, qu'on surnommait « Jack le Noir » à cause de son bronzage soigneusement entretenu. Les Bouvier, eux aussi, affectaient d'appartenir à la noblesse, en témoigne la biographie officielle de Molly Thayer autorisée par Jackie. En réalité, le premier Bouvier arrivé en Amérique était un charpentier de Joseph Bonaparte, frère de Napoléon. Cette ascendance n'était pas pour rien dans la passion idéaliste que Jackie, fervente francophile comme sa mère (Janet insistait pour que la famille ne parle que français à table), vouait au XVIIIe siècle français.

En épousant Hugh Auchincloss trois ans après son divorce, Janet avait trouvé à la fois la sécurité financière et le prestige ; elle était immédiatement devenue la châtelaine de Hammersmith Farm et de Merrywood. Ayant auparavant été marié à deux femmes instables, « oncle Hughdie » appréciait parfaitement la vie de famille conventionnelle instaurée par Janet. Comme Jack Bouvier, il était agent de change et avait fait ses études à Yale mais il avait en outre hérité de la Standard Oil et possédait un diplôme de droit. Il avait par ailleurs participé aux gouvernements de Hoover et de Coolidge. Bon et généreux, il avait procuré nombre d'avantages à Jackie qu'il avait conquise par sa constance et son sérieux. Si son père évoquait à ses yeux Rhett Butler, « Unk » incarnait Ashley Wilkes.

Souvent décrié comme un bouffon idiot par son beau-fils revêche Gore Vidal, Auchincloss était en réalité un bibliophile, un homme à fréquenter les cercles du XIXe siècle, qui cherchait refuge dans la lecture. C'était dans sa bibliothèque de Merrywood que Jackie avait découvert l'histoire des fondateurs de l'Amérique et plus particulièrement de George Washington, dont elle appréciait « les qualités humaines »[47], d'après son demi-frère Hugh D. (« Yusha ») Auchincloss III. Un jour elle aurait annoncé à ce dernier que son amour pour Merrywood deviendrait aussi « célèbre » que « celui de Washington pour Mount Vernon »[48]. Si son attachement à l'histoire de France était plus connu, sa connaissance de l'héritage culturel américain transmise par son beau-père l'avait bien préparée à son rôle de première dame.

Jackie avait informé la presse que, pour favoriser son rétablissement, elle devait « prendre de courtes périodes de repos après chaque manifestation organisée à l'occasion de l'investiture »[49]. Cependant, elle n'avait pas imaginé pouvoir ressentir un tel état de fatigue à son retour de la grande parade. Elle avait été invitée à dîner avec Jack chez George Wheeler, un ami de Choate, et son épouse, Jane, qui avait œuvré à la campagne au sein du groupe de soutien *Citizens for Kennedy*. Or lorsque Jackie avait tenté de s'habiller, elle n'avait « pu sortir du lit », raconta-t-elle à Molly Thayer. « Je n'avais plus la moindre force »[50]. Le Dr Janet Travell, médecin officiel de JFK à la Maison-Blanche, lui prescrit de rester couchée et de prendre un cachet de Dexedrine afin d'être d'aplomb pour assister aux bals.

JFK rentra de son dîner chez les Wheeler à 21h30 pour prendre Jackie. En queue de pie et cravate blanche, il patientait en savourant un cigare dans le salon Rouge. Enfin elle arriva « essoufflée et légèrement agitée », se tenant « debout sur le seuil, comme prête à fuir »[51]. Elle portait un gracieux fourreau blanc de sa propre création, agrémenté d'un chatoyant bustier orné de perles sous une tunique de mousseline – qui devait une fois de plus la distinguer des traditionnelles robes de bal.

Avec majesté, les Kennedy se rendirent d'un bal à l'autre. Leur élégance et leur charisme semblaient paralyser l'assistance, qui les dévisageait avec admiration. Au moment de quitter le deuxième des cinq bals, Jackie se souviendra : « Je me suis décomposée. Toutes mes forces m'avaient abandonnée, alors je suis rentrée à la maison tandis que Jack a continué avec les autres »[52].

Dans son enthousiasme débordant, Kennedy n'eut pas envie de rentrer à la fin du dernier bal qui s'acheva à 2h du matin. Il partit donc boire un dernier verre chez Joe Alsop au 2720 Dumbarton Avenue, à Georgetown. Un peu plus tôt dans la semaine, Alsop avait eu l'idée d'organiser une soirée d'après-bal avec Florence Pritchett Smith et Afdera Fonda, l'ancienne épouse de Henry Fonda. « Si les lumières brillent encore à la maison, c'est qu'il y a du champagne au frais »[53], avait-il déclaré aux deux femmes, qui avaient fait passer le mot.

Petite amie de JFK après-guerre, Flo Pritchett était demeurée en excellents termes avec le Président. « Pendant une longue période, ce fut sans doute sa relation la plus intime à ma connaissance »[54], affirmera Betty, l'épouse de Chuck Spalding. Bien qu'élevée modestement à Ridgewood, dans le New Jersey, Flo était devenue experte en relations avec « la société brillante de New York – vedettes de cinéma et autres personnalités en vue »[55], comme disait son amie Robin Chandler.

Ancien mannequin pour le créateur Bergdorf Goodman, cette femme élancée au regard brun avait été rédactrice de mode au *New York Journal-American*, de William Randolph Hearst Jr., puis chroniqueuse à la radio pour *Leave It to the Girls*, une émission populaire dans laquelle une demi-douzaine de femmes se réunissait pour échanger des bons mots. Au moment de l'investiture, Flo avait 40 ans et était mariée à un homme de vingt ans son aîné, Earl E. T. Smith, riche banquier de Wall Street au solide passé de conservateur. Originaire de Newport, il connaissait Jackie depuis toute petite et était ami avec les Kennedy à Palm Beach. Du renversement de Fulgencio Batista par Fidel Castro en 1957 à 1959, Earl avait été ambassadeur à Cuba sous la présidence d'Eisenhower.

Kennedy était fasciné par la personnalité effervescente de Flo, source inépuisable de ragots. Son regard lucide sur les hommes et leurs besoins touchait la corde sensible de JFK : « L'homme est par nature un être polygame, voluptueux, aventureux… Il rêve de vivre auprès d'une femme entièrement vouée à la stimulation de ses sens »[56], écrivit-elle un jour. Même si JFK lui « plaisait beaucoup »[57], selon Robin Duke, ils avaient été plus compagnons que soupirants. Flo faisait partie des rares femmes qui le faisaient rire ; pour son vingt-septième anniversaire, elle avait griffonné sur l'agenda de JFK : « Envoyer des diamants ! »[58].

Flo était devenue intime avec Pat et Eunice Kennedy, puis avait également lié amitié avec Jackie. Cette dernière avait été la seule personne extérieure à la famille Smith à assister à la cérémonie de prestation de serment d'Earl lors de sa nomination à Cuba. Un jour, Flo lui avait demandé des suggestions de lecture en matière de littérature classique. Jackie s'était rendue à Manhattan pour lui acheter cent cinquante volumes qu'elle lui avait envoyés à La Havane. Selon Flo, ils constituaient « la meilleure collection de littérature anglaise »[59] qu'on lui eût jamais recommandée.

Alors qu'il quittait le Statler Hilton en limousine, Kennedy aperçut Red Fay escortant Angie Dickinson en compagnie de Kim Novak et d'un architecte nommé Fernando Parra. Fidèle à sa spontanéité, il leur proposa : « Montez, je vous emmène chez Joe Alsop »[60]. En entendant Fay accepter, Kennedy réfléchit soudain aux conséquences, disant qu'il « voyait bien les journaux du lendemain » raconter comment le nouveau Président « fonçait dans la nuit »[61] en compagnie de deux vedettes de cinéma. « Excuse-moi, Rouquin, mais l'espace d'un instant j'ai complètement oublié que j'étais Président des États-Unis », déclara-t-il. « Cela a des avantages et des inconvénients. En voici un. Bonsoir »[62]. Fay déposa Angie Dickinson et Kim Novak à leur hôtel puis se rendit chez Bobby et Ethel Kennedy. Au cours des années suivantes, le bruit persisterait que Kennedy avait eu un rendez-vous galant avec Angie Dickinson chez Alsop. « Ni l'une ni l'autre n'est allée chez Joe Alsop »[63], affirma Fay, ajoutant que la première avait démenti cette rumeur « totalement fausse ». Le chef d'orchestre Peter Duchin, également présent à la soirée d'Alsop, déclara pour sa part : « Il n'y avait aucune star de Hollywood. Angie était une amie, je l'aurais remarquée »[64].

Néanmoins, l'une des invités d'Alsop eut raison de s'étonner de la conduite de Kennedy ce soir-là. Helen Chavchavadze, une brune de 27 ans divorcée avec deux petites filles, avait une liaison avec lui depuis l'été précédent. Cousine au premier degré de John Husted, l'homme que Jackie avait quitté pour Jack, elle avait également été en classe avec la sœur de Jackie, Lee, à Farmington. Helen Husted avait quitté le Bennington College en deuxième année pour épouser David Chavchavadze, fils d'une princesse Romanov ayant grandi dans les palais de Saint-Pétersbourg. Durant quatre ans à Berlin, où David travaillait à la CIA, Helen avait appris à parler le russe et l'allemand couramment. « Une femme splendide. Très jolie, cultivée et intéressante »[65], selon Ben Bradlee. De plus, elle avait des manières originales car sa mère, diplômée d'Oxford, avait été pour elle un « modèle de liberté et de révolte »[66].

Helen avait rencontré JFK au printemps 1959, lorsque Jackie l'avait invitée à un petit dîner en l'honneur de Lee. Jack s'était beaucoup intéressé à sa connaissance de la Russie, la bombardant de questions au sujet de sa vie et de ses idées. « Il n'essayait pas encore de flirter »[67], se souviendra-t-elle. Un an plus tard, durant l'été 1960, alors qu'elle enseignait à mi-temps pour terminer ses études à l'Université de Georgetown, elle avait reçu un coup de téléphone de Charley Bartlett l'invitant à dîner. En l'occurrence, Kennedy, à quelques semaines à l'époque de l'investiture démocrate, avait spécifiquement requis sa présence. Après dîner, alors qu'elle rejoignait Georgetown à bord de sa coccinelle Volkswagen, JFK l'avait accostée dans sa décapotable blanche. « Il m'a suivie chez moi. C'est là que notre liaison a commencé »[68].

Ils s'étaient vu plusieurs fois et, pendant la campagne, il lui avait envoyé une note griffonnée sur du papier à en-tête de l'avion pour lui dire qu'il n'avait pas pu la joindre mais qu'il comptait la voir la semaine suivante. « Pour discuter notamment d'éducation mais aussi pour d'autres raisons »[69], avait-il écrit. « Une petite allusion », se souviendra Helen. « J'étais surprise qu'il fasse pression sur moi mais j'étais d'accord pour me laisser faire »[70]. Une fois élu, elle avait bien pensé qu'il mettrait un terme à leur aventure. Chez Joe Alsop, elle fut n'en fut pas moins surprise par sa « froideur et son attitude négative ». « Je me souviens d'avoir eu le sentiment d'être délaissée. C'était la première fois que je prenais conscience de n'être peut-être pas sa seule liaison clandestine ». Elle s'imagina qu'il la snobait peut-être « parce qu'il avait rendez-vous avec quelqu'un d'autre ». « Cela ne m'aurait pas étonnée si cela avait été le cas. C'était bien lui »[71].

En réalité, Kennedy n'avait pas oublié Helen. Quelques semaines après l'investiture, il se rendit chez elle, à pied car sa maison était située derrière l'église de Georgetown, en compagnie du sénateur de Floride George Smathers. « Il avait l'air de dire qu'il était un homme libre, que les services secrets ne pourraient pas l'en empêcher »[72], raconta-t-elle. « Il me rendait visite au grand jour. Il affirmait qu'il serait libre de voir les femmes qu'il voulait à la Maison-Blanche »[73]. Kennedy l'invita effectivement de temps en temps pour une soirée intime en l'absence de la première dame et Jackie l'inclut sur la liste des invités à leurs petites et grandes réceptions – la dernière desquelles aurait lieu neuf jours avant l'assassinat. « Je n'ai jamais su si Jackie était au courant mais je me sentais mal à l'aise vis-à-vis d'elle »[74], expliqua Helen. « J'avais toujours l'impression d'être ambiguë et je voulais que cela cesse… Je n'avais jamais eu d'aventure extraconjugale. Ce n'était pas mon genre mais je ne pouvais pas résister à Jack »[75].

Compte tenu de son immense affection à la fois pour Jack et pour Jackie, il semblait hautement improbable que Joe Alsop eût fermé les yeux sur une partie de jambes en l'air sous son toit. Alsop était un grand original – dans « la manière dont il s'habillait et l'image qu'il donnait de lui »[76], selon l'épouse de Teddy Whyte, Nancy. De sept ans seulement plus âgé que JFK, le journaliste avait la sensibilité d'une autre époque. Il perdait ses cheveux et de rutilantes lunettes rondes noires lui couvraient le nez. Par sa garde-robe faite sur mesure (costumes et gilets Savile Row, chaussures Lobb, chemises en soie cousues à Milan), il dégageait une élégance de dandy qui le singularisait parmi ses contemporains. Philip Graham, président du *Washington Post*, se souvenait très exactement de leur première rencontre. Alsop avait trente ans, il prenait le petit déjeuner dans son jardin vêtu d'un « kimono coupé de manière étrange et aux couleurs encore plus curieuses »[77].

Joe Alsop parlait de manière tout aussi affectée, avec un accent aristocratique, émaillant son discours de « cher ami » et de « très cher », verre de scotch et fume-cigarette à la main. Nombre de ses relations suspectaient ce qu'un groupe d'initiés savait de source sûre : Alsop était homosexuel. Lors d'un voyage en Union soviétique en 1957, le KGB l'avait pris en flagrant délit et photographié avec un jeune homme. À la suite des vaines tentatives des Soviétiques pour l'obliger par le chantage à faire de l'espionnage pour leur compte, il avait été contraint de révéler sa tendance à la CIA et au FBI. J. Edgar

Hoover avait fait part de ces détails au plus haut niveau de l'administration Eisenhower et, en 1960, le secret avait fini par se savoir dans la communauté politique et journalistique. « Joe était gay et Jack Kennedy était parfaitement au courant de tout »[78], affirmait Ben Bradlee.

Alsop ne montrait cependant aucune inquiétude ; il était protégé par l'arrogance instinctive de ses origines, « exagérément BCBG »[79], selon Bradlee. Il faisait avec fierté allusion à sa « cousine Eleanor » Roosevelt et un portrait de Teddy Roosevelt, le frère aîné de sa grand-mère, ornait son vestibule. Alsop était un produit de Groton et de Harvard, dont le Porcellian Club avait été témoin de ses fréquents écarts de boisson.

Sa table était sans doute la plus animée de Washington. (Alsop s'adjoindrait une hôtesse en épousant, en février 1961, Susan Mary Jay, la veuve de son ami intime Bill Patten, qui accepterait cette union platonique). La distribution soignée de ses dîners mettait en scène un savant mélange d'hommes politiques, de diplomates et d'intellectuels. Présidant la table, il dirigeait la « conversation générale » et, le menton au creux des mains, observait son œuvre d'un air de suffisance mâtiné de sincère curiosité.

Dans les années 1930, lorsqu'il collaborait au *New York Herald Tribune*, Alsop avait écrit des articles cinglants sur la position de Joe Kennedy qui prônait l'isolationnisme et la conciliation. Il n'avait jamais apprécié l'Ambassadeur, dont la lâcheté durant le Blitz l'avait « dégoûté » – car il quittait souvent Londres pour sa résidence secondaire lors des bombardements. De ces chroniques était née une « querelle mortelle »[80], cependant JFK pouvait difficilement se permettre de garder rancune à Alsop. « Je ne suis pas comme Jack qui a la réconciliation facile avec les gens qui l'attaquent »[81], confiera un jour Joe Kennedy à un ami.

Toujours aussi tranchant, Alsop avait rejeté JFK lors de leur première rencontre en 1947, suite à l'élection de ce dernier au Congrès, en lui collant l'étiquette de play-boy. Ce n'avait été qu'à son retour à Washington en 1958, après un séjour d'un an à Paris, qu'il avait pris conscience de son potentiel et était devenu l'un de ses plus fervents supporters. Depuis 1945, Alsop et son jeune frère Stewart faisaient partie de l'élite des chroniqueurs de Washington aux côtés de Walter Lippmann, James Reston et Arthur Krock. Les Alsop luttaient férocement contre le communisme, même si Stewart, formé à Yale, se montrait plus mesuré et réfrénait les tendances alarmistes de son aîné. Joe « se drape dans son pessimisme »[82], commentait le *Time*.

L'entrée de Stewart au *Saturday Evening Post* avait cependant mis fin à leur collaboration en 1958. La voix de Joe s'était faite plus criarde et il avait perdu de son influence. Bien qu'élevé dans l'esprit républicain, il ne cessait de critiquer la politique étrangère du gouvernement Eisenhower et ses « positions moralisantes et suffisantes »[83]. À ses yeux, les Kennedy promettaient un changement dont il y avait grand besoin, marqué par les émotions fortes et le glamour.

En liant son sort à celui de Kennedy, Alsop avait ravivé sa carrière à la cinquantaine. « Joe Alsop était un flatteur »[84], expliquait Tom Braden, meilleur ami de Stewart. « Il considérait les Kennedy comme sa propriété, ce qui était vrai en un sens. Ils venaient dîner lorsqu'on les invitait. Ils décrochaient ce que Joe s'évertuait à obtenir. Puis il est devenu leur chroniqueur attitré »[85]. S'attacher Alsop permettait à Kennedy d'étouffer la voix acerbe qui blessait son père tout en consolidant d'importants liens avec l'Establishment de Washington.

Au-delà des avantages mutuels que leur procuraient leurs relations, les Kennedy et Alsop s'appréciaient sincèrement. Jackie était intriguée par l'extravagance de Joe, son goût impeccable et ses connaissances en art et en archéologie. Elle se souviendra de l'un de ses déjeuners en sa compagnie comme d'un « voluptueux rêve éveillé... revoyant chaque gorgée de champagne et chaque bouchée de caviar puis de riz aux noisettes et aux champignons »[86]. Alsop jouait le rôle d'un oncle auprès de Jackie, lui délivrant toutes sortes de conseils pratiques – « quand ajouter une touche supplémentaire de sucre brun dans la crème brûlée »[87] – mais la guidant également dans son rôle de première dame. « Jackie étant une

Bouvier et une Auchincloss, Joe était aux anges »[88], commentait Ben Bradlee.

Kennedy se délectait de l'esprit caustique d'Alsop, de sa perspicacité à l'égard des Eisenhower et de ses argumentations contestataires, notamment sa théorie du « missile gap » – un pseudo retard des États-Unis sur l'Union soviétique en matière balistique – que JFK exploita durant sa campagne présidentielle. Comme d'autres journalistes en vue, Alsop joua de ses entrées pour donner son point de vue sur les candidats aux postes les plus élevés de l'administration, recommandant des modérés tels que Dillon ainsi que les diplomates chevronnés David Bruce et George Kennan.

Joe Alsop appréciait en particulier le fait que JFK « aimait les plaisirs... L'un de ses plus grands charmes ». C'était d'ailleurs la raison pour laquelle le nouveau Président souhaitait prolonger les festivités le soir de l'investiture alors que les manifestations officielles étaient terminées. Alsop était rentré chez lui dans la voiture de Peter Duchin et de sa cavalière d'un soir, Pam Turnure, peu de temps avant que Kennedy n'eût enjoint son chauffeur de gagner le domicile du journaliste. « Toutes les lumières étaient allumées à l'extérieur. Flo Smith et Afdera Fondo tambourinaient déjà à ma porte »[89], se souvient Alsop. À peine avait-il eu le temps de sortir le champagne et d'allumer un feu dans la cheminée qu'un « interminable flot d'invités »[90] émergeait d'une file de limousines. À son arrivée, Kennedy se dressait « en pleine lumière », quelques flocons de neige dans les cheveux, l'air exubérant. À juste titre, il donnait l'impression de s'être préparé à « son entrée en scène »[91].

Lorsque le nouveau Président entra, tout le monde se leva gauchement jusqu'à ce qu'il leur « fit signe de la main, d'un geste presque imperceptible, de se rasseoir »[92]. Comme il avait faim, Alsop lui proposa un bol de soupe de tortue, copieusement arrosée de beurre et de sherry, que le Président déclina poliment. En revanche, il ne refusa pas le champagne. Après s'être mêlé à la foule durant plus d'une heure, Kennedy rentra à la Maison-Blanche. Il était 3h21. Un peu déçu que Kennedy ait dédaigné sa proposition de goûter au « fleuron de la gastronomie américaine »[93], Alsop déclarera : « Peu importe. Finalement, j'ai très vite compris que ce qu'il était réellement venu chercher, c'était l'occasion de profiter pleinement de son état de grâce lors d'un dernier bain de foule, or celles qui avaient envahi mon salon étaient béates d'admiration »[94].

CHAPITRE 8

Une présidence sous le signe du renouveau : un style déterminé et efficace

Le mot d'ordre de la campagne présidentielle avait été « remettons notre pays en mouvement »[1], traduisant l'impatience de Kennedy et de ses « hommes de la Nouvelle Frontière ». Selon Avis Bohlen, épouse du diplomate chevronné Charles Bohlen, « l'atmosphère pétillait comme du champagne » et on sentait « tous ces visages jeunes et pleins de vie brûlant d'impatience de se mettre au travail »[2]. Leur arrivée annonçait un changement de style et de ton – plus décontracté, à l'image du fameux Rat Pack de Hollywood – sans commune mesure pourtant avec le caractère radical des réformes lancées 30 ans plus tôt par les partisans du New Deal.

Eisenhower avait quitté ses fonctions sur une sombre prédiction selon laquelle « le complexe militaro-industriel »[3] menaçait d'exercer sa domination sur l'économie et le gouvernement américains. La paix et la prospérité avaient régné pendant la majeure partie de son mandat. Les hommes de Kennedy y voyaient une période de contentement somnambule. Au début des années 1960, l'économie était cependant entrée en récession et le taux de chômage avoisinait les 7 %. Désormais grande puissance nucléaire, l'Union soviétique faisait planer une ombre sur l'Europe, tout comme le Laos et divers pays du Tiers-Monde où Khrouchtchev défendait les « guerres de libération nationale »[4]. Deux ans auparavant, Fidel Castro, âgé de 32 ans, avait réussi un coup d'État communiste à Cuba.

Le discours d'investiture de Kennedy avait laissé présager une « longue lutte crépusculaire »[5] sur la scène mondiale. Les premiers mois de sa présidence furent placés sous le sceau du renouveau et de l'espoir. Eisenhower était âgé de 71 ans lorsqu'il avait quitté son poste. La nation semblait fascinée par la vigueur juvénile et le style glamour de l'équipe Kennedy. « L'éclat de la Maison-Blanche illuminait la ville tout entière. Washington semblait engagé dans un effort collectif pour se montrer plus éclatant, plus gai, plus intellectuel, plus déterminé. Ce fut un intermède béni »[6], fit remarquer Schlesinger.

Jack avait une sainte horreur de la bureaucratie, sempiternel obstacle à l'autorité présidentielle. Il était convaincu qu'aucun problème ni aucun opposant ne sauraient résister à son intelligence et à son charme. Jackie décrivait volontiers son mari comme « un idéaliste sans illusions »[7]. Il fuyait les abstractions, préférant les méditations tournées « vers l'action plutôt que la philosophie »[8], racontait Ted Sorensen.

Du temps d'Eisenhower, la Maison-Blanche avait fonctionné sur le mode militaire : discipline stricte, organigrammes et chaînes de commandement canalisant les décisions vers un chef d'état-major à poigne. Du fait de l'âge et du manque de clarté du Président, Kennedy et ses conseillers supposaient que la prise de décision incombait à des subordonnés énergiques tels que Sherman Adams, son chef d'état-major, ou John Foster Dulles, ministre des Affaires étrangères. D'après Douglas Dillon, « le Président Kennedy et l'ensemble des démocrates libéraux de son entourage pensaient qu'Eisenhower n'était pas véritablement aux commandes. Ce qui était totalement faux. Simplement, Eisenhower ne criait pas sur les toits que toutes les décisions passaient par lui »[9].

Pour sa part, Kennedy improvisa pour réunir son « gouvernement du talent »[10]. Il réduisit de façon drastique l'équipe de la Maison-Blanche et réinventa littéralement les rouages du pouvoir, en se positionnant au centre d'une sorte d'engrenage. « Je ne peux pas me permettre d'avoir un seul groupe de conseillers sinon, c'est eux qui me tiendront en laisse »[11], expliquait-il à Richard Neustadt, qui le conseillait sur cette réorganisation.

Pour conserver le contrôle, Kennedy tenait toutes les rênes. Il s'agissait, selon Neustadt, « de rassembler les informations dans son esprit et de garder en main les décisions-clés de façon suffisamment fiable et rapide pour lui laisser une marge de manœuvre »[12]. Kennedy confiait souvent une même mission à différentes personnes, « peu impressionné par le coût émotionnel de ces doublons »[13], précise-t-il. Il disait rechercher « le choc des idées et la possibilité de choisir »[14]. Selon son habitude de tout compartimenter, Kennedy préférait le face-à-face ou le travail en petite « équipe » chargée de traiter un problème donné. Le Président tenait au contact direct avec ses hauts conseillers et les membres de son gouvernement. En outre, il prenait la liberté d'interférer dans les méandres bureaucratiques, passant outre les voies officielles pour consulter des spécialistes sur une question précise. Pour Richard Helms, dirigeant de la CIA, il fut le premier Président à « garder un œil sur tout, d'un bout à l'autre de la ligne »[15].

Dans un tel système, une charge non négligeable reposait sur ses épaules afin d'établir un ordre du jour et traiter les questions essentielles. Kennedy devait également déployer « une énergie colossale pour entretenir ces liens bilatéraux et être en mesure de rencontrer un nombre faramineux de personnes »[16], témoignera Walt Rostow, conseiller adjoint aux questions de sécurité nationale. Il lui fallait « mener une guérilla constante contre son entourage pour s'assurer qu'aucune possibilité qu'il entendait ménager n'était écartée »[17]. Si l'on en croit Sorensen, lors d'une journée ordinaire, Kennedy avait « plus de cinquante conversations téléphoniques… la plupart depuis sa résidence, avant ou après sa journée de travail »[18].

Adepte de la théorie historique de l'« homme providentiel »[19], Kennedy put s'en inspirer pour définir sa méthode. JFK avait étudié l'histoire de l'Europe et de l'Amérique au travers des écrits de Winston Churchill et de ce que Teddy White qualifiait d'« incroyable » catalogue d'historiens américains.

Depuis la publication de son *Profiles in Courage*, il se considérait lui-même comme un historien amateur. Au dire de Jackie, JFK « lisait et relisait » des ouvrages sur les hommes d'État américains : Henry Clay, John Calhoun, Daniel Webster, John Randolph et John Quincy Adams. (Le premier livre qu'il avait donné à lire à Jackie était *The Raven*, une biographie de Sam Houston par Marquis James). Kennedy « ne croyait guère à la théorie des grands courants historiques que personne ne pourrait infléchir, en économie, en politique ou dans tout autre domaine »[20], expliquait Ted Sorensen. Comme le dira Schlesinger, « Kennedy était persuadé que certains hommes pouvaient, parfois même grandement, modifier le cours de l'histoire. Il voyait en Churchill et Franklin Roosevelt des exemples qu'il aurait aimé suivre »[21].

Pour la plupart, les hommes de Kennedy étaient rassemblés dans l'aile ouest, un dédale étonnamment modeste de pièces basses de plafond et d'étroits couloirs. Bundy et Johnson bénéficiaient toutefois de locaux spacieux et clairs dans l'annexe, l'ancien bâtiment Eisenhower. Arthur Schlesinger s'installa quant à lui dans un bureau situé de l'autre côté de la Maison-Blanche, dans l'aile est occupée par le personnel de Jackie, un endroit qui rappelait à Galbraith « la salle commune d'une résidence universitaire à Radcliffe »[22].

Les hommes de la Nouvelle Frontière déjeunaient ensemble au mess de la Maison-Blanche, situé dans un angle du rez-de-chaussée : une petite salle à manger de trente-cinq couverts avec nappes en fil blanc, couverts en argent et porcelaine à liseré doré où les cuisiniers de la marine proposaient des plats simples (steaks hachés, omelettes, soupe de poisson servie au litre). Chaque conseiller du Président y avait un rond de serviette en argent marqué de son monogramme. L'endroit était décoré de marines, de pieds de lampe en forme d'aigle et de quelques rares compositions florales de marguerites et de fougères, créant une atmosphère indéniablement masculine. Seules deux femmes bénéficiaient du privilège des lieux : Tish Baldrige, qui venait à l'occasion

« faire du charme »[23] à quelque visiteur, et Evelyne Lincoln, secrétaire de longue date de Kennedy. Trop occupée pour descendre au rez-de-chaussée, elle déjeunait systématiquement d'un plateau-repas servi dans son bureau.

Aux premiers jours de son mandat, Kennedy errait à travers l'aile ouest, totalement désorienté, à la recherche de ses collaborateurs. Il finit même par se perdre dans « un petit labyrinthe, décrivant des cercles qui le ramenaient... à son point de départ »[24]. À l'issue d'une réunion dans le bureau Ovale, il proposa à Galbraith de lui faire visiter la résidence et, sans plus attendre, ouvrit une porte « qui donnait sur un placard »[25].

Bill Walton découvrit une maquette de la frégate *Constitution* pour décorer le bureau Ovale, ainsi que deux tableaux représentant le navire dans la bataille. Kennedy prit son temps « pour décorer son bureau de choses qu'il aimait » et « disposer sa collection de dents de baleine »[26] – des pièces sculptées anciennes, dont bon nombre avaient été choisies par Lem Billings, se souvenait Jackie. Sous les instructions de sa femme, le bureau de JFK perdit son « austère solennité »[27]. Deux canapés et une table basse en acajou furent disposés devant la cheminée, recréant l'ambiance d'un « salon de la Nouvelle-Angleterre »[28].

Plus d'un mois après avoir pris ses fonctions, Kennedy « ne tenait toujours pas en place »[29], racontait Salinger à Teddy White. « Il arpentait la Maison-Blanche de haut en bas, la visitant dans ses moindres recoins »[30]. Un matin, les membres de son équipe le découvrirent, à leur plus grand étonnement, au service du courrier « en train d'ouvrir lui-même les lettres et d'y apposer ses instructions »[31]. Il flânait dans la Roseraie, faisait un saut au service de presse, ramassant au passage des livres posés sur les bureaux. En entendant le Président l'appeler par son nom, l'assistante de presse Barbara Gamarekian regagnait son poste en « flottant sur un petit nuage rose »[32].

Kennedy éveillait chez ses hauts conseillers une loyauté presque féodale. Tous demeurèrent à ses côtés jusqu'à sa mort. John Steinbeck demanda un jour à Walt Rostow de lui expliquer « comment Kennedy suscitait l'amour »[33]. Rostow décrivit alors « l'affection refoulée mais puissante », « tacite » et « réciproque » qui régnait au sein de l'équipe et qui se manifestait de façon « drôle, pince-sans-rire et discrète »[34] plutôt que par de grandes démonstrations. Les Kennedy tiraient fierté de leur fidélité en amitié, exigeant en contrepartie une totale loyauté. Les plus fervents loyalistes de la Maison-Blanche étaient les deux plus anciens collaborateurs de Kennedy : David Francis Powers et Kenneth Philip O'Donnell.

À pénétrer pour la première fois dans l'aile ouest aux côtés du Président, « on se sentait un peu comme Alice aux pays des merveilles »[35] se souvenait Powers. « Il me paraissait mesurer trois mètres et grandir chaque jour.[36] » Cette admiration non déguisée était née en 1946, pendant la première campagne de Kennedy pour son élection au Congrès. Issu d'un milieu privilégié, Kennedy avait besoin des relations d'un homme de la rue pour entrer plus aisément en contact avec la base de ses électeurs. Un rôle sur mesure pour Powers, fils d'un mineur devenu docker.

Les parents de Powers étaient originaires du comté de Cork. Ayant perdu son père alors qu'il n'avait que deux ans, Powers avait commencé à travailler à dix ans pour subvenir aux besoins de sa mère et de ses sept frères et sœurs, vendant des journaux sur l'arsenal de Boston avant et après l'école. Il avait réalisé des études de clientèle pour une maison d'édition et, pendant la Seconde Guerre mondiale, tracé la carte des cibles à bombarder sur le territoire chinois par les Flying Tigers, placés sous le commandement du colonel Claire Chennault, dont Joe Alsop était l'aide de camp.

Powers, dépeint dans le magazine *Newsweek* comme « un petit lutin plein d'entrain »[37], était perché devant un comptoir, dans le vestibule ouest par lequel entraient généralement les visiteurs. Là, ce petit homme chauve et rubicond les accueillait et les mettait à l'aise avant de les accompagner jusqu'à leur lieux de rendez-vous. De cinq ans plus âgé que JFK, il tenait tout à la fois de l'amuseur, de la nounou et du valet de chambre. Rien ou presque des occupations quotidiennes de JFK ne lui échappait : il savait ce qu'il mangeait, ce qu'il lisait ou quand il prenait son bain.

En recrutant Powers, JFK suivait la voie tracée par son père qui « avait toujours eu à ses côtés une sorte de fou du Roi »[38], comme le faisait observer Rose Kennedy, « spirituel et gai, fidèle et loyal et suffisamment sensé pour savoir tenir sa langue en toutes circonstances ». Les Kennedy avaient peut-être conscience de la valeur de Powers, mais ils sous-estimaient son bon sens. Sous des dehors insouciants se cachait un homme doué de perspicacité et d'ingéniosité, avec une étonnante capacité à jauger les personnalités. Lors de leur première rencontre, Powers avait finement observé chez JFK « une timidité teintée d'agressivité »[39] grâce à laquelle, par une série de questions posées avec une obstination mêlée d'embarras, « il parvenait toujours à ses fins ».

Ce n'était un secret pour personne, le rôle de Powers à la Maison-Blanche se limitait à mettre le Président de bonne humeur et à lui offrir à cet effet une disponibilité de tous les instants. Doté d'une voix douce et mélodieuse de ténor – et d'un accent bostonien marqué laissant traîner la fin des phrases pour mieux les souligner – Powers incarnait le conteur né. Dans ses moments de détente, sur son rocking-chair ou dans sa baignoire, Kennedy aimait écouter les traits d'esprits de Powers – le très aristocrate Leverett Saltonstall, sénateur républicain pour le Massachusetts, devenait ainsi « Irlandais par son chauffeur »[40] –, ses histoires de paysans chinois pendant la Seconde Guerre mondiale, les exploits de la ligue de base-ball « Morning Glory » du temps de sa jeunesse ouvrière, son incessante ritournelle de résultats sportifs et ses retours en arrière sur le décompte des voix lors des scrutins électoraux.

Bénéficiant, tout comme Lem Billings, d'une sorte de dérogation de la part de Kennedy, il se permettait des commentaires irrévérencieux que personne d'autre n'aurait songé faire, lançant par exemple « un schah comme je les aime »[41] pour annoncer le schah d'Iran. (Lem ne l'appréciait guère, le qualifiant d'« aimable employé » que Kennedy trouvait « agréable »[42]. « Il n'était pas comme moi », appuyait-il). Powers était « copain » avec tout le monde et certains collaborateurs de la Maison-Blanche se montraient profondément agacés par l'éternel bourdonnement qui le précédait lorsqu'il prenait le virage du principal couloir de l'aile ouest. « C'était un pitre invétéré »[43], disait de lui Barbara Gamarekian. « À vrai dire, il était tout à fait désolant de voir le Président chercher du réconfort auprès d'une telle personne. » Jackie elle-même « le trouvait grossier »[44], soulignait Tish Baldrige, « mais elle devait se garder de toute impolitesse eu égard à sa popularité ». Selon sa secrétaire, Jackie avait compris que Powers et Billings étaient « des amis du passé qui permettaient à son mari de se sentir bien dans le présent »[45].

Kenny O'Donnell était aux antipodes de Powers : austère et intimidant. Il n'était pas rare de le découvrir les bras croisés, appuyé contre un mur. Le visage restait dur, les yeux noirs plissés à l'extrême, telles deux petites fentes, les lèvres minces imperturbablement serrées, l'air impénétrable. Seules quelques personnes savaient qu'il dissimulait une arme. Avare de ses mots, le sourire fugace, il avait développé une « dévotion silencieuse et presque fanatique »[46] pour Kennedy, disait William Manchester. Lors de leur rencontre à la convention de 1960, le conseiller Joe Dolan avait fait remarquer : « Quel boucan, non ? »[47], lorsque la salle avait apporté son soutien à Stevenson. O'Donnell était demeuré silencieux puis, sans se donner la peine de détacher son regard de la foule, avait fini par marmonner : « Leur dernier sursaut »[48].

C'est par l'intermédiaire de Bobby Kennedy, avec qui il jouait au football à Harvard, qu'O'Donnell avait rejoint JFK lors de sa candidature aux élections sénatoriales de 1952. Petit, sec et nerveux comme Bobby, Kenny était un excellent athlète, capitaine et arrière de l'équipe universitaire. Bobby, lui, se contentait d'un rôle de médiocre joueur de réserve. Fils de l'entraîneur de football du Holly Cross College, il avait grandi à Worcester, dans le Massachusetts. À dix-neuf ans, ses études secondaires terminées, il était parti servir dans la huitième force aérienne britannique, pour laquelle il avait effectué trente missions de bombardement.

En 1945, lors de son inscription à Harvard, O'Donnell avait fait figure de véritable héros de la guerre, partageant avec Bobby un même enthousiasme pour les discussions et le football. Piètre étudiant et adepte du bachotage, il n'avait dû son salut qu'à son excellente mémoire photographique. À sa sortie, O'Donnell avait entrepris sans grande conviction des études de droit au Boston College, avant de se laisser séduire par les Kennedy qui l'incitèrent à entrer en politique.

« L'esprit de Kenny fonctionnait comme un ordinateur : c'était là son génie. Jamais il ne prenait la moindre note. Tout était dans sa tête »[49], expliquait John Seigenthaler, conseiller de Bobby Kennedy. O'Donnell avait suivi Jack dans tous ses voyages et collaboré à l'organisation logistique de la campagne avec Bobby, devenu entre-temps son meilleur ami.

De toute évidence, cet homme de 36 ans se devait d'assumer un rôle similaire à la Maison-Blanche. Il contrôlait l'emploi du temps du Président, supervisait le personnel de l'aile ouest (qui avait accès aux fichiers d'investigation du FBI), coordonnait l'ensemble des voyages et les questions de sécurité et faisait office de conseiller politique du Président dans les domaines les plus divers.

Dans son bureau installé derrière le vestibule par lequel arrivaient les visiteurs entrés par la porte ouest, sur Pennsylvanie Avenue, O'Donnell devint une véritable sentinelle, « omniprésent, le visage fermé »[50], selon les termes de Charley Bartlett. Il se montrait catégorique et cassant, n'ayant pas de temps à perdre en papotages et autres échanges de courtoisies. Il émettait des grognements, « venant des tripes »[51], selon Nancy Dutton, assistante à la Maison-Blanche.

Sa porte donnait sur le bureau Ovale, dont elle était la principale voie d'accès. Toutefois, pour échapper à cette surveillance rapprochée, nombre d'amis et de conseillers faisaient le détour par le bureau d'Evelyn Lincoln, la secrétaire de Kennedy, situé de l'autre côté du bureau Ovale et auquel on accédait par la porte est. Avec son casque de cheveux noirs, ses lunettes papillon et ses robes chemisiers fort convenables, Evelyn Lincoln affichait une fausse naïveté tout droit sortie du

Nebraska, dont elle était originaire. Derrière ses façons désarmantes se dissimulaient toutefois un regard d'aigle et une grande efficacité, doublés d'un fort instinct de conservation. Ainsi lorsque, quelques années plus tôt, Kennedy avait voulu la congédier (tâche qui lui faisait toujours horreur), il avait employé des formules si détournées qu'elle était réapparue le lendemain comme si de rien n'était. « Je croyais l'avoir virée, mais elle est toujours là »[52] avait alors dit Kennedy à Sorensen. Evelyn Lincoln avait su faire sa place et se rendre indispensable, comptant parmi les rares personnes capables de déchiffrer les pattes de mouche de Kennedy. Pour O'Donnell, passer par le bureau de la secrétaire constituait un affront à son autorité, mais sachant que ces petits aménagements arrangeaient Kennedy, il ravalait ses griefs.

Jack Kennedy réunit une seule fois son équipe de la Maison-Blanche « pour évoquer les fuites dans la presse »[53], se souvient Sorensen. Pour JFK, les réunions, qui permettaient à ses collaborateurs de laisser libre cours à leurs différends, ne pouvaient être que source d'ennuis. Ayant pris l'avis de Neustadt, Kennedy supprima également les séances ordinaires du Conseil de sécurité nationale ainsi que les groupes de conseillers qui travaillaient pour ce dernier, se privant par là même d'une précieuse source de renseignements en provenance de divers services et organismes. Quant aux réunions hebdomadaires du Conseil des ministres, elles disparurent elles aussi des agendas, Kennedy y voyant « une perte de temps, comme dans tout débat sur l'état d'avancement des dossiers »[54].

Lorsqu'il finit par réunir ses ministres, le Président passa en revue toutes les propositions sans se laisser aller à la moindre plaisanterie et moins encore à demander l'avis de quiconque. Quatre membres du Cabinet entretenaient un contact permanent avec le Président : McNamara, Rusk, Dillon et Bobby Kennedy. Les six autres – qualifiés par Stewart Alsop de « vagues silhouettes »[55] – constituaient un cercle extérieur qui ne le voyait que rarement et nourrissait le sentiment d'être tenu à l'écart. « Nous n'étions même pas autorisés à voir les documents secrets »[56], se souvenait Stewart Udall, alors ministre de l'Intérieur. Udall, qui s'était lui-même surnommé « le Jardinier », tirait le meilleur parti de cette situation, « travaillant en toute liberté »[57] à des initiatives préparant l'avènement des mouvements écologistes des décennies à venir.

Sorensen décrivait l'ambiance de la Maison-Blanche comme « tout à la fois studieuse et décontractée »[58]. Hormis Dean Rusk, particulièrement à cheval, à qui il donnait du « Monsieur le ministre » et Evelyn Lincoln, sa secrétaire, qu'il appelait « Madame Lincoln », Kennedy nommait tous ses collaborateurs par leur prénom. Ainsi, des secrétaires qui travaillaient depuis des années à la Maison-Blanche se retrouvèrent-elles sur un pied d'égalité avec leurs patrons. Cependant, comme le soulignait Barbara Gamarekian : « Il avait suffisamment de retenue pour que personne ne prenne ombrage de sa désinvolture »[59].

Une petite poignée d'incontournables – O'Donnell, Sorensen, Bundy et Salinger – s'entretenait plusieurs fois par jour avec Kennedy. Ces entrevues ne répondaient à aucun schéma préétabli. JFK attendait de ses collaborateurs qu'ils soient « rapides, tenaces, concis et résolus »[60] et lui fournissent des informations et des idées nouvelles. Toute personne obtuse, bavarde (« parlant plus de trente secondes »[61], dirait Marcus Raskin – collaborateur de Bundy – qui n'exagérait que très modérément), enflammée, émotive ou tenant un discours idéologique était la cible de ses critiques. Au dire de Sorensen, rares étaient les entretiens qui dépassaient une heure, la durée idéale se situant plutôt autour de quinze minutes. Malgré la volonté de Kennedy d'instaurer une certaine décontraction, l'atmosphère de la Maison-Blanche « était terriblement tendue »[62], se souviendra Isaiah Berlin. « Nous marchions tous sur une corde raide, ce qui nous motivait au plus haut point, mais en même temps, nous étions en permanence terrifiés à l'idée d'un quelconque dérapage. »[63]

La journaliste britannique Barbara Ward voyait en Kennedy « un stimulant. Pas un communicateur. Il se faisait lui-même sa propre idée, mais il entendait utiliser pleinement chacun de ceux qui l'entouraient. Loin de lui l'idée de les exploiter… il voulait juste savoir tout ce qu'ils avaient en tête et que cela soit parfaitement clair pour lui. »[64] Souvent, plutôt que d'engager la conversation, il soumettait son interlocuteur à une avalanche de questions qu'il martelait, passant du coq à l'âne, sans presque lui laisser le temps de finir. « Il coupait souvent la parole aux autres, sans se soucier de la teneur ou du ton amical des propos »[65], se souviendra Sorensen.

En tant qu'auditeur, Kennedy pouvait tour à tour séduire ou intimider. Il « se penchait en avant, les yeux légèrement écarquillés, buvant chacune de vos paroles. En un clin d'œil, il avait saisi le sens général du propos et trahissait son impatience, tapotant des doigts ou jouant avec sa cravate. Il lui arrivait de demander : « À quoi faites-vous référence exactement ? »[66]. Les grandes déclarations, l'ironie et le manque de clarté l'agaçaient profondément. « Les verbeux l'exaspéraient et jamais, même au cours d'une conversation, il ne parlait pour le plaisir de s'écouter »[67], précisait l'économiste Galbraith, ajoutant que c'était là un « rare cas d'homme politique capable de se montrer aussi exigeant envers lui-même qu'envers les autres »[68].

Kennedy se gardait bien d'exprimer son point de vue afin de ne pas influencer les collaborateurs auprès de qui il cherchait conseil. Il se montrait ouvert aux « arguments adverses, parfois fort désagréables »[69], se souvenait David Ormsby Gore. JFK lui avait un jour confié : « Il est triste dans la vie de découvrir un jour que la partie adverse avait d'excellents arguments »[70]. Tant qu'il ne s'était pas forgé une certitude, Kennedy écoutait. Selon Joe Alsop : « Telle était son habitude. Une excellente habitude pour un dirigeant politique : prendre les décisions graves en temps et en heure. Aussi, il laissait toujours les questions en suspens jusqu'au moment où il fallait trancher »[71].

Henry Luce dit un jour de Kennedy qu'il était doté d'« une belle intelligence »[72] – et Andreï Gromyko lui-même, ministre soviétique des Affaires étrangères, souligna sa « perspicacité »[73] et sa « profondeur de vues ». Alsop parlait quant à lui d'une

« aptitude à appréhender les faits » et d'une « volonté de comprendre le fonctionnement des choses »[74]. Sa curiosité d'esprit s'exerçait dans les domaines les plus divers, mais il ne brillait guère par son originalité. Gromyko voyait en Kennedy « un excellent catalyseur et consommateur des idées et des pensées des autres »[75], d'où son besoin constant de sonder ses conseillers. Ainsi, l'auteur de l'un de ses bons mots les plus appréciés, selon lequel Washington était « une ville ayant l'efficacité du Sud et le charme du Nord »[76], n'était autre qu'Earl Latham, professeur de sciences politiques à Amherst et ancien membre du Comité de conseillers universitaires de JFK. Latham avait lancé la blague à Sorensen, qui l'avait à son tour racontée à Kennedy, alors sénateur, lequel l'avait rendue célèbre. Pour Sorensen, « le génie de Kennedy » tenait au fait qu'il « savait reconnaître la justesse et la drôlerie d'un bon mot, même de source inconnue »[77].

Doté d'une remarquable mémoire, Kennedy pouvait placer des citations et se souvenait de détails infimes. Il tenait d'ailleurs un recueil, commencé pendant la Seconde Guerre mondiale sur un petit livre ordinaire en cuir noir. Son aisance apparente était le fruit d'un travail appliqué et soigneusement calculé. « Je lis un article », expliqua-t-il un jour, « puis je m'oblige à m'allonger une demi-heure environ pour le reprendre intégralement dans ma tête, en cherchant à me souvenir d'un maximum de points. Ensuite, je l'analyse, je le critique et je le démolis »[78]. Lecteur acharné (mais superficiel, soulignait Joe Alsop, condescendant), il lui arrivait de lire en marchant ou bien en s'habillant, un livre calé sur le bureau.

Ses lectures n'étaient pas non plus laissées au hasard, préférant au divertissement « l'information, la comparaison, l'analyse et le plaisir d'une formule pertinente »[79], expliquait Schlesinger. Son choix se portait le plus souvent sur les biographies et les ouvrages historiques – parfois tout aussi abscons qu'une étude sur la théorie économique prônée en Birmanie. Mais Henry Luce eut un jour la surprise de le trouver en possession de l'un des « deux ou trois romans, célèbres en leur temps » de Benjamin Disraeli, dont le nombre de lecteurs pendant la dernière décennie « devait se compter sur les doigts d'une main »[80]. Parmi les ouvrages préférés de Kennedy, deux étaient signés par des auteurs britanniques : *Pilgrim's Way*, de John Buchan, et *Melbourne*, un portrait de l'Angleterre *whig* par David Cecil.

Pour Richard Neustadt, Kennedy « ne s'évertuait pas à déstabiliser son interlocuteur », ne se montrant « jamais sadique »[81], contrairement à Franklin Roosevelt qui se plaisait à monter ses collaborateurs les uns contre les autres. Il entendait néanmoins instaurer un climat de tension productive au sein de son équipe. Aussi, lorsqu'il engagea Dillon, Kennedy précisa qu'il devait également nommer Walter Heller – un économiste libéral de l'université du Minnesota – à la tête de son équipe de Conseillers économiques afin de se « protéger d'un point de vue politique »[82]. Il souhaitait « donner à Heller davantage de visibilité » et rassura Dillon, qui demeurait son « premier conseiller financier ». En parallèle, il expliquait à Heller qu'il représentait un contrepoids nécessaire aux tendances conservatrices de Dillon. Kennedy se montra plus franc avec Dillon. Celui-ci comprit qu'« Heller était censé représenter l'aile gauche et donner l'impression que Kennedy était davantage intéressé qu'il ne l'était en réalité ». Heller, quant à lui, ne saisit jamais totalement son rôle, persuadé que Kennedy était sincère lorsqu'il « lui avait laissé croire qu'il serait appelé à jouer un rôle de la première importance »[83], expliqua Dillon.

Kennedy ne tolérait aucune doléance ni manifestation de jalousie. Ses proches collaborateurs se devaient donc d'afficher une bonhomie pleine d'insouciance. « Tous unis comme les doigts de la main »[84], résumait Harold Macmillan. Un jour, Merriman Smith, correspondant de l'*Associated Press* auprès de la Maison-Blanche, observa Schlesinger qui avançait à pas lent, penché en avant, tandis que Bundy marchait vite, légèrement incliné en arrière : « Lorsque Bundy croisa Schlesinger, leur profil forma un « X » parfait »[85]. Quant à Sorensen et Myer

Feldman, son adjoint, ils allaient jusqu'à s'échanger des notes de service en vers.

Sous la surface pointaient immanquablement des rivalités. Ken Galbraith ronchonnait contre l'absence de « vieux baroudeurs de la politique de la trempe de Ickes »[86] et David Bruce, ambassadeur en Grande-Bretagne, qualifiait le sous-secrétaire d'État, Chester Bowles, de « raseur aussi bavard qu'incompétent »[87]. Plusieurs mois après l'investiture, James Rowe, conseiller politique fort expérimenté, déclara à Teddy White que l'équipe de la Maison-Blanche « mériterait d'être sermonnée » pour « ses critiques déplacées d'ordre politique, mais aussi personnel ». « Le pouvoir », fit-il remarquer, « semble être monté à la tête des intellectuels ». Plus tard, Sorensen reconnaîtrait que parmi les « individualistes pugnaces » de l'entourage de Kennedy, les « remarques méprisantes » fusaient, « faisant allusion aux antécédents politiques ou intellectuels des uns ou des autres »[88].

Exilé dans un bureau aux confins de la Maison-Blanche avec des fonctions plus qu'imprécises Arthur Schlesinger eut les pires difficultés à s'intégrer. Avec ses « vestes avachies et ses chaussures confortables »[89], il incarnait le parfait intellectuel. Une impression encore accentuée par son front bombé et sa petite moue qui semblait confiner à l'arrogance. « Il faut dire qu'Arthur était de l'autre côté, dans l'aile est, à prendre le thé avec Jackie »[90], expliquait un conseiller de la Maison-Blanche. En vérité, Jackie passait peu de temps avec son personnel dans l'aile est. En revanche, elle faisait souvent appel à Schlesinger, qui se faisait un plaisir de lui rendre service, gagnant ainsi un statut enviable.

En février toutefois, Schlesinger confia à Galbraith qu'il se sentait « insatisfait et mal à l'aise »[91] dans son poste. Selon Ben Bradlee, « Arthur s'inquiétait toujours pour sa situation »[92]. Lorsque Kennedy lui confia une mission d'étude sur l'Amérique latine, Schlesinger retrouva une nouvelle motivation et prit goût à ce travail de l'ombre qu'il pouvait mener à sa guise sans s'éloigner pour autant du centre du pouvoir. « Certes, j'ai connu des moments de frustration mais j'ai bénéficié d'une grande marge de manœuvre »[93], affirmait-il.

En début de soirée, traversant couloirs et colonnades, Schlesinger prenait le chemin du bureau Ovale où il retrouvait d'autres conseillers en quête d'un entretien informel avec Kennedy. C'était en effet l'heure préférée du Président, celle où il s'abandonnait dans son fauteuil, les pieds sur le bureau – ce que Mac Bundy appelait « le bivouac sur chaise »[94] –, et revenait sur les événements de la journée dans « ce style merveilleusement concis, précis et cohérent qui était le sien »[95], se souvenait Walt Rostow. En présence de Schlesinger, mais encore devant Sorensen et Rostow, Kennedy avait conscience de parler pour l'histoire. « Il nous livrait ses réflexions »[96], racontait Schlesinger. « Jack Kennedy était un homme très impersonnel, qui se caractérisait par son objectivité et son esprit analytique. Il soumettait ses actes au même examen que ceux de n'importe quelle autre personne et possédait une connaissance de soi qui fait défaut à la plupart des hommes politiques. »[97]

CHAPITRE 9

La passion de Jackie pour l'art

Pendant la rénovation des appartements privés du deuxième étage, Jack s'installa dans la chambre Lincoln tandis que Jackie établissait son quartier général de l'autre côté du vestibule, dans la chambre de la reine, une pièce « sombre et lugubre »[1], dont elle disait qu'elle était « tellement grande qu'un navire de guerre aurait pu aisément y manœuvrer »[2]. Au lendemain de l'investiture, Harry Truman se présenta dans le bureau Ovale pour une visite de politesse et Kennedy l'emmena visiter l'étage. Les deux hommes trouvèrent Jackie en train de se reposer, « adossée contre la tête de l'immense lit à baldaquin, portant une ravissante liseuse et, sur la tête, un petit bonnet fantaisie »[3]. Très gêné, Truman lança qu'à l'époque où sa mère occupait la chambre, « ce grand lit l'effrayait »[4].

Après l'agitation qui avait marqué l'investiture, « Je fus incapable de sortir de mon lit pendant près de deux semaines »[5], racontera Jackie. Il n'était pas rare de l'entendre dramatiser ainsi. En vérité, Jackie quittait fréquemment sa chambre. Vêtue d'une chemise blanche sans façon, de jodhpurs et de petites bottes de cheval, appuyée sur un grand bureau, elle souhaita personnellement la bienvenue à toute l'équipe de la Maison-Blanche. Elle faisait des promenades à travers les quelque six hectares de jardin, furetait dans les réserves, retirait des « horreurs » censées décorer l'étage officiel, rencontrait des créateurs et des consultants et recevait des amis. « Nous avons encore beaucoup à faire », dit-elle, avec « un petit air conspirateur »[6] à J. B. West, intendant de la Maison-Blanche portant le titre d'« huissier en chef ». « Je veux faire de cette maison une grande demeure ! »[7]

Les enfants étant absents jusqu'au début du mois de février, Jackie put s'investir pleinement dans son nouveau rôle. Au mois d'août précédent, alors qu'elle se sentait découragée par « le conflit entre sa volonté de préserver sa vie privée et les exigences de l'opinion publique »[8], Joe Alsop lui avait écrit une longue lettre de conseils, citant en exemple Helen Taft, une première dame qui avait su trouver « la solution la plus élégante et la plus efficace »[9] : « Elle faisait tout ce qui pouvait être utile, sans faux-semblants, mais sans perdre sa dignité. De ce fait, elle devint un atout politique bien plus important que toutes les autres épouses d'hommes politiques qui n'étaient pas elles-mêmes activement engagées en politique que j'ai pu connaître », comme « la cousine Eleanor ».

Jackie le remercia de ce « très judicieux » conseil. « Vous m'avez encore appris une chose : le respect du pouvoir. Si la situation tourne en notre faveur, je l'accepterai avec plaisir et l'utiliserai pour les choses qui me sont chères »[10], lui écrivit-elle. En dépit de sa jeunesse et d'une « certaine inconséquence, au demeurant charmante »[11], comme disait Arthur Schlesinger, Jackie était tout à fait capable de joindre le geste à la parole. « Derrière ses minauderies se cachaient une conscience extrêmement aiguë, un regard constamment à l'affût, un jugement impitoyable et une résolution inébranlable »[12], soulignait son conseiller.

Cette détermination n'avait toutefois rien de nouveau. Deux années auparavant, l'intraitable chroniqueuse libérale Doris Fleeson avait déclaré à Katie Louchheim, militante démocrate, être émue de voir Jackie « prise dans l'étau de l'ambition, poussée dans le rôle d'épouse d'un homme sans pitié alors que cette pauvre jeune femme inexpérimentée, riche, surprotégée et sans défense n'avait en rien été préparée au destin qui l'attendait »[13]. Katie Louchheim avait alors compris que Doris avait été abusée par les façons « désarmantes » de cette « pauvre petite créature » et que Jackie était « pleinement consciente » de son « apparente naïveté »[14], sachant précisément où elle mettait les pieds et comment gérer la situation. Féministe de la première heure, poétesse et « grand-mère de 57 ans », selon le portrait que faisait d'elle le *New York Times*, Katie Louchheim se révélera une observatrice perspicace de la vie de la capitale. Elle avait suivi ses études à Rosemary Hall – université de filles jumelée avec Choate –, parlait plusieurs langues et était l'épouse d'un riche conseiller en placements. Sans être une intime des Kennedy, elle comptait parmi ses amis nombre de personnes bien introduites à la Maison-Blanche et tenait un journal haut en couleur.

Jackie sélectionnait rigoureusement ses activités à la Maison-Blanche. « J'étais fatiguée et je souhaitais voir mes enfants, alors j'ai dit à Tish – qui en eut presque un infarctus – que je ne sortirais jamais, qu'il s'agisse d'aller déjeuner, de prendre le thé, d'assister à des remises de diplômes ou à des discours. Pendant deux mois, il a soufflé un vent de panique. Maintenant, c'est un précédent établi »[15], confiera-t-elle à Bill Walton. On l'avait informée que « des milliers d'obligations lui incombaient en tant que première dame »[16]. Plus tard, elle se targuerait auprès de son amie Nancy Tuckerman de n'en avoir « respecté aucune ».

Ce qui pouvait passer pour du négativisme acharné lui permit en réalité d'élargir son rôle de première dame au-delà des limites traditionnellement établies. Jackie était une épouse fondamentalement conformiste qui avait une idée claire « de la place qui revient à une femme : en retrait par rapport à l'homme »[17], comme elle le confiera à Nellie Connally après la disparition de JFK. À Hugh Sidey, elle déclara qu'elle éprouvait « de la compassion pour les femmes qui, ne trouvant pas suffisamment d'intérêt et de sujets de motivation dans leur mari, devaient chercher le pouvoir et la domination par elles-mêmes »[18].

En matière de goûts et de comportements, en revanche, elle se montrait en avance sur son temps. Enfant, déjà, elle faisait preuve d'une assurance et d'une maturité intellectuelle surprenantes et se distinguait par « une forte présence et une grande maîtrise de soi »[19]. À 16 ans, à son demi-frère Yusha Auchincloss, alors âgé de 18 ans, qui lui reprochait sa suffisance, elle répondait : « Je ne pense vraiment pas être meilleure que les autres, Yush. Ce doit être une attitude que je prends sans m'en rendre compte. »[20] Après avoir passé sa troisième année d'études universitaires à Paris, elle avait refusé de retourner à Vassar, qu'elle détestait, regrettant de ne pas s'être inscrite à Radcliffe. Finalement, elle avait choisi de passer son diplôme à l'université George Washington, dans un environnement urbain et un établissement mixte : « Je ne voulais plus vivre comme une petite fille. »[21]

« Jackie était entourée d'une certaine aura de mystère qu'elle réussissait à préserver. La plupart du temps, les gens ne savaient pas ce qu'elle pensait ni ce qu'elle faisait en coulisse et elle souhaitait n'y rien changer »[22], confiait Oleg Cassini. Dès l'âge de 15 ans, elle avait expliqué à Yusha Auchincloss : « Une fois qu'on sait tout d'une femme, on perd tout intérêt pour elle. »[23] Jackie aimait les vêtements ayant l'élégance d'autrefois, qui, comme elle l'écrirait dans un article pour *Vogue*, « vous enveloppent secrètement d'un sentiment de mystère »[24]. Pour Cassini, Jackie était un « sphinx », ce qui ne devait rien au hasard puisque cette figure mythique était une composante essentielle de son identité.

La statue préférée de Jackie représentait précisément la marquise de Pompadour en sphinx. « Un sphinx, voilà à peu près comme je me sens lorsque je sors avec vous »[25], dit un jour Jackie à Adlai Stevenson, ambassadeur auprès des Nations Unies, qui venait de l'escorter pendant une semaine à travers les rues de New York. Comme le fera observer Richard Avedon après l'avoir photographiée pour *Harper's Bazaar*, « elle a beaucoup de points communs avec les grandes stars du cinéma. Elle sait ne pas trop se dévoiler, contrairement à bien des gens »[26].

Les épouses des deux précédents présidents avaient pleinement exercé les fonctions officielles : réceptions de rigueur avec les femmes des membres du Congrès et les cercles féminins. Mamie Eisenhower, en digne femme de général, se montrait parfaitement à son aise dans les grandes réceptions officielles, réservant son temps libre aux feuilletons télévisés et aux parties de cartes entre amis. Quant à Bess Truman, elle s'était volontairement démarquée de l'activisme politique d'Eleanor Roosevelt, aux opinions très marquées, affirmant : « En public, une femme se doit de rester assise aux côtés de son mari, de se taire et de s'assurer que son chapeau est bien mis. »[27] Il lui arrivait cependant de rentrer aussi à Independence, dans le Missouri, et d'y séjourner des mois, sans accorder aucune interview à la presse, pas même par écrit. Tout à la fois ombrageuse et courtoise, elle était résolument attachée à ses habitudes.

La grande admiration que lui vouait Jackie reposait essentiellement sur le fait « qu'elle avait su garder sa famille unie à la Maison-Blanche en dépit des projecteurs soudain braqués sur tout nouveau Président »[28]. Bess l'inspira également à suivre sa propre voie, ce dont même Janet Auchincloss se félicita, faisant remarquer : « Il est idiot de vouloir se comporter selon les attentes supposées des autres sous peine de devenir, tout simplement, une créature insipide. »[29]

Durant ses premières semaines à la Maison-Blanche, Jackie « organisa les choses avec une efficacité digne du maréchal Rommel »[30], afin de pouvoir mener la vie sans entrave qu'elle affectionnait. Son succès fut déterminé par le choix des bonnes personnes sur lesquelles se décharger des corvées qui l'ennuyaient ainsi que sa capacité à diriger efficacement en assurant une « supervision d'ensemble ». Toute cette organisation, comme le dira Jackie à Bill Walton, témoignait de sa compréhension de l'usage du pouvoir tel que le lui avait enseigné Joe Alsop.

Dès son arrivée à la Maison-Blanche, Jackie voulut faire venir Nancy Tuckerman, sa plus vieille amie. Brune aux yeux bleus, d'allure et de tempérament légèrement effacés, « Tucky » était pour Jackie l'équivalent de Lem pour Jack. Éblouie par la présence charismatique de Jackie, elle restait envers elle d'une loyauté à toute épreuve. Pur produit – tout comme Jackie – de la bonne société de Manhattan et de Southampton, elle avait appris « à respecter toutes les règles du jeu »[31]. Elles

145

s'étaient connues à l'âge de 9 ans à la Chapin School, où Jackie se distinguait tant par « son allure et ses belles tresses »[32] que par sa désobéissance.

Le déménagement de Jackie pour Washington après le remariage de sa mère avait marqué une période d'éloignement, mais elles s'étaient retrouvées à Farmington, où elles avaient partagé une chambre, nouant ainsi, comme le disait Nancy, « un profond lien d'amitié ». « Nancy était au courant de tout. Elle savait tout ce que ressentait Jackie. Et Jackie ne se serait confiée à personne d'autre qu'à Nancy »[33], racontait Janet Felton Cooper, amie d'enfance de l'une et de l'autre. D'un tempérament calme, légèrement en retrait, elle était éblouie par « l'intelligence, la vivacité d'esprit et le sens du ridicule »[34] de Jackie. « Il était impossible de s'ennuyer en compagnie de Jackie car on ne savait jamais à quoi s'attendre avec elle »[35], se souviendra-t-elle.

Jackie était l'élément provocateur et Nancy la spectatrice admirative. À Farmington, elles prenaient la poudre d'escampette en emportant une radio et des cigarettes dans le boghei attelé à Donny, le cheval de Jackie. Un jour, enfreignant le règlement de l'école, Jackie avait décidé de lui apprendre à monter à cheval. « Elle me fit passer une vingtaine de fois par jour sous le ventre de Donny pour me faire perdre ma peur des chevaux »[36], se souviendra Nancy. Proches pendant leurs études universitaires, elles l'étaient demeurées au fil des bals des débutantes et des soirées, et même après le mariage de Jackie. Au moment de la prise de fonctions de Kennedy, Nancy Tuckerman travaillait comme agent de voyage à New York. Lorsque Jackie lui demanda de venir l'aider pour les travaux de restauration de la Maison-Blanche, Nancy répondit qu'elle était heureuse à New York et ne pouvait partir. Jackie y vit un contretemps passager et continua à chercher un poste pouvant lui convenir.

C'est à Tish Baldrige que furent confiées les principales tâches incombant à la première dame. Par ailleurs, Jackie se félicitera d'avoir su « discerner avec une habileté diabolique »[37] en Pam Turnure la personne capable de répondre aux questions exactement comme elle l'aurait fait elle-même, « ce qui nous permettait de ne pas communiquer pendant des semaines »[38], dira-t-elle. Désireuse de tirer un rideau de velours sur sa vie, Jackie lui donna des instructions très claires, sur lesquelles elle ne revint jamais tout au long de son séjour à la Maison-Blanche.

Elle avait été préférée à la candidate « chevronnée mais démagogue »[39] recommandée par Salinger pour la bonne raison qu'elle n'avait aucune expérience de la presse et ne manquait « ni de bon sens ni de goût »[40]. Jackie souhaitait qu'elle joue un rôle tampon, non pas à des fins de publicité, mais bien plutôt pour « protéger leur intimité »[41]. Sentant qu'elles étaient assez semblables, Jackie attendait de Pam Turnure qu'elle conserve un « anonymat relatif » et s'abstienne de tout entretien ou commentaire dans sa vie privée. Le mot d'ordre était de donner « un minimum d'informations avec la plus grande politesse »[42].

Jackie laissa donc le soin à son porte-parole d'expliquer aux médias qu'elle n'honorerait pas sa promesse de tenir une conférence de presse. « Vous n'avez qu'à leur dire qu'ils devront patienter encore un peu », précisa Jackie, ajoutant : « Et faites une cure de vitamines, ma pauvre Pam ! »[43]

Dans ses nouvelles fonctions, Jackie sut imposer aux yeux de la nation sa sensibilité empreinte de courtoisie, servant tout à la fois de modèle et de catalyseur. Comme l'écrira Diana Vreeland : « Jackie conféra un peu de style à la Maison-Blanche et au rôle de première dame du pays. Subitement, le bon goût devint de mise. Avant les Kennedy, le bon goût n'avait jamais intéressé l'Amérique moderne. »[44]

Le symbole le plus parlant de cette métamorphose fut sans conteste la restauration de la Maison-Blanche – véritable « scène des vaudevilles de l'administration Kennedy »[45]. Jackie avait choisi pour point de mire l'année 1802, date de l'achèvement de la demeure présidentielle sous l'administration Jefferson. Elle était charmée par ce troisième Président francophile qui « avait fait preuve d'un goût si merveilleux et choisi un mobilier à la beauté si parfaite. Malheureusement, la guerre ayant éclaté en 1812, tout avait été ravagé par les flammes »[46].

L'essentiel était de se procurer des meubles anciens, des œuvres d'art et autres accessoires de qualité. Sans attendre, Jackie prit des dispositions afin de réunir un comité de riches collectionneurs – le Comité des beaux-arts de la Maison-Blanche – susceptible de l'aider dans sa tâche. Sur les conseils de Wilmarth Sheldon « Lefty » Lewis – collectionneur réputé de manuscrits et de livres rares marié à Annie, la sœur d'oncle Hughdie –, elle nomma Henry Francis du Pont, âgé de 80 ans, à la tête de ce comité. Une décision de la plus haute importance. Les Lewis, qui résidaient à Farmington, avaient joué le rôle de mentors pour Jackie lorsqu'elle fréquentait l'école de Miss Porter. Proche de du Pont, Lewis était également administrateur de Winterthur, domaine de quelque mille hectares appartenant aux du Pont dans le Delaware et dont la demeure, transformée en musée, comptait plus de cent soixante-quinze pièces décorées d'objets appartenant au patrimoine culturel américain : la plus belle collection du pays. L'intervention d'un si prestigieux connaisseur légitima sur-le-champ l'entreprise de Jackie.

Timide et un peu sourd, du Pont ne se privait pas de « nous mener la vie dure »[47], racontera Janet Felton Cooper, secrétaire du Comité des beaux-arts. Les assistants de Jackie se devaient de programmer soigneusement ses visites dès la seconde où il descendait de sa « confortable petite Rolls », comme il l'appelait lui-même. « Lorsqu'il repartait, nous avions tous la langue pendante »[48], ajoutera-t-elle. Dans un premier temps, du Pont partagea le choix de Jackie en matière de style, arguant que les arts décoratifs du début du XIXe siècle « reflétaient à merveille les aspirations sociales, politiques et économiques de ce nouveau pays libre »[49]. En outre, il était d'accord avec elle pour faire de la Maison-Blanche « une sorte de symbole du pouvoir culturel et politique »[50]. Mais lorsque le magazine *Life* s'en mêla, publiant un éditorial critique sous le titre « En avant vers 1802 »[52], Jackie commença à percevoir le caractère trop restrictif de sa démarche.

Du Pont engagea les services de deux spécialistes, Julian Boyd et Lyman Butterfield, pour redéfinir le projet de restauration. Déconseillant l'utilisation d'un style unique qui crée-rait un effet « monotone », ils préconisèrent le choix de diffé-rentes périodes allant de la fin du XVIIIe siècle au début du XXe pour souligner le « caractère actuel » de la Maison-Blanche. Jackie se rangea à cet avis et sa collaboration avec du Pont s'engagea alors de façon sérieuse. Il la « bombardait de lettres au rythme de quatre ou cinq par semaine » et n'hésitait pas à lui téléphoner à 7 h 15, l'obligeant « à faire semblant d'être réveillée »[52]. Pendant près de trois ans, ils s'échangeront plus d'une centaine de lettres – toujours adressées à « Mrs Kennedy » et « Mr du Pont » – portant sur des points d'esthétique ou d'exactitude historique.

Malgré une différence d'âge de cinquante-cinq ans et des opinions bien tranchées, la communication entre Jackie et du Pont se faisait sans heurts. Il s'exprimait toujours avec diplo-matie et élégance ; Jackie, elle, conservait son franc-parler, manifestant même à l'occasion son agacement : « Ce vestibule me tapait tellement sur les nerfs que j'y ai mis tout ce que j'ai pu trouver de présentable. Maintenant, on dirait plutôt une boutique vieillotte, mais au moins, il ne ressemble plus à un hall d'hôtel ! »[53]

En dépit des apparences, le Comité des beaux-arts n'avait rien d'une organisation formelle. Il se composait « de mes amis, dira plus tard Jackie, et de quelques personnes que je ne connaissais même pas, mais dont je pensais qu'elles pourraient faire des dons ! En tout, nous n'eûmes pas plus de deux réunions et je m'occupais de tout le travail toute seule »[54], en tête à tête avec chacun des membres. De son propre aveu, Jackie était d'un tempérament trop « despotique » pour pouvoir supporter les « réunions de comités de ces dames ».

« Jackie connaissait très bien tout le monde. Ce projet revê-tait pour elle une extrême importance et elle savait parfaite-ment s'y prendre pour approcher les gens les plus fortunés »[55], rapportera Janet Cooper. Ainsi, un médecin new-yorkais se souvenait que Jackie s'était entretenue avec lui pendant des heures, lui expliquant combien certaines pièces de la Maison-Blanche dégageaient une impression de tristesse et d'abandon.

« Pas une seule fois, elle ne me demanda de faire quelque chose ou d'apporter une quelconque contribution pour y remédier. Mais en partant, je me pris à lui promettre un miroir pour lequel j'avais décliné l'offre d'un acheteur à vingt mille dollars. »[56]

En trois ans, Jackie parvint ainsi à réunir quelque neuf millions de dollars actuels, outre de nombreux cadeaux sous forme de meubles et d'œuvres d'art, parmi lesquels des portraits de grande valeur de Benjamin Franklin et Andrew Jackson ainsi qu'une toile de Rembrandt Peale représentant Thomas Jefferson. Elle affectionnait particulièrement ce tableau, qui résumait à merveille « ce qu'était Jefferson : tout à la fois aristocrate, homme d'État révolutionnaire, artiste, sceptique et idéaliste, bienveillant mais distant ». « L'esprit du XVIIIᵉ siècle se lit sur le visage de Jefferson »[57], disait-elle.

Ce portrait de Jefferson revêtait une valeur d'autant plus symbolique que sa donatrice n'était autre que Rachel « Bunny » Mellon, l'une des deux proches amies de Jackie à faire partie du Comité des beaux-arts. Bunny et son époux milliardaire – collectionneur d'art renommé, philanthrope et éleveur de pur-sang – évoquaient une version moderne des van der Luydens d'Edith Wharton. Certes, « ils appartenaient à la fine fleur de la société », mais ils paraissaient en outre « auréolés d'une sorte de nimbe divin »[58]. Discrets et réservés, d'une perspicacité extrême, ils fréquentaient peu les soirées mondaines. « Les Mellon ne faisaient jamais le premier pas vers les autres. C'était aux autres de venir à eux »[59], dira Oatsie Leiter, femme du monde très en vue à Washington et Newport. En 1961, Paul et Bunny Mellon possédaient sept propriétés disséminées à Upperville (Virginie), à New York, à Osterville (Cape Cod), à Washington – deux maisons mitoyennes en brique de style néogéorgien, dont l'une était réservée à leur collection d'œuvres d'art –, à Paris et à Antigua. Ils employaient plus de deux cent cinquante personnes et disposaient d'un jet privé orné de tableaux de Braque, Klee et Dufy.

Issues du même milieu, Bunny et Jackie se sentaient en outre de profondes affinités. Bunny était la fille héritière de

Gérard Lambert, dont la famille dirigeait un groupe pharmaceutique (« le propriétaire de la Listerine »[60], comme l'appela un jour Rose Kennedy après une partie de golf en sa compagnie à Seminole). Elle avait grandi à Carter Hall, une demeure à colonnade du XVIIIe siècle située sur une vaste plantation dans la vallée de Shenandoah, en Virginie. Une maison « où les filles n'allaient pas à l'université »[61]. Néanmoins, elle avait fréquenté Foxcroft, l'équivalent sudiste de Farmington. Le visage fin et plutôt joli, elle dédaignait le fard et portait des vêtements classiques – ou même des tenues de jardinage – signés Hubert de Givenchy, le couturier préféré de Jackie. « Bunny était en quelque sorte une star qui ne commettait jamais la moindre faute de goût. Elle vivait dans un monde de beauté et de perfection n'appartenant qu'à elle »[62], dira d'elle la duchesse du Devonshire.

En 1948, Bunny avait épousé Paul, dont le père, un banquier fortuné, était à l'origine de la National Gallery of Art. Paul était un ami intime de son premier mari, Stacy Lloyd, dont elle avait divorcé, « abasourdie » de constater à quel point son comportement avait changé après son engagement pendant la Seconde Guerre mondiale en Europe. Quant à Mary, la première femme de Paul, elle avait succombé à une crise d'asthme pendant une partie de chasse. « Nous nous connaissions depuis si longtemps que nous avons décidé de nous marier »[63], expliquait Paul avec la retenue qui lui était coutumière. Pour sa part, Bunny soulignait : « Nous sommes devenus partenaires afin de nous entraider et nous le sommes restés. »[64] L'un comme l'autre, ils étaient demeurés proches de Stacy Lloyd, qui dirigeait le *Chronicle of the Horse*, un magazine d'équitation lancé par les Mellon.

Gentleman-farmer, Paul Mellon était célèbre pour sa splendide collection qui mettait à l'honneur les peintres animaliers anglais et les impressionnistes français. Passionnée de jardinage et de « paysagisme », Bunny portait à ces derniers un intérêt tout particulier. Ses connaissances en horticulture égalaient presque celles d'un professionnel – elle aida d'ailleurs Joe Alsop à composer un jardin de verdure étagé, à partir de huit variétés de buis, derrière sa maison de Georgetown. En outre, elle maîtrisait parfaitement la création des « paysages intérieurs » en architecture. Ainsi, au beau milieu d'un champ de leur domaine, s'étendant sur quelque cent soixante hectares, elle avait fait édifier une vaste bibliothèque, aux proportions parfaites, qui renfermait l'une des plus belles collections au monde d'ouvrages et de gravures ayant trait à la botanique. Elle passait ses journées plongée dans ses livres, plantait, taillait et décorait ses demeures de superbes compositions florales, à commencer par un petit bouquet de boutons-d'or qui ne manquait jamais d'orner le plateau du petit déjeuner.

C'est peu après la naissance de Caroline – Jackie et Bunny avaient alors respectivement 28 ans et 46 ans – qu'elles firent connaissance à l'occasion d'un thé, par l'entremise de leur amie commune Adele Douglas, épouse de Kingman Douglas, dont la propriété était voisine de celle des Mellon. Sœur de Fred Astaire, « Dellie » avait fait ses débuts comme danseuse de music-hall avant d'épouser lord Charles Cavendish, frère du Xe duc du Devonshire. Après le décès de son mari pendant la guerre, elle était rentrée aux États-Unis. « Une femme merveilleuse, effroyablement vulgaire »[65], avait dit d'elle le XIe duc du Devonshire, faisant allusion à son langage fort peu châtié, qui lui avait valu le surnom de « Lady la charretière ».

À l'issue de leur première rencontre, Jackie avait dit à Bunny : « J'aime votre maison. La mienne ne me plaît pas. »[66] Jackie vouait une grande admiration aux Mellon, qui savaient marier harmonieusement élégance et confort, et elle se fiait entièrement à sa nouvelle amie pour tout ce qui touchait aux questions d'intérieur ou de jardin. Oak Spring, la chaleureuse « ferme » des Mellon, stimula son imagination avec ses tons pastel, son naturel sans façon et ses touches d'influence française. « Même les bonbons rances m'ont plu, dans leurs vieux bocaux »[67], avait-elle dit à Bunny. « Mrs Kennedy n'hésitait jamais à reconnaître son ignorance devant les gens plus compétents ni à solliciter leur aide »[68], expliquera James Roe Ketchum, conservateur de la Maison-Blanche pendant la dernière période de la présidence de Kennedy. Pour Tish Baldrige, « Bunny était on ne peut plus flattée de voir cette belle jeune femme suspendue à ses lèvres. »[69]

Bunny partageait l'admiration de Jackie pour le XVIIIe siècle français (elle contribua d'ailleurs à la restauration du potager du roi au château de Versailles) et parlait aussi bien français. « Je n'ai rien d'une érudite, mais j'aime exprimer des idées lorsque je parle avec les gens »[70], avait-elle un jour fait remarquer. Les deux femmes avaient également en commun certains traits de caractère : maîtrise de soi, ton posé et sens instinctif de la réserve. « Jackie admirait Bunny pour sa tranquillité d'esprit et sa facilité à tout gérer »[71], affirmait Lee Radziwill. Quant à Bunny, elle appréciait chez Jackie « sa faculté de rester fidèle à elle-même, son don pour déchiffrer la personnalité des gens et son mépris des fausses prétentions »[72].

En matière de mariage, la vie de Bunny n'offrait certes pas la même valeur d'exemple. Les Mellon formaient à bien des égards un couple uni, où chacun admirait l'intelligence et le sens esthétique de l'autre, mais leur relation était complexe. Malgré sa réserve naturelle, Paul avait le goût de la chasse au renard et des courses de chevaux, activités qui le tenaient bien souvent occupé à l'extérieur. Bunny devint plus distante et plus solitaire, même si elle voyageait beaucoup, notamment à Paris. « Elle s'était comme murée dans une forteresse »[73], dira Tish Baldrige. Tous deux consultaient des psychanalystes freudiens pour mieux gérer leurs inhibitions affectives.

Lorsqu'il séjournait à Washington, Paul fréquentait Dorcas Hardin, une mondaine très en vue qui possédait une boutique de vêtements de luxe. Dorcas incarnait à merveille la féminité, « tout en froufrous, volants et ravissants petits chapeaux »[74], à ceci près qu'elle était un peu sourde. « Ils bavardaient et riaient pendant le dîner »[75], se souviendra Olivier Murray, le majordome des Mellon. « Elle était gaie et drôle, avec un côté pétillant que n'avait pas Bunny. »[76] Le Tout-Washington était au courant de cette liaison, de même que Bunny, qui aurait dit un jour à son mari de retour de la capitale : « Tu es à la maison, maintenant, tu n'as plus besoin de crier, Paul. »[77]

À son arrivée à la Maison-Blanche, Jackie confia à Bunny une nouvelle mission qui l'amena à séjourner plus fréquemment en Virginie et à Washington. Elle laissa surtout sa marque dans la roseraie et le jardin est, qu'elle remodela, mais se montrait constamment disponible et jamais avare de conseils en tout genre. « Par quoi Bunny remplacerait-elle ces horribles poignées de porte en laiton ? »[78] demanda un jour Jackie dans l'une de ses nombreuses notes de service.

Bunny et Jackie travaillèrent ensemble à la conception d'un nouvel aménagement floral avec des compositions moins strictes de fleurs de saison telles qu'anémones, tulipes, freesias ou muguets, disposées dans des corbeilles ou des coupes et s'inspirant des natures mortes hollandaises et des manuels d'horticulture du XVIIᵉ siècle que possédait Bunny. En outre, elle contribua à l'installation d'un atelier floral à la Maison-Blanche. Sur une suggestion de Bunny, les « lugubres palmiers victoriens »[79] de la présidence d'Eisenhower furent remplacés par des arbres taillés, installés dans des pots dans le style de Versailles. Elle fournissait régulièrement des fleurs cultivées dans ses propres serres pour les manifestations organisées à la Maison-Blanche. Elle y conservait d'ailleurs des exemplaires des plants installés dans la roseraie. Les Mellon possédaient aussi « six jeux de deux cents chaises qu'ils prêtaient à la Maison-Blanche en certaines occasions »[80], se souviendra Janet Cooper. Les ateliers de menuiserie et de ferronnerie d'Oak Spring travaillèrent également pour la demeure présidentielle et Bunny installa son tapissier préféré au troisième étage de la Maison-Blanche, où il vécut un an pendant les travaux de restauration.

Jackie eut pour second mentor une amie, certes, moins intime, mais tout aussi influente, Jayne Larkin Wrightsman, désireuse elle aussi de préserver son intimité. D'un raffinement extrême, elle était parfaitement autodidacte. Face à Bunny, qui appréciait avant tout la simplicité luxueuse, Jayne préférait l'opulence, très grand siècle français, de la parqueterie, des moulures et autres boiseries dorées. À l'instar de son mari, Jackie prenait soin de compartimenter ses amitiés. Dans le cas présent, elle consultait Bunny sur les questions de goût au sens strict et faisait appel à Jayne pour son érudition rigoureuse. Avec Jayne, qui était de dix ans plus âgée que Jackie, « il s'agissait d'une amitié purement culturelle »[81], déclarera Marella Agnelli, épouse de Gianni Agnelli, patron de Fiat, qui avait fait leur connaissance sur la Côte d'Azur.

Jayne Larkin était une belle femme délicate aux yeux marron. Pendant son adolescence, on l'avait surnommée « Petite Égypte » pour « ses cheveux noirs coupés à la Jeanne d'Arc et son maquillage sophistiqué qui lui donnait le teint mat et soulignait ses yeux »[82], ainsi que la décrivait l'écrivain new-yorkais Francesca Stanfill. Elle était née dans le Middle-West au sein d'une famille modeste et avait travaillé comme vendeuse à Beverly Hills. Très élégante – elle eut ainsi l'idée d'ajouter un « y » à son prénom alors qu'elle était encore au lycée –, elle sut attirer l'attention de Charles Wrightsman. De ce riche magnat du pétrole, Thomas Hoving, directeur du Metropolitan Museum of Art, dirait qu'il était « l'homme le plus impeccable » qu'il eût jamais rencontré, « se déplaçant avec une grâce alanguie digne d'un danseur de menuet »[83]. Joueur de polo et homme à femmes, deux fois plus âgé que Jayne, Charlie avait fait ses études à Exeter, Stanford, puis Columbia. Jayne, n'avait alors que 25 ans. Loin de pouvoir afficher un tel cursus, elle ne cachait cependant pas ses ambitions et se montrait d'une prévenance extrême.

Après leur mariage, en 1944, Charlie et Jayne se lancèrent à la conquête de la haute société en tant que collectionneurs de meubles et d'objets d'art français, ainsi que de tableaux de maîtres. Pesant au moins cent millions de dollars, Charlie pouvait dépenser sans compter. Il n'avait de cesse que Jayne s'initie à l'art et à la décoration et maîtrise la langue française. Elle lisait nombre d'ouvrages et interrogeait des spécialistes, parmi lesquels le célèbre critique d'art Bernard Berenson. D'une exigence extrême, Charlie ne manquait pas de choquer les antiquaires lorsqu'il vociférait : « Jayne, viens donc ici et prends des notes ! »[84] Le photographe Cecil Beaton remarqua un jour que le visage de Jayne « se crispait d'anxiété lorsque

Charles semblait flairer une bonne affaire »[85]. « On se demande si cela valait la peine de souffrir autant tout au long de sa vie »[86], ajoutera-t-il.

Stéphane Boudin fut le grand maître à penser de Jayne. Parmi sa prestigieuse clientèle, ce décorateur parisien comptait rien de moins que le duc et la duchesse de Windsor, Gianni Agnelli, Pamela Churchill Harriman et la séduisante anglo-américaine lady Baillie, propriétaire du château de Leeds. Il était à la tête de la maison Jansen, rue Royale, qui abritait, outre un magasin d'antiquités, un atelier pour lequel travaillaient six cent cinquante artisans et créateurs. Conseillés par Boudin, les Wrightsman réunirent une impressionnante collection de pièces du XVIIIe siècle, dont certaines commandées à l'intention des rois de France, qu'ils léguèrent par la suite au Metropolitan Museum of Art. « Jayne consultait Boudin pour le moindre détail »[87], expliquait Paul Manno, associé new-yorkais de Boudin.

Jayne fit la connaissance de Jackie par l'entremise de Joe et de Rose Kennedy, qui habitaient au nord de la propriété de vingt-huit chambres que possédaient les Wrightsman à Palm Beach. Ils invitaient régulièrement les Kennedy en Floride ainsi que dans le sud de la France, où ils faisaient une croisière tous les étés à bord de leur luxueux yacht. Lors d'un dîner chez les Wrightsman, on pouvait par exemple vous servir une livre de caviar, puis une salade de palomine suivie de cailles sur canapé. « Jaynie » avait aidé les Kennedy à trouver un peintre disposé à faire le portrait de Kathleen. Lorsque Joe avait songé, en 1958, à acheter le *Caroline* pour la campagne de Jack, Charlie lui avait donné des conseils en matière d'avions.

En 1959, Charlie Wrightsman, avait demandé à Boudin s'il accepterait de travailler pour Jackie dans la maison qu'elle possédait à Georgetown. Le républicain avait précisé qu'il serait peut-être utile de la rencontrer, ajoutant : « Qui sait ? Elle pourrait bien devenir un jour la première dame du pays. »[88] Lors de sa visite au mois de mai de la même année, Boudin avait vendu à Jack et Jackie deux petits tapis anciens qu'ils avaient payés à tempérament, cent dollars par mois. « Je suis encore

tout éblouie de cette journée passée avec lui », raconta Jackie
à Jayne, qualifiant Boudin « d'homme brillant et tout à fait
charmant ».[89]

Jackie semblait désormais avoir constitué son équipe : Sister
Parish – le dernier chic de la bonne société américaine –
comme décoratrice en titre, et l'aristocrate américain Harry du
Pont comme consultant officiel. Cependant, elle souhaitait
également l'agrément de Boudin qui, ayant travaillé pour
certaines grandes maisons d'Europe, comme Buckingham
Palace ou le château de la Malmaison – où vécut Joséphine de
Beauharnais –, était familier des lieux historiques prestigieux.
Plus tard, Jackie dirait : « Il pouvait réaliser ce qu'aucun décorateur américain ne pouvait faire », fort de son « expérience
d'architecte d'intérieur » doté d'un « sens aigu de la disposition et des proportions »[90], précisément ce dont elle avait
besoin. Dès le 3 février – soit trois semaines avant la création
du Comité des beaux-arts –, Boudin débarquait à la Maison-
Blanche pour une visite secrète de quatre jours. Il suggéra
alors de tout changer, « pour donner une image des États-
Unis un peu plus élégante et raffinée »[91].

Deux mois plus tard, lorsque la nouvelle filtra dans la presse,
Boudin souligna qu'il s'agissait simplement d'une visite
« amicale » qui ne répondait à aucun motif professionnel.
Compte tenu de ses origines françaises, toute intervention de
sa part au vu et au su de tous eût constitué un impair politique. Jackie décida donc de garder sa collaboration confidentielle, tout en le considérant comme son « premier
inspirateur »[92]. Jackie s'entendait à merveille avec cet homme
de 72 ans, minuscule, pétillant et plein de malice, avec lequel
elle bavardait et plaisantait en français. Bien que marié, « mais
il s'agissait d'un mariage de convenance »[93], précisait Manno,
Boudin venait toujours aux États-Unis en compagnie de sa
maîtresse.

Le plus beau cadeau que Jayne Wrightsman fit à la Maison-
Blanche fut de financer le projet de Boudin pour décorer la
somptueuse chambre Bleue, quintessence du bon goût à la
française. Elle faisait le lien avec Boudin et se rendait fréquem-

ment à Paris pour repérer des pièces de choix destinées à la Maison-Blanche. Très habilement, Jayne et Jackie laissaient à penser que les idées de Boudin venaient d'elles, de façon à ménager la susceptibilité de Sister Parish et de du Pont. (Lorsque Boudin conseilla de donner aux dessus de cheminées de la salle est, en pierre sombre, une finition imitant le marbre blanc, du Pont félicita Jackie pour son « trait de génie »[94].)

Pourtant, même ainsi, Sister Parish menaça à plusieurs reprises de quitter son poste, sentant que Jackie accordait davantage de crédit aux suggestions de Boudin qu'aux siennes. Sa présence restait néanmoins essentielle, entre autres raisons parce qu'elle avait convaincu plusieurs de ses amis – parmi lesquels les Loeb et les Engelhard – de financer largement le projet. Un jour, Jayne dut même lui envoyer une lettre de dix pages, depuis l'hôtel Ritz à Paris, pour la supplier de rester. Lors d'un autre épisode délicat, Jackie conseilla à Janet Felton Cooper « de faire preuve de tact pour l'annoncer à Sister », expliquant qu'elle ne voulait pas « heurter sa sensibilité »[95].

Boudin privilégiait les effets spectaculaires au détriment de la fidélité historique, ce qui avait le don d'irriter du Pont. Celui-ci alla même jusqu'à écrire : « Je n'ose imaginer ce que M. Boudin ferait avec le mobilier américain. »[96] Lors de ses séjours à la Maison-Blanche, du Pont passait des heures à disposer meubles et objets d'art. Il prenait la chose tellement à cœur qu'à Winterthur, il avait fait installer de petits cartels en laiton dans les sols – chacun référencé au catalogue –, interdisant au personnel de déplacer les objets ne serait-ce que d'un millimètre sans son autorisation. Le lendemain, Boudin arrivait « tout fringant » et chamboulait entièrement l'installation de du Pont. Il n'était pas rare, non plus, que Jackie réarrange les choses à sa façon. « Mr du Pont était très rigide, mais le charme de Jackie opérait à merveille et tout rentrait dans l'ordre »[97], se souviendra Susan Mary, l'épouse de Joe Alsop.

Pour l'amadouer, Jayne et Jackie n'hésitaient pas à flatter du Pont. « Vous êtes un homme merveilleux ! »[98] lui écrira Jayne, tandis que Jackie louait « chacune de ses petites touches »[99]. « Mrs Kennedy jonglait avec les uns et les autres.

Lorsqu'elle percevait des risques de frictions, elle faisait tout pour ménager les susceptibilités de chacun »[100], racontera Jim Ketchum. « En fin diplomate », du Pont « prenait toujours les choses avec philosophie et ne semblait pas perturbé outre mesure »[101], selon sa fille Ruth Lord.

Tout en se tenant à l'écart de ces querelles intestines, Jack Kennedy suivait avec attention l'avancement des travaux de restauration. Son éducation ne le prédisposait pas à apprécier les arts décoratifs, ni d'ailleurs les arts plastiques ou les spectacles. Le mobilier des vastes demeures des Kennedy était surtout conçu « pour résister aux dégâts causés par une flopée de bambins déchaînés »[102], soulignait Oleg Cassini. À l'occasion, Joe Kennedy achetait des antiquités par l'intermédiaire de Marie Bruce, une amie anglaise, mais il fallait vraiment qu'elle ait déniché une bonne affaire. « D'ailleurs, ce n'est que bien plus tard qu'ils commencèrent à acheter des tableaux »[103], précisera Walton. Seul contrepoids à l'absence de goût de cet environnement familial : Lem Billings, qui vouait une passion à l'art et aux antiquités depuis la présentation, à Princeton, de sa thèse très fouillée sur le Tintoret.

Lorsqu'il avait épousé Jackie, Jack « n'avait pas la moindre idée de la façon dont on décore une pièce, ni de ce qui pouvait différencier le bon et le mauvais goût dans une maison »[104], racontera David Gore. Dans un premier temps, JFK s'était montré réticent face au penchant prononcé de Jackie pour les « choses chic », mais selon Gore, « peu à peu, il s'était mis à apprécier le bon goût » et à admirer « l'instinct de raffinement »[105] de son épouse. C'est Jack qui avait choisi leur maison de Georgetown, « parce que le heurtoir de la porte lui plaisait »[106], précisera Jackie. À l'occasion de travaux de remise à neuf de cette maison, que Jackie entreprenait régulièrement, JFK avait demandé, en observant les teintes pâles des murs, des canapés et des rideaux : « Ne serions-nous pas un peu trop portés sur le beige ? »[107].

Jack avait fini par aimer les impressionnistes, tout particulièrement les marines. Devant l'insistance de Jackie, il avait même tâté lui-même du pinceau pendant leur première année de mariage. Vêtu d'une tenue de chirurgien achetée par Jackie, il s'était planté devant son chevalet et avait produit « une série d'horreurs ». « Mais il s'était beaucoup amusé »[108] racontera Walton, qui avait été son professeur. Puis, reconnaissant qu'« il n'avait aucun don artistique »[109], il avait abandonné, ce qui n'avait pas empêché Jackie d'accrocher une toile très colorée – un paysage de la Côte d'Azur qu'il avait peint de mémoire – dans leur salon, à Hyannis Port.

Toujours avide d'apprendre, il « avait un œil excellent »[110], selon Mary Lasker, philanthrope et collectionneuse de renom. Lors d'un dîner qu'elle avait donné à Georgetown, Kay Halle se souviendrait de son étonnement en voyant Kennedy plonger sous une table néoclassique de style Adam et déclarer : « D'après les planches, on peut savoir de quand elle date, s'il s'agit d'une reproduction ou d'une table d'époque. » Impressionnée, elle devait reconnaître que « la seule chose qui avait attiré l'œil de Kennedy »[111] était précisément sa plus belle pièce.

L'intérêt que Jack portait à l'histoire et l'amour de l'art de Jackie se complétaient à merveille. La restauration de la Maison-Blanche se révéla également un beau coup politique, suscitant l'enthousiasme des citoyens et de la presse. « Des cours d'histoire du mobilier fleurirent un peu partout à travers la ville, attirant nombre de jeunes femmes désireuses d'apprendre à distinguer les styles Sheraton et Queen Anne ou bien encore la porcelaine de Lowestoft de la véritable porcelaine de Chine »[112], écrira Nancy Dickerson. JFK prit l'habitude de passer par le bureau du conservateur de la Maison-Blanche, au rez-de-chaussée, pour y découvrir les dernières acquisitions. Le jour où deux fauteuils couverts de poussière, créés à l'origine pour le Président Monroe, furent livrés, Kennedy en fut si enchanté qu'il décida de les offrir lui-même à Jackie, dans un bel emballage cadeau.

Dès les premiers temps de son mandat, Kennedy nourrit le projet de compléter les travaux entrepris par Jackie à la Maison-Blanche en remodelant la ville de Washington. S'étant pris d'intérêt pour l'architecture publique et connaissant parfaitement Washington pour y avoir vécu, par intermittence, près de vingt ans, « John F. Kennedy ressentait sans doute pour cette ville un attachement beaucoup plus profond que ses prédécesseurs »[113], écrira Bill Walton. « Il déplorait la laideur de certains quartiers et désirait profiter de sa présidence pour contribuer à rendre la capitale beaucoup plus belle qu'à son arrivée. »[114]

Dans les premiers jours de son mandat, JFK appela Walton « tous les matins, pour une chose ou une autre »[115]. Un jour, il le pria de venir le voir afin de parler du projet de l'administration Eisenhower de raser certains édifices anciens situés à proximité de la Maison-Blanche pour les remplacer par des bureaux modernes, ô combien nécessaires. L'objectif prioritaire était l'immeuble des services administratifs (annexe du bâtiment Eisenhower), édifice massif en granit de six étages, avec fronton, colonnade et toit à la Mansart parsemé de cheminées, de médaillons et autres lucarnes. Une fantaisie du XIXe siècle que Kennedy jugea digne d'être conservée.

Ensemble, Walton et Kennedy explorèrent Lafayette Square dont un certain nombre de bâtiments – où avaient vécu des célébrités du XIXe siècle comme Stephen Decatur et Dolley Madison – étaient également la cible des bulldozers. Walton persuada Kennedy de préserver ces édifices et lui proposa son aide. (L'idée n'était pas neuve puisqu'un comité citoyen s'était constitué en 1960 pour sauver la place.) Pour officialiser sa collaboration, Kennedy fit entrer Walton au Comité des beaux-arts chargé de la protection du patrimoine culturel et architectural de la capitale. Cependant, toujours soucieux des détails pratiques, il le mit en garde : « Je voudrais que vous vous souveniez d'une chose : ne me mettez jamais dans une situation délicate au point de ne plus pouvoir vous apporter mon soutien. Le capital politique dont je dispose est limité et je ne peux en aucun cas le dilapider sur vos seuls projets. »[116].

CHAPITRE 10

La vie de famille avec Caroline et John John

« Ce qui m'a fait rire, c'est ce bonhomme de neige... Il portait un panama trop grand, un peu comme Frank Lloyd Wright dans les années 1920... J'ai l'impression que l'ambiance est terriblement solennelle dans ma nouvelle maison. Vous avez peut-être remarqué quelque chose dans mes yeux... que je suis d'une nature indépendante. C'est vrai, et j'ai bien l'intention de m'amuser. »[1]

Caroline Kennedy, selon des propos rapportés à Thomas Wolfe, le 5 février 1961, dans le *Washington Post.*

Cette description pleine de fantaisie que fit la petite Caroline, alors âgée de 3 ans, de son arrivée à la Maison-Blanche après presque deux mois en Floride, donne un premier aperçu des talents satiriques de Tom Wolfe, qui décrira par la suite les marottes de la société américaine dans ses articles et ses romans. Contrairement à ses collègues, qui adoptaient un ton sérieux, Wolfe sut rendre le vent d'espièglerie qui souffla sur la Maison-Blanche avec l'arrivée des enfants Kennedy.

Jackie avait parfaitement préparé ce moment. Recruté et formé, le personnel avait été informé de la façon dont elle entendait mener les choses, tant en privé qu'en public. Elle aménagea son emploi du temps pour pouvoir profiter autant qu'elle le souhaitait de Caroline et de John.

Les Kennedy s'offraient le luxe d'avoir à leur service, depuis que Caroline avait 11 jours, une nounou anglaise du nom de Maud Shaw, qui vivait dans une pièce spartiate située entre les chambres des deux enfants, à l'étage. « Elle n'aura pas besoin de grand-chose. Il vous suffira de lui dénicher une corbeille à papier en osier, pour ses pelures de banane, et une petite table pour y poser son dentier la nuit »[2], lança Jackie sous forme de boutade à J. B. West, huissier en chef de la Maison-Blanche. Rousse et d'un tempérament un peu bizarre, Maud Shaw supervisait la logistique au quotidien et attachait, tout comme Jackie, une grande importance aux bonnes manières. Selon Mary Gallagher, secrétaire de Jackie, elle était la principale autorité en matière de discipline car elle parvenait « à contrôler la situation par la simple parole »[3]. Dans son uniforme blanc amidonné, Maud Shaw « semblait un peu imbue d'elle-même, mais c'était une nounou tout à fait compétente »[4], se souviendra Anne Truitt, dont la fille Mary était une camarade de Caroline.

Les liens que Jackie entretenait avec ses enfants étaient surprenants pour une femme de sa classe sociale où raideur et distance émotionnelle étaient de mise. (Ainsi, Caroline et John l'appelaient tout simplement « *Mommy* ».) « En général, ses enfants la suivaient partout. Finalement, ils passaient plus de temps avec Mrs Kennedy qu'avec miss Shaw, et j'en fus stupéfait. J'ai l'impression qu'elle se sentait obligée de les confier de temps en temps à miss Shaw »[5], précisait James Ketchum, du bureau du conservateur. À Georgetown, Jackie avait fait partie d'un système de crèche parentale à domicile. « C'était une mère remarquable, notamment par sa façon de parler aux enfants et d'éveiller leur intérêt »[6], commentera Sue Wilson, qui l'avait connue à Vassar.

Jackie se refusait à leur parler sur le mode enfantin. À la grande surprise de Jack, elle fit apprendre par cœur à Caroline, qui n'avait alors que 3 ans, *First Fig* et *Second Fig*, deux courts poèmes d'Edna Saint-Vincent Millay faisant appel à un vocabulaire plus élaboré que la plupart des comptines. En outre, selon Ketchum, Jackie possédait « un sens du jeu hors du commun »[7]. « Allez, on embrasse le vent ! » pouvait-elle dire à Caroline. En la regardant sur la pelouse sud en compagnie de Caroline et de John, J. B. West remarqua combien elle semblait « heureuse, détendue, semblable à une petite fille qui a oublié de grandir »[8]. Jackie appréciait l'imagination des enfants, « une qualité qui semble s'émousser chez bien des adultes »[9], précisait-elle.

Toujours soucieuse de protéger Caroline des regards indiscrets, Jackie demanda aux autres mères – parmi lesquelles Jane Saltonstall, belle-fille du sénateur républicain du Massachusetts, et Cathy Mellon Warner, fille de Paul Mellon ayant épousé John Warner, futur sénateur républicain de Virginie – de transférer la crèche à la Maison-Blanche. Selon Sue Wilson, « elle pensait qu'il serait plus facile pour Caroline de démystifier la Maison-Blanche si des gamins gambadaient dans les longs couloirs, rendant les lieux moins froids et moins impressionnants »[10].

Dans un premier temps, elles hésitèrent, craignant pour le respect de leur vie privée. Mais JFK promit de tenir secret le nom des sept enfants. Pat Hass organisa donc une crèche de type coopératif, les parents prenant en charge les frais d'équipement et de personnel. Anne Mayfield, diplômée du *Bank Street College of Education*, chapeauta officieusement le groupe les quatre premiers mois. À l'automne suivant, Jaclin Marlin, titulaire d'une maîtrise de pédagogie de Harvard, fut à son tour recrutée, et toutes deux prirent en charge le jardin d'enfants – qui comptait désormais quatorze élèves – deux matinées par semaine pendant sa première année d'existence. Jackie fit aménager un terrain de jeux sur la pelouse sud et une salle de classe dans le solarium du troisième étage, une pièce baignée de lumière au-dessus du balcon Truman, avec vue panoramique sur la capitale.

JFK voyait ses enfants au petit déjeuner et avant qu'ils n'aillent se coucher, « comme la plupart des cadres moyens ou supérieurs »[11], faisait observer Hugh Sidey, du *Time*. À cette différence près que, son domicile étant situé à l'étage, il apercevait parfois Caroline et John à l'heure du déjeuner où à l'occasion d'une pause dans son emploi du temps, lorsqu'il venait s'asseoir sur un banc près du terrain de jeux. Après cinq années passées sur les routes à faire campagne et bien des soirées au Sénat, la Maison-Blanche l'obligea à un rythme de vie plus familial et conventionnel malgré son caractère très particulier.

Certes moins exubérant que Teddy Roosevelt, célèbre pour ses batailles de polochons effrénées avec ses fils Archie et Quentin, « Jack Kennedy s'amusait bien avec les enfants »[12], racontera Anne Truitt en se souvenant qu'il claquait trois fois dans ses mains pour appeler Caroline et John dans le bureau Ovale. Il fut d'ailleurs le premier de sa génération à manifester un intérêt certain pour les enfants de ses frères et sœurs. À Hyannis Port, il installait ses neveux et nièces sur le chariot de golf familial et fonçait vers la confiserie locale en imitant le personnage de Crapaud dans le conte *Le Vent dans les saules*. Walt Rostow se rappellera aussi Kennedy embarquant un à un toute une flopée de gamins avant de décoller à bord du *Caroline* – « toute sa vie, il se montra très humain, à l'aise avec les femmes et les enfants »[13].

Comme Jackie, il parlait aux enfants sans aucun artifice. Un jour qu'August Heckscher arriva dans le bureau Ovale accompagné de son fils adolescent, Kennedy le laissa assister à la réunion. Plus tard, Charles Heckscher racontera avec humour combien il avait été frappé « par le ton sérieux, d'égal à égal »[14] sur lequel Kennedy s'était adressé à lui.

Conscient du visage humain que ses enfants conféraient à sa présidence, Kennedy accueillait volontiers en leur compagnie les photographes de magazines tels que *Look* et *Life*. Une publicité que Jackie cherchait quant à elle à limiter. Ainsi, certains clichés, parmi les plus célèbres des années Kennedy – John John lançant un regard, caché sous la table de travail de son père dans le bureau Ovale ou Caroline mangeant des chocolats dans le bureau d'Evelyn Lincoln –, furent pris lors de séances organisées par leur père en l'absence de Jackie. « J'en avais toujours des échos »[15], écrira Tish Baldrige, se souvenant de la contrariété qu'en ressentait Jackie.

Aux yeux de la presse et des résidents de l'aile ouest, Jackie ressemblait à « un gracile papillon voletant dans les allées du pouvoir »[16]. Elle conservait des horaires tout à fait irréguliers, capable de se lever à 8 h comme à midi selon ce qu'elle avait fait la veille au soir. Selon Tish Baldrige[17], « elle était bien décidée à garder du temps pour elle sans rien changer à sa vie ». Jackie se faisait servir son petit déjeuner sur un plateau (jus d'orange, pain grillé avec du miel et café avec du lait écrémé), feuilletait les journaux et s'amusait sur son lit avec John.

Après l'avoir promené dans sa poussette, elle aimait aller marcher d'un bon pas, jouer au tennis – le plus souvent avec Clint Hill, son agent des services secrets préféré – ou sauter sur le trampoline qu'elle avait fait entourer de houx de plus de deux mètres pour plus de tranquillité. Elle n'aimait guère la piscine de la Maison-Blanche, dont l'eau à 32 °C lui semblait trop chaude, préférant faire des haltères dans la salle de gymnastique voisine. Bien avant que l'on ne découvre l'effet des endorphines, elle était persuadée qu'un peu d'exercice lui permettait de commencer sa journée de travail de façon plus tonique. Après avoir rêvé d'un bureau dans l'aile est, elle préféra, tout comme celles qui l'avaient précédée, l'intimité de ses appartements privés. Elle s'installait donc dans le salon, devant le secrétaire en pente de style Empire de son père ou dans un fauteuil en velours vert, sur le grand bureau de la salle Monroe, rebaptisée salle du traité depuis sa rénovation.

En un temps record, Jackie conféra élégance et confort au deuxième étage de la Maison-Blanche, qui lui rappelait les appartements de Manhattan – sans plan bien défini – de sa jeunesse, avec ses onze chambres, sa salle à manger et sa cuisine, toutes deux de construction récente. (Le troisième étage abritait six chambres supplémentaires pour les invités, deux salons, deux solariums, des bureaux, les chambres des domestiques ainsi qu'une terrasse et une serre.) Un vestibule large mais sombre occupait une bonne partie du deuxième étage sur toute la longueur du bâtiment, d'est en ouest. Jackie tenta de l'éclairer en y disposant des canapés, des fauteuils et quelques séries de portraits d'Indiens du XIXe siècle. Il n'en reste pas moins que, selon Arthur Schlesinger, « n'importe quel gros bonnet de Park Avenue » aurait trouvé cet appartement « beaucoup trop confiné »[18].

L'extrémité est abritait les anciens appartements officiels, avec la célèbre chambre Lincoln, la chambre de la reine et la salle du traité. À l'extrémité ouest, Jackie aménagea un confortable salon – le salon ouest –, séparé par une cloison à hautes portes coulissantes surmontées d'une imposte. De l'autre côté de la pièce, une grande baie vitrée formant un arc dominait le majestueux bâtiment Eisenhower, la roseraie et l'aile ouest. Sur de nouveaux rayonnages encastrés s'alignaient les ouvrages préférés de Jackie (reconnaissables à leurs *ex-libris* créés pour son usage personnel par Tiffany). Au mur, des tableaux de Maurice Prendergast, Winslow Homer et John Singer Sargent complétaient la décoration d'époque. Côté nord, une porte ouvrait sur la nouvelle salle à manger qui offrait une belle vue sur Pennsylvania Avenue et le quartier historique de Lafayette Square.

Selon l'usage dans la bonne société de l'époque, les Kennedy avaient chacun leur chambre avec salle de bains. L'accès à celle de Jackie – plus spacieuse – se faisait par une porte du côté sud du salon. L'entrée principale de la chambre de Jack, également sur la façade sud, se trouvait dans le hall central, face aux chambres des enfants qui donnaient sur Pennsylvania Avenue. Les chambres de Jack et de Jackie communiquaient par un dressing où Jackie avait fait installer un système stéréo à l'intention de son mari qui aimait écouter de la musique la nuit. Les visiteurs se montraient parfois surpris par la proximité des appartements privés du couple présidentiel. Surtout lorsqu'on les invitait à utiliser la salle de bains du Président. Ainsi, nombre de dîners se terminaient dans la chambre de JFK. Celui-ci allait et venait « sans la moindre gêne »[19], enlevant ses chaussettes, son pantalon et déboutonnant sa chemise « tandis que les derniers invités se faisaient de chaleureux adieux », se souviendra Ben Bradlee. Une version moderne du lever du roi.

Également situé sur la façade sud, le salon ovale aux immenses plafonds avait dans un premier temps choqué Jackie par sa froideur. « On dirait la Lubianka ! »[20] s'était-elle écriée, faisant référence à la prison soviétique de sinistre mémoire.

Pourtant, ce fut bientôt l'un des chantiers qui lui tint le plus à cœur. Repeint en jaune – « pour y laisser entrer le soleil »[21], expliqua-t-elle à Sue Wilson –, elle l'aménagea de façon à en faire « le cœur de la Maison-Blanche », parfaite illustration du style Louis XVI si cher à Madison, à Jefferson, et bien sûr à elle-même. C'était dans ce salon – offrant une vue imprenable sur la pelouse sud et le monument à Washington – que les Kennedy recevaient leurs amis et leurs hôtes de marque.

En fin de matinée, Jackie passait souvent plusieurs heures à étudier les dossiers soigneusement empilés par Tish Baldrige dans une corbeille en osier, rédigeant des notes ou des lettres personnelles de sa délicate écriture ronde ou donnant ses instructions à Mary Gallagher concernant l'entretien de la maison. (Si elle laissa de nombreuses traces épistolaires de ses années comme première dame à la Maison-Blanche, Jackie ne tint jamais de journal : « Je veux vivre ma vie, la décrire ne m'intéresse pas. »[22]) Après un déjeuner léger composé d'un bouillon et d'un sandwich, souvent pris en compagnie de son mari, elle partait se reposer, non sans avoir fait changer les draps de la nuit précédente par sa femme de chambre, Providencia Paredes.

Depuis son adolescence, Jackie s'appliquait à suivre des soins de beauté très méticuleux, aspergeant notamment sa brosse à cheveux d'eau de Cologne[23] (« cinquante à cent coups de brosse tous les soirs »), enduisant légèrement ses cils de crème hydratante et poudrant ses lèvres avant et après le rouge à lèvres (« afin de lui assurer une meilleure tenue, même après avoir mangé un épi de maïs »[24]). Elle surveillait aussi sévèrement son poids – « cinquante-quatre kilos et demi »[25], selon Oleg Cassini. « Très mince, elle avait un grand tonus musculaire, sans graisse superflue », précisait-il. Elle surveillait sa balance « avec la méticulosité d'un diamantaire comptant ses carats »[26], déclarait Tish Baldrige. À peine prenait-elle un kilo qu'elle jeûnait une journée entière, puis s'alimentait exclusivement de fruits tout en faisant davantage d'exercice sur le court de tennis ou le trampoline.

Jackie était toutefois une fumeuse invétérée de L & M, avec filtre, qu'elle conservait, avec un petit briquet, dans une boîte dorée en forme de tonnelet, cadeau de son beau-frère Stas Radziwill. « Aussi loin que remontent mes souvenirs, précisait Vivian Crespi, je l'ai toujours vue fumer. Même si elle n'aspirait que quelques bouffées avant d'écraser sa cigarette, c'était comme un besoin chez elle. D'ailleurs, elle continua de fumer tout au long de ses grossesses, mais à l'époque, on ne savait pas que cela comportait un risque.[27] » (Le rapport du responsable des services de santé concernant les effets du tabac sur la santé ne sera en effet publié qu'à l'automne 1963.) Hors du cercle des intimes, peu de gens connaissaient cette habitude de Jackie – qui fumait près d'un paquet par jour – acquise à Farmington, en signe de raffinement. Lorsque Jackie était anxieuse, Mary Gallagher voyait « les cigarettes s'accumuler dans le cendrier sur son bureau, écrasées aussitôt après avoir été allumées »[28]. Pendant la campagne présidentielle, Larry O'Brien portait généralement ses cigarettes sur lui afin qu'elle puisse « tirer une bouffée en cachette, par-ci, par-là »[29].

Jackie consacrait ses après-midi à lire, à peindre des aquarelles sur un chevalet installé dans un coin de sa chambre ou à sortir avec les enfants, à bord de sa Pontiac break bleue. Affublée d'un foulard sur la tête et d'un vieux trench-coat par-dessus son jean et son pull-over, elle réussissait à aller en ville incognito, emmenant ses enfants au cirque ou au théâtre sous la surveillance discrète de plusieurs agents des services secrets. « Elle trouvait toujours le moyen de passer inaperçue »[30], même lors des spectacles de danse de Caroline, se souviendra Anne Truitt.

Jackie réunissait rarement son équipe et, dans l'aile est, elle restait une parfaite étrangère. Elle fréquentait plus volontiers le bureau du conservateur, au rez-de-chaussée, maillon central des travaux de restauration auxquels elle consacrait presque toute son énergie intellectuelle et qui lui offraient les plus grandes satisfactions. « Des autres, elle exigeait de l'ordre. Pour elle-même, elle préférait la spontanéité »[31], déclarera J. B. West. Ce dernier comprit bien vite que Jackie ne suivait les conseils des autres que lorsqu'elle était demandeuse. « Elle opposait une grande résistance lorsqu'on essayait de l'influencer », expliquait-il. « Il fallait trouver le secret qui permettait de bien la comprendre... sans s'opposer à elle. Elle s'exprimait parfois en demi-teinte, au point qu'un interprète n'eût pas été de trop. » Lady Bird Johnson, qui saisissait à merveille les personnalités, racontait ne l'avoir jamais vue « faire face à un adversaire ». « Mais je sentais qu'elle ne serait guère commode si le cas venait à se présenter. Une impression, comme ça, dictée par mon instinct »[32], ajoutera-t-elle.

Animée d'un enthousiasme à toute épreuve, Tish Baldrige n'acceptait jamais les limites que s'imposait Jackie, la poussant sans cesse à faire davantage jusqu'à ce que la première dame « la réprimande vertement »[33], selon le conseiller artistique August Heckscher. Le Washington bien-pensant ne manquait pas d'être choqué par le non-conformisme de Jackie. Ainsi, Ymelda Dixon, fille d'un vénérable membre du Congrès, qui tenait une chronique mondaine dans le *Washington Star*, fera remarquer l'absence quasi systématique de Jackie lors du déjeuner annuel des épouses et des filles de sénateurs et de membres du Congrès. « Le Président venait car c'était important pour lui, mais Jackie, elle, s'y soustrayait »[34], commentera-t-elle.

Il n'était pas rare que Jackie fasse faux bond, même lorsqu'elle s'était engagée. Elle faisait confiance à Tish Baldrige pour trouver une remplaçante au pied levé parmi le groupe de femmes « toujours disponibles » qui comptait dans ses rangs Janet Auchincloss, Rose Kennedy, Ethel Kennedy, lady Bird Johnson et les sœurs de JFK. Lady Bird acceptait avec un plaisir incommensurable ces missions de dernière minute, ce qui lui valut, de la part des collaborateurs de Jackie, le surnom de « Sainte Bird ». « Son côté petite fille vous donnait envie de l'aider, d'être de son côté »[35], disait lady Bird. Quant à Rose Kennedy, elle se portait souvent volontaire, mais Jackie supportait mal la facilité avec laquelle elle « réorganisait le programme mondain de la Maison-Blanche »[36], rappellera Tish Baldrige.

Barbara Gamarekian, qui travaillait au service de presse, n'oubliera pas le temps où Jackie décommandait certaines visites de groupes. Un jour, alors qu'Ethel Kennedy était venue la remplacer, Barbara apprit que Jackie jouait au tennis sur le court de la Maison-Blanche. « J'ai menti effrontément, prétextant que Jackie était indisposée. J'imaginais déjà les gens remonter l'allée, d'où l'on pouvait voir le court de tennis, et me trouver prise au piège de mon mensonge. Je détestais être placée dans cette situation »[37], se souviendra-t-elle. Il arrivait aussi que Jackie se fasse prendre en flagrant délit. Ce fut le cas lorsque, au plus grand désarroi de JFK, après avoir excusé son absence, sous prétexte de maladie, auprès de June Havoc et de Helen Hayes, les journaux annoncèrent qu'elle était partie chasser en Virginie.

En dépit de son apparente sérénité, Jackie – qui avait alors 31 ans – se sentait souvent débordée. « Elle se stresse très facilement. Je ne veux pas qu'elle se sente persécutée mais protégée »[38], avait dit JFK à Tish Baldrige. Janet Auchincloss évoquait sa « froideur, voire sa timidité » : « Ce n'est pas qu'elle a peur des gens ; simplement, elle n'est pas démonstrative. »[39] Les manifestations extérieures de ce stress n'échappaient pas à ses proches : ongles rongés et abîmés, cernes sous les yeux après une nuit sans sommeil. « Il lui arrivait d'être déprimée. Je la voyais déglutir très régulièrement, ce qui était le signe d'une grande tension. À l'époque, elle se sentait parfois accablée par son rôle de reine du monde. Elle y pensait énormément, y perdait son énergie »[40], expliquera Tish Baldrige.

Pour retrouver du tonus et évacuer son stress, Jackie avait besoin de pratiquer une activité physique intense – sauter sur son trampoline ou chevaucher au grand galop. Même si elle avait mené une vie cosmopolite, Jackie avait toujours eu besoin de se ressourcer dans les propriétés que possédait oncle Hughdie à la campagne et au bord de la mer. Elle appréciait les bois, la vue sur le Potomac et les « hautes collines escarpées » de Merrywood, tout comme « les champs verts et le vent d'été » de Hammersmith Farm, à Newport, où elle pouvait « regarder l'eau scintiller comme de petits éclats de verre au soleil ».

« Que je sois dans l'un ou l'autre de ces endroits, je les aime tous les deux aussi passionnément »[41], avait-elle dit à Yusha Auchincloss, encore adolescent.

Selon un rituel qui remontait à son enfance, lorsque sa mère levait le camp tous les étés pour se rendre d'abord à Easthampton, puis à Newport, Jackie passait plus de trois mois d'été loin de Washington – deux à Hyannis Port, suivis de près de six semaines à Hammersmith Farm. « C'était la coutume à Washington. Les gens pliaient bagages fin juin pour ne rentrer qu'après le 1er septembre »[42], expliquera Jim Ketchum. En outre, Jackie avait l'habitude de séjourner un mois complet à Palm Beach pour Noël et pour Pâques, où Jack la rejoignait le week-end, puis à Newport pendant ses quelques semaines de vacances.

Avec l'aide de Bill Walton, Jackie s'installa un petit refuge à Glen Ora, non loin de la Maison-Blanche – « l'endroit le plus intime dont je puisse rêver pour contrebalancer notre vie à la Maison-Blanche »[43] –, sur la propriété de cent soixante hectares que les Kennedy louaient à Gladys Tartière à Middleburg, en Virginie. (Jackie préférait ces terres de chasse verdoyantes au rustique chalet présidentiel de Camp David, dans les montagnes du Maryland.) Datant du début du XIXe siècle, cette maison de six chambres, décorée de stuc beige, était « confortable et sans façon »[44], précisera Ken Galbraith, située « dans la campagne coquette des riches, agriculteurs ou non ». Jackie et Sister Parish firent une petite rénovation rapide avec les meubles de Mrs Tartière et d'autres, achetés dans N Street, changeant les petits tapis, les housses, les rideaux et les papiers peints après un nouveau coup de peinture. Les services secrets installèrent barrières et guérites pour renforcer la sécurité et un héliport fut construit. Ayant découvert tardivement que la propriété était également une ancienne porcherie, Jackie dut attendre que les installations soient nettoyées pour installer dans leurs stalles ses chevaux Bit of Irish, un fringant hongre bai, et Rufus, un cheval pie plus calme.

À la différence de la Maison-Blanche, où les touristes épiaient à travers les haies les activités de la famille présidentielle sur la pelouse sud et où les serveurs apportaient les hamburgers des enfants sur des plateaux d'argent, la vie à Glen Ora offrait l'illusion d'une liberté retrouvée. « Jackie souhaitait offrir à ses enfants ce dont elle avait bénéficié dans son jeune âge : elle voulait leur permettre de s'amuser et de mener une vie normale. Elle s'y employait avec force persévérance et ingéniosité »[45], précisera Eve Fout. Dans leur vaste propriété de Glen Ora, Caroline en profitait pour monter son poney, Macaroni. Jackie emmenait les enfants pique-niquer dans une grotte et, le soir, prenait plaisir à « leur donner leur bain, puis à les mettre au lit – avec une histoire – : autant de choses impossibles pour elle à la Maison-Blanche »[46].

Cette vie sans contrainte en Virginie était essentielle pour Jackie. Elle pouvait aller prendre un café en ville sans que tout le monde la regarde, l'air sidéré, profiter d'une petite escapade chez Bunny Mellon ou faire cuire des grillades chez Eve Fout et Paul, son mari. « Je ne considère pas faire partie de la région, pourtant les gens me laissent tranquille et j'apprécie énormément »[47], assurait-elle à Eve.

En règle générale, Jackie partait le jeudi pour la Virginie, emmenant Caroline et John, et ne rentrait pas avant le lundi après-midi à la Maison-Blanche. Jack la rejoignait pour le week-end, en compagnie d'amis. Jackie profitait des deux autres jours pour monter ses chevaux, seule, sur les sentiers de Glen Ora ou sur le terrain de chasse très sélect de l'Orange County – « ce qui lui permettait d'avoir quand même une vie sociale »[48], expliquera Eve Fout. Pendant des années, Jackie avait passé ses week-ends à monter à cheval. Un jour, du temps où Jack était sénateur, elle avait expliqué à Joe Jennedy : « Il n'y a rien d'autre à faire à Washington que de monter à cheval. Je vais à la chasse. On se sent tellement mieux lorsqu'on fait de l'exercice ! »[49]

La passion qu'elle éprouvait pour les chevaux et la chasse au renard faisait écho à son esprit romantique. L'excitation de lancer son cheval au galop derrière la meute poursuivant une proie insaisissable lui permettait de tout oublier. « Il y a quelque chose qui s'apparente au culte religieux dans le monde des chevaux. C'est un monde à part. Les amoureux des chevaux voient la vie différemment, car l'animal y tient un rôle très important »[50], disait Oleg Cassini. Excellente cavalière, Jackie se montrait en outre intrépide. « Elle était très douée. Elle franchissait tous les obstacles et fonçait »[51], dira Janet Whitehouse, dont le mari, Charlie, chassa pendant plus de quarante ans en compagnie de Jackie. Un jour, lors d'une partie de chasse avec le club de Piedmont, du temps où Jack était sénateur, son cheval avait trébuché dans un trou et Jackie était tombée à terre, la tête la première. « Elle avait perdu connaissance, avalé sa langue et commençait à devenir toute bleue »[52] lorsqu'un autre cavalier est arrivé pour la réanimer.

À la campagne, les principaux amis de Jackie étaient les Fout. Jackie connaissait Eve depuis son adolescence, du temps où elle fréquentait le pensionnat pour filles de Miss Hall, dans l'ouest du Massachusetts. De plus, elles avaient été concurrentes dans les concours hippiques. Eve avait grandi à Warrenton, au cœur de la région de chasse de Virginie. Après un apprentissage en atelier auprès de peintres équestres de renom, elle figurait désormais parmi les artistes animaliers reconnus. Sa carrière avait démarré grâce à la publication de ses œuvres en couverture du magazine *The Chronicle of the Horse*, fondé par le premier mari de Bunny Mellon.

Eve et Paul, son mari, avaient également monté un centre de dressage, dans lequel ils accueillaient notamment l'un des chevaux de Jackie. Franche et quelque peu bourrue, Eve préservait jalousement l'intimité de Jackie, refusant même d'informer leurs amis proches de ses sorties à cheval avec la première dame. Quant à Paul, il se montrait parfois irrévérencieux, n'hésitant pas à taquiner Jackie pour « sa démarche en canard »[53]. Eve avait parrainé l'entrée de Jackie au club de chasse de l'Orange County, pendant la campagne électorale, ce qui lui avait valu les critiques de la presse. À cette occasion, Jackie l'avait remerciée de s'être mouillée pour elle, se demandant pourquoi « la plupart des gens » ne voyaient dans la chasse qu'un « sport cruel réservé aux riches oisifs », alors qu'elle tendait au contraire « à mettre en évidence le meilleur de chacun : l'amour des animaux, de l'autre, de la nature, du sport, du bonheur... »[54]

Mais Jackie n'en oubliait pas pour autant ses obligations. « Elle passait des heures au téléphone »[55], racontera Tish Baldrige. Et Ketchum d'ajouter : « Pendant ses séjours à Glen Ora, elle travaillait. Nous recevions des pelles de notes de service ! ». Comme Jackie l'expliquait à Eve, le temps qu'elle passait seule à la campagne lui permettait de se « revigorer pour rentrer à Washington » et de « retrouver de l'enthousiasme »[56] pour son travail.

Jack Kennedy, en revanche, n'aimait ni la campagne ni « les parasites de cette région de chasse »[57], selon les termes de Ben Bradley : il les supportait. JFK aimait rendre visite aux Mellon ou à Adele Astaire Douglas. Le reste du temps, il faisait de longues siestes ou jouait au backgammon avec Lem Billings, qui venait le plus souvent lui tenir compagnie pendant que Jackie montait à cheval. En bons vieux amis, ils partaient souvent faire un tour en voiture à travers la campagne, à la découverte de vieilles demeures ou simplement pour jeter un œil au lieu de résidence de diverses personnes.

Kennedy appréciait ce lieu où il pouvait recevoir ses amis ailleurs qu'à la Maison-Blanche, mais il préférait – et de loin – les inviter à bord du *Honey Fitz*, le yacht présidentiel de cent vingt-huit mètres mouillé dans le détroit de Nantucket. « Glen Ora n'avait été choisi que pour faire plaisir à Jackie. Il avait accepté de prendre cette maison pour la rasséréner. La chasse au renard ne l'intéressait pas le moins du monde »[58], indiquera Paul Fout. Dans un premier temps, Jackie essaya de lui donner le goût de l'équitation, lui achetant même une veste et une culotte de cheval chez Miller Clothing, à New York. « On aurait dit Ichabod Crane, dans la légende de *Sleepy Hollow*. Je crois que l'idée ne lui déplaisait pas en soi, seulement il ne savait absolument pas s'y prendre »[59], se souviendra Ben Bradlee. Miraculeusement, jamais il ne se blessa, puis ses problèmes de dos lui offrirent une excuse en or pour mettre un terme à cette expérience.

La vie de JFK était bien sûr centrée sur les lourdes responsabilités inhérentes à sa fonction. Toutefois, son emploi du temps présentait certains aménagements plus inhabituels, liés à ces multiples problèmes de santé. Janet Travell et l'amiral George Burkley, ses principaux médecins, étaient installés dans une pièce du rez-de-chaussée, et Kennedy s'entretenait régulièrement par téléphone avec de multiples spécialistes, parmi lesquels un allergologue, un endocrinologue (pour sa maladie d'Addison), un gastroentérologue (pour sa colite), un urologue (pour ses infections de l'appareil urinaire, conséquence d'une maladie vénérienne) et un orthopédiste (pour son atrophie musculaire spinale).

Les multiples médications prescrites à JFK nécessitaient un suivi très strict et de constants ajustements de posologie, notamment pour les corticostéroïdes destinés à sa maladie d'Addison. Pour ses maux de dos chroniques, le docteur Travell lui faisait quotidiennement des injections de procaïne, un anesthésique local. Kennedy prenait aussi régulièrement de la liothyronine sodique (pour son hypothyroïdie), du sulfate d'atropine, des suppléments de fibres, de l'élixir parégorique, du phénobarbital et du chlorhydrate d'adiphénine (pour combattre les diarrhées dûes à sa colite), de la testostérone (pour retrouver de l'énergie et reprendre du poids après ses crises de colite), de la pénicilline (pour les inflammations de l'appareil urinaire), de la fludrocortisone (pour compenser la perte de sel provoquée par la maladie d'Addison), de l'amobarbital sodique (contre l'insomnie, effet secondaire de la cortisone), des antihistaminiques (pour diverses allergies), de la vitamine C et des compléments de calcium (pour remplacer les produits laitiers favorisant la colite). Pour prévenir toute crise addisonienne, les médecins augmentaient les doses de cortisone lorsque JFK se trouvait en situation de stress, lors de discours ou de conférences de presse, par exemple.

Kennedy commençait sa journée vers 7 h-7 h 30, souvent bien avant que Jackie ne se réveille. Il feuilletait une première pile de journaux (*Washington Post, New York Times, New York Herald Tribune, Baltimore Sun* et *Wall Street Journal*) pendant une quinzaine de minutes, puis enfilait son vieux peignoir marron et prenait « un bain rapide dans sa longue baignoire »[60]. Suivait un solide petit déjeuner composé de jus d'orange, de lard maigre, de tartines grillées à la confiture, de deux œufs à la coque et de café agrémenté d'un peu de crème et de sucre. Un matin, en compagnie de Ken Galbraith, Kennedy termina l'assiette de l'économiste non sans avoir préalablement liquidé la sienne. Après quelques coups de téléphone et une visite rapide chez le docteur Travell, Kennedy gagnait son bureau vers 9 h ou 9 h 30. « Il était plutôt lent au démarrage mais il gagnait en rapidité au fil de la matinée »[61], disait Walt Rostow.

Soucieux de ménager sa santé, Kennedy s'absentait généralement du bureau Ovale entre 13 h et 16 h. Il commençait par aller nager une demi-heure dans la piscine chauffée et couverte – un rituel qui se répétait en début de soirée, après sa journée de travail. « Cela faisait partie de sa thérapie »[62], précisait Dave Powers, qui nageait la brasse à ses côtés pour le distraire par ses bavardages. La natation « était bénéfique pour ses douleurs de dos. En outre, elle l'aidait à se détendre et à se libérer l'esprit ». Il lui arrivait de nager sans maillot de bain – quoi de plus naturel pour quelqu'un ayant fréquenté les internats, l'université, le régiment et les clubs exclusivement masculins ?

Il prenait ensuite son plateau-repas dans ses appartements privés, puis George Thomas – son valet noir âgé de 53 ans – fermait les rideaux de la chambre. Thomas était entré au service de JFK à son élection au Congrès, en 1947. Il vivait désormais dans une chambre du troisième étage, où il dormait généralement moins de six heures par nuit. D'une grande gentillesse et doté d'un visage de chérubin, il avait acquis « cette démarche lourde des gens qui ont passé une bonne partie de leur vie debout »[63].

Ayant enfilé une chemise de nuit, Kennedy se glissait alors dans son lit – généralement avec une bouillotte bien chaude pour soulager son dos –, puis lisait un moment jusqu'à ce que le sommeil le gagne. Même sans dormir, il s'obligeait à rester couché au moins quarante-cinq minutes. La sieste après le déjeuner « a radicalement changé la vie de Jack », avait un jour confié Jackie à Lyndon Johnson : « Avant, il était sans cesse malade ; depuis que nous sommes arrivés à la Maison-Blanche, il la fait tous les jours. »[64]

Pour soutenir sa colonne vertébrale fragile, JFK devait porter un corset rigide et dormir sur un matelas bien ferme, spécialement confectionné en poils de queue de vache car il était extrêmement sensible aux poils et aux squames de chevaux. (Il ne pouvait en effet approcher les chevaux qu'en plein air. Un jour que Jackie l'avait emmené assister à un concours hippique en salle, il avait dû sortir précipitamment suite à une réaction allergique.) Un matelas similaire avait été installé à bord de l'avion présidentiel et JFK en emportait un troisième lors de ses déplacements. Ainsi, les chefs d'État étrangers devaient toujours s'assurer qu'un cadre de lit double avait bien été prévu dans la chambre qu'il occuperait.

Quant au célèbre rocking-chair, il était également destiné à soulager ses douleurs dorsales. « Ce type de fauteuil permet la pratique d'un exercice doux et constant tout en prévenant la fatigue musculaire »[65], avait déclaré le docteur Travell à la presse. Kennedy demandait parfois à l'emporter avec lui lorsqu'il sortait dîner. D'après les témoignages de certains invités, c'était pour lui le moyen de se libérer de ses tensions. Nancy, la femme de Teddy White, voyait dans ce balancement continuel « le signe d'une extrême agitation qu'il semblait capable d'évacuer d'une façon toute simple »[66]. S'agissait-il d'un effet secondaire de certains médicaments ou du symptôme de l'une de ses maladies, toujours est-il que l'agitation de Kennedy n'échappait à personne. William Manchester évoquait ainsi une main droite qui « semblait mener une vie à part entière »[67] : tapotant, grattant, tirant, faisant claquer ses doigts, bref, rarement immobile.

Kennedy refusait imperturbablement de parler de ses douleurs persistantes. Elles transparaissaient toutefois « dans sa façon précautionneuse de marcher et de s'asseoir ou dans le fait qu'il ne portait jamais rien », se souviendra Sorensen, ajoutant : « Soudain, il serrait les mâchoires et semblait plus calme, moins agité. »[68] Hervé Alphand, alors ambassadeur de France, fut particulièrement choqué de constater que Kennedy était incapable de « se pencher pour ramasser une allumette » et qu'un autre jour, « il le pria de bien vouloir lui faire passer une tasse de thé »[69] posée sur une petite table basse. Tony Bradlee racontera qu'elle fut décontenancée lorsque Kennedy lui demanda, lors d'un dîner, si elle pouvait lui casser quelques pinces de crabes. Ses amis s'habituèrent à le voir marcher périodiquement à l'aide de béquilles ou d'une canne – qu'il prenait soin de cacher en public.

Pour regarder un film, il prenait « d'étranges positions », bougeant sans cesse avant de se lever faute de pouvoir rester assis confortablement. Très cinéphile, Kennedy en éprouvait une grande frustration. Il finit donc par faire installer un lit dans la salle de cinéma de la Maison-Blanche où il pouvait visionner des films allongé, soutenu par quatre oreillers. De même, il était incapable de terminer une partie de golf, sport qui le passion-nait pourtant, se contentant la plupart du temps d'un parcours de neuf trous.

Kennedy n'avait guère de manies, mais il se montrait très tatillon quant à sa garde-robe taillée sur mesure, n'hésitant pas à se changer trois ou quatre fois par jour au gré de son emploi du temps ponctué de périodes de travail, d'exercice et de repos. Le soir, JFK aimait se détendre en sirotant une bière, un scotch avec de l'eau (mais sans glace) ou un daiquiri. Son plus grand plaisir était de s'offrir un petit cigare Upmann. Il en fumait un ou deux après dîner et en allumait toujours un lorsqu'il faisait du bateau. « Selon son humeur, il lui arrivait même de fumer sans discontinuer »[70], précisera Ben Bradlee. Avec ses amis, tels Billings et Earl Smith, il aimait aussi miser des sommes modiques au backgammon et au golf, pour donner plus de piquant à l'affaire, la plupart du temps sans vraiment collecter les gains.

Pourtant bien décidé à séparer sa vie sociale de sa vie profes-sionnelle, JFK ne se sentait jamais parfaitement détendu. Régulièrement, en présence d'invités venus dîner, il se levait soudain de table, vers 22 h ou 23 h, annonçant : « J'ai des papiers à lire. »[71] Toutefois, le plus souvent, il s'endormait bien après minuit, décrochant son téléphone pour appeler son père et Bobby. « Dans la famille, nous sommes tous des petits dormeurs. Bien sûr qu'il est soucieux. Ce serait un miracle qu'il ne le soit pas »[72], expliquera Joe Kennedy à William Manchester.

CHAPITRE 11

JFK et la presse

Entretenant une relation extrêmement étroite avec la presse, Jack coopta la plupart des journalistes qui couvraient l'actualité de la Maison-Blanche. Une situation jamais vue jusque-là et que l'on ne connut pas davantage lors des présidences ultérieures. Lui-même se considérait comme un journaliste raté. Avant ses débuts en politique, il avait brièvement caressé la carrière journalistique au sein du groupe de presse Hearst, pour lequel il suivit la conférence des Nations Unies et les élections britanniques en 1945. Il fut également propriétaire d'un quotidien avec Jim Reed pendant une courte période. Du temps où il était sénateur, il signa divers articles pour l'*Atlantic Monthly*, le *New Republic* et le *New York Times Magazine*, à dire vrai en grande partie rédigés par Sorensen. « Kennedy prend de l'encre d'imprimerie au petit déjeuner »[1], proclamait James Reston, du *New York Times*.

JFK lisait tous les jours un nombre impressionnant de publications. Outre la presse de Washington, New York, Baltimore, Boston, Chicago, Philadelphie et Saint-Louis, il se plongeait dans le *Time*, *Newsweek*, le *New Republic*, le *New Yorker*, *Sports Illustrated* et même certains journaux britanniques comme le *Times*, le *New Statesman*, le *Spectator*, *The Economist* et le *Manchester Guardian Weekly*, « qu'il connaissait par cœur »[2], soulignait son assistant Fred Holborn. À tel point qu'il étonnait bien souvent journalistes et chroniqueurs en citant des informations figurant au cœur des articles. Après que Laura Bergquist eut évoqué le Generalísimo Rafael Trujillo Molina, dictateur de la République dominicaine, dans *Look*, Kennedy lui demanda sur un ton espiègle : « Et qu'est-il advenu de Boule de neige ? », faisant allusion à l'un de ses tortionnaires, « un nain noir de triste réputation » dont la spécialité consistait à « arracher avec les dents les parties génitales des hommes »[3].

Kennedy aimait aussi « endosser le rôle de rédacteur en chef »[4], donnant des idées d'articles ou des pistes d'investigation. Il incitait sans cesse Ben Bradlee à faire les gros titres sur ses adversaires politiques[5] (« Il faut mettre la pâtée à Rocky, cette semaine ! ») et lui faisait part de quelques potins pour alimenter les portraits des membres de son équipe et de la famille Kennedy. Il était capable de « repérer les fuites »[6] d'un simple coup d'œil à la une du *New York Times*, « d'en évaluer le préjudice et d'en identifier la source à coup sûr »[7], racontait Hugh Sidey, du *Time*. Le plus souvent, la véritable source n'était autre que JFK lui-même. « Le navire amiral est le seul dont le pont supérieur présente des voies d'eau »[8], se plaisait-on à dire.

Journalistes et écrivains soumettaient bien souvent leurs écrits à Jack et Bobby Kennedy pour corrections et commentaires avant publication. « Ce droit de regard est vraiment quelque chose de formidable »[9], confiait JFK à Bradlee. Début 1961, alors qu'il écrivait *The Making of the President 1960*, Teddy White demanda à Bobby de revoir le « portrait sur le vif qu'il avait fait du ministre de la Justice »[10], personne qu'il appréciait au plus haut point et dont il entendait ne pas heurter la sensibilité.

Les membres du gouvernement et les collaborateurs de la Maison-Blanche jouissaient de la même liberté dans leurs rapports avec la presse. Un contraste saisissant avec la présidence d'Eisenhower, pendant laquelle tout était soigneusement verrouillé par James Hagerty, porte-parole de la Maison-Blanche. Dans les dîners de Georgetown, les hommes de Kennedy ne manquaient jamais de soigner son image de marque et de défendre sa cause.

Toutefois, l'un des membres de l'équipe alla un peu trop loin. Une action subversive que JFK, en dépit de sa capacité à lire entre les lignes, fut bien incapable de déceler. Fred Dutton servait de lien entre la mafia irlandaise et les intellectuels de l'aile ouest. Lui-même se considérait d'ailleurs comme un hybride des deux camps : un « politicien intellectuel ». Il était également plus idéologue que la plupart d'entre eux. Déçu par la politique de Kennedy, trop modérée à son goût, il se mit à écrire clandestinement pour Doris Fleeson, une journaliste libérale surnommée « la Furie de Dieu » et dont les opinions ne manquaient pas d'agacer JFK. « Au départ, Fred ne l'a pas fait de façon délibérée »[11], soulignera sa femme Nancy. « Doris est tombée malade pendant deux semaines durant la période de transition. Elle a dit à Fred qu'elle ne pourrait pas écrire sa chronique ce jour-là, alors il l'a remplacée. Puis, une fois à la Maison-Blanche, parce qu'il se sentait déçu, il a publié un article dans lequel il lançait une attaque d'orientation libérale contre le Président. » Kennedy ne découvrit jamais le pot aux roses. Néanmoins, il s'en prit un jour à Dutton, qu'il savait ami de Doris Fleeson. Jetant brutalement la une du *Washington Star* sur le bureau de Dutton, il s'exclama : « Ne peut-on donc pas contrôler cette femme ? »[12]. « Il s'agissait d'un éditorial écrit par Fred »[13], précisera Nancy.

Kennedy était son propre porte-parole. Le responsable officiel du service de presse – « le journaliste de la cour » – se trouvait donc relégué à un poste secondaire. Âgé de 35 ans, les sourcils en broussaille, le physique rebondi et un incontournable cigare aux lèvres, Pierre Salinger était une sorte d'amuseur, davantage connu pour son ton facétieux que pour son expérience professionnelle. Il dirigeait, dans l'aile ouest, un service chaotique comptant neuf personnes cantonnées dans des locaux si exigus que les téléscripteurs avaient dû être installés dans la salle de bains. Une de ses « filles » avait pour mission de faire les allers-retours pour récupérer les dépêches d'agences annoncées par d'insistantes sonneries. « Dans la plus pure tradition des détectives de séries télévisées », écrivait, admiratif, David Wise, du *New York Herald Tribune*, il s'offre le luxe d'avoir « non pas une, mais trois secrétaires blondes »[14].

Salinger se bornait essentiellement à gérer le flux d'informations et à superviser quelques réunions de routine. « Pierre était toujours surpris, lorsqu'il passait la tête par la porte du bureau Ovale, de trouver le Président en conversation avec un journaliste »[15], se rappellera Hugh Sidey. La mafia irlandaise, et notamment O'Donnell, n'aimait guère le côté extravagant de Salinger ni sa façon de se mettre en avant. « Kenny voyait en lui un dandy »[16], expliquera John Reilly, assistant de Bobby Kennedy.

Toutefois, Salinger amusait Kennedy, prêtant le flanc de bonne grâce à toutes sortes de plaisanteries. Un jour, Kennedy lui lança : « Remettez donc un pantalon ! Franchement, vous n'avez pas des jambes à porter des shorts ! »[17]. Par-delà ces boutades, Kennedy appréciait le talent de Salinger pour divertir et écarter les journalistes qui n'avaient pas leurs entrées dans le Saint des Saints. En outre, il semblait entouré d'une certaine aura culturelle. Né d'une mère catholique française et d'un père juif américain, Salinger avait grandi à San Francisco, montrant dans son enfance des talents de pianiste prodige, qui lui valaient d'ailleurs de figurer à l'occasion sur la liste des invités de Jack et de Jackie. Néanmoins, s'il voyait Kennedy plusieurs fois par jour, il ne ferait jamais partie du cercle des intimes.

Salinger eut une idée brillante qui marqua de son empreinte la présidence Kennedy : il incita JFK à donner ses conférences de presse en direct à la télévision. Une idée qui souleva notamment les protestations de Sorensen, Bundy et Rusk. « C'est pure folie ! » s'exclama Sorensen, ajoutant : « Supposez qu'il commette une erreur... Elle ferait le tour du monde ! »[18]. Kennedy, quant à lui, fut séduit par cette possibilité de se présenter directement aux téléspectateurs, certain qu'il saurait faire passer son message.

La plupart du temps, les rencontres formelles du Président avec la presse se déroulaient sur un ton cordial, bien loin des confrontations qui caractériseraient les présidences ultérieures.

Les journalistes s'abstenaient de poser des questions pièges et riaient de bon cœur aux plaisanteries de JFK. « Nous étions de simples faire-valoir », se souviendra Peter Lisagor, du *Chicago Daily News*, ajoutant : « Je me suis toujours dit que nous aurions pu nous inscrire au syndicat des acteurs. »[19].

Quelques émissions suffirent à Kennedy pour prendre ses marques. Dans un premier temps, on le trouva « d'un sérieux quelque peu alambiqué »[20], mais grâce à sa prodigieuse mémoire, à ses reparties au pied levé et à sa connaissance de certains faits obscurs, il signa de véritables morceaux de bravoure. Peu importait, comme le soulignait le *New York Herald Tribune*, que Kennedy se « noie parfois dans un flot de paroles »[21] ou, selon les termes d'Howard K. Smith, d'ABC, « que l'on ait du mal à trouver un verbe »[22] dans ses phrases. JFK était télégénique et faisait preuve d'une grande habileté, fort de ses années de débats, ô combien formatrices, à la table familiale des Kennedy.

« Il maîtrisait toujours la situation »[23], rappellera Robert Pierpoint de CBS. « Je ne crois pas que Kennedy nous ait jamais donné – ou alors très rarement – les réponses que nous attendions. Mais il maniait à merveille l'art de ne pas répondre. »[24] D'ailleurs, Kennedy dit un jour à Ken Galbraith, lors d'une séance de préparation d'une conférence de presse avec ses assistants : « Lorsqu'il s'agit de trouver une échappatoire, je n'ai besoin d'aucune aide. Je me débrouille très bien tout seul ! »[25]

En matière de manipulation des médias, JFK avait été à bonne école avec son père, à qui Joe Kane, cousin et politicien averti, avait dit en 1944 : « Nos Présidents sont plus ou moins choisis par les journalistes, la presse et les commentateurs de radio. »[26] Tout en se fixant pour règle d'or : « N'oubliez jamais que ce ne sont pas vos amis »[27], Joe Kennedy avait enseigné à ses fils à caresser les journalistes dans le sens du poil – par l'envoi d'une petite note de remerciements pour toute « allusion aimable », par exemple – et à se servir de leurs contacts influents pour placer quelque article dans la presse. Lorsqu'en avril 1958, *Life* s'apprêtait à publier à la une la photo de Jack en compagnie de Jackie et de leur bébé Caroline, Joe prédit à l'un de ses amis que l'événement allait revêtir « une grande importance politique »[28].

En outre, lors de la campagne pour les élections sénatoriales de 1952, Jack avait pu constater le pouvoir de conviction du portefeuille paternel. À cette occasion, l'Ambassadeur avait accordé un prêt à court terme de cinq cent mille dollars à l'éditeur du *Boston Post*, qui connaissait des difficultés d'argent et avait eu l'amabilité de lâcher Lodge pour soutenir JFK. « Vous savez que nous avons dû acheter ce journal »[29], avait déclaré JFK à Fletcher Knebel, de *Look*, en 1960, lequel, instinctivement, avait omis de rappeler ce fait désobligeant dans son article.

Parce qu'il les comprenait et trouvait leur compagnie stimulante sur le plan intellectuel, JFK savait manipuler les journalistes avec plus de finesse que son père. « Même si cela restait étudié et calculé, JFK aimait les journalistes », expliquait George Smathers[30], sénateur démocrate de Floride. Kennedy prit le contre-pied de ses prédécesseurs, n'hésitant pas à s'entretenir fréquemment en privé avec des représentants de la presse dans le bureau Ovale – comme James Reston et Walter Lippmann, journalistes influents de Washington –, ni même à organiser régulièrement des déjeuners avec des rédacteurs en chef et des éditeurs extérieurs. Otis Chandler, du *Los Angeles Times*, se souviendra que Kennedy « était fasciné » par le fait qu'il « soit devenu indépendant après avoir été républicain »[31].

Kennedy fragmentait ses informations afin de donner à chaque journaliste l'impression qu'il faisait l'objet d'un traitement de faveur. « Protégez-moi, faites en sorte que ni Reston ni aucun de ses confrères ne sachent que vous m'avez rencontré »[32], dit-il un jour à Cy Sulzberger du *New York Times*. (Or, à l'insu de Sulzberger, Kennedy avait déjà rendez-vous deux jours plus tard avec Reston pour un entretien similaire.) Par ses origines – il était issu de la famille propriétaire du *Times* –, Sulzberger bénéficiait de contacts privilégiés avec Kennedy et ses proches collaborateurs. Il effectuait régulièrement le voyage entre Paris, où il était installé, et les États-Unis, et tenait minutieusement un journal.

Tout comme aux membres de son équipe, Kennedy inspirait aux journalistes un respect mêlé de crainte. Ainsi, Rowland Evans[33], du *New York Herald Tribune*, prorépublicain, raconterait : « Lorsque j'écrivais un article sur le Président Kennedy, j'avais toujours l'impression qu'il était là, juste derrière moi, à regarder ce que j'écrivais, prêt à intervenir. »

Kennedy n'hésitait pas à faire attendre les membres de son gouvernement ou ses assistants pour prolonger ses interviews au-delà du délai initialement prévu et ne voyait aucun inconvénient à recevoir les journalistes dans sa chambre à coucher ou à la piscine, tandis qu'il nageait tout nu. À plusieurs reprises, Hugh Sidey vint ainsi le rejoindre pour quelques longueurs. « Nous étions tous les deux tout nus. Par la suite, tous les rédacteurs du *Time* voulurent une description des parties intimes du Président. Il n'avait absolument rien d'anormal »[34], se souviendra-t-il. Pour sa part, Stewart Alsop racontait que « lorsque Jackie surprenait JFK nageant dans la piscine de la Maison-Blanche en compagnie de deux autres hommes dans le plus simple appareil, il s'agissait en général de journalistes »[35].

La méthode la plus efficace utilisée par Kennedy pour amadouer la presse reposait sur son « incroyable franchise en privé »[36] – mêlant indiscrétions et opinions tranchées sur certaines personnes –, ce qui obligeait pratiquement son interlocuteur à garder le secret. En diverses occasions, Kennedy confia ainsi à Ben Bradlee que le vice-Premier ministre du Laos était « un vrai connard » et le président français, Charles de Gaulle, un « salaud ». Il révéla le montant précis de l'impôt sur le revenu payé par les importants hommes d'affaires J. Paul Getty et H. L. Hunt, ajoutant qu'il était « certainement illégal » qu'il eût connaissance de cette information et encore davantage qu'il la confiât à un journaliste. Bradlee prit soin de noter ces commentaires explosifs dans son journal intime mais, comme tous ses collègues, s'abstint de les publier. Kennedy stipulait parfois expressément qu'il s'agissait d'une remarque à caractère confidentiel, mais dans la plupart des cas, il laissait au journaliste le soin de tirer ses propres conclusions. « Il vous laissait sur le qui-vive. Il n'appartenait qu'à nous de décider...

et en fin de compte, nous nous montrions excessivement prudents »[37], expliquera Henry Brandon, correspondant du *Sunday Times* de Londres à Washington.

Outre qu'ils apportaient à Kennedy des éléments pour ses discours, les journalistes rivalisaient pour attirer son attention. Cy Sulzberger lui suggérait des sujets de discussion avec de Gaulle, Teddy White avançait des arguments en faveur de l'admission de la Chine communiste au sein des Nation Unies tandis que David Schoenbrun, correspondant de CBS, analysait la situation au Maroc. Kennedy jouait toujours « à nous faire croire que nous étions des gens importants et que notre aide demeurait pour lui très utile »[38], déclarera Pierpoint.

Kennedy avait pour principal conseiller journalistique Charley Bartlett, chroniqueur au *Chattanooga Times*. Les deux hommes s'étaient rencontrés à Palm Beach en 1945 alors que JFK était sur le point de lancer sa campagne pour l'élection au Congrès et que Bartlett faisait encore figure de journaliste en herbe. Bartlett avait servi dans la marine comme officier de renseignement spécialisé dans les écoutes radio dans le Pacifique. Tous deux catholiques, ils partageaient également des liens avec Arthur Krock, factotum éditorial de Joe Kennedy, qui avait recommandé Charley à Arthur Hays Sulzberger, rédacteur en chef du *New York Times*, pour un poste de reporter dans le Tennessee.

Bartlett était issu de ce que Krock appelait « l'aristocratie industrielle de Chicago »[39], milieu résolument républicain affichant des valeurs et des positions tout à fait conformistes. La famille avait fait fortune grâce à un médicament contre les maux de tête. Quant à Valentine Bartlett, père de Charley, il excellait comme agent de change. Charley avait fait ses études à Yale, suivant ainsi les traces des cinq générations de Bartlett qui l'avaient précédé. L'air quelque peu strict, sa femme Martha était la petite-fille d'un fondateur de U.S. Steel. Ils formaient un couple « plutôt chic », fera remarquer Katie Louchheim à l'issue d'une soirée, « ni snob ni condescendant »[40].

Affable, l'esprit vif, Bartlett parlait entre ses dents à toute vitesse, puis partait d'un rire servile et ostentatoire. Charley tomba immédiatement sous le charme de Kennedy, qu'il décrira comme « une sorte d'aura baignant tous ceux qui l'entouraient »[41]. Les deux hommes avaient « en commun une même façon de voir la vie et les gens », expliquera Bartlett : « un enthousiasme relativement critique ». « Nous percevions les choses avec le même humour et nous intéressions tous deux à la politique. Nos rapports reposaient sur une sorte d'alchimie. Pour moi, ce fut une relation très facile. Pour lui aussi, je crois. »[42]

À l'instar de Walton, Bartlett avait connu Jackie par un autre biais, de façon totalement fortuite, par l'intermédiaire d'Arthur Krock, qui l'avait rencontrée grâce à son ami Hugh Auchincloss. Ayant quatre ans de moins que JFK, et donc huit ans de plus que Jackie, Bartlett était sorti pendant une brève période avec Jackie alors qu'elle était en troisième année à l'université. « Un élégant intellectuel », avait dit de lui Yusha Auchincloss. Quant à Jackie, elle l'avait trouvé bien intentionné mais trop collet monté, et sa mise en garde contre le fait de frayer avec des « étrangers » l'avait quelque peu agacée.

Parmi les trois journalistes appartenant au cercle des intimes de Kennedy – Bradlee, Alsop et Bartlett –, c'est ce dernier qui sacrifia le plus ouvertement ses ambitions professionnelles à son amitié pour Kennedy. Pierre Salinger y voyait plutôt une conséquence, les talents de Bartlett « s'étant fortement émoussés » pendant les années Kennedy. Plus tard, Bartlett lui-même déclarera : « Rien ne m'importait plus que le succès de Jack Kennedy à l'élection présidentielle, et cela compromit ma mission de journaliste. J'ai un grand respect pour les lecteurs, mais ces derniers ne faisaient pas le poids face à mon désir de déployer tous les efforts nécessaires pour assurer le succès de Jack, non pas simplement à titre d'ami, mais en tant que citoyen. Cette décision, je l'ai prise à tête reposée. Il était impossible d'être à la fois un bon journaliste et un ami intime du Président. Je savais que je ne dévoilerai aucun de ses propos. Il a eu raison de me faire confiance car rien ne lui a jamais explosé à la figure. »[43]

Les relations entre Bartlett et Ben Bradlee étaient ouvertement tendues, pour des raisons tant professionnelles que personnelles. Bradlee ne se privait pas de divulguer dans les pages de *Newsweek* des bribes de ses conversations avec Kennedy, lorsqu'ils dînaient ensemble. Ce que Bartlett considérait comme déloyal. « Ben voyait les choses différemment. *Newsweek* passait avant la relation qu'il entretenait avec Kennedy »[44], expliquera Bartlett. Quant à Bradlee, il affirmait que le fait d'utiliser des éléments journalistiques découlant de son amitié avec Kennedy « ne lui posait aucun problème »[45]. Toutefois, il ne régla jamais la question de ces « loyautés antinomiques », dont il était conscient. Bradlee pensait que Bartlett « prenait plaisir à conseiller Kennedy et s'en sentait valorisé » : « Charley lui servait plutôt de caisse de résonance. Ensemble, ils travaillaient dur »[46].

Néanmoins, il arrivait que Bradlee conseille lui aussi JFK. Ainsi, au début de la campagne présidentielle, il avait rédigé une longue note de service sur les réalisations et les perspectives d'avenir de Lyndon Baines Johnson. Sa conclusion avait été la suivante : en tant que candidat en campagne, Johnson « ne tiendrait jamais la route, rappelant un vague cousin bavard du Texas que l'on aurait du mal à prendre au sérieux »[47]. Mais avec beaucoup d'intuition, il avait prédit à Kennedy que « Johnson était à craindre, non pas comme possible vainqueur, mais comme un adversaire susceptible de tenter des manœuvres pour le faire écarter »[48] de la convention.

L'origine de cette rivalité entre Bartlett et Bradlee remontait, en fait, comme souvent chez les anciens pensionnaires, à l'époque où ils étaient dans la même classe à Saint-Mark, au milieu des années 1930. Bartlett reprochait à Bradlee son arrogance et son ambition. « Je suis un peu vieux jeu, reconnaissait-il, et Ben a toujours été un dur. »[49] Quant à Bradlee, sportif passionné jusqu'à ce qu'il reste plusieurs mois paralysé, à l'âge de 14 ans, suite à une épidémie de polio, il se souvenait d'avoir rejeté Bartlett parce qu'il lui semblait « sans intérêt » étant donné qu'il n'était pas doué pour le sport.

En tant que journaliste exerçant à Washington, Bartlett « n'avait aucune envergure »[50], soulignait Bradlee. Par définition, ses reportages recevaient une audience limitée à Washington, malgré le prestige conféré par le prix Pulitzer qui lui avait été décerné en 1956. Bartlett avait rédigé une série d'articles étudiant les liens entre Harold E. Talbott, ministre de l'Armée de l'air d'Eisenhower, et une société de conseil de Manhattan faisant des affaires avec des fabricants d'armement. Pour cette enquête, il avait été aidé par Bobby Kennedy, qui, grâce à ses contacts, avait déniché la liste des clients de Talbott. Ainsi étayée, l'affaire avait entraîné la démission du ministre. Durant la rédaction de ses articles, Bartlett avait soumis la question à JFK, qui lui avait conseillé de « ne pas être tendre »[51]. Bartlett était persuadé qu'Arthur Krock était intervenu pour lui assurer le prix Pulitzer, un peu comme il le ferait pour Jack un an plus tard.

Pendant toute sa présidence, Kennedy s'entretint fréquemment par téléphone avec Bartlett. Ce dernier lui envoyait très régulièrement des notes – des « Bartlettismes », comme les appelait JFK – contenant des conseils d'ordre politique, personnel ou même en matière de santé (ainsi conseilla-t-il un jour à JFK de suivre un « régime spartiate »[52] pour soulager son dos), voire d'image (lorsque Charley avait conseillé à Kennedy d'échanger son manteau bleu marine contre un manteau à chevrons, moins strict, pour sa tournée de campagne dans le Wisconsin, JFK lui avait lancé : « Chercheriez-vous à changer ma personnalité ? »). « Je faisais des suggestions à Jack sur ce qui me semblait important pour sa situation. La vérité, c'est que j'étais tout à la fois ses yeux et ses oreilles. Et je me révélais fort utile, car en tant que journaliste, je voyais ce que l'on ne voit pas en restant à la Maison-Blanche »[53], expliquera Bartlett.

Jack Kennedy comptait sur Bartlett, l'ancien journaliste Walton et quelques alliés incontournables formant une sorte de réseau confidentiel pour satisfaire ce qu'il appelait son « besoin d'être informé sur les gens »[54] à qui il avait affaire. « Nous lui racontions tout »[55], rappelait Bill Walton, qui, de même que Bartlett, l'informait régulièrement de ce qu'il entendait dans les dîners. Ainsi, lors d'une soirée chez Walter Lippmann, Walton surveilla tout particulièrement Allen Dulles, directeur de la CIA, qu'il « détestait ». Le lendemain à l'aube, Walton appelait Kennedy pour lui confier que Dulles « s'était vanté de continuer à mener la politique étrangère de son frère Foster »[56]. Rappelant ce qu'il avait dit au soir de l'élection de Kennedy, Walton ajouta : « Vous voyez, vous auriez dû le virer », ce à quoi Kennedy répondit : « Le salaud ! Il a vraiment dit ça ? »[57].

Certains journalistes refusaient cependant de se laisser prendre au charme de Kennedy. Stewart Alsop se baptisa lui-même « Janus » pour souligner son souci d'impartialité. Hugh Sidey décida de rester « un gars de l'Iowa », se refusant à « faire son entrée dans le cercle de relations des Kennedy » qui le mettait « mal à l'aise »[58]. Mais le plus contrariant pour Kennedy était l'attitude d'Arthur Krock – âgé de 74 ans lors de son élection –, qui tenait une chronique politique dans le *New York Times* et connaissait Jack depuis sa plus tendre enfance.

William Manchester faisait observer que « l'irréprochable Arthur Krock apparaissait et disparaissait de la saga des Kennedy tel un de ces personnages bienfaisants des romans d'Henry James »[59]. C'est Krock qui avait suggéré le nom de Jackie pour occuper un poste au *Times Herald*, comme il l'avait fait dix ans plus tôt pour Kathleen Kennedy. Bien avant de faire pression sur le jury du prix Pulitzer en faveur de *Profiles in Courage*, Krock était déjà l'un des premiers mentors de Jack. James Rousmanière, qui partageait la chambre de JFK à Harvard, évoquait Krock comme sa « seule influence majeure »[60] pendant ces années à Harvard. C'était Krock qui avait décelé le potentiel commercial de la thèse de fin d'études de Jack, qui en avait suggéré le titre (*Why England Slept*) et l'avait aidé à la « retravailler » en vue de sa publication. Krock était allé jusqu'à lui céder son employé de maison, George Thomas – le seul homme noir que Kennedy fréquentera vraiment –, qui restera à son service pendant toute la durée de sa présidence.

Ayant à peu près le même âge que Joe Kennedy, Krock admirait la fougue et la personnalité de fonceur de l'Ambassadeur, ses talents de stratège politique et ses idées « naturellement conservatrices »[61]. Lorsque Joe avait lui-même nourri des ambitions présidentielles, à la fin des années 1930, Krock avait signé quelques chroniques en sa faveur, spéculant sur sa possible candidature. Krock était juif, mais cela ne l'avait pas empêché de rester fidèle à Joe, accusé d'antisémitisme après avoir été rappelé en tant qu'ambassadeur. Il avait également accepté une avance de cinq mille dollars pour écrire sous le nom de Joe une brochure intitulée *I'm for Roosevelt.* Néanmoins, il avait refusé la voiture que l'Ambassadeur voulait lui offrir à Noël, déclarant que « cela s'apparentait à un pot-de-vin »[62].

Krock avait salué de longue date le talent de JFK, mais durant la campagne de 1960, il avait radicalement désapprouvé la plate-forme démocrate qu'il jugeait trop libérale, notamment sur « la question raciale », ce qui risquait « d'exclure les droits de la majorité »[63]. Krock savait que l'Ambassadeur partageait ses opinions, mais ses articles sur Jack avaient été si peu flatteurs qu'ils lui avaient valu des reproches. En dernier lieu, lorsque Krock s'était refusé à prendre « ouvertement parti pour Jack »[64], Joe avait mis fin à leur amitié vieille de plus de vingt-cinq ans. Plus tard, Krock dirait : « Sans doute ne m'a-t-il jamais aimé, il devait penser que je pouvais lui être utile… Il se trouve que j'occupais une position avantageuse pour lui. »[65]

Jack prit soin d'entretenir des relations cordiales avec l'influent Mr Krock, tout en conseillant vivement à Bradlee de s'en prendre au chroniqueur dans *Newsweek.* « Écrase ce vieil Arthur, il n'a pas de quoi se rebiffer. Quand on s'en prend à lui, il abandonne la partie ! »[66], affirmait-il. Pendant les premiers mois de sa présidence, JFK bavarda à deux reprises avec Krock : la première fois à la Maison-Blanche, en compagnie d'Arthur Schlesinger, Sam Rayburn, Alice Longworth, Lyndon Johnson et William Fulbright – soirée durant laquelle le Président « n'eut aucun mal à conserver la mainmise »[67] –, la seconde lors d'un dîner en comité restreint au domicile de Krock, à Georgetown, à l'initiative de Charley Bartlett. À cette occasion, Kennedy manifesta son ressentiment en lâchant, au moment du cognac et du cigare : « Comment un homme à l'air si bienveillant peut-il écrire des méchancetés aussi répugnantes ? »[68]. Krock continua à « s'en prendre » au Président et JFK à s'en offusquer. « C'était vraiment très dur pour Jack. Il lisait tout ce qu'il écrivait et, systématiquement, ça le mettait dans tous ses états. Il ne parvenait pas à comprendre pourquoi il faisait ça »[69], soulignera Lem Billings.

Si l'on en croit Sorensen, Kennedy « rencontrait rarement » les représentants de la presse qu'il considérait comme « totalement hostiles »[70]. Toutefois, il « ne ménagea pas ses efforts avec le *Time* », qui, avec un tirage de près de trois millions d'exemplaires, faisait autorité à l'époque. « Je lis ce satané magazine… D'ailleurs, où que je me trouve dans le monde, lorsque je rentre dans le bureau de l'Ambassadeur, il me dit immanquablement : "Je lisais justement dans le *Time*…" »[71], confia un jour Kennedy à Hugh Sidey. En outre, Kennedy considérait qu'aucun autre journal n'avait autant d'influence sur les « indécis » qui font la différence lors des élections. Le *Time* surpassait de loin l'ensemble de la presse, et même les plus grands quotidiens, par la profondeur de ses analyses, sa présentation en couleurs, ses précisions historiques, son érudition et la somme d'informations qu'il contenait.

Tout comme son fondateur, Henry Robinson Luce, le *Time* défendait un point de vue républicain, mais Jack Kennedy entretenait des relations étroites avec Luce – âgé de 62 ans – et sa très jolie femme, Clare, âgée de 57 ans. Harry Luce avait fait ses études avec Hugh Auchincloss à Yale et son amitié avec Joe Kennedy remontait à plusieurs dizaines d'années. Fascinante, Clare Luce – journaliste, dramaturge, diplomate et membre du Congrès – était liée plus étroitement encore à Joe. Certaines allusions dans son journal intime laissent à penser qu'ils auraient été amants (« JPK dans ma chambre toute la matinée »). Néanmoins, Tish Baldrige, qui travailla pour Clare pendant quatre ans, soulignera qu'il s'agissait d'une « relation politique »[72] s'inscrivant dans le cadre de conversations animées sur des questions et des personnalités diverses. Un jour, Joe écrivit à Clare : « Accordez-moi une demi-heure d'entretien. J'en apprendrai davantage qu'en lisant vingt magazines. »[73] Rose appréciait elle aussi l'intelligence subtile de Clare, plus particulièrement son don pour « les remarques dévastatrices à la fois comiques et lourdes de sens »[74].

À la demande de Joe, Harry Luce avait rédigé un avant-propos élogieux à *Why England Slept*, contribuant ainsi largement au lancement du livre. Lorsqu'en 1956, Jack avait annoncé sa candidature à la vice-présidence démocrate, les Luce séjournaient chez les Kennedy, sur la Côte d'Azur. Harry avait télégraphié aux rédacteurs du *Time* de couvrir plus largement la campagne de Jack, une « figure nationale d'une importance considérable »[75]. Une place de choix avait été réservée aux Kennedy dans *Life* et le *Time*. En 1960, Luce avait annoncé à Joe que ses journaux resteraient bien disposés envers Jack tant qu'il défendrait une ligne dure contre le communisme. Nixon avait obtenu le soutien mitigé de *Life* et Harry Luce avait salué la victoire de Kennedy. Oubliant quelque peu ses convictions républicaines, Luce était persuadé que la présidence Kennedy ferait souffler un vent de dynamisme sur ses journaux. Il savait également qu'une fois à la tête de l'exécutif, Kennedy ferait montre de davantage de prudence que dans ses discours.

« Il me séduit »[76], répondait Luce lorsqu'on lui demandait les raisons de son penchant pour Jack Kennedy. Quant à JFK, Luce le fascinait tout autant – « telle une cigale, il n'arrêtait pas de chanter »[77] – en bon autodidacte individualiste lui rappelant son propre père. Avouant succomber aux charmes du jeune Jack – « certainement ma faiblesse féminine »[78], confiera-t-elle à Baldrige –, Clare lui avait offert une « médaille sainte » pour lui porter chance dans la marine. Au fil du temps, ils avaient commencé à se donner des coups de griffes. « Ils s'aimaient comme deux tigres »[79], commentera Sorensen. Pendant la présidence de Kennedy, Clare n'hésita pas à rédiger des articles qualifiés par Lem Billings de « mesquins et acerbes »[80] pour divers journaux et magazine (à l'exception du *Time* et de *Life*), dans lesquels elle faisait part de ses désillusions.

Les Luce se trouvèrent exclus du cercle des intimes des Kennedy (ce qui contribua pour partie à l'animosité de Clare), mais le *Time* continua d'obséder JFK. Le Président et ses principaux collaborateurs, notamment Bobby, décidèrent donc de donner à Sidey – l'un des plus jeunes journalistes accrédités, âgé de 33 ans – libre accès à la Maison-Blanche. Tous les dimanches soir, JFK recevait par messager spécial la dernière édition du *Time*, en provenance directe de l'imprimerie. Et la plupart du temps, Kennedy appelait Sidey à son domicile pour se plaindre « en des termes joyeusement irrespectueux »[81]. Avec son caractère bon enfant du Middle West, Sidey n'était pas homme à se faire détester. Kennedy accusait donc les rédacteurs en chef « qui habitaient à Greenwich Village et déjeunaient au *21* »[82] de donner dans leurs reportages une vision déformée de Washington. (Kennedy dit un jour à Bradlee que les reporters du *Time* écrivaient la Bible mais que le magazine imprimait le Coran »[83].) Sorensen s'exprimait en termes plus durs encore, dénigrant le *Time*, magazine « partial, injuste et… inexact »[84].

Certes, le *Time* se montrait plus systématiquement critique que *Newsweek*, mais pour les articles importants, il conservait une longueur d'avance sur son concurrent plus modeste. Même si Bradlee avait ses entrées dans le monde, les rédacteurs du *Time* « ne nourrirent jamais d'inquiétudes concernant *Newsweek* »[85], déclarera Otto Fuerbringer, directeur de la rédaction. Durant sa présidence, Kennedy convoqua Luce à la Maison-Blanche à douze reprises pour critiquer la façon dont le *Time* couvrait l'actualité. Luce campait sur ses positions, tout en essayant de ne pas envenimer les choses, mais jamais il ne demanda à Fuerbringer de modifier sa ligne éditoriale.

« Nous n'avons jamais été systématiquement contre Kennedy. Nous étions critiques lorsqu'il y avait des raisons de l'être ou qu'il prenait une décision pour des raisons politiques, affirmera Fuerbringer. Le Président considérait les louanges comme un dû et réagissait violemment à la moindre critique. »[86] (Lorsque fin 1961, il fut élu homme de l'année par le *Time*, il demanda à Sidey : « A-t-on déjà désigné quelqu'un homme de l'année huit fois de suite ? ») Quoi qu'il en soit, après Dwight Eisenhower, qui ne lisait pas le *Time*, Luce et ses collaborateurs se félicitaient de voir un Président « suivre tout ce qui se passait avec attention, tout savoir et s'intéresser à tout, de la politique et autres questions sérieuses aux potins mondains »[87], ajoutera Fuerbringer. « Ce fut l'une des présidences les plus animées que nous ayons eues à couvrir. Plus amusante et plus intéressante qu'aucune autre. »

Le fait est que ses admirateurs, tout autant que ses détracteurs, aimaient jouer le jeu avec Kennedy. Lorsqu'il lui rendit visite dans le bureau Ovale, Teddy White fut agréablement surpris par la charmante simplicité du Président, qui resta debout en sous-vêtements pendant leur conversation, tandis que son tailleur procédait à quelques retouches sur un costume. Cependant, White ne manqua pas d'observer que derrière son air bravache, le Président nouvellement élu « semblait incertain et… étrangement hésitant »[88], jusqu'à ce qu'il passe à la vitesse supérieure et se mette à lancer des idées de politique étrangère, montrant par là « son sens du métier de journaliste »[89] et demandant même à White s'il devait écrire une lettre à Mao Tsé-toung et Chou En-lai concernant les problèmes en Asie du Sud-Est. White ne cachait pas sa joie. Le sachant satisfait, Kennedy « disait ce que, selon lui, White avait besoin de savoir pour lui tailler un portrait de sénateur grec »[90].

CHAPITRE 12

À l'extérieur de la « Grande Prison blanche »

Un jour, en début de soirée, alors que Kennedy était installé depuis quelques mois à la Maison-Blanche, le téléphone sonna chez Franklin D. Roosevelt Jr, dans le quartier de Spring Valley, à Washington. Les Kennedy avaient envie de bavarder. « Ils se retrouvaient là, dans cette maison qui n'était pas la leur et, n'ayant aucun programme pour la soirée, ils appelaient leurs amis, tout simplement pour discuter un peu. J'étais surprise, compte tenu des circonstances, car ils étaient quand même à la Maison-Blanche »[1], se souviendra Suzanne Roosevelt.

Jack et Jackie se montrèrent toujours soucieux de garder le contact avec la vraie vie, par-delà les murs de ce que Harry Truman appelait la « Grande Prison blanche »[2]. « Certaines choses manquaient à Jack. Il demandait sans cesse ce qui se passait à l'extérieur »[3], expliquera son amie de longue date, Vivian Crespi. D'un côté, il avait envie de se distraire, mais il savait aussi, comme le fera observer Marian Schlesinger, que « les historiens sont de joyeuses commères »[4]. Il se servait des informations dont il disposait sur diverses personnalités pour prendre la mesure de ses ennemis mais aussi de ses amis, et saisir les fluctuations que subissent les relations humaines, sans jamais abandonner son regard quelque peu caustique.

JFK « recueillait l'opinion de tout son entourage »[5], précisera Joe Alsop – depuis Pat Hass, la mère d'une amie de Caroline, que Kennedy interrogea sur « ce que pensait l'homme de la rue »[6], jusqu'à Kenneth Battelle, le coiffeur de Jackie à New York, qui pouvait évoquer les bavardages de ces dames sous le casque. « Ce n'était guère sérieux, mais pas totalement futile. Cela l'intéressait vraiment. Il voulait des réponses »[7], se souviendra Kenneth. Kennedy « aimait d'ailleurs rencontrer les amis de ses amis, pourvu qu'ils évoluent dans des milieux stratégiques »[8], racontera Bradlee – « qu'ils soient à la pointe »[9], comme il disait lui-même.

Le Président questionnait certains amis sur les potins de Manhattan, d'autres sur les dernières nouvelles de Hollywood ou bien encore sur les cancans de Palm Beach. Lorsqu'elle raconta que « Liz Taylor criait des insultes par la fenêtre de son chalet, à Gstaad, Kennedy sembla aux anges »[10], selon Solange Herter. Il se renseignait consciencieusement sur le monde des affaires, avec lequel il n'avait guère de contacts et qu'il connaissait fort peu. Concernant les journalistes, il en allait tout autrement. C'était l'un de ses « sujets favoris en toute circonstance. Aussi incroyable que cela puisse paraître, il connaissait parfaitement leur caractère, leurs intrigues de bureau, leurs petites rivalités »[11], rapportera Ben Bradlee. Kennedy se montrait tout aussi avide d'informations – d'ordre politique ou beaucoup plus frivoles – au sujet des chefs d'État étrangers. « Avec qui couche Castro ? » demanda-t-il ainsi à Laura Bergquist, de *Look*, qui en resta toute décontenancée, ajoutant aussitôt : « J'ai entendu dire qu'il n'enlevait même pas ses bottes ? »[12].

Jackie se montrait plus sélective dans ses centres d'intérêt. En compagnie de Pat Hass, elle se lançait dans des conjectures à propos de certains Washingtoniens bien introduits, comme Frances Scott « Scottie » Lanahan, fille de F. Scott Fitzgerald, qui lui avait infligé quelques rebuffades alors qu'elle était femme de sénateur. « Jackie tenait des propos désobligeants – madame Untel n'est pas très sexy ou des choses dans ce goût-là. Pour l'époque, elle paraissait parfois grossière. Il s'agissait de femmes qui l'avaient froissée dans ses sentiments »[13], se souviendra Pat Hass. La première dame s'intéressait également aux personnages très en vogue et à la jet-set internationale. « Elle aimait apprendre des choses, mais sa curiosité restait sans commune mesure avec celle de Jack.

D'ailleurs, elle y mettait toujours de l'humour »[14], racontera sa sœur Lee.

Jackie organisa leur vie sociale à la Maison-Blanche en différentes catégories, selon le caractère plus ou moins officiel de leurs occupations. Tout comme le Président Franklin Roosevelt, JFK éprouvait un grand besoin de diversité. Chez les Kennedy, les dîners intimes – en compagnie d'un à trois autres couples – s'organisaient un peu à la dernière minute, une fois que Jackie avait pu juger de l'humeur de son mari. « Il était rare que l'on puisse prédire le matin quelle allait être son humeur le soir »[15]. Jackie demandait alors à Evelyn Lincoln de lancer les invitations par téléphone, ce qui, parfois, ne se faisait pas avant 18 h. L'ambiance lors de ces réunions en petit comité était on ne peut plus insouciante, au point que Bill Walton évoquait le « palais de la pizza sur Pennsylvania Avenue »[16] pour désigner la Maison-Blanche.

Restaient les dîners, auxquels il était impossible de déroger, qui nécessitaient souvent que les invités réorganisent leur emploi du temps au pied levé. Malgré le caractère impromptu de ces soirées, Jack et Jackie prenaient grand soin de choisir leurs hôtes, connaissant les points faibles de leur cercle d'amis. Ainsi, par exemple, Bill Walton, Red Fay et Ben Bradlee n'étaient jamais invités en compagnie de Lem Billings. Charley Bartlett ne s'asseyait jamais à la même table que Ben Bradlee et Walton ne fréquentait pas Fay. « La jalousie couvait entre ces différentes personnes. C'était un peu comme les planètes qui décrivent leur orbite autour du soleil en gardant chacune leur place »[17], expliquera Laura Bergquist.

Tous les dix jours environ, Jackie organisait un de ces dîners raffinés dont elle avait le secret, réunissant au moins huit invités, parmi lesquels des « personnalités enrichissantes » telles que diplomates, artistes, acteurs ou écrivains, qui venaient parfois de Californie, ou même d'Europe, et dont les noms avaient été suggérés par Arthur Schlesinger, Oleg Cassini ou d'autres personnes bien introduites. Jackie préférait ces soirées à la « routine mondaine » des cocktails qu'elle « n'appréciait pas le moins du monde »[18]. De son point de vue, ces dîners en comité restreint se révélaient parfois « infiniment précieux », donnant l'occasion « aux hommes de bavarder entre eux après le repas ». « Les Français savent cela. Placez des hommes très occupés dans un cadre confortable, une ambiance agréable, autour d'un bon repas, soyez détendu... et il s'ensuivra une conversation enrichissante. Vous savez, il se passe parfois toutes sortes de choses, ce peut être l'occasion de prendre des contacts... Cela fait partie de l'art de vivre à Washington »[19], affirmait-elle.

Jack Kennedy participait à ces dîners avec une « extrême concentration », un « humour légèrement taquin »[20]. Il avait l'habitude « de vous vider l'esprit »[21], selon Katharine Graham. Pour Marian Schlesinger, on ne savait jamais sur quel pied danser. « Un instant, vous aviez la sensation d'être intime, l'instant d'après, c'était fini. » Oleg Cassini définissait les courtisans des Kennedy comme des « samouraïs mondains » se livrant à « une compétition sportive »[22]. La plupart du temps, observait Ben Bradlee, « on sautait du coq à l'âne », la conversation roulant sur un mode décontracté et quelque peu éparpillé. En compagnie de certains amis intimes, Kennedy se laissait aller à un langage relâché, lançant des « con », « putain », « va te faire foutre », « salaud », ou même « fils de pute » avec un naturel et un aplomb qui faisaient mentir sa bonne éducation, racontera Bradlee. « Quelle qu'en soit la raison, ce n'était jamais choquant, ou du moins, je ne l'ai jamais perçu comme tel »[23] – la principale demeurant sans doute que ce langage venait tout aussi naturellement à Bradlee. Toutefois, Kennedy ne jurait que très exceptionnellement en présence de Charley Bartlett ou de Jim Reed.

Dans son rôle d'hôtesse, Jackie évoquait à William Manchester un « savant mélange de traditionalisme et de bon ton digne de ces jeunes filles des années 1900 qui, avant une soirée, se notaient quelques sujets de conversation sur les baguettes de leur éventail »[24]. Elle donnait toutefois l'illusion d'une parfaite spontanéité.

Jackie bannissait les conversations d'ordre général portant sur les principales questions du moment et cherchait délibérément à tempérer la « sensibilité et la nervosité exacerbées »[25] de Jack, selon les termes de Chuck Spalding, en adoptant un ton désinvolte. « Elle estimait de son devoir de tout faire pour éviter les conversations sérieuses lorsque Jack avait besoin de se détendre et tournait volontairement en dérision les sujets graves – lançant parfois une remarque idiote concernant la situation politique, dans le simple but de le faire exploser »[26], se souviendra David Gore. « Cette sorte d'insouciance était très importante pour lui lorsqu'il n'était plus au travail, devait-elle penser. Je crois qu'elle éveillait sa curiosité et se révélait très précieuse pour lui. »

De temps à autre, Jackie invitait Flo Smith à la Maison-Blanche « pour parler réceptions »[27], rapportera Earl, le fils de cette dernière. Flo était une véritable mine de secrets et d'idées distrayantes qu'elle ne demandait qu'à partager. Jackie prit particulièrement à cœur l'une de ses suggestions : « Invite de jolies femmes, des hommes séduisants et quelques personnes de passage, pour l'exotisme de la langue. Nous sommes à l'ère de la vitesse, il faut de la nouveauté et du changement. »[28]

« Le Washington d'autrefois fut écarté. Avec les Kennedy, les Européens firent leur entrée dans la capitale. Qui, à Washington, avait jamais entendu parler d'Agnelli avant la prise de fonctions de Kennedy ? »[29], expliquera Elizabeth Burton, membre de la bonne société traditionaliste de la ville. Gilbert « Benno » Graziani, photographe italien travaillant pour *Paris-Match* et « historien officiel du grand monde », devint un invité très prisé de la Maison-Blanche. « Il n'hésitait jamais à prendre l'avion depuis Paris pour assister à une réception »[30], racontera Oleg Cassini. Autre favori : Arkady Gerney, riche Américain d'origine suisse ayant fait ses études à Harvard avec JFK et qui connaissait Jackie du temps où elle avait séjourné à Paris. Célibataire endurci, « Arkady était très proche de Jackie »[31], soulignait Solange Herter. « Il s'inquiétait de certains détails, que les chaussures de Jackie ne lui fassent pas un pied trop grand, par exemple. » (Non sans raison, puisque Jackie chaussait du 42.)

Toutefois, le célibataire le plus apprécié de la cour des Kennedy fut Bill Walton, qui joua un rôle proche de celui d'Henry Adams au XIXe siècle. Walton évoquera dans ses écrits la « position » qu'avait occupée Adams en sa qualité d'« inséparable compagnon des hommes d'État », rendant visite au « petit monde fermé » de la Maison-Blanche sous la présidence de Theodore Roosevelt et à ses amis de Lafayette Square, de l'autre côté de la rue. « Adams sut se tenir aux premières loges des grands événements, à proximité du centre du pouvoir, et devenir l'intime de la plupart des grandes figures politiques de son temps »[32], écrira l'artiste, qui aurait très bien pu parler ainsi de lui-même.

S'il connaissait JFK depuis plus longtemps, il était tout aussi proche de Jackie, rencontrée à l'époque où elle travaillait au *Times Herald*. Avec son diplôme tout frais en poche, elle avait vu en Walton la quintessence du matérialisme, mais aussi quelqu'un d'éminemment bienveillant, de perspicace avec les gens et d'affectueux. Son excentricité l'amusait. Il portait de simples chemises en coton et des blue-jeans (« d'une taille trop petits », l'avait-elle taquiné dans un télégramme) bien avant que cela ne devienne à la mode. Quant à son abandon de la carrière journalistique au profit de la peinture, il faisait écho à sa fibre esthétique et à son attrait pour l'anticonformisme.

La plupart des femmes, à l'instar de Jackie, trouvaient Walton d'une « laideur non dénuée de charme »[33], selon l'expression de Nuala, femme du sénateur Claiborne Pell. Jackie lui envoya un jour une carte pour la Saint-Valentin dans laquelle elle le comparait à l'homme sexy de Marlboro : « Ce visage se distinguerait même au milieu d'un million de superbes mannequins souriants. » Walton devint « le chevalier servant »[34] de ces dames de Washington. Jouant au bridge avec Katharine Graham et l'épouse de Stewart Alsop, Tish ; il appréciait également les bons mots d'Alice Roosevelt Longworth, qui possédait une « maison quelque peu délabrée, près de Dupont Circle ». Il inspirait naturellement confiance et les hommes l'appréciaient tout autant que les femmes. « Il était à la fois l'homme le plus indiscret et le plus discret qui soit. Vous pouviez vous fier entièrement à lui. Il savait à qui livrer quelques révélations et à qui faire confiance. Il connaissait d'innombrables secrets sur tout le monde et avait conscience de ce qui pouvait être révélé »[35], précisera Nancy White.

Nombre de personnes, à Washington, supposaient que Walton était « gay comme un pinson »[36], comme le disait Ben Bradlee. Mais, hormis ses nombreuses amitiés féminines platoniques, aucune preuve ne venait étayer cette hypothèse, contrairement au cas de Joe Alsop. Après un divorce houleux, Walton s'était retrouvé à devoir élever seul son fils et sa fille. Lorsque le sujet du mariage faisait irruption dans la conversation, il se murait dans un silence impénétrable.

L'invitation de Walton au premier petit dîner donné par les Kennedy, deux jours après l'investiture, ne fut en rien fortuite. Les meubles avaient été drapés de chutes de tissus laissées par Sister Parish. Après s'être délectés de quelque quatre kilos de caviar (cadeau d'une connaissance de Palm Beach) servis dans un « immense seau doré », les convives savourèrent une soupe de tortue, du filet mignon et des profiteroles, le tout arrosé au Dom Pérignon, puis assistèrent à une projection de films retraçant l'investiture, dans la salle de cinéma de la Maison-Blanche.

Habilement, Walton se fit accompagner par Mary Russel. Âgée d'une bonne cinquantaine d'années, veuve d'un journaliste du *New York Herald Tribune* et fille d'aristocrates russes, Mary pouvait se révéler précieuse pour Kennedy car elle connaissait bien l'Union soviétique et parlait russe couramment. Charmante et pleine d'entrain, c'était l'une des femmes les plus en vogue à Washington. Les autres invités n'étaient autres que Joe Alsop et les Roosevelt.

La présence de ces derniers ce soir-là constituait de la part des Kennedy un geste particulièrement significatif de gratitude et de consolation. Troisième des quatre fils de Franklin Delano Roosevelt encore en vie (un autre garçon du même nom était mort alors qu'il n'avait que 7 mois), Franklin Roosevelt Jr avait fait la connaissance de JFK à Harvard. À l'arrivée de celui-ci, lui-même suivait son année de licence. Tous deux étaient connus pour être des fous du volant. Ils s'étaient également retrouvés pendant quatre ans au Sénat. Après Groton, Harvard, la faculté de droit de l'Université de Virginie et son service dans la marine pendant la guerre, qui l'avait amené à participer au débarquement en Afrique du Nord, le jeune Roosevelt semblait être le fils prédestiné à une brillante carrière politique. Jeune fille, Jackie en était amoureuse et on l'avait même surprise derrière un rideau en train de l'épier dans son uniforme d'enseigne de vaisseau lors d'un bal à Newport.

Il possédait la belle prestance, le sourire rayonnant et le caractère sociable de son père. Malheureusement, il n'avait ni sa détermination ni son courage. Après trois mandats au Congrès, il avait perdu face à Averell Harriman – candidat du siège démocrate new-yorkais de Tammany Hall – lorsqu'il s'était porté candidat, en 1954, au poste de gouverneur de New York. « Il ne travaillait pas suffisamment. Franklin n'avait guère d'autodiscipline. Infiniment brillant et capable, il pouvait s'atteler tout feu tout flamme à une tâche, puis, perdant confiance, se mettre à boire, à ne plus se lever le matin ni aller au travail »[37], se souviendra Sue, sa seconde femme. Tout comme ses frères, Franklin avait en outre une vie sentimentale mouvementée. À eux cinq, ils comptabilisèrent vingt mariages, dont cinq pour le seul Franklin.

Descendant d'une grande famille politique de l'Amérique blanche et protestante du XXᵉ siècle, Roosevelt Jr suscitait la curiosité de Kennedy, qui lui reconnaissait par ailleurs une valeur stratégique. Les ayant soigneusement analysées, Jack Kennedy admirait les aptitudes politiques de Roosevelt père. Néanmoins, des tensions sous-jacentes subsistaient entre les deux familles depuis le rappel de Joe Kennedy, alors ambassadeur en Grande-Bretagne, sous sa présidence. Quatre mois après son retrait de la vie publique, Roosevelt avait qualifié « d'un peu pathétique » l'inquiétude de Joe de voir sa famille « frappée d'interdit » et lui avait reproché d'être « un parfait égoïste »[38].

La veuve de Roosevelt partageait le sentiment de son mari. Un mépris qui se mua en scepticisme envers Jack – « homme froid et calculateur », selon elle, qui ne devait sa réussite qu'à

« une sorte de charme factice et à l'argent »[39]. Pendant la campagne présidentielle de JFK, Eleanor Roosevelt n'avait cessé de harceler les Kennedy, accusant Joe d'avoir acheté l'élection de son fils à l'investiture démocrate. Après l'affirmation de son soutien à la candidature d'Adlai Stevenson lors de la convention de 1960, Arthur Schlesinger l'avait instamment priée de faire la paix avec Jack. Quant à ce dernier, il « ne ménagea pas ses efforts pour la rallier à sa cause, mais elle ne l'aimait pas »[40], racontera Charley Bartlett. Et, selon Walton, « en toute sincérité, Jack ne l'appréciait pas particulièrement »[41].

Cela n'empêchait pas Jack et Jackie d'entretenir d'excellentes relations avec Roosevelt Jr, qui était « follement amusant ». « Il avait vraiment le sens de l'humour, laissant les autres rire de lui à leur guise. Et puis, c'était un enfant terrible »[42], rappellera Bartlett. Début 1960, il avait rompu avec sa mère pour soutenir la candidature de Jack, et Joe Kennedy l'avait convaincu de participer à la campagne des primaires dans la très protestante Virginie-Occidentale, où le nom des Roosevelt était on ne peut plus respecté. « C'était pour ainsi dire comme si le fils de Dieu était descendu sur Terre pour déclarer qu'il était bon de voter pour ce catholique »[43], dira Charles Peters, assistant de Kennedy pendant la campagne. Sous la pression insistante de Bobby Kennedy, Roosevelt avait injustement accusé Hubert Humphrey, le rival de JFK, d'insoumission, ce qui avait contribué à faire pencher l'électorat en faveur de Kennedy.

Tel avait été le tournant décisif de l'investiture de Kennedy. Jack et Jackie lui en seraient d'ailleurs éternellement reconnaissants. Kennedy essaya de lui rendre la pareille. Il demanda à Robert McNamara de nommer Roosevelt Jr ministre de la Marine – un choix sentimental, puisque son père avait occupé le même poste –, mais McNamara ne voulut rien entendre, considérant, outre son penchant pour la boisson, qu'il n'était pas suffisamment qualifié. Sur le moment, il ne dit rien, mais il est clair qu'il en fut profondément blessé. « Jack Kennedy avait une dette envers Franklin, mais il devait veiller à ne pas le placer à un poste où il risquait de commettre une erreur et de devenir gênant pour son gouvernement »[44], déclarera Sue Roosevelt. « Pour finir, il le nomma sous-secrétaire au commerce, poste où il ne pouvait guère s'attirer d'ennuis », conclura-t-elle.

Certains événements mondains de la Maison-Blanche – pour lesquels la seule obligation protocolaire était la cravate noire et la robe du soir – portaient la marque de Jackie. Il s'agissait d'élégants dîners avec soirée dansante. Les Kennedy « n'osaient pas s'offrir une telle fête dans la plus stricte intimité »[45], écrira Ben Bradlee. Pour rendre ces frivolités « plus acceptables aux yeux du public », l'astuce consistait à trouver des « alibis » – des amis ou des parents auxquels les Kennedy pouvaient « faire l'honneur » d'une soirée. Les premiers élus furent Lee, la sœur de Jackie, et son mari Stanislas, plus connus comme le prince et la princesse Radziwill – un titre polonais du XVIe siècle invalidé par la nationalisation britannique de Stas.

De quatre ans plus jeune que Jackie, Lee avait tout juste 27 ans lorsque Kennedy accéda à la présidence. Elle avait épousé Stas (prononcer « Stash »), âgé de 46 ans, deux ans plus tôt. Un mariage précipité dont était né un fils, puis, un an plus tard, une fille prématurée de trois mois. Stas était corpulent, portait une moustache noire et avait une peau hâlée, douce comme la soie. « Mais c'est tout le portrait de ton père, version européenne ! »[46] s'était exclamée Janet Auchincloss lorsqu'elle l'avait vu pour la première fois. À quoi Lee avait répondu : « Je l'en aime d'autant plus ! »[47] Lee affichait une beauté plus classique que Jackie : des pommettes saillantes, des traits fins et des yeux que Truman Capote comparait au « brun doré d'un verre de cognac au coin du feu »[48]. Avec son mètre soixante-dix, elle était de quelques centimètres plus petite que sa sœur, mais tout aussi mince.

Jackie et Lee (qui s'appelaient l'une l'autre « Jacks » et « Pekes ») s'étaient vues très tôt cataloguées dans un rôle par leurs parents. Jackie était l'intellectuelle et Lee, selon Janet, celle qui « aurait douze enfants et vivrait dans un cottage couvert de roses ». Jackie se montrait « robuste et sportive » tandis que Lee, de son propre aveu, était « mollassonne et rondelette »[49]. Lee avait peur des chevaux, mais Jackie faisait la joie de sa mère en égalant ses talents de cavalière. En partie peut-être parce qu'elle lui ressemblait (et portait la forme féminine de son nom), « Black Jack » Bouvier préférait lui aussi Jackie. Son intelligence était pour lui une façon de regagner la confiance de son propre père, « Grampy Jack », helléniste cultivé et fier de son érudition, qui rabaissait son fils pour son manque d'envergure intellectuelle. « Grampy Jack » vouait à Jackie une admiration sans borne, la félicitant pour ses poèmes et son intérêt pour la littérature.

Enfants, elles avaient été très épaulées par leurs parents, qui les félicitaient pour leurs succès, les incitaient à travailler dur, à exploiter leurs talents et à « être les meilleures ». Leur mère les poussait à confectionner des cadeaux pour les anniversaires ou les vacances – dessins ou poèmes – et, la veille de Noël, elles jouaient tous les ans une pièce en son honneur, « dans laquelle elle pleurait à chaudes larmes »[50], se souviendra Lee. D'un tempérament inquiet et nerveux, se mettant facilement en colère, c'était elle, bien souvent, qui faisait montre d'autorité, réprimandant vertement ses filles pour leurs écarts de conduite ou leur aspect négligé – une couture de bas mal placée ou un bouton de manteau sur le point de tomber. « Elle était extrêmement à cheval sur les principes et assez peu chaleureuse »[51], précisera Solange Herter. Toutefois, selon Lee, Jackie « lui fut toujours reconnaissante, ayant le sentiment qu'elle avait voulu élargir nos horizons », avant d'ajouter : « Elle a toujours été beaucoup plus reconnaissante que moi. »[52].

Jackie et Lee adoraient littéralement leur père. Espiègle, véritable « amoureux de la vie », il leur offrait des surprises et se lançait avec elles dans des excursions audacieuses, les emmenant au casino, sur les champs de course ou à des matchs de boxe. Il les mettait en garde contre « les hommes, qui sont tous des salauds », et les exhortait à « savoir se faire désirer » et à ne jamais « se montrer trop accommodantes »[53]. Ses grandes envolées théâtrales les enivraient, même si elles regrettaient d'avoir toutes deux hérité de son rire nasillard. Son sens de l'élégance les impressionnait – ses costumes en gabardine, bien apprêtés, portant l'insigne de la Société de Cincinnati à la boutonnière –, de même que son torse, parfaitement glabre. « Dans notre enfance, être en sa compagnie était synonyme de joie, d'excitation et d'amour »[54], se souviendra Lee.

Jackie et Lee n'avaient pas été épargnées par le divorce acrimonieux de leurs parents, d'ailleurs annoncé à grand renfort de publicité dans les pages du *New York Daily Mirror*, assorti de photos des petites amies de « Black Jack ». Lee avait été particulièrement meurtrie par les remarques cinglantes que s'assénaient son père et sa mère. À peine adolescente, elle était devenue anorexique. Quant à Jackie, elle s'en était sortie en développant ce que Lee appellerait sa capacité « à couper le son »[55].

La résistance de Jackie avait été mise à rude épreuve lorsque son père s'était retrouvé seul, amer de voir sa fortune s'amenuiser et sa vie personnelle voler en éclats. Il en était réduit à servir à dîner à ses filles sur une table de jeu, devant la cheminée, dans son petit deux-pièces de Manhattan, le minuscule salon ayant été transformé en chambre pour Jackie et Lee. (Il avait toutefois réussi à contribuer à leurs frais de scolarité et de voyages, dont Hughdie assumait la majeure partie.) Anxieux, sensible à la moindre offense – qu'elle fût réelle ou imaginaire –, Jack Bouvier se plaignait constamment d'être négligé par ses filles. Un reproche qu'il ferait surtout peser sur Jackie. « Si je n'ai jamais reçu autant de louanges que Jackie, je n'ai pas eu non plus à subir autant de critiques »[56], racontera Lee. Dans des lettres rageuses, son père taxait Jackie d'égoïste, d'arrogante, d'intolérante et de dépensière.

Baignant dans le luxe et la richesse, mais sans fortune personnelle, Lee et Jackie avaient commencé à ressentir la nécessité d'une stabilité financière. « On aurait dit deux petites orphelines. Jackie et Lee étaient très soudées, comme peuvent l'être des sœurs qui ont manqué de sécurité »[57], commentera Helen Chavchavadze. Toutes deux affichaient un humour très moqueur. Leur mère avait une voix douce et rauque, mais ses filles parlaient toutes deux en chuchotant. À tel point que, poursuivait Lee, Janet « n'arrivait jamais à nous distinguer au téléphone »[58]. Ni l'une ni l'autre n'étaient bavardes comme Janet, dont la « langue galopante » était l'objet de leurs railleries. Jackie et Lee avaient plutôt, selon Cy Sulzberger – qui fréquenta les deux sœurs lors de vacances en Europe –, « la curieuse habitude de hacher constamment » leur discours. « Elles ne bégayaient pas, elles marquaient des pauses »[59], précisait-il.

Lee avait suivi Jackie à Farmington. Une fois diplômée, Jackie l'avait emmenée faire un voyage en Europe dont elles avaient tiré un livre fantasque, écrit par Lee et illustré par Jackie. Derrière leurs observations, on sentait parfois poindre un certain dénigrement de soi (« Je croassais comme un corbeau ») et un sens de l'absurdité du monde (« Nous dansions le jitterbug sur des chants de supporters devant les tableaux des primitifs flamands ») qui subsistèrent à l'âge adulte.

N'ayant pas la motivation intellectuelle de Jackie, Lee avait rapidement abandonné ses études pour devenir assistante de Diana Vreeland au *Harper's Bazaar*. À 20 ans, elle avait épousé Michael Canfield, beau comme un dieu et fils adoptif de l'éditeur new-yorkais Cass Canfield. (Selon la rumeur, Michael était en réalité le fils naturel du duc de Kent.) Âgé de 27 ans, Canfield buvait beaucoup et, après avoir déménagé à Londres, le couple s'était disloqué.

Un soir de 1957, à l'ambassade américaine où travaillait Canfield, James Symington, son collègue attaché – fils de Stuart Symington, sénateur démocrate du Missouri – qui avait de nombreuses relations, avait organisé une soirée à laquelle avaient été conviés trois couples : Michael et Lee, Stas Radziwill et sa femme Grace et le comte de Dudley, accompagné de son épouse. Deux ans plus tard, comme dans une gavotte, les couples avaient échangé leurs partenaires : Stas avait épousé Lee, Eric Dudley s'était marié avec Grace Radziwill et Michael Canfield avait pris Laura Dudley pour épouse. « Je me suis souvent demandé ce que j'avais bien pu servir ce soir-là »[60], se souviendra Symington.

Stas avait un ego surdimensionné et pouvait se montrer tour à tour affable et violent. Ses origines aristocratiques le rendaient volontiers dédaigneux, mais c'était un homme très drôle, au grand cœur, un hôte plein d'excentricité et d'élégance. Il passait difficilement inaperçu à Londres, circulant à toute vitesse dans sa Cadillac et vivant sans complexe au-dessus de ses moyens.

Stas avait contribué à la campagne présidentielle. Sur le point de défaillir avant chaque discours, il s'était néanmoins adressé, dans leur langue maternelle, aux Américains d'origine polonaise. Jack et Jackie aimaient le recevoir à la Maison-Blanche, où il jouait au backgammon avec Jack, qu'il mettait au courant des derniers potins de Grande-Bretagne. Jackie avait une grande affection pour son beau-frère, dont elle semblait mieux comprendre les excentricités que Lee. « D'une certaine façon, Jackie était une confidente pour Stas »[61], se souviendra Marella Agnelli.

Pendant ces années à la Maison-Blanche, Jackie se rapprochera encore davantage de Lee – « seule personne avec laquelle elle pouvait se laisser aller et donner libre cours à ses sentiments »[62], écrira Mary Gallagher. Les deux sœurs s'échangeaient sans cesse des lettres, se téléphonaient souvent, Lee effectuait de longs séjours à la Maison-Blanche et elles partaient ensemble en vacances à l'étranger. « Lee voulait rester en permanence à la Maison-Blanche. Jackie se montrait pleine de gentillesse envers elle, lui consacrant du temps afin de l'intégrer à leur petit cercle fermé, mais Lee représentait aussi pour Jackie un moyen d'échapper à sa vie officielle », expliquera Tish Baldrige[63]. Les deux sœurs se comportaient parfois comme deux collégiennes, faisant des messes basses, se lançant des blagues ou « se racontant les dernières fredaines de leur mère », rappellera la secrétaire, s'offusquant de ce que Janet fût injustement calomniée.

« Il y avait quelque chose de théâtral chez Jackie et Lee, dans leur façon de bouger, de parler et de saluer les gens »[64], selon Oatsie Leiter, qui les avait vues grandir à Newport. Toutefois, leurs amis relevaient des différences de style et de tempérament marquées. Jackie se montrait plus chaleureuse et davantage portée à l'improvisation. Lee manquait quelque peu d'assurance et restait plus volontiers sur la réserve. Elle avait aussi un goût plus raffiné que Jackie et son intérêt pour la mode était encore plus prononcé. À la demande de Jackie, elle écumait les magasins des grands couturiers parisiens pour y glaner des idées et allait examiner les antiquités repérées par Boudin. Elle arrivait généralement à la Maison-Blanche munie d'une série de photographies en noir et blanc qu'elle soumettait à Jackie, parfaite dans son rôle de dame d'honneur de la cour des Kennedy.

Après plus de quatre ans de séparation, Jackie et Lee tombèrent dans les bras l'une de l'autre en se retrouvant à l'aéroport de Washington, début mars 1961. Bronzées, toutes deux semblaient en pleine forme : Lee, de retour de vacances en Jamaïque, Jackie rentrant d'une semaine à Palm Beach chez les Wrightsman. Jackie avait pris un avion de ligne, accompagnée de deux agents des services secrets. Occupant cinq sièges à l'avant de l'appareil, elle avait réalisé quelques croquis de robes, lu *Madame de Genlis* (une biographie de la maîtresse du duc d'Orléans) et laissé l'hôtesse de l'air abasourdie en lui racontant son voyage de noces à Acapulco et San Francisco.

Jackie et Lee arrivèrent à la Maison-Blanche peu après le départ de Lem Billings, venu tenir compagnie à JFK pendant l'absence de Jackie – deuxième séjour d'une semaine de son meilleur ami en deux mois. Lee s'installa dans la chambre de la reine et Stas dans la chambre Lincoln. Pour la plus grande satisfaction de la presse, les Kennedy et les Radziwill ne ménagèrent pas leurs apparitions : réception à la Maison-Blanche en l'honneur de diplomates latino-américains, représentation de la Comédie-Française suivie d'une soirée donnée par l'ambassadeur de France, golf et ball-trap à Middleburg, puis, pour finir, Manhattan, où Jackie et les Radziwill, à bord d'une limousine noire immatriculée « JK 102 », allèrent dîner chez Jane Wrightsman et Diana Vreeland et assistèrent à un spectacle du New York City Ballet en compagnie d'Adlai Stevenson.

Jackie partit avec dix valises pour New York, où elle passa quatre jours à courir les antiquaires et les galeries en compagnie de Lee et à choisir des vêtements lors de présentations privées organisées par Oleg Cassini dans l'appartement des Kennedy, un duplex occupant les deux derniers étages de l'hôtel Carlyle. Le repaire new-yorkais de Jack et Jackie était décoré de meubles Louis XV et de tableaux d'artistes allant de Romare Bearden à Mary Cassat. On disait que le propriétaire du Carlyle avait l'habitude d'acheter le livre que le Président était en train de lire pour le laisser ouvert à la bonne page en prévision de son arrivée.

Le clou de la visite des Radziwill fut le dîner dansant qui eut lieu à la Maison-Blanche le mercredi 15 mars. Ces soirées « comptaient beaucoup » pour Jackie, expliquera Tish Baldrige : « Tous les invités se devaient d'être beaux, par égard pour Jack, précisait-elle, mais c'était tout autant pour elle-même. »[65] La première dame ne manquait jamais d'inviter quelques beautés célibataires de New York et de Washington, comme Mary Meyer, Helen Chavchavadze, Robyn Butler, Fifi Fell ou Mary Gimbel, qu'elle plaçait souvent à côté de son mari. « Jackie s'occupait de choisir ses petites amies. En cela, elle était très française »[66], commentera Helen Chavchavadze.

Outre les amis, les parents, les familiers de la Maison-Blanche et les journalistes accrédités (« pas de *New York Times*, pas de Luce – trop de susceptibilité froissée »[67], soulignait Stewart Alsop), ce printemps-là, certaines personnalités très exotiques figuraient sur la liste des soixante-dix invités, dont l'Aga Khan et Ludwig Bemelmans. « À partir de cette date, la liste des personnalités incontournables de la ville commença à évoluer. Finis les invités par pure obligation. Étaient présentes les personnes dont le couple Kennedy souhaitait s'entourer pour une longue soirée de divertissement »[68], écrira Hugh Sidey.

Dans un premier temps, les invités se retrouvèrent dans la salle est pour déguster quelques cocktails et hors d'œuvres. Dans le salon Rouge et la salle à manger d'apparat, avaient été dressées neuf tables rondes de huit couverts, recouvertes de nappes jaunes et de surnappes blanches brodées en organdi et décorées de petites coupelles en vermeil contenant des compositions florales de saison. À l'issue du dîner – au menu : saumon à la mousseline normande, poulet à l'estragon, tomates grillées, champignons aux fines herbes et cassolette Marie-Blanche –, on dansa dans la chambre Bleue au son de l'orchestre de Lester Lanin jusqu'à 3 h du matin... Une heure fort tardive pour un jour de semaine.

Lee portait une robe de brocart rouge tandis que Jackie avait revêtu une « spectaculaire robe fourreau blanche »[69]. Elle ne dansa qu'une seule fois avec le Président, jamais très à son aise sur une piste de danse. Kennedy préférait « passer d'un groupe à l'autre, une coupe de champagne à la main »[70], écrira Arthur Schlesinger. « Jamais les femmes ne furent aussi belles, les airs de musique si mélodieux ni aucune soirée aussi gaie et insouciante que ce jour-là. » Pour Stewart Alsop, « le champagne qui coulait à flots » donnait à cette soirée « un petit air de bar clandestin du temps de la prohibition. Nous étions en pleine période de carême et tout était censé se dérouler dans la plus grande discrétion »[71].

Un incident mettant en cause Lyndon Johnson et Bobby Kennedy donna un petit aperçu révélateur des coulisses politiques de la Maison-Blanche. Johnson avait coincé Bobby dans un coin de la chambre Bleue et mettait en avant un candidat pour un poste au ministère de la Justice au sujet duquel le ministre se montrait réticent. Stewart Alsop put « apprécier la façon de faire de Johnson, tantôt flatteur, tantôt agressif » et la réaction de Bobby, « sourire carnassier » et « remarques caustiques » aux lèvres, qui le contraignit à battre en retraite, humilié et « penaud ». Et Alsop d'ajouter : « Je n'avais jamais vu ça », précisant que « le vice-président semblait quelque peu attristé »[72].

Plus révélateur encore – des années plus tard – sera le choix des deux voisines de table de Jack Kennedy, qui mettra, selon Ben Bradlee, « la bonne société new-yorkaise, totalement incrédule, en effervescence »[73]. Le Président sera encadré par les célèbres sœurs Pinchot – Tony Bradlee et Mary Meyer –, comptant parmi les femmes les plus séduisantes de Washington.

Tony savait que Jack Kennedy éprouvait pour elle une certaine attirance, puisqu'il lui avait déjà fait de vaines avances. « Jack se montrait toujours très flatteur envers moi et il m'enlaçait par la taille ; j'avais bien compris que je lui plaisais. Je crois qu'il a été surpris que je ne lui cède pas. Peut-être l'aurais-je fait si je n'avais pas été mariée »[74], évoquera-t-elle. (À l'époque, Tony n'en avait rien dit à son mari, ni à sa sœur.) Kennedy se sentait tout aussi sensible au charme de Mary, mais leur idylle clandestine ne commencera – à son initiative – que quelques mois plus tard. En ce soir du mois de mars « où s'offraient les perspectives les plus joyeuses », Kennedy se montra d'humeur enjouée. Après le dîner, il donna le bras à Mary et à Tony et s'exclama, en pénétrant dans la chambre Bleue : « Alors, les filles, que dites-vous de ça ? »[75]

CHAPITRE 13

La passion des femmes

Les « filles » avec lesquelles Kennedy se plut à badiner ce soir-là n'étaient pas – et de loin – ses seuls flirts en ce printemps 1961. Dans sa vie amoureuse tourmentée figuraient également Judith Campbell, Helen Chavchavadze et, dans un rôle un peu plus marginal, Marilyn Monroe, avec laquelle il entretenait une liaison depuis le soir où ils avaient été vus dînant ensemble au *Puccini*, un restaurant italien de Beverly Hills, lors de la convention démocrate. JFK avait également une maîtresse au sein de l'équipe de la Maison-Blanche, dont Hugh Sidey n'apprendrait l'identité que plusieurs mois après l'investiture de Kennedy.

Le journaliste travaillait tard, ce soir-là, dans les bureaux du *Time*, lorsqu'il fut interrompu par Billy Brammer, un collègue texan haut en couleur, âgé de 31 ans, qui avait écrit un fin roman politique inspiré de Lyndon Johnson. « Billy me dit : "Hugh, tu ne connais pas la dernière ?", avant de m'expliquer qu'une jeune femme avec qui il sortait, une "fille superbe" du nom de Diana de Vegh, avait une liaison avec Jack Kennedy. Il lui avait demandé pourquoi elle faisait ça. "Il n'y a rien de sérieux, avait-elle répondu, mais il exerce une emprise sur moi"[1]. » Puis elle lui avait avoué être attirée par le pouvoir.

Quelques mois plus tard, Brammer révélera davantage de détails dans une lettre à un ami vivant au Texas : « Jack Kennedy souffre du dos et il semble que cela limite ses fredaines car il n'appelle que rarement sa jeune maîtresse avec qui je suis secrètement fiancé. Dernièrement, le téléphone a sonné, un soir, tard. En décrochant, j'ai reconnu sans erreur possible la voix et l'accent du Président, qui demandait à parler à Diana. (J'ai bien failli lui dire qu'elle se trouvait à Cuba pour une dizaine de jours.) Finalement, j'ai répondu qu'elle était dans la salle de bains et il a raccroché assez soudainement. »

La liaison de JFK avec Diana de Vegh – diplômée de Radcliffe de 22 ans – n'était un secret ni pour les collaborateurs de l'aile ouest ni pour la presse. « Nous savions qu'il entretenait avec elle une relation particulière. Elle avait beaucoup de classe »[2], commentera Barbara Gamarekian. Diana était arrivée à Washington avant l'investiture de JFK. Dans un premier temps, Kennedy lui avait trouvé un poste au Congrès, puis il l'avait fait embaucher au Conseil de sécurité nationale. Cette superbe brune (comme Jackie, Helen, Judith ou Pam), issue de la bonne société new-yorkaise, descendait de John Jay (tout comme Susan Mary, la femme de Joe Alsop) et avait un lien de parenté avec Robert Gould Shaw, héros de la guerre de Sécession (lequel – étrange coïncidence –, était également l'ancêtre de Mary Meyer et de Tony Bradlee).

Ils s'étaient rencontrés pendant la campagne électorale sénatoriale de 1956, à l'occasion d'un dîner politique à Boston. Kennedy avait alors 41 ans, elle en avait 20 et poursuivait sa troisième année d'études universitaires. « La place à côté de moi était libre. Il s'est approché, il s'est assis et m'a demandé qui j'étais et ce que je faisais… J'étais dans tous mes états », racontera-t-elle[3]. Lorsqu'il se rendait à Boston, Kennedy envoyait Dave Powers ou Muggsy O'Leary, son chauffeur de longue date, chercher Diana, qui habitait la résidence universitaire de Radcliffe. Pragmatiques, ses conseillers se contentèrent de s'inquiéter si la politique l'intéressait. Quant à Mac Bundy, alors doyen de la faculté de Harvard, cette rumeur concernant de Vegh éveilla ses craintes. Non seulement Kennedy siégeait au conseil de surveillance de Harvard, mais le père de Diana faisait partie de divers comités de visite de l'université. « Bundy demanda à Kennedy de mettre un terme à cette relation », affirmera Marcus Raskin[4], l'un des assistants de Bundy à la Maison-Blanche. Kennedy cessa d'envoyer chercher Diana, mais il continua de la voir.

En dix mois, Diana de Vegh et JFK se rencontrèrent à six occasions. Il s'agissait d'une relation platonique. Il désirait connaître son opinion sur son action politique. « Nous dînions ensemble. Il avait besoin d'un miroir lui renvoyant le reflet d'un homme sensationnel et fascinant. Notre liaison n'a commencé que plus tard »[5], se souviendra-t-elle. Lorsque Diana obtint son diplôme, Kennedy lui trouva un poste dans l'équipe de Bundy. « Une façon de lui rendre la pareille. On l'affecta à mon service. Bundy me dit : "Dis donc, j'ai un cadeau pour toi !". Je me doutais qu'il y avait anguille sous roche », expliquera Raskin[6]. Elle était chargée d'effectuer des recherches et de rédiger des rapports sur les territoires sous tutelle. Un travail à part entière, même s'il revêtait un caractère marginal.

Après qu'elle eut commencé à travailler au bâtiment Eisenhower, Kennedy profita de l'absence de Jackie pour l'inviter dans les appartements privés de la Maison-Blanche. Ils dînaient le plus souvent en compagnie de Powers ou d'O'Donnell avant de se retirer dans la chambre Lincoln – lieu sacré pour Jackie, qui y trouvait « le sentiment de paix qui vous prend lorsque vous pénétrez dans une église », son haut lit sculpté « rappelant une cathédrale » et où elle se sentait « entrer en contact »[7] avec le grand Président républicain.

Dans les moments qu'il passait avec Diana de Vegh, Kennedy se livrait peu, ne parlant ni de ses parents, ni de ses frères et sœurs, ni de ses proches. La conversation portait sur les événements du jour et JFK se laissait aller à quelques plaisanteries sur d'autres hommes politiques. « Jamais je n'ai vu John Kennedy traverser une période de réflexion, de souffrance ou de tristesse », précisera Diana. Pour donner un peu de piment à leurs discussions, elle adoptait à dessein des opinions contraires aux siennes, ce qui amusait JFK. « Par cette façon de rester superficiel, Kennedy était bien « un homme de son temps », ajoutera-t-elle. « Il avait une marge de manœuvre limitée, il était prisonnier de ses privilèges. »[8]

Pour Kennedy, le charme de Diana tenait à sa beauté, à son caractère impressionnable et à l'admiration qu'elle lui vouait. Elle avait la tête bien faite et constituait une source d'informations distrayantes. Ni l'un ni l'autre n'affichaient de sentiment de culpabilité. Si la jeune femme s'accommodait de cette absence de sentiments et de cette relation bancale, c'était avant tout en raison de son éducation qui l'avait préparée à satisfaire un homme beau, puissant, charismatique et important. D'où sa fascination pour Jack Kennedy.

Diana de Vegh était loin d'être la seule dans ce cas. Kennedy ressentait le besoin de s'entourer de femmes belles et bien nées deux fois moins âgées que lui. « Deux employées de la Maison-Blanche, qui avaient également travaillé pendant la campagne, entretenaient une relation très étroite avec le Président », racontera Barbara Gamarekian. « Le plus incroyable pour moi, c'est qu'elles étaient toutes deux très amies et se retrouvaient pour chuchoter et glousser dans les coins. Il semblait n'y avoir aucune jalousie entre elles. Elles s'entendaient à merveille, sans laisser paraître la moindre trace de contrariété face à l'intérêt que le Président ou d'autres hommes portaient à l'une ou à l'autre. Un parfait exemple de partage que j'avais beaucoup de mal à comprendre en tant que femme ! »[9]

Les femmes les plus en vue au sein de l'équipe étaient donc Priscilla Wear, surnommée « Fiddle », qui travaillait pour Evelyn Lincoln, et son excellente amie Jill Cowan (« Faddle »), l'une des assistantes de Salinger. Toutes deux âgées de 20 ans, elles avaient abandonné leurs études universitaires pour participer à la campagne de Kennedy. C'est ainsi qu'elles s'étaient retrouvées parmi les collaborateurs réunis dans la résidence familiale au soir de l'élection. « Ce soir-là, le Président leur avait dit que s'il gagnait, il les embaucherait à la Maison-Blanche », se souviendra Phyllis Mills Wyeth[10], qui partageait sa maison de Georgetown avec elles. « Fiddle était si ravissante qu'il avait affirmé la vouloir à l'accueil dans son service. Et il a tenu sa promesse ! »

La présence de Fiddle et Faddle à la Maison-Blanche faisait jaser, notamment parce qu'elles « prenaient part aux voyages présidentiels sans pour autant travailler ». « Il n'y avait pas d'animosité, plutôt beaucoup de curiosité »[11], évoquera Barbara Gamarekian. On voyait par exemple les deux jeunes femmes dans le bureau Ovale « en train de coiffer » le Président – dont elles massaient le cuir chevelu avec du gel. Lorsque Bundy et Myer Feldman, assistant de la Maison-Blanche, surprirent pour la première fois cette petite séance de soins capillaires, ils en restèrent tout interdits. « J'ai déclaré que ce genre de choses ne me semblait pas digne du bureau Ovale »[12], rapportera Bundy. Kennedy fixa alors le crâne chauve des deux hommes, avant de lancer : « Vous ne me semblez pas avoir, ni l'un ni l'autre, très bien su gérer votre capital. »[13]

Priscilla Wear et Jill Cowan étaient « deux jeunettes inexpérimentées, rousses, avec de longues jambes ». « Elles ressemblaient à Pamela ou Jackie. Toutes possédaient le vernis d'une bonne éducation, un peu d'argent, avaient fréquenté des écoles convenables et donnaient l'impression que le monde leur appartenait »[14], commentera Barbara Gamarekian. Priscilla avait fait ses études à Farmington et Jill était parente d'Alfred Bloomingdale, dont la famille possédait les grands magasins du même nom. Elles entretenaient avec Kennedy une « relation légère, chaleureuse et bon enfant »[15], soulignera Wendy Taylor, qui était à l'époque stagiaire à la Maison-Blanche et connaissait Priscilla depuis Farmington.

Jill répondait au téléphone et préparait les copies des télégrammes pour Salinger. Quant à Priscilla, elle aidait Evelyn Lincoln dans ses travaux de dactylographie et retouchait la signature de JFK sur les photos destinées à ses admirateurs. Mais leur principal titre de gloire consistait à rejoindre Kennedy et Powers à la piscine à l'heure du déjeuner ou en début de soirée. « Elles partaient à la piscine et revenaient les cheveux mouillés »[16], précisera Barbara Gamarekian.

De source sûre, rien ne permet d'affirmer que le Président retrouvait à la piscine des jeunes femmes travaillant à la Maison-Blanche (parmi lesquelles, occasionnellement, Pamela

Turnure) pour autre chose qu'un « simple moment de baignade et de détente »[17], selon l'expression de Barbara Gamarekian. « Nous empruntions des maillots de bain pour aller nager et Dave Powers s'asseyait au bord du bassin »[18], racontera Windy Taylor, qui finit par accepter d'aller piquer une tête en compagnie de deux autres stagiaires sur l'insistance du compagnon de Kennedy. « Le Président est arrivé en maillot. Nous ne savions pas qu'il devait venir. Il s'est approché, tout souriant. Il semblait amusé de nous voir, nous, petites jeunettes. Il s'est baigné avec nous, tout en nous posant des questions sur notre travail. Je ne sais plus si c'est lui ou Dave qui a demandé que l'on apporte des verres de vin sur un plateau. Nous avons siroté notre vin dans la piscine, et Powers n'a jamais quitté sa place… Je me rappelle avoir pensé que le Président Kennedy était grand et qu'il avait une terrible cicatrice dans le dos »[19].

Le penchant de Jack Kennedy pour le sexe n'était plus un secret depuis ses confidences sur la masturbation et ses relations sexuelles (« Cette nana aurait grand besoin de se faire culbuter ») dans les lettres qu'il adressait, adolescent, à Lem Billings. Traînant Billings avec lui, Kennedy avait perdu sa virginité à 17 ans avec une prostituée d'un bordel de Harlem. Ainsi avait commencé son incessante quête des femmes. Kennedy « était un homme sensuel », soulignera Arthur Krock[20]. « Il aimait le sexe… la conquête sexuelle. C'était un don Juan. » Lors d'une soirée à Manhattan, à la fin des années 1940, il avait demandé à Bill Walton : « Regarde autour de toi et dis-moi combien de femmes, ici présentes, tu t'es tapé ! ». « Quand je lui ai donné le chiffre réel, il m'a répondu qu'il m'enviait », se souviendra Walton, qui avait alors rétorqué : « J'étais là avant toi ! », rappelant qu'il avait le privilège de l'âge avec ses huit ans de plus que JFK. Sur ce, Kennedy avait lancé : « Je vais rattraper mon retard ! »[21]

Au début de son mandat, son comportement envers les femmes reflétait parfaitement la mentalité de sa génération, à savoir que les hommes étaient par définition plus importants et plus intéressants que les femmes. JFK savait apprécier un joli visage ou une silhouette élégante. Les femmes étaient pour lui des être subalternes destinés à satisfaire les hommes, même s'il n'appréciait guère les potiches sans cervelle. « Par-delà la simple beauté, Jack cherchait aussi le courage, le talent. Il voulait une championne. Une star », expliquera Oleg Cassini[22]. Il préférait les femmes pleines d'allant, amusantes, raffinées, ayant de la conversation, sans pour autant s'attacher à des choses sérieuses. Ces mêmes sentiments habitaient ses subordonnés. Ted Sorensen lui-même, fils d'une féministe et d'un père ayant pris position en faveur du droit de vote pour les femmes, déclarera tout net à Katie Louchheim : « La plupart des femmes n'ont aucune influence d'aucune sorte. »[23]

Kennedy ne nomma que quelques femmes à des postes de responsabilité : Esther Peterson, militante syndicale de longue date, pour diriger le « bureau des femmes » du service du personnel, et Katie Louchheim au ministère des Affaires étrangères, comme assistante spécialement chargée d'organiser les activités des femmes étrangères en visite officielle à la Maison-Blanche. Le malaise que lui inspirait la compagnie des femmes dans un cadre professionnel apparut clairement lorsque Lyndon Johnson se fit accompagner par son assistante, Liz Carpenter, à l'une des premières réunions du Conseil. « J'étais la seule femme présente, se souviendra cette dernière. J'étais assise à côté du vice-président et Kennedy a tourné sa chaise pour s'écarter de moi. Dans la pièce, la tension et la gêne étaient palpables. »[24]

À peu près à la même époque, à la mi-février, Kennedy déjeuna en compagnie de Ken Galbraith, de son épouse, Kitty, et de Barbara Ward. La journaliste britannique, spécialiste de l'Afrique, était célèbre pour faire subir à ses interlocuteurs le régime de « la douche écossaise ». Pendant la Seconde Guerre mondiale, Kathleen Kennedy[25] l'avait présentée comme « la fille qu'il fallait à Jack ». Elle la disait « jolie », lui trouvait « un charme fou » et vantait son rôle de « porte-parole catholique », la qualifiant de « véritable cerveau ». Kennedy s'était lié d'amitié avec elle, mais en tant que femme, elle était trop puissante à son goût.

Au cours de ce déjeuner à la Maison-Blanche, l'attitude de Kennedy trahit ses impulsions contradictoires. Lorsque Barbara Ward évoqua brillamment certains problèmes au Ghana et au Congo, Kennedy l'écouta avec beaucoup d'attention. « Comme toujours, il était avide d'informations »[26], se rappellera-t-elle. Une fois obtenu ce qu'il voulait, il changea de sujet et de ton pour régaler ses invités de « l'un des rares et surprenants plaisirs que lui réservait sa fonction »[27], en d'autres termes la lecture des rapports du FBI concernant ses ambassadeurs. Selon Galbraith, Kennedy déclara : « Vous n'imaginez pas à quel point on y lit des choses peu reluisantes… même sur les plus irréprochables d'entre eux ! ».

Barbara Ward ne se faisait guère d'illusion sur sa capacité à influencer Kennedy en ce début de mandat. Elle-même se qualifiait, non sans humour, de « vivandière ». « Dans l'ensemble, il éprouvait peu de sympathie pour les femmes intelligentes et diplômées »[28], expliquera la journaliste, qui connaissait bien ce type d'hommes dans son pays natal. Dans une lettre à JFK, sa sœur Kathleen mentionnait son propre penchant pour les Anglais de ce genre, faisant observer : « Ils nous traitent de façon cavalière et ne sont pas aussi gentils avec leurs épouses que les Américains, mais je suppose qu'au fond, c'est précisément cela que nous aimons. C'est bien là ta technique, n'est-ce pas ? »[29]

En matière de machisme et de débordement sexuel assumé, Kennedy se rapprochait en effet plutôt des Européens. Selon Arthur Schlesinger, il « éprouvait de la sympathie » pour l'hédonisme cosmopolite peint par David Cecil dans son ouvrage intitulé *Melbourne*. La société *whig* s'évertuait « à tirer parti du moindre avantage, tant intellectuel que sensuel », écrivait Cecil[30]. « La vie facile leur donnait l'enthousiasme, la richesse leur en offrait la possibilité. Ils se jetaient dans les plaisirs avec une insouciance tout animale. Les conventions qui régissaient leur vie se révélaient purement formelles. Pour eux, rien n'était plus naturel que de dire sa pensée et de suivre ses impulsions. »

Kennedy manquait parfois de tact avec les femmes, négligeant même d'apprendre le nom de ses fugaces partenaires sexuelles, qu'il se contentait bien souvent d'appeler « mon petit » ou « mon chou ». « La chasse est plus importante que la prise »[31], avait-il confié à Vivian Crespi. D'anciennes maîtresses ne cacheront pas son manque d'intérêt pour les préliminaires. Judith Campbell, et avec elle plusieurs autres femmes, racontera que Kennedy préférait faire l'amour couché sur le dos à cause de ses lombalgies. Quant à George Smathers, qui partait souvent en chasse avec Kennedy lorsqu'ils se retrouvaient au Congrès, il n'hésitera pas à le qualifier d'« amant minable »[32], beaucoup trop rapide. Ce qui n'empêchait pas – comme s'empresserait d'ajouter le sénateur de Floride – nombre de ses anciennes maîtresses de l'aimer beaucoup. « C'était un gars si chaleureux, si adorable ! Un chouette garçon qu'il était rare de voir se cuirasser »[33], soulignera-t-il.

Helen Chavchavadze témoignera[34] : « Jack se montrait attentionné. Jamais il ne s'est détourné de moi, alors que moi je tentais par tous les moyens de prendre mes distances. » Tout au long de ces années Kennedy, Helen connut des liaisons sérieuses avec d'autres hommes, qu'elle souhaitait durables. Ses rares rendez-vous amoureux avec JFK étaient pour elle du divertissement. Ainsi évoquait-elle la décharge d'adrénaline que déclenchaient les appels d'Evelyn Lincoln annonçant : « le Président souhaiterait vous avoir à dîner », suivis de l'apparition de la voiture de la Maison-Blanche avec à son bord Dave Powers ou Ted Reardon, autre homme à tout faire de Kennedy. Au cours du repas, Powers débitait des blagues irlandaises qui faisaient « mourir de rire le Président », puis Helen et Jack se retiraient « dans l'intimité de sa chambre à coucher ».

Pour Helen Chavchavadze, ses liens avec Kennedy « tenaient du jeu ». « Je n'ai jamais été sérieusement amoureuse de Jack. À ce jour, je ne sais pas vraiment ce que cela m'a apporté. Ce n'était pas pour le sexe… Plutôt pour son charisme. J'adorais dîner en sa compagnie, avec Dave ou Ted. C'était si drôle. Toutefois, j'étais capable de me sentir blessée si Evelyn Lincoln ne donnait pas signe de vie pendant plusieurs mois »[35], expliquera-t-elle.

Jamais ils n'évoqueront leur relation ensemble. Contrairement à Diana de Vegh, Helen Chavchavadze[36] ne voyait pas en lui un être narcissique. « Il cherchait à savoir des choses sur vous. Sur le plan relationnel, Jack avait grand besoin d'être rassuré. Il aimait s'entourer de femmes d'une certaine classe. Je n'ai jamais eu l'impression qu'il manquait de respect », précisera-t-elle. Il ne parlait jamais de Jackie : « Il se montrait très loyal et savait ne pas mélanger les genres. » Lors des soirées à la Maison-Blanche, avait-elle remarqué, JFK posait sur Jackie « un regard plein d'admiration ». « Il appréciait ses dispositions artistiques et mondaines, le soin qu'elle apportait à ses toilettes et à sa coiffure. » Pour conclure, Helen affirmait : « Ses innombrables liaisons extraconjugales n'étaient pas tant liées au sexe qu'à un besoin d'avoir une vie secrète. Peut-être s'agissait-il de se prouver quelque chose à lui-même ou de se rebeller contre un enfermement dans une vie monotone et stressante. Ces petites aventures clandestines lui permettaient de le supporter. Il avait besoin de beaucoup de femmes dans sa vie. Jouer avec le feu faisait partie de son tempérament. »

Cependant, le nombre de flirts de Kennedy sortait de l'ordinaire. Beaucoup de ses amis en attribuaient la responsabilité à l'exemple donné par son père. Charley Bartlett – qui avait pris très au sérieux le serment de fidélité prononcé lors de son mariage, tout comme Chuck Spalding, qui tint sa femme à l'écart de l'influence de Jack –, n'hésitait pas à parler de comportement « maladif ». Et Spalding d'ajouter[37] : « C'était plus fort que lui ! »

Malgré l'affection qu'il portait à Jackie, les aventures de Jack semblaient laisser Joe de marbre. « Je n'ai pas vu ces superbes filles… Peut-être Jack les trouvera-t-il quand il arrivera »[38], avait écrit l'Ambassadeur à Teddy, avant que Jack ne vienne passer ses vacances sur la Côte d'Azur en 1955. La campagne électorale n'avait pas suscité la moindre crainte chez Joe. « Je pense que Jack devrait faire attention et surveiller sa conduite. Il persiste à emmener des jeunes femmes au *El Morocco*, et tout ce qui s'ensuit, et je pense que cela pourrait lui nuire »[39], avait fait remarquer Arthur Krock à

l'Ambassadeur en août 1960. Ce à quoi Joe avait répondu :
« Le peuple américain se fiche de savoir combien de fois il
couche. » A posteriori, Krock déclarera : « Telle fut sa réponse,
très froide, sans aucune trace d'inquiétude. D'ailleurs, il avait
raison. »

Tout comme ses frères et sœurs, Jack justifiait depuis longtemps le comportement de son père avec l'humour défensif
caractéristique à toute la famille. En 1944, commentant un
article paru à Londres dans un « journal à scandales » alors que
Joe Kennedy avait à l'époque 56 ans, Kathleen s'était réjouie
de constater[40] « que le vieil homme débordait de vitalité au
point de commencer une carrière de play-boy à un âge
avancé ! ». Mais Jack Kennedy connaissait parfaitement la
vérité. Selon Bill Walton : « Il savait quel satané vieux
bonhomme Joe avait été et ne s'en cachait pas. Je crois qu'il
trouvait ça drôle. Il ne le défendait en aucune façon. Peut-
être ce modèle a-t-il développé ses propres penchants...
Personne ne possède suffisamment de preuves pour connaître
la cause de ce comportement. »[41]

Du fait de la cohabitation d'hommes puissants et de femmes
jeunes au sein du personnel administratif, « l'aile ouest de la
Maison-Blanche offrait l'image émoustillante d'un lieu discrètement coquin »[42], expliquera Barbara Gamarekian. Les couples
se défaisaient (Salinger, Sorensen et Schlesinger, pour ne citer
que les principaux) et l'on ne comptait plus les liaisons illicites.
L'entourage de Kennedy se divisait en plusieurs catégories :
d'une part ceux qui reconnaissaient et comprenaient son
comportement, d'autre part ceux qui préféraient l'ignorer ou
avaient choisi de ne pas se prononcer.

Selon Marian Schlesinger, il y avait de « la permissivité dans
l'air »[43]. Le meilleur exemple fut sans doute la liaison qu'entretint Fred Dutton avec sa secrétaire, Nancy Hogan, diplômée
de Manhattanville, l'université catholique dont étaient sorties
Jean, Joan et Ethel Kennedy. Interrogé sur les rumeurs concernant les frasques extraconjugales de JFK, Dutton avait répondu :
« La virilité attire davantage de votes que la fidélité. »[44] Des
années plus tard, Dutton réaffirmera, sans fausse honte, au

biographe Richard Reeves, l'admiration qu'il portait à Kennedy, précisant qu'il était « comme un dieu qui s'envoyait en l'air avec qui bon lui semblait au gré de ses envies ».

La relation entre Fred Dutton et Nancy Hogan avait commencé pendant la campagne électorale, après quoi Nancy était venue travailler dans son bureau de l'aile ouest alors même qu'elle était enceinte de lui. L'épouse et les enfants de Dutton arrivèrent à Washington au mois de mars. Nancy Hogan n'apprit sa grossesse que deux mois plus tard. « Fred et moi portions tous les deux des œillères. Nous étions sur un terrain glissant »[45], confirmera-t-elle.

Or, elle ne prit que deux tailles de vêtements, rares furent donc les personnes qui eurent connaissance de sa liaison et a fortiori de sa grossesse. « Elle continuait à prendre du poids, mais elle avait toujours été rondelette »[46], expliquait Barbara Gamarekian. Le service de presse finit par apprendre la vérité, et avec lui les journalistes accrédités par la Maison-Blanche. « Personne n'en souffla mot. Fred comptait de nombreux amis parmi la presse », poursuivra Barbara Gamarekian. Le pot aux roses faillit bien sortir au grand jour lorsque le service de Salinger reçut une lettre anonyme expliquant que, lors de la prochaine conférence de presse du Président, le mystérieux expéditeur demanderait à JFK de justifier la présence au sein de son équipe d'un homme marié ayant fait un enfant à sa secrétaire. Salinger en informa JFK, qui « prit grand soin de convoquer ce jour-là des gens de confiance », précisera Barbara Gamarekian. Peu après, Kennedy muta Dutton au ministère des Affaires étrangères. Ce qui ne mit pas fin pour autant à leur liaison. Nancy Hogan partit en congé de maternité, puis, un mois après la naissance, rejoignit Dutton dans son nouveau service. Il lui faudrait encore attendre plus de dix ans avant que Dutton ne divorce pour l'épouser.

Blâmer ce type de comportement n'était pas chose facile, compte tenu des penchants du commandant en chef de l'équipe. Selon l'opinion prévalant parmi ses collaborateurs, « il en allait différemment des riches ». Comme le faisait observer Hugh Sidey, Jack et Jackie « menaient une vie nomade, souvent séparés – une caractéristique typique des gens fortunés –, ce que l'opinion publique ne comprenait pas vraiment, cramponnée à ses vieilles idées sur la vie conjugale »[47].

JFK se sentait toute latitude pour agir selon son propre code de conduite et peu lui importait de savoir si ses collaborateurs suivaient ou non la même voie. « Alors que je travaillais à la Maison-Blanche, le Président Kennedy me conseilla à plusieurs reprises de prendre une maîtresse. Signe évident qu'il en avait lui-même », racontera Pierre Salinger.[48]

De Washington, les histoires de femmes de JFK gagnèrent Hollywood, Manhattan, puis les capitales européennes. « Kennedy fait pour le sexe ce qu'Eisenhower a fait pour le golf ! »[49] lançait le duc du Devonshire à sa belle-sœur Nancy Mitford, qui racontait elle-même à une connaissance, au début du mandat de Kennedy : « Si le Président ne... tous les jours, il a mal à la tête », ajoutant aussitôt : « Jackie n'aime pas faire ça aussi souvent. »[50] Joe Alsop lui-même ne put s'empêcher de dire à Oatsie Leiter (figure haute en couleur de Washington qui avait un jour porté, lors d'une soirée déguisée, un chapeau en fourrure noire et un body noir et blanc, symboles de l'« intégration ») : « Mais Magnolia, tu es bien la seule femme de Washington à ne pas avoir couché avec lui ! »[51]

Thomas Guinzburg, patron de l'édition new-yorkaise (et futur employeur de Jackie lorsqu'elle travaillera comme éditrice), fut surpris de recevoir un appel de la Maison-Blanche tard le soir, alors qu'il dormait avec sa petite amie. « Le Président demandait si cette dame n'avait pas envie d'aller à Palm Beach, le lendemain, pour y passer le week-end », se souviendra-t-il. La femme en question – « une dame merveilleuse » – s'était envolée pour la Floride, comme on le lui avait demandé, et « avait vécu une longue idylle » avec Kennedy, à en croire Guinzburg.[52]

Au sein de l'équipe de la Maison-Blanche, Douglas Dillon, tout comme Mac Bundy, avait personnellement connaissance de certaines informations dont il préférait ne pas tenir compte. Ainsi, le ministre des Finances savait par sa fille Joan que JFK était un intime de l'une de ses amies, « une personne très bien qui parlait fort peu »[53]. Dillon en conclut que Jack et Jackie « entretenaient une relation d'un autre genre » que celle qu'il avait avec sa femme. Des années plus tard, l'écrivain Louis Auchincloss demandera à Robert McNamara : « Vous ne saviez pas tout sur les aventures féminines de Kennedy à la Maison-Blanche ? », « Oh si, mais nous ne savions pas qu'il y en avait autant ! »[54], répondra McNamara.

Arthur Schlesinger se démena plus que tout autre pour tenter d'étouffer les rumeurs concernant son patron. Au cours de la campagne, il avait écrit à Adlai Stevenson, affirmant avec insistance : « Les histoires que l'on raconte sont largement exagérées », avant d'ajouter que si Kennedy avait pu connaître antérieurement quelques égarements, dès lors qu'il avait commencé à « se préparer pour la présidence », il avait abandonné ses habitudes de jouisseur. « Quand bien même ces histoires seraient vraies, je ne vois pas en quoi elles concernent son aptitude au poste de Président, surtout lorsqu'on considère l'autre choix possible. »[55] Les propos de Schlesinger ne réussiront pas à convaincre Elizabeth Ives, la sœur de Stevenson, qui racontera à son frère ce que le démocrate Gay Finletter disait de Kennedy : « Il est comme un taureau, courant après la moindre femme ! »[56] Pour Elizabeth, Adlai pouvait voir en Kennedy « un homme brillant, mais certainement pas un homme bien ».[57]

Certains proches du Président prenaient, comme Schlesinger, leurs désirs pour des réalités. Après son élection, Kennedy dit à Charley Bartlett, alors qu'ils étaient installés sur sa terrasse : « Je conserverai une Maison-Blanche immaculée »[58], une promesse en laquelle Bartlett s'obstina à croire pendant toute la durée de la présidence. Bill Walton s'en tint à un rejet catégorique : « Un Président est surveillé de trop près pour mener une vie parallèle. »[59] Toujours pragmatique, Ben Bradlee choisit lui aussi d'ignorer le rôle de don Juan de Kennedy. « Comme tout un chacun, nous avons eu vent de rumeurs concernant les infidélités présidentielles, mais nous avons toujours été en mesure d'affirmer que nous ne disposions d'aucune preuve, aucune ! »[60], rappelait-il. Lem Billings, lui-même, pourtant plus au fait que quiconque des conquêtes sexuelles de Kennedy au fil des ans, préférait détourner le regard. « Lem ne voulait rien savoir des infidélités de Jack Kennedy à la Maison-Blanche », expliquera Peter Kaplan[61]. « Il voulait croire à ce mariage. Il ne laissait pas Jack lui en parler. Aussitôt, il changeait de sujet. Il en avait des échos, car il fréquentait Sinatra et d'autres, mais il n'a jamais vraiment été mis dans le secret. »[62]

Kennedy n'avait que l'embarras du choix pour trouver des collaborateurs prêts à couvrir ses rendez-vous galants. Parmi eux, Powers et O'Donnell, mais aussi Charles Spalding, un ami de longue date. Lorsque JFK avait assisté à la représentation de *The Best Man* de Gore Vidal, avant son investiture, le dramaturge avait senti que le Président se reconnaissait dans ce personnage de politicien volage. « Apparemment assez nerveux, il a lancé un regard furtif à Chuck Spalding et s'est enfoncé dans son siège »[63], se souviendra Vidal.

Kennedy avait fait la connaissance de Chuck Spalding à Cape Cod, pendant l'été 1940. Peu avantagé physiquement, Chuck était une grande perche d'un mètre quatre-vingt-dix-huit à la personnalité attachante. Nancy Tenney Coleman, voisine des Kennedy, disait de lui : « Il n'était pas très attirant, mais il avait quelque chose de raffiné, comme Cary Grant. »[64].

Dans sa jeunesse, Spalding s'était taillé une solide réputation d'humoriste. Fils d'un agent de change, il était issu d'une famille riche de Lake Forest, dans l'Illinois, et avait fait ses études à Hill School et Yale, éditant à cette occasion une version satirique pleine d'esprit du *Yale Daily News*. Pendant la guerre, il avait publié *Love at First Flight*, un best-seller dans lequel il tournait en dérision son expérience à l'école de pilotes de la marine. Son épouse, Betty Coxe de son nom de jeune fille, dépassait le mètre quatre-vingt et affichait une forte personnalité, ce qui lui valait le surnom de « Brune », en référence à Brunehilde. Elle avait grandi à l'ouest de Philadelphie et suivi sa scolarité au très chic internat de Saint-Timothy. Championne de golf et excellente navigatrice, elle avait bien connu Eunice et Kathleen Kennedy avant son mariage.

Kennedy appréciait l'ironie de Spalding. En outre, ils avaient en commun certains intérêts d'ordre intellectuel et se montraient tous deux anglophiles. Spalding fut ébloui par Kennedy – « l'être le plus attachant » qu'il eût jamais rencontré. « Il avait une telle volonté de profiter de chaque instant qu'il menait un rythme totalement hors norme »[65], affirmera-t-il.

Lorsque Kennedy arriva à la Maison-Blanche, Spalding avait déjà tâté de différents métiers – l'écriture de scénarios pour Hollywood (signant notamment des projets pour Gary Cooper), la publicité pour J. Walter Thompson, puis une petite société de capital risque à New York. Désireux de « maintenir une situation totalement anormale dans une relative normalité », Spalding renonça au poste que lui proposait Kennedy au ministère de la Défense. À 42 ans – Betty en avait alors 40 –, il vivait en famille à Greenwich, dans le Connecticut, avec ses six enfants, et s'échappait pour Washington lorsque Kennedy le lui demandait, parfois en compagnie de sa femme, le plus souvent sans elle.

Comme le dira Nancy Coleman, sa meilleure amie : « Betty restait à Greenwich tandis que Chuck partait s'amuser. »[66] Betty n'avait guère d'atomes crochus avec Jackie, même si elle devait déclarer ultérieurement qu'elle avait été suffisamment proche de Jack – alors sénateur –, pour qu'il lui « parle de sa vie sexuelle avec Jackie et lui pose des questions concernant les femmes et le mariage » : « Nous avons eu pendant longtemps une relation tout à fait fraternelle. »[67] Toutefois, lorsque JFK accéda à la présidence, Betty préféra garder ses distances – « toujours un peu en marge » –, expliquera son fils Dick Spalding. Ni élégante ni particulièrement séduisante, Betty ne nourrissait aucune ambition mondaine. « Elle ne se donnait pas de grands airs. Les gens se seraient entretués pour aller à la Maison-Blanche. Betty se permettait d'en faire à sa guise »[68], soulignera Nancy Coleman.

Quant à Spalding, il fut « saisi par la fièvre de la Maison-Blanche », se souviendra Charley Bartlett. « Il voyait Jack mener grand train et voulait faire comme lui. Chuck aimait le luxe tapageur et il s'y est brûlé les ailes. »[69] À l'époque où il travaillait à Hollywood, Kennedy le rejoignait pour des « parties de chasse ». Depuis, les deux hommes couraient les femmes ensemble. « Dans certaines situations, Chuck lui servait d'alibi. Voilà le type de relation qu'ils entretenaient »[70], racontera Betty.

Jack se montrait plutôt serein concernant ses rendez-vous galants. « Il savait prendre ses précautions. En aucun cas, il n'était naïf »[71], expliquera Spalding. Avec son cordon de sécurité, la Maison-Blanche restait son lieu de rendez-vous le mieux protégé. Lorsqu'il attendait des invitées, JFK libérait son personnel une fois les boissons et le repas préparés. Les plats étaient entreposés dans des armoires chauffantes afin que le Président et ses convives puissent se servir eux-mêmes. (Le *Washington Post* racontera ainsi, de façon tout à fait charmante, que JFK « était même connu pour faire passer ses invités à la cuisine où il servait lui-même la soupe à la louche directement sur les fourneaux »[72].) Les agents des services secrets s'aventuraient rarement au deuxième étage ; ils montaient la garde au rez-de-chaussée et couvraient Kennedy, le prévenant lorsqu'ils apprenaient par leur collègue affecté au service de Jackie que cette dernière était sur le chemin du retour.

Il fallut attendre le milieu des années 1970 et les premières révélations selon lesquelles Kennedy était un coureur de jupons pour que plusieurs employés de la Maison-Blanche se mettent à commenter les frasques du Président. Le plus célèbre d'entre eux fut sans conteste Traphes Bryant, gardien du chenil de la Maison-Blanche, qui raconta avoir vu Kennedy se baigner dans le plus simple appareil en compagnie féminine et aperçu un soir une « employée de bureau blonde » se précipiter « toute nue » dans le salon ouest alors qu'il avait ouvert par mégarde la porte de l'ascenseur au deuxième étage.

JFK utilisait également l'appartement du Carlyle, à Manhattan, pour ses aventures galantes. Un lieu beaucoup moins sûr. Ainsi, peu avant son investiture, les lecteurs avaient pu découvrir dans un reportage du *Time* un aperçu croustillant de ses habitudes nocturnes. Des policiers de New York City venus effectuer un contrôle dans sa chambre, à minuit, n'y avaient découvert « qu'un lit légèrement froissé et une chemise de Kennedy négligemment jetée »[73]. *Newsweek* avait alors révélé que Kennedy s'était échappé par l'escalier de service pour ne rentrer qu'après 3 h du matin.

Kennedy et ses invitées pouvaient entrer et sortir par les ascenseurs ou les escaliers donnant accès aux deux niveaux du duplex : en haut, les deux chambres et les deux salles de bains, en bas un salon, une salle à manger, une bibliothèque et une cuisine. En outre, l'hôtel communiquait avec d'autres établissements et immeubles d'habitation de l'Upper East Side par un réseau de tunnels, ce qui permettait de se déplacer en toute discrétion. « Une vision totalement surréaliste ! Jack et moi, accompagnés de deux agents des services secrets, en train de marcher dans ces immenses tunnels, sous les rues de la ville, le long de ces énormes canalisations, une lampe torche à la main »[74], se souviendra Spalding.

Kennedy ne craignait guère les fuites de la part des journalistes ou des femmes qui sortaient de sa vie aussi vite qu'elles y étaient entrées. Entre le respect dû à la vie privée et les liens qu'il entretenait avec les journalistes, il semblait penser qu'il ne commettait pas d'imprudences. « Le fait est que quantité de journalistes ne demandaient rien de mieux que de passer du temps en sa compagnie », fera observer Diana de Vegh. « Je crois que Kennedy partait du principe qu'ils n'allaient pas le trahir. Et ils ne l'ont pas fait. »[75]

Les journalistes qui suivaient le Président ignoraient volontairement certaines pistes plausibles, telles que la lettre de Florence Kater à propos de Pamela Turnure, allant même jusqu'à passer sous silence diverses scènes dont ils avaient été les témoins directs. Ainsi, au cours d'un déplacement à Palm Beach, Robert Pierpoint, de CBS, vit JFK sortir au petit matin d'une villa en compagnie d'une femme, puis s'engouffrer dans une limousine qui les attendait. « La femme disparut entre les bras du Président et la lumière intérieure de la voiture s'éteignit. » Pierpoint ne raconta pas ce qu'il avait vu. « Les liaisons dont j'avais connaissance me semblaient relever de la vie privée du Président, sans lien réel avec ses fonctions »[76], déclarera-t-il.

D'autres journalistes soulignaient l'absence de preuves. Hugh Sidey expliquera avec insistance qu'il s'était retrouvé coincé : « Tout n'était que rumeur, nous ne disposions d'aucune confession ni d'aucun document. Les bruits couraient, mais ce n'était que des preuves indirectes. »[77] Quant à Otto Fuerbringer, directeur de la rédaction du *Time* et patron de Sidey, il fit lui aussi une rencontre tout à fait charmante. À l'issue d'un entretien avec Kennedy, qui avait eu lieu en début de soirée, au mois d'avril 1961, Fuerbringer s'aperçut qu'il avait oublié son chapeau sur une chaise dans les appartements privés du Président. Lorsqu'il revint le chercher, « il y avait sur le canapé une superbe blonde, âgée de 35 ans environ, qui portait une robe noire très courte et un collier de perles ». « Jack m'a tendu mon chapeau et je suis reparti. »[78]

Même les quelques femmes journalistes qui s'intéressaient au Président gardaient bouche cousue. « Certes, nous étions au courant de ses aventures, disons… scandaleuses, mais nous n'écrivions rien sur le sujet »[79], déclarera la journaliste d'agence Ruth Montgomery. Tout comme leurs collègues masculins, Laura Bergquist et Nancy Dickerson se sentaient flattées par les attentions dont elles étaient l'objet de la part de Kennedy et s'amusaient des potins qu'il racontait sur la vie sexuelle des personnages publics et des journalistes. Laura Bergquist l'admirait pour « sa libido débordante »[80]. Quant à Nancy Dickerson, elle savait que Kennedy « invitait des femmes » à la Maison-Blanche lorsque Jackie s'absentait, mais elle se persuadait qu'« il restait extrêmement discret »[81].

Alors même que Jackie et Jack exigeaient tous deux de leurs amis une absolue loyauté, leur mariage se caractérisait par la grande déloyauté de ce dernier. Alors que Jackie n'hésitait pas à rompre avec certains amis accusés d'avoir trahi sa confiance, elle feignait d'ignorer le comportement de son mari. Des années plus tard, Arthur Schlesinger se dira persuadé que les Kennedy avait fait preuve de « tolérance réciproque » et que « Jackie n'avait pas fait pression »[82] sur son mari pour préserver l'harmonie. Toutefois, elle était très attentive et en savait davantage sur les activités de son mari que ce qu'elle voulait bien laisser croire. Janet Auchincloss avait un jour souligné que Jackie possédait « une merveilleuse maîtrise de soi » et savait « contenir certaines tensions intérieures », mais qu'elle « percevait tout très intensément »[83].

Jackie se confiait à sa sœur lorsqu'elle était bouleversée, et Lee tentait d'intervenir, mais sans succès. « Je savais très bien ce que faisait Jack et je ne me gênais pas pour le lui dire. Mais il n'éprouvait aucun sentiment de culpabilité. Il répétait qu'il aimait profondément Jackie, qu'il ferait tout pour elle et qu'il n'avait pas l'impression de la laisser tomber puisqu'il la faisait toujours passer en premier »[84], racontera-t-elle à son ami Cecil Beaton.

À la Maison-Blanche, Jackie avait recours à différents stratagèmes plus ou moins déguisés pour contrer le comportement de son mari. Si elle évitait la confrontation directe, elle faisait savoir son mécontentement en refusant d'assister aux manifestations officielles, ce qui ne manquait pas de placer son époux dans une situation momentanément inconfortable. Ces petites vexations constituaient autant de petites victoires destinées en outre à lui rappeler sa force.

Il lui arrivait de choisir des cibles indirectes, comme le matin où elle entra dans le bureau de Pierre Salinger à la recherche d'une personne avec qui disputer un match de tennis, son partenaire habituel – Clint Hill, agent des services secrets – n'étant pas disponible. Jill « Faddle » Cowan fut désignée d'office et dut « jouer sur commande, pieds nus puisqu'elle n'avait pas de tennis »[85], évoquera Barbara Gamarekian.

Une autre fois, Jackie faisait visiter la Maison-Blanche à un reporter de *Paris-Match*. « Elle entra saluer Mrs Lincoln dans son bureau, où se trouvait également Priscilla Wear. Se tournant alors vers le journaliste, elle lui dit en français : "Voici la fille qui est censée coucher avec mon mari" », racontera Barbara Gamarekian dans un témoignage oral[86] déposé à la bibliothèque Kennedy.

Après quoi, le journaliste avait demandé à Barbara Gamarekian, elle aussi sidérée, ce qui se passait. « Il a sans doute cru qu'elle avait lancé ça par facétie, comme un simple trait d'esprit », raconta-t-elle. « Et je me disais que même si l'on n'avait que quelques notions de français – et je savais que c'était le cas de Priscilla –, on était capable de comprendre des mots comme "coucher", "fille" et "mari" ! Je suis certaine que Priscilla avait saisi le sens de la remarque de Mrs Kennedy. »[87]

Reprenant une coutume en usage à la cour du roi de France, Jackie chargea l'une de ses amies – jolie, mais totalement digne de confiance – de distraire JFK. Vivian Stokes Crespi, de deux ans l'aînée de Jackie, avait connu Jackie enfant, à Newport, où elle venait passer l'été chez ses grands-parents maternels, les Fahnestock. Leurs mères s'étaient également liées d'amitié. « Elles étaient bien de leur temps et n'arrêtaient pas de nous critiquer »[88], se souviendra Vivian. Son père était lui aussi un enfant terrible, une sorte de « Jack Bouvier blond ». Leur amitié, non dénuée d'espièglerie, reposait sur la franchise. « Vivi, tu prends des formes ! », disait Jackie à Vivian lorsqu'elle avait grossi.

Vivian avait fréquenté pas moins de « dix écoles dans cinq pays différents », ce qui lui avait permis d'apprendre l'italien, le français et l'allemand, sans jamais faire d'études universitaires. À 18 ans, elle avait épousé Henry Stillman Taylor, 26 ans, fils du président de Standard Oil, qui l'avait présentée à Jack Kennedy durant la guerre. « Jack et moi étions très copains. Il a tout essayé, mais je ne me suis jamais montrée intéressée car ce n'était pas mon type. Quoi qu'il en soit, nous sommes restés très proches. Lorsqu'il s'est marié avec Jackie, je n'arrivais pas à croire qu'il avait assez de cervelle pour l'épouser »[89], commentera-t-elle. Quant à son propre mariage, il n'avait guère duré et, en 1950, elle avait épousé Marco Fabio Crespi, un superbe comte italien. Au début des années 1960, ils étaient déjà séparés et Vivian vivait à New York.

Très libre d'esprit, Vivian appréciait « le petit grain de folie » de Jackie, son acuité et sa loyauté. « C'était une véritable tombe. Je lui confiais mes secrets les plus intimes »[90], se plaira-t-elle à souligner. Pourtant, jamais elles n'évoquèrent les infidélités de Jack. Comme d'autres personnes bien introduites à la Maison-Blanche, Vivian cherchait une justification au comportement de Kennedy : « Cela tenait du divertissement, il n'y avait là rien d'émotionnel. Les hommes dans son genre ont besoin de se défouler. » En tout état de cause, Vivian pouvait se permettre de dire ses quatre vérités à Jack : « Un jour, je lui ai demandé comment faisait Jackie pour tolérer son comportement. Il m'a répondu qu'il supposait qu'elle l'aimait. Et je lui ai rétorqué qu'il ne savait pas à quel point il avait de la chance. »[91]

Pendant ces années passées à la Maison-Blanche, Jackie et Vivian se téléphonaient plusieurs fois par semaine (parfois, en français) et Vivian assistait aux dîners dansants, aux soirées en comité restreint et séjournait pour les vacances à Hyannis et à Newport. Jackie savait qu'elle pouvait compter sur elle pour distraire JFK par ses bons mots et ses « anecdotes salées » – évoquant notamment son amitié avec Carmine DeSapio, responsable de Tammany Hall, et ses « soirées endiablées à Sheepshead Bay » avec chanteurs de cabaret et chefs de file démocrates de Brooklyn et du Bronx. Jackie poussait Jack et Vivian à partir en croisière ensemble à bord du *Honey Fiz*, le yacht présidentiel. « Quand il était seul sur son bateau, il pouvait parler librement et se détendre. Nous passions notre temps à rire », racontera Vivian. Jackie disait ensuite à Vivian : « Il est de tellement bonne humeur lorsqu'il rentre ! »[92] Ainsi réagissait-elle lorsqu'elle le savait pour quelques heures en compagnie d'une femme en tout bien tout honneur.

L'idée de prendre des amants avait traversé l'esprit de Jackie à l'époque où Jack était sénateur. « Elle m'a dit avoir connaissance des aventures de Jack. Peut-être songeait-elle à en faire autant. Je ne crois pas qu'elle l'ait fait, mais elle semblait quelque peu attristée à ce moment-là », rapportera Tony Bradlee[93]. Après l'accession de Jack à la présidence, ce risque s'était trouvé encore accru. « Elle fit preuve de beaucoup de dignité et prit son rôle très au sérieux. Elle ne souhaitait pas faire de scandale »[94], précisera Benno Graziani. En revanche, Jackie rechercha l'amitié de certains des plus proches conseillers de JFK. « Les hommes qu'elle appréciait se montraient tous affectueux, plein d'humour, désireux de lui apporter, dans la mesure du possible, leur aide et leur soutien », ajoutera Lee.

Robert McNamara dînait régulièrement en compagnie de Jackie, qui lui fit découvrir l'œuvre de la Chilienne Gabriela Mistral, lauréate du prix Nobel de littérature pour ses poèmes passionnés évoquant l'amour et la nature. Parmi ceux que lisaient ensemble la première dame et le ministre de la Défense, le poème que Jackie préférait entre tous s'intitulait « Prière » et implorait le pardon de Dieu pour les péchés d'un homme. McNamara avait le sentiment que ce texte résonnait au plus profond du cœur de Jackie, et notamment certains vers tels que « Il était cruel, dis-tu ? Tu oublies, Seigneur, que je l'aimais… Et aimer (Tu le sais bien) est un exercice amer… »[95] Jackie admirait chez McNamara « son agilité d'esprit et sa délicatesse », soulignera Lee. Son sourire éclatant semblait révéler un soupçon de tourment. « Les hommes ne peuvent pas comprendre son pouvoir de séduction »[96], déclarait Jackie. « Elle flirtait un peu »[97], racontera McNamara, précisant toutefois qu'elle s'intéressait surtout aux idées qu'il pouvait exprimer. Il en était venu ainsi à comprendre que Jackie « était bien plus brillante et plus intelligente que ce que les gens voulaient bien croire ».

Une amitié s'instaura entre Jackie et Roswell Gilpatric – homme de loi new-yorkais et ministre adjoint de la Défense –, beau et courtois, qui prendra un tour plus sentimental après le décès de JFK. Pendant ces années de présidence, ils parlaient souvent littérature, se recommandant l'un à l'autre des lectures (ainsi le remercia-t-elle un jour pour un volume « dont le manque d'épaisseur n'était que simple apparence ») et Gilpatric répondait aux questions que la première dame se posait sur le pouvoir, l'ambition et la loyauté au sein du Pentagone. Jackie lui disait admirer tout à la fois « sa force et sa gentillesse ». Après une journée passée en sa compagnie dans sa ferme du Maryland, elle écrivit qu'elle « s'était sentie heureuse pendant toute une semaine »[98].

Fait plus surprenant, compte tenu des relations difficiles qu'il entretenait avec son mari, Jackie rechercha également la compagnie d'Adlai Stevenson, qui avait l'âge d'être son père. Souvent, il l'accompagnait pour assister à un ballet ou un opéra à New York, où il la recevait dans son appartement, l'appelant « ma petite amie Jackie ». Une année, Jackie lui offrit à l'occasion de la Saint-Valentin un tableau qu'elle avait peint expressément à son intention. « Il existait une réelle harmonie entre Adlai et Jackie. Leur affection était réelle. Ils s'embrassaient chaque fois qu'ils se rencontraient »[99], déclarera l'assistant de Stevenson, John Sharon. Selon Elizabeth Ives, la sœur de Stevenson, Jackie « avait des soucis dont elle aimait s'entretenir » avec lui. « Il l'a bien mieux connue en privé qu'il n'a jamais connu le Président. »[100]

Kennedy ne parvenait pas à comprendre l'attrait que Stevenson exerçait sur les femmes – non seulement Jackie, mais aussi tout un cercle de ferventes admiratrices, telles que la diplomate Marietta Tree, Katharine Graham et sa mère, Agnes Meyer ou bien encore Marella Agnelli. Pour satisfaire sa curiosité, JFK posa la question au journaliste Clayton Fritchey qui travaillait pour Stevenson aux Nations Unies : « Bon, je ne suis peut-être pas le plus bel homme qui soit, mais pour l'amour de Dieu, Adlai est à moitié chauve, il est bedonnant et toujours mal fagoté. Alors, qu'a-t-il de plus que moi ? »[101].

Fritchey lui rétorqua tout aussi sec[102] : « Certes, vous aimez tous deux les femmes, mais Adlai, lui, les apprécie. Et les femmes sentent la différence. Toutes réagissent à une sorte de message qui émane de lui lorsqu'il leur parle. Il leur fait sentir qu'elles sont intelligentes et méritent d'être écoutées. Il prête attention à ce qu'elles disent et à ce qu'elles font, ce qui est on ne peut plus gratifiant. » Et Kennedy de lancer, sur le ton de la plaisanterie : « Je ne dis pas que vous ayez tort, mais je ne suis pas certain de pouvoir aller jusque-là ! »

La relation la plus étrange qui s'instaura entre Jackie et un autre homme que son mari demeura totalement secrète et d'ordre thérapeutique. « Je chasse toujours de mon esprit les choses désagréables en me disant que si l'on n'y pense pas, elles n'arriveront pas »[103], expliquait Jackie à Ros Gilpatric. Cette technique basée sur la dénégation avait toutefois ses limites. La vie sexuelle débridée de son mari était pour Jackie une source d'anxiété qui la déprimait. Elle ressentait le besoin d'en parler. Sa position lui interdisant d'aller consulter un spécialiste, ce fut grâce à une rencontre fortuite avec le Dr Frank Finnerty – voisin et ami de Bobby à McLean, en Virginie – que Jackie put trouver l'aide qu'elle espérait. Cardiologue et professeur de médecine à l'Université de Georgetown, Finnerty était un homme de 37 ans, bien de sa personne, tout à fait charmant.

Durant l'été 1961, alors qu'elle séjournait chez Bobby à Hickory Hill, en Virginie, Jackie se laissa prendre à participer à l'un de ces matchs de football dont sa belle-famille avait le secret et qu'elle préférait généralement éviter. En cherchant à récupérer une passe, elle trébucha et se fit une entorse à la cheville. Bobby pria Finnerty de lui prodiguer les premiers soins. À cette occasion, Jackie fut touchée par sa sollicitude et sa franchise. La semaine suivante, elle l'appela pour lui donner de ses nouvelles. « Quelle ne fut pas ma surprise lorsqu'elle me demanda si cela ne me dérangerait pas qu'elle me téléphone de temps en temps, pour parler, tout simplement, et avoir un avis neutre »[104], déclarera Finnerty.

Ainsi se nouèrent, sous le sceau du secret, des liens d'amitié particuliers, exclusivement téléphoniques, qui continueraient à se tisser pendant les deux années qui suivirent. Ces conversations se déroulaient en moyenne deux fois par semaine et duraient une quinzaine de minutes pendant lesquelles Jackie parlait en toute confiance de ses difficultés conjugales, des frustrations liées à sa fonction et de ses problèmes relationnels. « J'étais pour elle une sorte de thérapeute. Totalement étranger à son cercle d'intimes, elle pouvait tout me dire en sachant que cela ne passerait pas la porte de mon cabinet. Je lui étais utile. Je jouais le rôle qu'elle attendait », expliquait Finnerty. Ces entretiens débouchaient sur des conseils pratiques et lui offraient la possibilité « de se libérer et de reprendre confiance en elle ».[105]

Par souci de confidentialité, Jackie utilisait sa ligne privée depuis la Maison-Blanche et c'était toujours elle qui appelait le Dr Finnerty à son cabinet. Lorsque quelqu'un d'autre décrochait, elle raccrochait et renouvelait son appel – à quatre ou cinq reprises parfois – jusqu'à ce que Finnerty réponde en personne. « J'acceptais ses règles du jeu. Je la laissais mener la conversation à sa guise. Elle me posait des questions et je lui répondais. Cette relation avait pour moi quelque chose de captivant. J'étais surpris, stupéfait, ravi. Rares étaient les hommes qui la connaissaient aussi bien que moi et cela flattait mon ego », racontera-t-il.

De sa voix chuchotante, Jackie se contenta dans un premier temps d'évoquer les infidélités de JFK. « Elle tenait à ce que je sache qu'elle n'était ni candide ni idiote, contrairement à l'opinion que certains s'étaient faite d'elle à la Maison-Blanche. Elle était au courant de ce qui se passait. Je restai choqué par cette conversation », précisera Finnerty. Elle savait que les services secrets couvraient son mari et se sentait très contrariée car nombre de personnes, et notamment les journalistes, « la regardaient comme un être étrange et distant qui vivait dans son monde ».

La plupart des gens ne s'en rendaient pas compte, mais Jackie avait une approche très analytique des problèmes. C'était là son « esprit masculin », disait Lee. « Jackie ne parlait guère sans avoir une remarque pertinente à faire. Je n'ai jamais eu l'impression d'une folie ou d'une obsession. Elle me rapportait simplement des faits », poursuivra Finnerty. Elle cita le nom de plusieurs liaisons de JFK, que Finnerty ne connaissait pas, à l'exception de Marilyn Monroe, qui « semblait l'inquiéter plus que les autres ».

Jackie disait ignorer le nom de beaucoup d'autres, et doutait que JFK lui-même s'en souvienne, pour la plupart. « Elle avait également la certitude que Jack n'éprouvait pour ces femmes « ni amour ni affection d'aucune sorte ». « Il s'agit simplement d'éliminer un trop-plein hormonal », expliquait-elle. « Ce n'était pas une femme jalouse. Selon elle, Jack se comportait ainsi avec toutes les femmes », précisera Finnerty. Jackie sentait qu'elle était incapable de mettre un terme aux frasques de son mari, qui étaient « inhérentes à sa vie ». Pour elle, il ne faisait « aucun doute qu'il avait hérité ce penchant pervers » de son père.

Jackie finit également par reconnaître que ses relations sexuelles avec JFK n'étaient guère satisfaisantes, précisant que son mari faisait l'amour avec une hâte excessive, puis s'endormait. Elle pensait l'avoir peut-être déçu, mais se demandait en quoi. Finnerty, malgré sa crainte de la heurter par l'usage de termes médicaux, lui donna quelques conseils précis afin qu'elle participe aux préliminaires et puisse avoir avec lui des relations plus épanouissantes. « Personne ne lui avait jamais parlé ainsi », ajoutera Finnerty. Ensemble, ils étudièrent la façon dont elle pourrait aborder avec JFK la question de leur vie sexuelle, sans pour autant l'offenser dans sa virilité. Il s'agissait de lui expliquer qu'elle se sentait « exclue » de l'acte sexuel et d'évoquer concrètement la façon dont il pouvait l'aider.

Comme prévu, Jack et Jackie en parlèrent un soir, et Jackie annonça à Finnerty que leurs rapports amoureux avaient par la suite gagné en qualité. (Quelques mois plus tard, Bill Walton confierait à Gore Vidal que JFK s'était mis à appeler Jackie « le sex-symbol »[106].) Lorsque Jack lui demanda d'où elle tenait une telle assurance, elle lui expliqua que son confesseur lui avait conseillé de consulter son gynécologue, lequel lui avait suggéré un certain nombre de livres. « Jamais Kennedy ne l'avait imaginée prête à se donner autant de peine pour prendre du plaisir. Et il en fut impressionné », racontera Finnerty. JFK n'en renonça pas pour autant à ses vieilles habitudes de coureur, mais Jackie cessa de se culpabiliser sur la question de leurs rapports intimes.

CHAPITRE 14

Une politique intérieure timide

Le rôle de Joe Kennedy pendant la campagne de 1960 avait montré à quel point il savait actionner sans bruit et tout en douceur les leviers du pouvoir. Comme le faisait observer Ted Sorensen[1] : « L'Ambassadeur n'était jamais présent mais jamais totalement absent. » Lors des primaires, tandis que JFK ralliait de nombreux soutiens – ce serait la première fois qu'un candidat les utiliserait avec autant d'efficacité –, Joe Kennedy s'était chargé des responsables politiques.

Non seulement Joe avait invité les éminences grises du parti démocrate au champ de courses de Hialeah, il mais leur avait régulièrement téléphoné pour s'assurer que leurs délégations, notamment celles des États industriels du Nord-Est, se rangeraient derrière son fils. « Si Jack avait eu connaissance de certains coups de téléphone passés à son sujet, ses cheveux auraient blanchi d'un coup »[2], déclarera Kenny O'Donnell. Pendant toute la campagne, les rumeurs s'étaient multipliées au sujet de fortes sommes d'argent distribuées à la ronde pour acheter la victoire, Joe Kennedy s'assurant même le concours de la mafia de Chicago à laquelle le liaient d'importants intérêts commerciaux. Sans laisser de trace écrite, comme à son habitude. « Joe Kennedy n'intervenait pas directement. Il chargeait l'un de ses hommes de prendre contact avec un type pour lui proposer une affaire quelconque. Il y avait de l'argent en jeu, mais cela relevait du simple échange de politesses »[3], précisera Carmine DeSapio, responsable de Tammany Hall à New York.

Une fois l'élection passée, Joe avait été suffisamment malin pour donner l'impression de maintenir ses distances vis-à-vis de Jack. Ainsi, selon un article publié par le *New York Times* avant l'investiture, tandis que le patriarche Kennedy était devenu plus conservateur, JFK avait évolué vers des positions plus libérales. Joe Kennedy ne serait pas un « vieil homme tyrannique dirigeant le pays par l'entremise de son Président de fiston lui obéissant au doigt et à l'œil »[4]. Et l'article de rappeler les déclarations faites par Jack au magazine *Time* au mois de juillet précédent, dans lesquelles il affirmait : « En matière de politique, notre désaccord est total. Nous n'abordons jamais le sujet. Cela ne sert à rien, puisque nous ne pouvons tomber d'accord. »[5] Sur nombre de questions – notamment en matière de politique étrangère –, cette affirmation s'avérait juste, mais sur certains points essentiels, principalement économiques, l'Ambassadeur continuait d'exercer une forte influence sur son fils. Joe Kennedy et le Président nouvellement élu s'entretenaient au téléphone, comme le révélerait Joe à William Manchester, « jusqu'à quatre ou cinq fois par jour »[6].

L'Ambassadeur continua de prendre résolument en charge les opérations politiques familiales. L'élection de JFK laissait son siège de sénateur vacant. Il convenait de lui trouver un remplaçant jusqu'à la fin de son mandat, en 1962. « Selon l'ordre donné par le patriarche, Teddy devait se porter candidat aux sénatoriales »[7], expliquera Charley Bartlett.

Mais le petit dernier de la famille Kennedy était un petit blanc-bec encore trop jeune – à peine 28 ans – pour faire office de remplaçant. Jack insista pour que Foster Furcolo, gouverneur démocrate sortant du Massachusetts, garde la place au chaud et nomme Benjamin A. Smith, maire de Gloucester, qui avait partagé sa chambre à Harvard. Kennedy choisit Smith plutôt que Torbert Macdonald, autre camarade de chambrée de Harvard et ami de longue date, qui pensait avoir partie gagnée.

Macdonald, homme à la beauté fruste, avait été champion universitaire de football et héros de la guerre dans le Pacifique avant d'épouser l'actrice Phyllis Brooks. Son diplôme de la faculté de droit de Harvard en poche, il avait gagné son siège au Congrès en 1954. Kennedy et Macdonald partageaient le même sens de l'humour et – chose moins anodine – « couraient les femmes ensemble »[8], selon Ben Bradlee. « Il était à l'affût de tout ce qui portait jupon, buvait énormément et n'hésitait pas à se bagarrer »[9], précisera Richard Krolik, son assistant au Congrès. Joe Kennedy opposa donc son veto à la candidature de Macdonald au poste de sénateur de JFK, et ce dernier prit soin de le tenir à distance après son élection à la Maison-Blanche. « Torb avait parfaitement conscience d'avoir été évincé », ajoutera Krolic.

Concernant le plan familial mis en place pour Teddy, rien ne fut annoncé publiquement, même si JFK mit Bob Healy, chroniqueur politique du *Boston Globe*, dans la confidence, celui-ci rapportant que « le dernier bruit de couloir »[10] évoquait une possible candidature du benjamin de la famille Kennedy. Presque aussitôt, Joe Kennedy prit les rênes de la nouvelle campagne, s'arrangeant pour trouver à Teddy un poste d'assistant du procureur général du Massachusetts et organisant un calendrier de discours fort bien rempli à travers tout l'État.

Teddy était depuis son adolescence un charmeur volubile. À 12 ans, au cours d'un voyage en train au départ de la Floride, il avait discrètement filé jusqu'à la voiture panoramique pour essayer ses nouveaux talents de diseur de bonne aventure auprès de deux voyageuses. Jack « disait volontiers qu'il aurait aimé être comme Teddy »[11], racontera Dorothy Tubridy, une amie irlandaise de la famille, parce que « Teddy était plein de vie et ouvert au dialogue ». JFK ne se privait pas non plus de faire observer que « Teddy, lorsqu'il tenait debout, restait le meilleur politicien de la famille »[12].

Car il lui arrivait de trébucher plus qu'à son tour. Affichant un fort penchant pour l'alcool et un comportement facilement tapageur, il s'était gagné la réputation de « terrible petit dernier »[13] de la famille, selon l'expression de Schlesinger. Après son exclusion de Harvard pour avoir triché lors d'un examen d'espagnol, son père avait décidé de le remettre dans le droit chemin en l'envoyant servir deux ans dans l'armée.

Teddy avait fini par obtenir son diplôme de Harvard et, sur les traces de Bobby, s'était inscrit à la faculté de droit de l'Université de Virginie. Chez les Kennedy, la question de son avenir politique avait surgi dès le milieu des années 1950. JFK « faisait allusion à son frère, l'air de rien »[14], se souviendra Tom Winship, qui fut longtemps rédacteur du *Boston Globe*.

Tout comme ses aînés, « Ted n'avait pas vraiment le choix », avouera sa femme Joan[15]. Pendant la campagne présidentielle, JFK confia à Teddy les États de l'Ouest : une façon de lui donner davantage de visibilité. Une fois Président, il continua de l'aider discrètement, l'envoyant par exemple en Afrique pour une mission d'enquête, afin qu'il puisse parfaire son expérience.

Par sa manœuvre pour désigner Ben Smith, Kennedy avait perdu les faveurs d'un poids lourd du paysage politique de Washington. Le procureur général du Massachusetts, Edward J. McCormack, aspirait en effet à cette nomination intérimaire qu'il considérait comme un tremplin pour sa propre campagne sénatoriale. La décision de Kennedy fut à l'origine d'une vive tension entre JFK et John McCormack, oncle d'Edward et chef de file de la majorité au Parlement, dont Kennedy ne pouvait se passer du soutien pour son programme législatif.

La marginalisation de Lyndon Johnson constitua une entrave plus importante encore aux bonnes relations entre Kennedy et le Congrès. Bien qu'ayant largement contribué à la victoire démocrate, Johnson se trouvait dans une position précaire lors de sa prise de fonctions. (« Sans Johnson, Kennedy aurait perdu le Texas et peut-être aussi la Caroline du Sud et la Louisiane », rappellera Schlesinger[16].) Johnson et Bobby Kennedy étaient déjà à couteaux tirés – une méfiance réciproque qui remontait à l'époque où Bobby, alors juriste au Sénat, n'avait guère été mieux traité par Johnson qu'un simple gratte-papier. Lors de la convention démocrate, Bobby avait tenté d'évincer Johnson de la vice-présidence que celui-ci venait d'accepter : un signe de mépris qui avait profondément affecté Johnson et « scellé leur inimitié », déclarera George Christian[17], son assistant.

La victoire serrée de Kennedy aux élections privait les démocrates d'un contrôle réel sur le pouvoir législatif car ils avaient perdu vingt-trois sièges au Parlement. Sur le papier, ils détenaient la majorité (262 sièges contre 174 au Congrès et 65 contre 35 au Sénat). Toutefois, le 87e Congrès était dominé par une puissante coalition de démocrates et de républicains du Sud qui avaient la mainmise sur la moitié des commissions du Congrès et en contrôlaient 9 sur 16 au Sénat. Ayant toute latitude, ces forces conservatrices étaient prêtes à faire échec à toute initiative progressiste de Kennedy en direction de la Nouvelle Frontière.

Qualifié de texan rétrograde par l'équipe de spécialistes de Kennedy, Johnson n'en avait pas moins réussi à faire voter la loi sur les droits civiques de 1957, alors qu'il était chef de file de la majorité au Sénat. Plus que Kennedy, il était spontanément prêt à envisager des dépenses conformes à l'idéologie du New Deal. Par son expérience, ses contacts et son tempérament, il semblait donc à même d'aider Kennedy à faire passer son programme.

Johnson prit ses fonctions avec la conviction qu'il pourrait se tailler un rôle sur mesure qui lui permettrait de conserver son pouvoir au Sénat. Mike Mansfield, sénateur du Montana et « homme sympathique » aux allures de « gentil moine las »[18], avait été le chef de file des partisans de Johnson et son fidèle subordonné. Lors de sa promotion au rang de nouveau leader de la majorité, le vice-président proposa au sénateur démocrate de présider lui-même à nouveau leur comité électoral. Ainsi conserverait-il la mainmise sur la majorité. Il expliqua à Bobby Baker, son assistant de toujours, que c'était dans les couloirs du Congrès, « qu'il connaissait comme le fond de sa poche »[19], qu'il pourrait le mieux servir JFK, car ses collaborateurs « en savaient aussi long sur le Capitole qu'une vieille fille sur une partie de jambes en l'air ! ».

Mansfield se rangea à cet avis, mais les vieux ennemis de Johnson, parmi lesquels Albert Gore du Tennessee et Joseph Clark de Pennsylvanie, s'y opposèrent, déclarant qu'il serait inconstitutionnel qu'un membre de l'exécutif supervise les réunions de travail des législateurs de son parti. Mansfield annonça qu'il donnerait sa démission si Johnson n'était pas élu. Sur ce, le comité calma le jeu en avalisant la candidature de Johnson à 47 voix contre 17. Néanmoins, le nombre élevé de voix exprimées à son encontre lui donna à réfléchir, il décida de n'assister aux réunions que pour la forme. « Ça lui a rabaissé son caquet, n'est-ce pas, quand il a vu qu'ils ne voulaient pas de lui », dira plus tard Kennedy[20].

Le second coup porté aux ambitions de Johnson fut la nomination de Lawrence O'Brien – redoutable négociateur du calendrier législatif – au poste d'assistant spécial de Kennedy pour les relations avec le Congrès. À ce moment-là, « Johnson dut battre en retraite, furieux et humilié », se souviendra Sorensen[21]. O'Brien « se montrait courtois et plein de tact » avec lui, soulignera Liz Carpenter[22], assistante de Johnson, le conviant à dessein à participer avec Mansfield à des réunions de stratégie. Mais le vice-président se limitait essentiellement à son rôle honorifique incontournable qui consistait à présider le Sénat, ne s'investissant dans la procédure législative que lorsque O'Brien ou JFK lui en faisaient la demande.

Au sein de la mafia irlandaise qui entourait Jack Kennedy, Larry O'Brien passait pour le conseiller le plus rusé. Diplômé de l'Université Northeastern, O'Brien avait la réputation d'un homme doté de qualités relationnelles et d'un solide bon sens. Le visage ingrat, portant des lunettes et des cheveux brun-roux taillés en brosse, il avait la voix caillouteuse et la « carrure d'un videur »[23]. C'est lors de la campagne sénatoriale de 1952 qu'il avait commencé à travailler pour Kennedy. Il avait été recruté parce qu'il bénéficiait, tout comme son père, de nombreux contacts au sein de l'appareil démocrate de Springfield, principale ville de l'ouest du Massachusetts.

Les parents d'O'Brien avaient tous deux débarqué aux États-Unis en provenance du comté de Cork et Larry était né six semaines après JFK. Larry O'Brien Sr avait vécu de la rente de location de meublés et autres propriétés jusqu'à ce que la crise de 1929 n'entraîne sa ruine. Après quoi, il avait pris un bail sur un café dans un immeuble lui ayant appartenu et mis son fils, alors âgé de 18 ans, au travail derrière le comptoir. Larry avait donc appris l'art de faire la causette aux clients même les plus renfrognés, la fameuse cordialité du barman. Au cours de la campagne de 1952, il était passé maître dans l'art de recruter des électeurs. Il avait su déployer son état-major avec efficacité pour concrétiser les votes le jour de l'élection. O'Brien admirait l'« audace » avec laquelle Kennedy s'attaquait au républicain Henry Cabot Lodge, réputé invincible. Il était également charmé par la curiosité dont faisait preuve ce jeune élu du Congrès. « Un jour, il est venu dans mon café et s'est essayé à tirer des bières à la pression. Ensuite, il a voulu savoir d'où venait la bière. Alors, il a fallu absolument faire une visite guidée de la chambre froide dans laquelle étaient entreposés les fûts. Et cela s'est terminé par une discussion de fond sur la marge réalisée sur chaque bière servie », racontera O'Brien[24].

Depuis son élection au Congrès, Kennedy s'était montré peu enclin à la persuasion politique. O'Brien devint donc le porte-parole des idées présidentielles, promenant son éternelle amabilité dans les couloirs du Congrès, ne négligeant personne, de l'obscur représentant d'une bourgade perdue aux chefs de partis les plus influents. Le dimanche, avec sa femme Elva, ils organisaient des brunchs dans leur villa de Georgetown auxquels étaient conviés des membres du Congrès, des responsables administratifs et des journalistes.

Alliés ou adversaires, tous admiraient son « irrésistible mélange de boniments, de franchise et de perspicacité politique »[25]. O'Brien était un libéral, partisan du New Deal et membre de l'American for Democratic Action[a] mais, en bon réaliste, il reconnaissait la nécessité de suivre la voie tracée par Kennedy. Quant à ce dernier, il préférait le style discret d'O'Brien aux cajoleries à tout-va de Johnson.

---

a) Association démocrate et libérale.

Politiciens, journalistes et politologues se demanderaient souvent ce qui aurait bien pu se passer si Kennedy avait confié les rênes à Johnson. Galbraith soulignait que Kennedy « n'avait jamais usé de tout le pouvoir dont il disposait dans ses relations avec le Congrès et la population ; à l'inverse, Lyndon Johnson, qui appréhendait mieux cette notion, en avait toujours utilisé un peu plus »[26]. Or, malgré tout son talent dans le domaine législatif, Kennedy sentit qu'il lui faudrait contrôler le vice-président. Libre d'agir à sa guise « il aurait eu du mal à se retenir de mener la danse »[27], reconnaissait Harry McPherson, l'un de ses collaborateurs.

Au lieu de cela, Johnson entama une traversée du désert. La perte d'influence de cette « force de la nature brimée », selon les termes de Joe Alsop[28], était cruellement manifeste. Après avoir présidé le Sénat, il n'avait d'autre choix que d'obéir aux ordres, cantonné au rôle de simple figurant relégué « à l'ombre du pouvoir »[29]. Johnson était « un homme fier et autoritaire débordant de passion et d'énergie », écrira Schlesinger à son sujet. « S'effacer » était pour lui un acte « contre nature »[30].

Kennedy prenait soin de se montrer courtois envers Johnson, s'inscrivant dans une relation que Schlesinger déclarera « vouée à l'échec »[31]. Il promulgua des décrets afin que le couple Johnson assiste aux cérémonies officielles, aux dîners d'État et même aux soirées dansantes d'ordre privé. Or, la présence de Johnson semblait parfois incongrue lors de ces prestigieuses mondanités. À l'occasion de la réception du mois de mars, Jackie avait placé le vice-président à côté de Vivian Crespi, qui l'observa, effarée, remplir plus que copieusement son assiette de poulet et de poisson, les deux entrées au menu ce soir-là. Tandis qu'elle dévisageait « ces jeunes beautés torrides exhibant leurs avantages », on entendit lady Bird déclarer[32] d'une voix traînante : « Tout cela n'est pas sans rappeler Scott Fitzgerald, n'est-ce pas ? ».

Johnson, tout comme son épouse, avait connaissance des aventures de JFK. Étant lui-même un homme à femmes, il pouvait difficilement s'en montrer choqué. Du temps où il présidait le Sénat, il avait manifesté une admiration teintée de nostalgie devant les prouesses de Kennedy en compagnie du sexe opposé. Harry McPherson se souvenait d'avoir remarqué un soir Kennedy et George Smathers debout au fond de la salle du Sénat : « Ils riaient et se lançaient des bons mots en attendant le moment du vote. Pas une minute ne passait sans que Smathers et Kennedy ne lancent un regard au balcon où se tenaient deux superbes femmes. Puis à 22 h, on procéda au vote. Smathers leva les yeux vers le balcon et fit un signe avant de disparaître aussitôt en compagnie de Kennedy. Soudain, je sentis une main puissante sur mon épaule. C'était Johnson, qui me demandait : « Mais où s'en vont ces deux fripouilles, maintenant ? »[33].

Après son accession à la présidence, le manque de prudence apparent de Kennedy laissa Johnson songeur. « Vous savez ce qu'il fait, le soir ? Il monte au volant d'une décapotable et s'en va à Georgetown rendre visite à l'une de ses petites amies. Les services secrets sont aux quatre cents coups. Ils le suivent à la trace »[34], racontait-il à son assistant.

McPherson soupçonnait Johnson de tenir ses informations du directeur du FBI avec lequel il était au mieux depuis des années. « J. Edgar Hoover tient Jack Kennedy à la gorge », soutiendra Johnson[35] à certains journalistes du *Time*. « Le vice-président affirmait attendre le moment où quelqu'un trahirait Kennedy. Mais la presse était entièrement à la solde du Président et Johnson le savait. Il ne critiquait pas Kennedy. Il trouvait simplement qu'il s'en tirait à bon compte », se souviendra Frank Stanton[36], président de CBS et excellent ami du vice-président.

Quant à JFK, il semblait apprécier – avec parcimonie, toutefois – la compagnie de Johnson, « qu'il asticotait sans méchanceté », se rappellera Ros Gilpatric[37]. Lors d'un séjour à Palm Beach, le Président invita son vice-président pour une promenade en bateau. Gilpatric les observa, tous deux assis dans le cockpit. Selon son témoignage, « JFK se contenta pendant deux ou trois heures de passer en revue tous les États afin de soutirer à Johnson, dans la mesure du possible, les derniers potins politiques jusque dans leurs moindres détails ».

Entre amis, Kennedy appelait Johnson « le Gagnant du Loto » ou « la Tornade blanche »[38] – faisant référence à son élection de 1948 au Sénat avec seulement 87 voix d'avance. JFK « apprécie vraiment la roublardise » de Johnson, écrira Ben Bradlee[39] dans son journal, ajoutant : « Mais sa simple présence semble parfois l'agacer. » Kennedy pouvait rire de Johnson car ce dernier était un « étrange personnage », déclarera Joe Alsop[40]. « Le Président disait volontiers qu'il ne ressemblait à aucune des personnes qu'il avait rencontrées, qu'il avait quelque chose de monstrueux, plus grand que nature, et une facette comique. » Une fois au moins, alors qu'il s'entretenait avec Bradlee, Kennedy émit quelques inquiétudes concernant l'honnêteté de Johnson. Il précisa qu'il n'avait pas « touché de pot-de-vin depuis qu'il avait été élu vice-président »[41], non sans ajouter qu'il n'était pas certain de ce qui avait pu se passer auparavant.

Selon Joe Alsop, Kennedy traitait Johnson avec davantage d'égard qu'Adlai Stevenson, « qu'il aimait faire enrager et pour lequel il éprouvait un véritable mépris. Il n'en avait aucun envers Johnson »[42]. Kennedy lui confia des missions paraissant lui conférer davantage d'importance qu'à ses prédécesseurs, comme la supervision du programme spatial, la direction du comité présidentiel sur l'égalité des chances au travail ainsi que de fréquents voyages à l'étranger. (Durant sa vice-présidence, Johnson visiterait pas moins de trente-trois pays et prononcerait plus de cent cinquante discours.) Ces responsabilités conservaient cependant un caractère relativement marginal et ses déplacements à l'étranger étaient perçus par la presse comme de simples « formalités ». Pour Lloyd Hand[43], son assistant, « Johnson devrait être considéré comme l'un des vice-présidents dont les capacités auraient été le moins mises à profit ».

Son comportement lors des réunions ne faisait rien pour arranger les choses. « Je ne peux pas supporter cette maudite tête d'enterrement. Il arrive le visage crispé, ne dit jamais rien.

Il a l'air tellement triste », confiait Kennedy[44] à George Smathers. Et dès qu'on lui demandait son opinion, Johnson ne manquait pas de répondre : « Je partage le point de vue du Président... ». « Je sais qu'il ne se comportait pas ainsi lorsque le Président le convoquait en privé, nuançait Joe Alsop, mais il tenait à ce que personne ne l'entende évoquer le moindre point de désaccord avec le Président. »[45]

Kennedy chargea O'Donnell de « tenir la bride » à Johnson. Non seulement le conseiller était en contact quasi permanent avec l'équipe du vice-président, mais il lui arrivait de lui tenir la dragée haute. Un jour qu'il entra dans son bureau pour savoir où en était une demande de nomination qu'il lui avait soumise, « voilà où elle se trouve ! », lui répondit O'Donnell en entrebâillant le tiroir dans lequel il rangeait ses dossiers. Et après avoir refermé brusquement le tiroir, il lança : « Et elle y restera, Johnson ! »[46] Celui-ci en resta muet de surprise, puis quitta dignement la pièce.

L'indifférence glaciale de Bobby Kennedy – qui qualifiait la vice-présidence de Johnson d'« impuissance dorée »[47] – était on ne peut plus manifeste. « Bobby voyait en lui un élément manipulateur. Il avait rejeté sa candidature à la vice-présidence et celui-ci le savait. Mais il avait toujours des hommes pour garder Johnson à l'œil, qu'il considérait comme une force adverse », expliquera William vanden Heuvel[48]. Auprès de ses partisans, Johnson qualifiait Bobby de « petit trouduc »[49] l'ayant supplanté au poste d'adjoint de Kennedy. Leur incompatibilité de caractère « tenait, en quelque sorte, à une mauvaise alchimie », selon Joe Alsop[50].

Tout comme son mari, Jackie ne manquait pas d'être choquée par la grossièreté de Johnson, qui n'hésitait pas à décrire Stevenson comme un homme qui « pissait accroupi ». Toutefois, elle appréciait ses traits hauts en couleur et ses gestes extravagants, touchée par sa participation au projet de restauration de la Maison-Blanche. En effet, sensible à ses arguments, il avait fait accélérer les démarches administratives pour permettre le transfert d'un lustre en cristal du Sénat qu'elle souhaitait faire accrocher à l'étage, dans la salle du traité.

Jackie s'amusait également en sa compagnie. Son mari n'aimant guère danser, Johnson lui servait souvent de cavalier. En tant que vice-président, il lui inspirait une certaine compassion, tout comme Adlai Stevenson : deux hommes à qui les Kennedy avaient fait perdre leur pouvoir. Elle déclara à Johnson qu'avoir volontairement renoncé à son poste d'influence pour servir son mari était « le plus grand geste que pouvait accomplir un gentleman »[51]. Par la suite, Johnson affirmera d'ailleurs que Jackie avait toujours été plus aimable avec lui que « tous les autres membres de la famille Kennedy », ajoutant : « Avec elle, j'avais tout simplement l'impression de demeurer un être humain. »[52]

Jackie n'avait guère de points communs avec lady Bird, une habile femme d'affaires propriétaire de plusieurs stations de radio et chaînes de télévision au Texas, qui critiquait les discours de son mari et n'hésitait pas à donner des conseils politiques qui dépassaient Jackie. Les deux femmes entretenaient néanmoins de bons rapports. Reconnaissant qu'elle avait bien des fois fait appel à elle pour la remplacer lors de manifestations officielles, Jackie dirait à Johnson combien elle appréciait « l'empressement de lady Bird à assumer toutes sortes d'obligations »[53], sans oublier de préciser : « … Et elle en a assumé beaucoup pour moi ! ».

Johnson ayant été mis hors jeu, Kennedy aborda les questions de politique intérieure de façon très progressive. « Ce fut une déception pour bon nombre de libéraux qui avaient espéré un Président combatif capable de passer outre le Congrès plongé dans l'immobilisme pour en appeler directement à la population », écrira le diplomate britannique David Gore[54]. JFK s'appuya largement sur Douglas Dillon pour suivre ce que Gore appelait « une voie timide, misant sur l'attentisme, préférant voir si l'économie se redresserait sans changement radical de politique »[55]. Très vite, Dillon réussit par exemple à convaincre Kennedy de rejeter la proposition de Walter Heller d'allouer un milliard de dollars à un programme de travaux publics destiné à enrayer la récession.

En coulisse, Kennedy et Dillon s'étaient tranquillement mis d'accord sur la nécessité de réduire les impôts pour relancer l'économie. Dans un premier temps, il s'agirait d'un abattement fiscal de 10 % pour investissement afin de promouvoir le financement d'usines et d'équipements. Dans un deuxième temps, interviendrait une réduction de l'impôt sur le revenu. En 1961, le taux marginal s'élevait à 91 %, ce qui constituait pour Dillon « l'un des principaux obstacles à la croissance »[56]. En ramenant ce taux à 77 %, les consommateurs auraient davantage d'argent à dépenser.

Les deux hommes souhaitaient également adopter les principes keynésiens et laisser filer le déficit afin de stimuler l'économie, rompant ainsi avec les engagements de l'administration Eisenhower d'équilibrer le budget. S'il se montrait partisan de tenir la bride haute aux dépenses fédérales (à la différence de Galbraith, qui voulait s'appuyer sur elles plutôt que sur les réductions d'impôts), le ministre de l'Économie reconnaissait l'utilité d'un déficit en période de sous-régime. Toutefois, ni Kennedy ni Dillon n'étaient prêts à risquer une défaite au Congrès. Ils décidèrent donc d'attendre un moment plus propice pour lancer leur politique fiscale.

En conséquence, Kennedy concentra son action sur des objectifs plus anodins. S'il garantit une modeste augmentation du salaire minimal fédéral et un élargissement des allocations de chômage, il renonça à prendre la moindre initiative concernant l'assurance maladie ou, de façon plus significative, les droits civiques. Les électeurs noirs avaient certes largement contribué à sa victoire électorale, mais Kennedy n'avait aucunement l'intention de prendre position au Congrès en faveur de l'abolition de la ségrégation, ce qui aurait entraîné une levée de boucliers au sein de son parti, dominé par une majorité sudiste. Kennedy présenta un projet de loi prévoyant des aides fédérales en matière d'éducation, que le Congrès s'empressa de rejeter. « Je pense que Kennedy est pris entre deux feux. Il dirige un pays partagé en deux camps égaux qui font preuve, l'un comme l'autre, d'une terrible apathie », écrivit en ce mois de mars James Rowe[57], conseiller démocrate de longue date, à Teddy White.

Pour donner une impression de dynamisme, Kennedy comptait s'appuyer sur deux initiatives de politique étrangère à haute visibilité, symbolisant l'esprit progressiste de la Nouvelle Frontière. En ces temps de guerre froide, l'un des principaux points de conflit résidait dans le choix qu'allaient faire les États d'Afrique, d'Asie et d'Amérique latine récemment décolonisés entre la démocratie et le communisme. « Les Soviétiques étaient fortement mobilisés et finançaient les guerres de libération nationale », expliquait Walt Rostow[58]. La victoire remportée par Castro à Cuba braqua les feux de l'actualité sur l'Amérique latine où les États-Unis tenaient tout particulièrement à empêcher d'autres prises de pouvoir par les communistes. En réponse, Kennedy annonça au mois de mars la mise en place de l'Alliance pour le progrès qui entendait soutenir la démocratie en Amérique latine par le biais d'une aide commerciale et financière.

Ce même mois intervint la création du *Peace Corps*, mesure emblématique par excellence du nouveau programme de l'administration Kennedy. Dans les derniers jours de la campagne, JFK avait en effet émis l'idée de créer un organisme public qui emploierait de jeunes Américains appelés à devenir des « ambassadeurs de la paix », chargés de rallier les esprits et les cœurs des habitants des pays du Tiers-Monde à la cause de la démocratie. Sous sa forme définitive, cette organisation de coopération fut constituée de bénévoles et non plus de salariés : un groupe de jeunes recrues idéalistes, désireuses d'aider les populations pauvres à s'en sortir en partageant « leur niveau de vie, leur travail, leur régime alimentaire et leur langue »[59].

Kennedy nomma le premier directeur du *Peace Corps* en la personne de son beau-frère Robert Sargent Shriver, qui ne tarda pas à marquer ce programme de son empreinte. « Jack ne me dit jamais que quelques dizaines de mots à ce sujet. Il m'en délégua totalement l'organisation »[60], soulignera Shriver. Ainsi, ce fut lui qui décida de recruter des bénévoles et de conférer au *Peace Corps* le statut d'organisme indépendant au sein du ministère des Affaires étrangères. Ardent défenseur de cette cause, il n'eut aucun mal à convaincre le Congrès de voter, à une large majorité, le budget prévu à cet effet.

Tout comme lors de la nomination de Bobby au ministère de la Justice, JFK démentait avec humour toute accusation de népotisme. En cas d'échec du projet, expliquait-il : « Il serait toujours plus facile de flanquer à la porte un membre de l'entourage familial qu'un ami politique. »[61] Moins proche de Kennedy que Steve Smith, Shriver n'en occupait pas moins une place particulière puisqu'il était l'époux d'Eunice. Âgée de 39 ans, cette dernière était la sœur dont le Président se sentait le plus proche.

Parmi ses sœurs, Eunice était en effet la seule à avoir obtenu un diplôme d'études supérieures – en l'occurrence en sociologie, à Stamford, avec une année passée à l'Université Radcliffe – et à nourrir des ambitions professionnelles. Après la guerre, elle avait travaillé au ministère de la Justice sur diverses questions pénales, parmi lesquelles la délinquance chez les jeunes. À cette occasion, elle n'avait pas hésité à passer plusieurs semaines dans une prison pour femmes afin de s'imprégner de la réalité de leur situation. Mais le sujet qui lui tenait le plus à cœur – sa motivation s'expliquant sans doute largement par la maladie de sa sœur Rosemary – restait l'arriération mentale. Un intérêt qui devait déboucher, pendant la présidence de son frère, sur la promotion de la recherche et l'amélioration des soins prodigués aux personnes souffrant de maladies mentales.

D'allure dégingandée, couverte de taches de rousseur, « Eunie » avait une large bouche et des yeux bleus pétillants en partie cachés par son épaisse chevelure brune. Pour Diana Cooper[62], elle était « d'une nature inclassable ». Ne tenant pas en place – elle ne voyait par exemple aucun inconvénient à se lever pour déambuler au beau milieu d'une conversation –, elle parlait d'une voix tendue, avait l'esprit curieux et un humour teinté d'ironie. Eunice et JFK se ressemblaient énormément. Tous deux étaient unis à Lem Billings par une solide amitié et Eunice souffrait d'une forme atténuée de la maladie d'Addison. Sarge Shriver[63] s'exclamera à leur propos : « Eunice et Jack se ressemblaient comme deux gouttes d'eau à tous points de vue ou presque mais surtout sur le plan politique ! ».

George Smathers ne se lassait pas de répéter à Joe : « Si cette fille en avait eu, elle aurait fait un sacré politicien ! »[64] Depuis la première candidature de Jack au Congrès, en 1946, Eunice s'était investie dans ses campagnes électorales avec acharnement, prononçant des discours pleins de fougue, apportant son concours à l'organisation et analysant les résultats de son frère. « Eunice a du mal à se retenir de monter sur l'estrade pour s'adresser aux électeurs », précisa Rose[65] à l'intention de Jackie, alors que la campagne présidentielle venait de commencer. Eunice idolâtrait JFK, ce qui ne l'empêchait pas « de lui parler avec franchise lorsqu'il s'agissait de points importants », racontera son amie Deeda Blair[66]. « Jack prenait Eunice au sérieux. C'est sans doute la personne la moins frivole que je connaisse. » Comme le faisait observer Dave Powers, Eunice pouvait « faire rire Jack », mais elle savait aussi « lui secouer les puces »[67].

Il avait fallu, au beau Sarge, sept ans d'une « cour incroyablement acharnée » – selon l'expression de Charley Bartlett[68] – pour obtenir la main d'Eunice. « La partie était loin d'être gagnée », précisera-t-il. Issu d'une famille catholique du Maryland, très en vue avant d'être frappée de plein fouet par la crise de 1929, Sarge Shriver avait effectué sa scolarité à Canterbury et Yale. Après avoir travaillé comme juriste à Wall Street et journaliste à *Newsweek*, il avait pris en charge la gestion des affaires immobilières de Joe Kennedy avec beaucoup de charme, d'efficacité et de sérieux. Pour lui, « Mr Kennedy » était rien de moins qu'un génie. Sarge s'était épris d'Eunice dès leur première rencontre. Leur hyperactivité masquait, chez l'un comme chez l'autre, un caractère des plus réservés. Leur lien le plus fort était sans doute leur ferveur religieuse. En effet, à l'instar de Rose, ils allaient à la messe tous les matins.

Le mariage de Sarge et d'Eunice, quelques mois avant les noces de Jack et de Jackie, s'était déroulé en grande pompe à la cathédrale Saint-Patrick. Le couple s'était installé à Chicago, où Sarge avait pris fait et cause pour les droits civiques et la réforme de l'enseignement. Quant à Eunice, elle avait poursuivi ses travaux sur les jeunes délinquants et s'était taillée une réputation tout à fait désastreuse de maîtresse de maison. Il lui arrivait en effet de rentrer à une heure fort tardive alors qu'elle avait invité des amis à dîner. Sarge était devenu le parfait faire-valoir de ce bourreau de travail : consciencieux et idéaliste (JFK l'appelait « le Boy-scout »), c'était un homme d'une « imperturbable courtoisie » et d'une « gentillesse naturelle »[69], selon les termes de Schlesinger, très respecté pour sa loyauté et son honnêteté.

À la tête du *Peace Corps*, Sarge était l'emblème de toutes les vertus prônées par son organisation. Il s'attela à la tâche avec enthousiasme afin d'élaborer un programme qui rencontra un réel succès puisque, en deux ans, le nombre de bénévoles passa de 500 à 5 000, répartis dans 46 pays. JFK éprouvait une certaine admiration pour les qualités de chef de Shriver. Cependant, selon Charley Bartlett[70] : « Il ne donnait jamais l'impression de suivre les choses de près. » Shriver n'était pas non plus homme « à empiéter sur le territoire de Jackie »[71], ce qu'il reconnaissait d'ailleurs lui-même. Ni lui ni Eunice ne seraient dans les secrets de la Maison-Blanche sous la présidence Kennedy, ce qui leur convenait parfaitement. « Je n'ai jamais vu Jack se laisser aller à l'inquiétude. Il avançait, un point c'est tout. Lorsqu'une décision était prise, l'affaire était classée. Il passait à la suivante », déclarera Eunice[72].

CHAPITRE 15

Le drame de la « baie des Cochons » à Cuba

Malgré l'euphorie qui entoura les premiers cent jours de la présidence Kennedy, l'aile ouest de la Maison-Blanche ne dissimulait pas son inquiétude pour les empiètements communistes en Asie du Sud-Est et à Cuba. C'était le minuscule Laos (dont la population était estimée à deux millions d'habitants) qui avait mis le feu aux poudres. Selon Schlesinger, ce fut la principale préoccupation de Kennedy durant les premiers mois de son mandat. Après l'expulsion des troupes coloniales françaises du Sud-Est asiatique par les communistes en 1954, le faible royaume neutre avait survécu grâce à une aide de trois cents millions de dollars versée par les États-Unis sur cinq ans. Depuis, les insurgés du Pathet Lao (soutenus par l'Union soviétique et le chef nord-vietnamien Ho Chi Minh, vainqueur des Français) menaçaient de s'emparer du pays et Kennedy envisageait une intervention militaire.

Les événements du Laos avaient des répercussions dans le Sud-Viêtnam voisin. Les guérilleros communistes du Viêt-cong, fournis en hommes et en matériel par le Nord-Viêtnam, risquaient de tirer parti des voies de ravitaillement laissées libres à travers le Laos. « Le Président surveillait la situation car il savait qu'elle était en pleine dégradation », rappellera Walt Rostow[1]. Si les gouvernements pro-occidentaux du Laos et du Sud-Viêtnam s'effondraient, selon la « théorie des dominos » de l'époque, les communistes risquaient d'étendre leur mainmise sur l'Asie du Sud-Est avant de gagner l'Inde, puis éventuellement le Moyen-Orient.

Parmi les conseillers consultés figurait sir William David Ormsby Gore, un homme peu connu à Washington qui deviendrait membre de facto du cabinet Kennedy – un conseiller de l'ombre ayant « une relation spéciale au sein même d'une relation spéciale »[2]. Selon Bobby Kennedy, son frère « préférait son avis à pratiquement n'importe quel autre »[3].

Si, aux yeux de Kennedy, Ted Sorensen était son alter ego intellectuel, David Gore correspondait à son idéal du dandy. À 42 ans, le futur cinquième baron Harlech avait une haute silhouette élancée, un nez droit et long, le front très dégarni mais la majesté, l'engagement public et l'intelligence auxquels Kennedy ne savait résister. Lorsqu'il mentionnait les trois sphères de la vie de Kennedy – la mode, les intellectuels et les hommes politiques –, Harold Macmillan[4] ajoutait que « David faisait partie des trois ».

Leur première rencontre datait de l'époque où, tandis que Joe Kennedy était ambassadeur en Angleterre, ils étudiaient l'un à Harvard, l'autre à Oxford. Non seulement le père de Gore était baron, mais sa mère, lady Beatrice « Mima » Gascoyne Cecil, était la fille du quatrième marquis de Salisbury, un conservateur très en vue. Son cousin germain, Billy Hartington, avait épousé Kathleen Kennedy, et sa sœur, Katie, Maurice Macmillan, le fils de Harold. Son oncle, David Gore, avait écrit l'un des ouvrages préférés de Kennedy, la biographie de lord Melbourne. Pour compléter le tableau, Billy Hartington était également le neveu de la femme de Harold Macmillan, Dorothy.

Aux yeux admiratifs de JFK, Gore était un spécimen de « la société politique anglaise, à l'esprit à la fois désinvolte, cultivé et indifférent », comme la décrivait Schlesinger[5]. À l'instar de Kennedy, il avait démarré sa carrière avec l'image du play-boy rebelle, amateur de voitures rapides. (Pendant ses études à Oxford, il avait perdu toutes ses dents dans un accident automobile.) Les deux hommes partageaient le sens du ridicule et une certaine impatience avec les importuns prolixes ou pédants.

Tous deux fils de pères autoritaires, ils avaient été touchés dans leur jeunesse par la même perte tragique d'un frère aîné cher à leur cœur. L'un et l'autre donnaient l'impression d'avoir l'attitude décontractée et impassible du stéréotype anglais. Reconnaissant des aspects de lui-même chez Kennedy, Gore remarquait – en écho au propre point de vue de Ted Sorensen : « Je pense qu'il ressent des émotions profondes mais qu'il déteste les afficher. »[6]

À Londres, Kennedy et Gore avaient fréquenté les mêmes cercles, en compagnie de Kathleen et Billy Hartington et de la future épouse de Gore, Sylvia « Sissie » Lloyd Thomas. En vieillissant, les deux amis avaient pris conscience de leur grande entente sur les plans politique et intellectuel. Parlementaire britannique depuis 1950, Gore était certes un conservateur, mais il appartenait à la branche libérale et défendait le même type de politique que Kennedy.

En 1954, lors de sa délégation aux Nations Unies, Gore avait profité de son séjour à New York pour resserrer les liens avec JFK. Son activité diplomatique lui avait apporté une grande expertise technique dans le domaine complexe du contrôle de l'armement. Kennedy aimait faire appel à ses lumières à ce sujet. À sa demande, Gore lui avait fait parvenir, à l'automne 1959, une note sur les négociations concernant l'interdiction des essais nucléaires et le désarmement nucléaire en vue de la préparation de la campagne présidentielle. « JFK s'y est intéressé de très près. Je sais que cela a eu ensuite des répercussions sur ses opinions. »[7]

Pendant la campagne, Gore avait assisté à certaines manifestations, arborant une pince à cravate à l'effigie du PT-109. Fin 1960, le nouveau Président avait simplement fait dire à son ami qu'il devait « se faire nommer ambassadeur à Washington »[8]. À l'époque, Gore était devenu le ministre des Affaires étrangères d'« oncle Harold ». Macmillan avait immédiatement accepté la requête de Kennedy.

« David avait exactement sa place entre oncle Harold et Jack Kennedy. Ils étaient faits du même moule », déclarera la duchesse du Devonshire[9]. Compte tenu de ses dispositions exceptionnelles, Gore possédait les « compétences idéales pour interpréter voire prédire »[10] les réactions de Kennedy et de Macmillan, notait Sorensen. Même si la nomination ne prendrait pas effet avant l'automne 1961, Gore se tenait à la disposition de Kennedy.

C'est dans cet esprit que, fin février, les deux hommes dînaient ensemble à la Maison-Blanche. « Avec le franc-parler d'un vieil ami », écrira Schlesinger[11], Gore « dressa un tableau caustique de la politique américaine au Laos ». Le gouvernement britannique s'opposait à l'intervention militaire, prônant plutôt la négociation d'un cessez-le-feu par une commission internationale. Mais Kennedy préférait recourir à l'armée afin de conserver au moins une partie du Laos dans des mains amies.

Un mois plus tard, dans un état d'« angoisse profonde », Kennedy prenait directement conseil auprès de Harold Macmillan lors d'une réunion hâtivement organisée à Key West, en Floride. Avec sa moustache soignée, ses costumes taillés sur mesure et sa chevelure argentée, Macmillan donnait l'apparence « alanguie d'un homme de la Belle Époque » ; or, il possédait un « esprit pénétrant sans illusion », écrivait Schlesinger[12], et « un sens aigu de l'histoire ». Kennedy était impressionné par « l'élégance, la culture et le style »[13] de ses courriers.

À 66 ans, Macmillan était proche d'Eisenhower, un contemporain qu'il connaissait depuis la Seconde Guerre mondiale. Avec l'ancien Président, il partageait « des expériences communes »[14], disait-il à l'époque. « Aujourd'hui, j'ai affaire à ce jeune Irlandais sûr de lui... Comment vais-je m'y prendre ? ». Macmillan détestait Joe Kennedy et craignait qu'il n'exerce une influence malveillante. Le Premier ministre britannique avait également été avisé des défauts de JFK par Jock Whitney, l'ambassadeur d'Eisenhower en Angleterre. « Kennedy doit être un curieux personnage », écrira Macmillan dans son journal[15] après la réunion postélectorale avec Whitney – un homme « obstiné, susceptible, impitoyable et doté d'une forte libido ».

Ces appréhensions furent contrecarrées par l'affection portée par David Gore aux Kennedy et le lien de parenté unissant Dorothy Macmillan et Billy Hartington. Lors de leur première rencontre en Floride, Macmillan confiera par la suite à Jackie avoir « été séduit » par Kennedy. « En fait (ce que je m'expliquais mal), il semblait chaleureux à mon égard... Nous avons pu (en privé), semble-t-il, parler en toute liberté et toute franchise (comme si nous étions des amis de longue date) et rire (c'est essentiel) de nos conseillers et de nous-mêmes. »[16]

Comme on pouvait s'y attendre, Kennedy et Macmillan s'admiraient mutuellement, s'émerveillant de leur intelligence, de leur noble allure et de leurs instincts politiques respectifs. En revanche, jamais ils n'avaient imaginé pouvoir se sentir autant à l'aise ensemble ; or, ils partageaient également un tempérament irrévérencieux. « Ils s'étonnaient l'un l'autre, même s'ils étaient aux antipodes. En tout cas, ils étaient dépendants l'un de l'autre », expliquera la duchesse du Devonshire[17]. Macmillan représentait l'un des plus proches alliés des États-Unis pour Kennedy, qui n'hésiterait pas à lui demander son avis sur les crises internationales. En trois ans, ils se rencontreraient pas moins de sept fois.

Lors de leur entretien à Key West, Macmillan ne parvint toutefois pas à s'imposer face à un Kennedy insistant pour maintenir l'option d'une intervention militaire au Laos. Le Président avait déjà fait une déclaration ferme en ce sens à la télévision et envoyé des troupes sur zone. Dans son idée, il fallait sécuriser la capitale avec plusieurs bataillons de soldats américains auxquels viendraient se joindre des forces alliées de la région, notamment du Pakistan et de Thaïlande. Malgré « ses instances », Macmillan lui refusa le soutien de l'armée britannique en se retranchant derrière l'obligation d'obtenir l'approbation gouvernementale pour un tel engagement. « Kennedy considéra manifestement qu'il s'agissait d'un prétexte », déclarera Henry Brandon[18], correspondant à Washington du *Sunday Times* de Londres. Ne faisant pas acte du meilleur jugement, Macmillan convint néanmoins que Kennedy risquait d'avoir à agir par nécessité politique, « afin de ne pas se laisser marcher sur les pieds par les Russes »[19].

En privé, Kennedy assurait ses conseillers partisans du compromis, tel Schlesinger, que ses manœuvres tenaient plus de l'esbroufe que d'une volonté réelle – son intention était de convaincre les Soviétiques d'apporter leur soutien à l'idée d'un cessez-le-feu. Selon le Président, le Laos « ne méritait pas l'attention des grandes puissances »[20], écrira Schlesinger. Néanmoins, les hobereaux de son entourage étaient persuadés de la poursuite de ses desseins. Aux yeux de Walt Rostow, « Kennedy était prêt à engager le combat au Laos pour conserver la vallée du Mékong »[21], pivot stratégique du pays.

Il existait cependant dans le raisonnement de Kennedy un élément clé qui n'avait rien à voir avec l'Asie du Sud-Est. En cette fin du mois de mars, il était plongé dans un projet de renversement de Fidel Castro à Cuba – l'invasion de la baie des Cochons. L'idée avait germé sous la présidence d'Eisenhower, au sein de la CIA, qui entraînait des exilés cubains au Guatemala en vue de cette opération dite « Pluton ».

Si Kennedy commit de nombreuses erreurs en autorisant et en dirigeant cette invasion mal conçue, c'est parce qu'il manquait d'expérience et faisait preuve de présomption. En démantelant le dispositif de sécurité nationale mis en place par Eisenhower, il pensait élargir ses sources de renseignements afin de faciliter ses prises de décisions. Or, comble d'ironie, dans l'affaire de la baie des Cochons, il se contenta d'avis dont il ne fut pas en mesure de vérifier ou d'analyser le bien-fondé. « Il souhaitait tellement maintenir le secret qu'il a trop bien réussi », déclarera Douglas Dillon[22]. Son adhésion à l'idée d'une attaque préventive indirecte trouvait par ailleurs un écho dans les thèmes qu'il avait développés dans *Why England Slept*, notamment celui de l'obstacle que pose la nature prudente de la démocratie aux nations qui veulent s'opposer à l'agression totalitaire.

Ayant affirmé sa volonté de lutter contre le communisme et d'évincer Castro, Kennedy envisageait plusieurs solutions. La plus simple consistait à aider un petit groupe d'officiers – composé de quelques centaines d'hommes – à infiltrer Cuba pour appuyer la résistance locale. La plus ambitieuse, une invasion de grande envergure soutenue par l'armée américaine, présentait un caractère impérialiste inacceptable. JFK opta pour le compromis de la « pagaille totale »[23], comme dira Macmillan – un débarquement amphibie de 1 400 hommes censé déclencher un soulèvement populaire contre Castro. Des avions américains camouflés et pilotés par des exilés cubains devaient neutraliser l'armée de l'air de Castro et permettre ainsi aux forces d'invasion de se retrancher dans une région stratégique de l'île. Selon le premier plan, l'opération devait avoir lieu dans le port de Trinidad, car la proximité des montagnes offrait une échappatoire en cas de besoin. Néanmoins, Kennedy préféra une alternative plus discrète ; c'est pourquoi les stratèges proposèrent la région plus reculée de la baie des Cochons, qui s'avéra malencontreusement cernée de marécages infranchissables.

Des plus proches conseillers de Kennedy, seuls Bundy et McNamara assistèrent à toutes les délibérations auxquelles participaient une poignée de responsables de l'armée, de la CIA et des ministères des Affaires étrangères et de la Défense. Assurés des compétences de ces cerveaux, les deux hommes adoptèrent le plan d'action. « Nous vous suivons à 100 %», affirma Bundy[24] à JFK. Toutefois, comme le regrettera McNamara[25] par la suite, on leur avait « laissé entendre un moindre coût en cas d'échec ».

Arthur Schlesinger exprima son scepticisme à travers plusieurs notes de service, même s'il se reprochera ultérieurement d'avoir refusé de prendre la parole en réunion à cause d'une « étrange atmosphère de consensus préétabli »[26]. Rusk paraissait avoir des doutes, mais il n'émit jamais de fortes réserves. Les contestations les plus directes vinrent du sous-secrétaire d'État, Chester Bowles, et du sénateur de l'Arkansas, William Fullbright.

Dès le début, Kennedy eut de sérieux doutes ; il mit en question l'éventualité d'un soulèvement de masse, par exemple. « Il ne parvenait pas tout à fait à se fier à son instinct », écrira Stewart Alsop[27]. Mais surtout, il craignait d'apparaître comme un conciliateur – et d'hériter ainsi de l'image de son père – s'il faisait dérailler le plan et léguait « le dossier pour toujours » aux républicains, déclarera Rostow[28]. « Le Président se montrait plutôt passif, déférent à l'égard de l'armée et de la CIA », expliquera Ted Sorensen[29], qui ne participa pas à la prise de décision. « Il était indécis et chancelant. Il prenait ses décisions petit à petit. »

Kennedy et George Smathers s'étaient rendus en visite à Cuba fin 1957, à peine un mois après la naissance de Caroline, alors que Jackie ne s'était pas encore remise de sa césarienne. Le voyage avait été « franchement des vacances », selon Smathers[30]. Ils avaient séjourné à l'ambassade américaine chez Earl Smith et son épouse, Flo, des amis de longue date de Kennedy. Le 23 décembre, les deux sénateurs avaient été les invités d'honneur de la soirée organisée pour Noël, puis ils avaient joué au casino. Kennedy avait également pratiqué la voile, joué au golf et fréquenté divers night-clubs. « Kennedy n'était pas très casino ; en revanche, la piste de danse du *Tropicana* ne manquait pas d'attrait… Kennedy aimait Cuba. Il aimait le style »[31], racontera Smathers.

Au ministère des Affaires étrangères, il était souvent reproché à Earl Smith de manquer de poids ; néanmoins, Kennedy lui accordait un certain crédit. « Il l'adorait, c'était une forte personnalité. Earl était un homme intelligent, un grand investisseur, un peu joueur. Il avait du jugement et était habile »[32], expliquera Charley Bartlett. Diplômé de Yale, parlant trois langues couramment, Smith fréquentait Cuba depuis 1928. Il s'y était fait de nombreux amis avant de s'installer à l'ambassade de La Havane en juillet 1957, sept mois après l'arrivée de Castro en compagnie des guérilleros qu'il avait entraînés pendant son exil au Mexique.

Durant dix-huit mois, Smith avait tenté de gérer la situation explosive entre Castro, dont les forces ne cessaient de s'accroître, et le dictateur Fulgencio Batista, au pouvoir depuis de longues années, qui resserrait sa prise. Contrairement à son prédécesseur, Arthur Gardner, suffisamment ami de Batista pour jouer avec lui à la canasta plusieurs fois par semaine,

Smith gardait ses distances, cherchant dans l'*intelligentsia*, la classe moyenne et l'Église catholique, un autre « élément anti-Batista ». Très vite, il avait su que Castro se reconnaissait marxiste, ce que le ministère des Affaires étrangères et les journalistes influents, tel Herbert Matthews du *New York Times* (« l'homme de Castro »[33], selon Charley Bartlett), préféraient ne pas mentionner.

Peu après la fuite de Batista, le jour de l'an 1959, et l'arrivée au pouvoir de Castro, Earl et Flo étaient rentrés aux États-Unis. Au cours de l'année suivante, Castro s'était déclaré communiste et allié de l'Union soviétique, ce qui avait poussé l'administration Eisenhower à imposer des sanctions économiques. Pour le gouvernement américain, la proximité d'un pays satellite de l'Union soviétique représentait une menace militaire considérable, non seulement pour l'Amérique latine mais pour les États-Unis. Alors que les avertissements de Smith concernant Castro demeuraient justifiés, les mandarins du ministère des Affaires étrangères continuaient de rabaisser l'ancien ambassadeur.

En février 1961, Kennedy voulut nommer Smith ambassadeur en Suisse. Cependant, le gouvernement helvétique, représentant les intérêts américains à Cuba, s'y opposa à cause de ses positions à l'égard de Castro. Il se retira donc, en expliquant au Président que les castristes avaient réussi à déclencher un tollé autour de sa nomination. « Je crois qu'il est temps de vous décharger de ce problème »[34], avait-il ajouté.

Kennedy passa le week-end prolongé de Pâques à Palm Beach, où Smith le reçut durant plus de trois heures d'entretien dans sa maison sur la plage. Les discussions, selon Earl Smith Jr, portèrent sur le projet d'attaque de Cuba[35] : « Mon père a déclaré qu'ils avaient envisagé la manière de supprimer la menace sans mobiliser de grands moyens militaires. À la question de Kennedy : "Que se passera-t-il, si on s'enlise ?", mon père a répondu : "N'entreprenez rien dont vous ne soyez sûr à 100 % !" Alors, Jack Kennedy a déclaré : "Vous n'avez pas conscience de tous les enjeux". »

À son retour à Washington le 4 avril, Kennedy ne dévoila pas la substance de ces échanges. Néanmoins, Mac Bundy et Schlesinger décelèrent un raidissement dans sa position, dont ils attribuèrent la responsabilité à Joe Kennedy, Earl Smith et Smathers. Le 5 avril, JFK approuvait la proposition de la CIA. Bundy ne se sentait toujours pas suffisamment à l'aise avec le Président pour lui demander ce qui avait bien pu lui arriver pendant le week-end. « Au lieu de cela, je lui ai dit : "Bien, Monsieur !" », se souviendra-t-il. Lorsqu'il entretint Chuck Spalding de ses projets le 9 avril à Glen Ora, JFK parut confiant à son vieil ami : « Il m'a dit qu'il comptait sur une réussite, qu'il ne pensait pas rencontrer de difficultés. »[36] Ben et Tony Bradlee, également invités pour le week-end, n'eurent aucun vent de l'affaire.

Malgré un nombre surprenant d'articles consacrés aux entraînements de la CIA au Guatemala, les journalistes se montrèrent curieusement peu prolixes sur le projet d'invasion. Avec l'aide d'Arthur Schlesinger, Kennedy parvint à éviter la parution d'un article dans le *New Republic* après avoir convaincu le rédacteur en chef, Gilbert Harrison, qu'il mettait en cause l'intérêt national. De même, un article du *New York Times* se vit soumis à un léger polissage après que JFK eut fait pression sur l'éditeur Orvil Dryfoos.

Charley Bartlett se censura. Il avait été mis au courant par Ernesto Betancourt, rien de moins que le représentant de Castro aux États-Unis, à son retour de Floride : « À Miami, tout le monde ne parle plus que de l'invasion et de la baie des Cochons. Ce sera un désastre ! ». Bartlett n'en avait pas parlé à Kennedy, de peur de l'accabler, mais à Allen Dulles, le directeur de la CIA, qui démentira. « Je disposais de nombreux détails. En tant que journaliste, j'aurais dû répandre l'information », commenterait Bartlett[37]. Des années plus tard, d'anciens documents secrets démontreront que le KGB avait été alerté d'une invasion imminente le 8 avril mais que le message « n'était pas parvenu jusque sur le bureau de Khrouchtchev »[38]. Quoi qu'il en soit, ni les Soviétiques ni les Cubains ne connaissaient l'endroit exact de l'attaque.

Le samedi 15 avril, deux jours avant l'invasion, Kennedy autorisa la première de deux attaques aériennes. Réfugié à Glen Ora, il semblait anxieux et agité. Pour tenter de le distraire, Jackie lui proposa une sortie aux courses de Middleburg Hunt en compagnie des Smith et des Fout. JFK arriva entre deux épreuves, « traversant subitement le paddock à grands pas, tel un Tennessee walking horse »[39]. Trop impatient pour attendre la course suivante, il sortit pourtant de sa voiture en partant pour regarder la course du haut d'une colline. Sinon, il passa son temps à frapper des balles de golf dans le pré et à faire de longues promenades autour de Glen Ora.

Le premier assaut tourna mal, se soldant par la seule destruction d'une poignée des trente et quelques avions de l'armée de l'air cubaine. Pour se justifier, la CIA prétendit que les pilotes étaient des déserteurs qui avaient fui Castro. Lorsque le gouvernement cubain protesta aux Nations Unies, Adlai Stevenson soutint que les États-Unis n'étaient pas impliqués. Il mentit sans le vouloir puisqu'il avait été mal informé par Schlesinger et Tracy Barnes, responsable de la CIA. Lorsqu'il découvrit la vérité, il fut furieux à l'idée que son honnêteté ait pu ainsi être mise à mal et menaça de démissionner. Bouleversé par la situation de Stevenson et assailli par le doute, Dean Rusk pressa Kennedy, le dimanche, d'annuler la seconde attaque, prévue à l'aube du lundi 17 avril, parallèlement au débarquement.

À 14 h, le dimanche, Kennedy donna le feu vert à l'invasion. Tout en réfléchissant à la requête de Rusk, JFK tenta de se défouler sur ses balles de golf, d'abord à Glen Ora avec les Smith, puis au Fauquier Springs Country Club, où Lem Billings les rejoignit le temps de faire trois trous. Comme toujours avec Kennedy, la partie fut tronquée et de nombreuses balles topées – « il menaçait les souris des champs », comme dira Bing Crosby[40] pour se moquer du manque d'adresse de JFK aux fers longs.

Plus tard, ce même après-midi, après une longue conversation téléphonique avec Rusk, Kennedy annula la seconde attaque. Il raccrocha et, selon Schlesinger, « resta assis en silence quelques instants, secoua la tête, puis se mit à arpenter la pièce, l'air manifestement soucieux, inquiet sans doute moins de sa décision que de la désorganisation ambiante : quelle serait la prochaine erreur ? Ceux qui étaient à ses côtés à Glen Ora l'avaient rarement vu aussi démoralisé »[41].

Sa décision vouait le débarquement à l'échec, condamnant les forces d'invasion à la vulnérabilité en cas d'attaque aérienne. « Kennedy avait compris le plan en partie seulement, il n'avait pas saisi l'importance cruciale de l'aviation », expliquera Douglas Dillon[42], qui avait participé à la préparation de l'opération sous la présidence d'Eisenhower. Au bout d'une journée de combat, vingt mille soldats cubains encerclaient les anticastristes ; mille d'entre eux furent faits prisonniers. Ce fut une déroute humiliante – et le plus grand échec de la vie de Kennedy.

Le mardi 8 avril au soir, Jack et Jackie organisèrent un gala en l'honneur de certains membres du Congrès. Vêtue d'un fourreau rose et blanc créé par Cassini, arborant une barrette de diamants en forme de plume dans les cheveux et « un air malicieux », Jackie tournoyait sur la piste de danse dans les bras de Johnson, tandis que le Président accueillait ses invités à l'autre bout de la salle est. Après s'être éclipsé en compagnie de Jackie, quelques minutes avant minuit, Kennedy se débarrassa de sa cravate et de sa queue-de-pie et se hâta de rejoindre ses grands conseillers dans l'aile ouest. Une fois la réunion terminée, à 2 h 46 du matin, Schlesinger et O'Donnell virent le Président arpenter la roseraie à pas lourds dans le noir pendant près d'une heure.

Le lendemain, il s'entretint à nouveau pendant sept heures avec ses grands conseillers, fumant « son quota habituel de deux cigares » et sans « montrer aucun signe d'angoisse »[43], selon le *Time*. Il eut également de longues conversations téléphoniques avec son père et Bobby. Jackie confia plus tard à Arthur Schlesinger que, durant le déjeuner, JFK avait évoqué son chagrin pour les hommes morts sur les plages de Cuba. Alors que Jackie cherchait à le réconforter avant sa sieste, il l'embrassa. Ce soir-là, après avoir respectueusement assisté à un dîner organisé à l'ambassade de Grèce par le Premier ministre Constantin Karamanlis, Jackie avait avoué à sa belle-mère que JFK avait été « très affligé toute la journée, pratiquement en larmes »[44].

Le week-end suivant, qu'il passa à Glen Ora en compagnie des Spalding, Kennedy parvint à chasser sa tristesse. « Jamais, depuis que nous nous connaissions, je ne l'avais vu véritablement hors de lui pour une erreur. Il tenait en main un club et six ou sept balles. De temps à autre, il frappait la balle avec un swing violent et l'envoyait dans le champ de maïs. Nous marchions beaucoup, il ne pouvait parler de rien d'autre... Il fallait simplement le laisser s'épuiser », se souviendra Chuck Spalding[45].

Les réactions dans le monde donnèrent lieu à des condamnations sans réserve comme à de simples expressions de regret. Khrouchtchev qualifia l'invasion bâclée de « crime révoltant aux yeux du monde entier »[46]. Le Français Jean Monnet déclara à David Bruce qu'il s'agissait d'« un dur coup pour le prestige »[47] de Kennedy. En privé, Harold Macmillan exprima sa déception ; il avait rencontré Kennedy par deux fois durant les semaines qui avaient précédé la décision – d'abord à Key West, puis lors d'une série de discussions de haut vol, à l'occasion de la visite du Premier ministre à Washington, début avril ; or, le Président ne lui avait pas demandé conseil ni révélé aucun détail. À son avis, Kennedy « aurait dû utiliser la puissance aérienne américaine pour soutenir le débarquement ou réprouver d'emblée le plan de la CIA »[48]. En toute probabilité, même une attaque aérienne n'aurait pu sauver les troupes d'invasion contre le surnombre de leurs adversaires.

Comme on pouvait le prévoir, la presse disséqua l'affaire. Alors que le *Time* évoquait « l'ombre de l'échec »[49] planant sur le gouvernement, James Reston[50] peignait un « jeune Président plus triste et plus sage ». Lourd de sous-entendus, son article mentionnait par ailleurs que Kennedy avait procédé « contre l'avis de Rusk et de Bowles » et que Arthur Schlesinger « avait émis de sérieuses réserves »[51].

Charley Bartlett[52] adressa une note au Président suggérant une enquête sur le débarquement : « Le mieux serait de recourir à une commission publique composée de trois personnes. Pour les relations publiques, il faudrait que la nouvelle soit annoncée dans les journaux du dimanche. » Néanmoins, Kennedy nomma une seule personnalité extérieure, Maxwell Taylor, général d'armée à la retraite, aux côtés de Bobby, d'Allen Dulles et de l'amiral Arleigh Burke, chef d'état-major de la Marine, qu'il considérait pourtant comme « un personnage admirable et charmant mais sans cervelle »[53]. Compte tenu de la présence de deux organisateurs de l'opération de la baie des Cochons, les conclusions du groupe demeureraient à jamais entachées de doutes.

Dans ses déclarations publiques, Kennedy assuma, avec à-propos, l'entière responsabilité de la débâcle de sorte que la presse et l'opinion publique eurent envie de lui pardonner. Deux semaines après l'opération, les sondages accordaient à son action un taux d'approbation de 72 %. « Comme Eisenhower, pire je fais, plus je suis populaire »[54], déclara-t-il en plaisantant à Schlesinger. (Richard Nixon commenta amèrement que s'il avait été au pouvoir, il aurait fait l'objet d'une procédure d'*impeachment.*)

Toutefois, l'épisode de la baie des Cochons rompit le charme et modifia le cours de la présidence. « Avant la baie des Cochons, nous vivions une glorieuse aventure, nous avancions toujours plus loin, toujours plus haut. Ensuite, nous avons connu des hauts et des bas. Ce fut le règne de la suspicion, de la volonté d'échapper aux pièges. Il se méfiait de tout, remettait tout en cause », expliquera Spalding[55].

Contrairement à ses démentis publics, Kennedy désigna des fautifs et infligea les punitions en conséquence. Jamais plus il n'écouterait aussi naïvement les chefs militaires ni ne préjugerait que « les Dieux seraient avec lui », comme dira Joe Alsop[56]. Après un délai convenable, Allen Dulles et Richard Bissell, chefs des opérations de la CIA, furent limogés. Kennedy accusa Chester Bowles d'avoir divulgué (« de manière quelque peu détournée »[57], selon le *Time*) ses objections à la presse. Il le considérait déjà comme un « mollasson » à la botte de Stevenson et son style verbeux l'agaçait.

Sa mention dans l'article de Reston ne causa aucun tort à Schlesinger, même si Kennedy ne résista pas au plaisir de lui tirer l'oreille pour une note de service « qui ferait bonne impression le jour où il rédigerait les mémoires de cette administration »[58]. Rusk tomba en disgrâce pour avoir manqué de conviction dans la présentation de ses critiques – le début d'une « certaine méfiance » à son égard qui « durerait le restant de la présidence de Kennedy... de sa part et de celle de Bobby », commentera Richard Davies[59], du ministère des Affaires étrangères.

En dépit de leur soutien à l'invasion, ni Bundy ni McNamara n'eurent à subir de représailles. Résolument d'accord avec la principale leçon que tirait le Président de cette affaire, McNamara[60] décida qu'il ne fallait plus prendre l'avis des experts au pied de la lettre mais « faire fonctionner sa tête ». Selon Ros Gilpatric, le conseiller « était si dépité par les recommandations des militaires qu'il insista pour examiner lui-même la base de données »[61]. Pour se soulager de son sentiment de culpabilité, Bundy remit sa démission à Kennedy, qui la refusa. Au contraire, il installa son conseiller encore plus près de lui, au sous-sol de l'aile ouest, où Bundy aménagea une « salle de situation » pour la collecte des renseignements fournis par l'armée, la diplomatie et les services secrets. Par ailleurs, Kennedy rétablit une partie de la surveillance du Conseil de sécurité nationale (NSC), certains des groupes d'analystes qu'il avait dispersés, puis les réunions du NSC.

Immédiatement, Ted Sorensen et Bobby Kennedy virent leurs champs d'obligations élargis puisqu'ils étaient désormais tenus d'assister à toutes les délibérations en matière de politique étrangère. Hormis une brève apparition lors de l'une des premières réunions sur Cuba, deux jours après l'investiture, puis cinq jours avant la date prévue pour le débarquement, Bobby n'avait été au courant de rien. « J'ai besoin de quelqu'un qui me connaisse moi et ma façon de penser et qui soit capable de me poser les questions délicates », avait annoncé

Kennedy[62] à Sorensen, qui accepta que Bobby soit l'égal du Président, et lui, son subordonné. D'après Lem Billings, JFK savait que « Bobby était la seule personne entièrement dévouée sur laquelle il pouvait compter… Dès lors, la présidence Kennedy devint une sorte de collaboration entre eux »[63].

La participation de Bobby à la politique étrangère présentait néanmoins un inconvénient gênant. En secret, les États-Unis s'étaient lancés dans des projets encore plus obscurs contre Cuba en août 1960. Richard Bissell avait engagé des hommes de main de la mafia pour assassiner Fidel Castro. Avant le renversement de Batista, le crime organisé américain possédait de nombreuses salles de jeu à La Havane et disposait par conséquent de réseaux utiles sur l'île. Parmi les hommes recrutés pour la mission figurait Sam Giancana, le chef de gang de Chicago, qui entretenait une liaison avec Judith Campbell, la maîtresse occasionnelle de JFK.

Selon Richard Bissell, l'administration Kennedy comptait faire coïncider la tentative d'assassinat avec l'opération de la baie des Cochons. Comme le déclarera Smathers[64] en 1964 dans une interview, Kennedy lui avait demandé un mois avant l'invasion si « les gens seraient contents » de l'élimination du dictateur. Près d'un quart de siècle plus tard, le sénateur affirmera à l'historien Michael Beschloss que la CIA « avait laissé entendre » à JFK que « quelqu'un aurait liquidé Castro et qu'il régnerait une confusion absolue »[65] lors du débarquement.

Au lieu d'arrêter ces opérations « noires », répondant au nom de code « Mongoose », JFK confia à son frère la charge de toute une série d'actions subversives destinées à déloger le chef d'État cubain. Avant la baie des Cochons, JFK se méfiait déjà de Castro, mais il le sous-estimait. Dans un entretien accordé avant l'investiture à la spécialiste de Cuba, Laura Bergquist[66], de *Look*, il avait posé « des questions très naïves ». La journaliste se souviendra : « Il semblait se défier du charisme de Castro… Il faisait l'important avec lui, il ne le prenait pas au sérieux. » Malgré la cuisante leçon de la baie des Cochons, les frères Kennedy, et Bobby en particulier, en voulaient toujours au chef d'État cubain. « Bobby devint un anticastriste endurci », déclarera Richard Davies[67]. « Il était déterminé à mettre la main sur le scélérat qui avait mis à mal le début de la présidence de son frère … Bobby était extrêmement protecteur et rancunier. »

Personne ne niait que Castro était un dictateur répressif avec des vues sur d'autres pays d'Amérique latine, néanmoins la responsabilité de la défaite revenait bel et bien au gouvernement américain. Ayant remporté une victoire facile contre une superpuissance, Castro s'enhardissait, de même que son protecteur, l'Union soviétique. Dans une note visionnaire, Bobby[68] fit part à JFK, le 19 avril de son inquiétude légitime : « Si nous ne voulons pas que la Russie installe des missiles à Cuba, nous ferions mieux de décider maintenant ce à quoi nous sommes prêts pour l'en empêcher. » Le problème était que ses plans secrets pour une « épreuve de force » comportaient autant, si ce n'est davantage de risques que la baie des Cochons. Outre les tentatives d'assassinat, l'opération Mongoose prévoyait, pour reprendre les termes de Bobby, des activités « d'espionnage, des sabotages, des désordres publics ». Il était même question de créer un incident afin de justifier une intervention armée de la part des États-Unis, en organisant par exemple une fausse attaque aérienne sur une base militaire américaine de la baie de Guantanamo, dont il suffirait ensuite d'accuser Cuba.

La première grande répercussion de la baie des Cochons se fit sentir en Asie du Sud-Est. Macmillan eut peur que « l'échec de l'action indirecte menée à Cuba n'incite les Américains à prôner une action ouverte au Laos »[69]. En fait, la réaction fut diamétralement opposée. « J'étais prêt à aller au Laos », confiera Kennedy à Hugh Sidey. « Oui, c'est ce que nous allions faire. Mais à cause de Cuba, j'ai pensé qu'il valait mieux examiner les projets de l'armée de plus près. » Kennedy pensait encore, comme il le déclarera à Lem Billings, que si les communistes s'emparaient du Laos, « le Viêtnam suivrait. Puis la Thaïlande, etc. » Pourtant, lorsque « nous avons commencé d'envisager l'intervention au Laos », se souviendra Kennedy,

« tous les généraux et les autres s'y sont opposés et on ne savait plus qui croire et ne pas croire »[70].

Depuis Cuba, Kennedy posait à ces généraux des questions beaucoup plus délicates et leurs réponses insatisfaisantes le détournaient de l'idée d'intervenir – essentiellement parce qu'il se rendait compte que les États-Unis manquaient de forces conventionnelles pour l'emporter. « Nous ne devrions pas nous impliquer au Laos », expliqua Kennedy à Richard Nixon, évoquant l'éventualité d'avoir à affronter des « millions » de soldats « dans la jungle ». De plus, affirmait-il : « Je ne vois pas comment nous parviendrions à faire quoi que ce soit au Laos, à huit mille kilomètres, alors que nous n'y parvenons pas à Cuba, à cent cinquante kilomètres de chez nous ! »[71].

Bobby et Sorensen, favorables à une solution pacifique, confortèrent le scepticisme de JFK. En public, le Président poursuivit ses annonces guerrières, tenant prêts dix mille marines sur Okinawa. Néanmoins, il conservait en poche une alternative politique lui permettant de sauver la face – un cessez-le-feu suivi de la création d'un gouvernement de coalition comprenant le Pathet Lao, la neutralité du pays étant garantie par une conférence internationale.

Début mai, le Pathet Lao était parvenu sans difficulté à prendre le contrôle de la moitié du Laos. Les Soviétiques contribuèrent à la mise en place d'un cessez-le-feu et une conférence fut organisée à Genève pour fixer le sort de ce pays à la nouvelle configuration politique. Expéditive et imparfaite, la solution retenue accordait de nombreux postes gouvernementaux aux communistes sans empêcher le Pathet Lao de poursuivre sa conquête. Il semblait peu probable que le Laos accéderait à l'indépendance mais du moins les États-Unis pourraient-ils ne pas être accusés d'avoir abandonné le pays à un régime entièrement communiste.

CHAPITRE 16

Une envergure internationale

Deux semaines avant la défaite de la baie des Cochons, dans le *New York Post*, journal de tendance libérale, William Shannon[1] avait comparé Kennedy à « un jeune plongeur agile qui se ferait remarquer en bondissant sur son plongeoir sans jamais franchir le pas ». Ayant fait un plat avec sa politique étrangère, Kennedy cherchait de nouvelles voies pour produire meilleure impression. Le 25 mai, il décida de repartir de zéro en prononçant devant le Congrès un « second discours sur l'état de l'Union ». L'allocution de quarante-sept minutes serait retransmise à la télévision. Comme la première fois, il présenta une liste interminable d'initiatives nationales et internationales.

Cette fois, le Président retint l'attention par la proposition audacieuse d'envoyer l'homme sur la Lune. La première étape de ce projet de 54 milliards actuels représentait une dépense de près de 4,2 milliards actuels. La conquête de l'espace, déclara-t-il « est la clé de notre avenir sur Terre »[2]. Auparavant, Kennedy considérait le programme spatial comme une dépense inutile, même si Lyndon Johnson, qu'il avait chargé de l'aiguiller sur ces questions, s'en faisait depuis longtemps l'avocat.

C'était en avril que Kennedy avait changé d'avis, après la réussite russe de la mise en orbite pendant quatre-vingt-dix minutes d'un vol habité autour de la Terre. Trois semaines plus tard, les États-Unis procédaient à leur propre lancement. Pour un plus grand effet, le Président en exigea la retransmission en direct à la télévision. L'astronaute Alan Shepard Jr s'élança à 185 km dans la couche supérieure de l'atmosphère, puis émergea sain et sauf de sa capsule après avoir amerri dans l'Atlantique, à 485 km des côtes. Certes risquée – 75 % de chances de réussite selon les estimations des scientifiques –, l'entreprise fut néanmoins largement payante pour Kennedy. « Shepard portait les espoirs de l'Amérique et du monde libre dans une période sombre », commentera le *Time*[3]. Les Soviétiques conservant leur avance technologique, le projet d'envoyer un homme sur la Lune ne pouvait que réjouir l'opinion publique.

À part cela, ce second discours connut un moindre retentissement – 18 interruptions seulement pour applaudissements contre 37 lors de son adresse de quarante-trois minutes en janvier. Alors que les diplomates et les membres du cabinet envahissaient les galeries du Congrès, les membres de la Cour suprême étaient occupés ailleurs. De même que Jackie, qui s'était fait remarquer en partant pour Glen Ora la veille.

Le premier voyage officiel du Président à l'étranger s'annonça plus prometteur pour la relance du gouvernement. Début avril, Kennedy devait rendre visite au président Charles de Gaulle, en France, puis rencontrer Nikita Khrouchtchev à Vienne, à la mi-mai. Ces consultations, et la pompe dont elles étaient entourées, contribueront en grande partie à l'image accrocheuse qu'il souhaitait donner.

La perspective d'une visite à Paris enflamma immédiatement l'imagination du public. D'après les conjectures de la presse, Jackie servirait d'interprète à son mari. Kennedy, qui n'avait qu'une connaissance passable du français, confiera à Nicole Alphand, l'épouse de l'ambassadeur de France, qu'il comprenait « environ un mot sur cinq, mais de Gaulle, toujours ». La Maison-Blanche s'empressa de clarifier le rôle de Jackie, affirmant qu'elle ne traduirait pas car elle serait « liée par d'autres obligations officielles durant cette visite d'amitié »[4]. Néanmoins, ses prédispositions particulières – sa parfaite maîtrise de la langue, l'héritage des Bouvier, ses séjours à Paris, sa connaissance et son goût pour l'histoire et la culture – offraient d'incomparables avantages pour redorer le blason des États-Unis.

Aux yeux de Jackie, les Français étaient à la fois subtils et amusants. Durant son année d'étude à Paris, elle avait évoqué ces « curieux Français dans leurs costumes lustrés et leurs chaussures grinçantes » qui lui paraissaient « beaucoup trop collet monté », mais lui avaient fait découvrir « les petits endroits secrets ». Son préféré, le *Kentucky Club*, était un « night-club existentialiste » où l'on pouvait écouter dans la journée « du jazz endiablé » dans une atmosphère « sombre et enfumée ». Sa clientèle : « des Noirs, des Chinois et des jeunes mal lavés aux cheveux longs qui sautaient dans tous les sens ou s'embrassaient frénétiquement sur les banquettes ». Après une période « d'ivresse et d'adoration aveugle », Jackie avait fini par éprouver pour la ville une « affection saine et bienveillante ». Ce qui la fascinait, expliquait-elle à sa sœur, c'était de pouvoir « au sortir d'un musée, marcher dans la rue où avait vécu Voltaire, rentrer dans un petit bar et puis, seulement, revenir à la réalité »[5].

De Gaulle fascinait Jackie depuis la Seconde Guerre mondiale. À l'époque, elle avait d'ailleurs baptisé son caniche Gaullie, car, à l'instar du général, son chien était « un battant droit et fier, avec un nez proéminent », se souviendra son demi-frère Yusha[6]. Plus tard, elle avait lu les *Mémoires* en français ; durant la campagne des primaires, elle s'était présentée avec le second volume sous le bras à un meeting dans le Wisconsin. Lorsqu'ils s'étaient enfin rencontrés, lors d'une garden-party donnée à l'ambassade de France en 1960, de Gaulle[7] lui avait déclaré : « La seule chose que j'aimerais rapporter des États-Unis est Mme Kennedy. »

Pour préparer son retour dans la ville des Lumières, Jackie rafraîchit son français avec un professeur particulier de l'ambassade de France, lut les dossiers établis par le ministère des Affaires étrangères et organisa sa garde-robe en fonction de la mode française. Se conformant à son style désormais célèbre et largement imité, elle choisit des coupes sobres et classiques, mettant l'accent sur le « tissu, somptueux, la couleur, inhabituelle, et les détails, caractéristiques », pour reprendre les termes d'Oleg Cassini[8]. Pour l'une de ses apparitions, elle arbora le « tailleur en soie jaune jonquille » de Cassini, conçu pour chatoyer à la lumière du jour. « Si elle ne cherchait pas à éclipser le Président, il est certain qu'elle réfléchissait à l'effet qu'elle produirait ainsi qu'au comportement et aux gestes acceptables qui lui permettraient de le soutenir »[9], commentera Robert McNamara.

Jackie s'occupant de la forme, JFK se concentra sur le fond. À ses yeux, de Gaulle était « un grand personnage sombre »[10] – le héros de la Résistance française durant la Seconde Guerre mondiale et, depuis son élection en 1958, une gloire nationale. Selon Sorensen[11], Kennedy savait que l'homme âgé de 70 ans serait « irritant, intransigeant, insupportablement vaniteux, inconsistant et impossible à satisfaire ». Après que la France eut été chassée d'Indochine, de Gaulle s'était opposé à une intervention armée américaine dans ce « bourbier militaire et politique sans fond »[12]. Il s'efforçait en outre d'élever le pays au rang de puissance nucléaire – à la fois pour accéder au statut de superpuissance et pour s'assurer une défense autonome face aux Soviétiques. En avril, la France devait effectuer son quatrième essai atomique.

JFK s'était déjà heurté une fois aux Français avant son accession au pouvoir, à travers un discours clairvoyant prononcé en 1957. L'*Establishment* français avait été « fou de rage » de l'entendre promouvoir l'indépendance de l'Algérie. Lors d'un déjeuner discret, Hervé Alphand lui avait reproché son ingérence. « Il m'a promis de ne pas poursuivre sur le sujet. Et il a tenu sa promesse », se souviendra l'ambassadeur[13]. Le voyant se tourmenter à l'idée que sa prise de position puisse avoir des conséquences sur sa politique intérieure, son père, très pragmatique, l'avait rassuré : « D'ici aux élections, ta déclaration sur l'Algérie sera oubliée… »[14].

Kennedy se prépara à son entrevue avec de Gaulle par la lecture laborieuse de livres d'histoire et d'analyses contemporaines. Il étudia une traduction de ses mémoires afin de pouvoir en citer les passages pertinents et reçut dans le bureau Ovale Raymond Aron, philosophe politique opposé à de Gaulle. Bundy et Sorensen lui conseillèrent de mener la discussion en posant des questions. Dans une note confidentielle, Cy Sulzberger[15] du *New York Times*, incita le Président à « instaurer une atmosphère favorable » en commençant par des sujets consensuels pour progresser ensuite vers des thèmes plus épineux.

Kennedy se fia essentiellement à Macmillan car, après des années de fréquentation, il était devenu très philosophe à l'égard de son imposant homologue, qu'il surnommait « le petit imbécile »[16]. Pour intercéder en sa faveur, l'Anglais recommanda dans une lettre à son « cher ami » de Gaulle de « s'adresser à Kennedy en toute franchise et d'exposer ses vues en détail ». Parfaitement conscient de la « fierté, de la haine héréditaire de l'Angleterre et de l'intense "vanité" pour la France » du général, Macmillan avertit Kennedy qu'il était « difficile de mener la conversation avec lui » car il s'exprimait « parfois de manière elliptique »[17].

La rencontre au sommet avec Khrouchtchev, alors âgé de 66 ans, représentait un plus grand défi encore. Kennedy avait déjà brièvement entrevu le leader soviétique lors de sa venue au Sénat à l'automne 1959. À l'époque, Khrouchtchev avait vu en lui un homme en pleine ascension. Les premières propositions concernant l'organisation de ce sommet étaient arrivées quelques semaines seulement après l'investiture, puis la baie des Cochons semblait avoir sabordé toutes perspectives ; or, Khrouchtchev avait envoyé sa surprenante invitation moins d'un mois plus tard. Dans l'une de ses premières incursions en politique étrangère, Bobby avait, pour le compte de son frère, rencontré en secret un agent des renseignements russes. Gueorgui Bolchakov lui avait laissé entendre que Khrouchtchev pourrait être prêt à entamer des discussions sur l'interdiction éventuelle des essais nucléaires.

La menace nucléaire était au cœur des relations américano-soviétiques. Les Soviétiques avaient effectué leur premier essai nucléaire en 1949, mais la menace avait pris une nouvelle ampleur avec le lancement dans l'espace, en 1957, du satellite *Spoutnik*. Il était désormais possible aux Soviétiques d'envoyer des missiles outre-Atlantique en moins d'une demi-heure.

Durant sa campagne présidentielle, JFK avait alimenté la peur en brandissant la théorie du « missile gap ». En fait, les deux superpuissances possédaient désormais une force d'« extermination massive » – dix-huit mille armes nucléaires pour l'arsenal américain et un volume légèrement inférieur mais conséquent côté russe.

Même si les deux superpuissances se livraient à la course à l'armement, elles avaient (de même que la Grande-Bretagne) volontairement suspendu les essais nucléaires depuis 1958 et engagé des pourparlers à Genève visant au contrôle de l'armement. Néanmoins, en mai 1960, les Russes avaient abattu un avion espion américain U-2, ce qui avait fait échouer un sommet prévu entre Eisenhower et Khrouchtchev et refroidi les ardeurs concernant les négociations sur le nucléaire. Encouragé par David Gore, JFK demeurait convaincu que l'interdiction des essais constituait la première étape vers le désarmement nucléaire. La possibilité d'engager le chef du gouvernement soviétique sur la voie du contrôle de l'armement représentait donc un objectif louable pour le sommet de Vienne.

Kennedy ne manqua pas d'avis d'experts sur la tactique à déployer face au leader soviétique. Ken Galbraith lui transmit l'avertissement du Premier ministre indien, Jawaharlal Nehru[18], selon lequel Khrouchtchev était « un homme aux réponses extrêmement rapides ». Récemment rentré de Russie, Walter Lippmann commenta qu'il avait recours à une langue trompeusement simple pour parler au Russe moyen et racontait parfois des fables pour illustrer son propos. Selon les analystes de la CIA, Khrouchtchev (qui avait choqué le monde l'année précédente en brandissant sa chaussure lors d'un discours devant les Nations Unies) devenait « agressif avec la fatigue ». Averell Harriman, 69 ans et ancien ambassadeur en Union soviétique, le mit en garde de ne pas prendre les provocations du Soviétique trop à la lettre ou de tenter de débattre avec lui. Il valait mieux répondre à ses fanfaronnades par l'humour.

C'est un programme chargé qui fut imposé au couple présidentiel durant le mois précédant la visite en Europe. Jackie mit les bouchées doubles pour restaurer la Maison-Blanche, travaillant avec Harry du Pont à l'élaboration d'un cadre juridique pour les donations soumises à son approbation. En compagnie de Jayne Wrightsman et de Mary Lasker, elle visita la collection d'antiquités de Winterthur, soit cent vingt pièces consacrées au patrimoine américain. Dans l'avion de retour, la philanthrope Mary Lasker lui remit dix mille dollars, la première contribution en espèces versée au profit de son Comité des beaux-arts.

En matière de décoration, les goûts de Jackie avaient évolué et embrassaient désormais le style Empire, aussi bien l'original, qui datait de la France de Napoléon et Joséphine, que celui de Monroe. L'esthétique française du tournant du XIXe siècle la séduisait par ses éléments classiques. On retrouvait cette touche française même dans le papier peint de la salle des diplomates et dans les scènes américaines qui couvraient les murs de la salle à manger présidentielle du second étage. Conçues dans la France du XIXe siècle, ces peintures représentaient des gens à l'allure « plus parisienne qu'américaine »[19].

Un jour, Jackie confiera à Adlai Stevenson que son manque d'expérience de première dame lui donnait l'impression de passer son temps « sous un séchoir à cheveux à soigner sa prochaine apparition »[20]. Pour son premier dîner d'État, donné en l'honneur du minuscule président de Tunisie, Habib Bourguiba, Jackie porta une robe « Nefertiti » du plus bel effet. En organza jaune pâle, elle laissait une épaule dénudée. En guise de divertissements, elle avait prévu un défilé en tenue d'apparat réunissant cinq cents représentants des quatre branches des forces armées sous les étoiles.

Quelques semaines plus tard était organisé un déjeuner en compagnie du prince Rainier III de Monaco (« prince Reindeer » pour Tish Baldrige) et son épouse, Grace Kelly. Un bruit avait couru dans les années 1950 que JFK et la très belle actrice « avaient eu le béguin l'un pour l'autre », dira Tish Baldrige[21]. Lorsque Grace Kelly – de quatre mois plus jeune que Jackie – avait brièvement été fiancée à Oleg Cassini, Joe Kennedy lui avait proposé le mariage – une rumeur qui

« amusait toujours » JFK, selon Cassini[22]. Jackie avait elle-même pu rire aux dépens de l'ancienne star de Hollywood en la persuadant d'accepter de s'habiller en infirmière pour faire une surprise à JFK, alors hospitalisé pour son opération du dos. « Je la soupçonne d'avoir suggéré cet uniforme pour qu'elle ait l'air moins chic que dans ses vêtements haute-couture », expliquera Tish Baldrige[23].

À ce simple déjeuner assistaient également les Roosevelt, Clairborne Pells et William Walton. JFK plaisantait légèrement avec la princesse Grace : il venait de deviner qu'elle portait une robe dessinée par Hubert de Givenchy. Toutefois, si le prince se montrait expansif, la princesse paraissait se contenir. Comme en témoignera Walton[24] plus tard : « Elle était tellement effrayée à l'idée de ce déjeuner qu'elle avait bu deux verres de Bloody Mary… Alors, elle était un peu partie… »

Pour les 44 ans de Jack, le 29 mai, Jackie avait comploté avec Paul Fout la création d'un parcours de golf de trois trous à Glen Ora – « assez long et difficile pour qu'on ne s'en lasse pas ». En outre, elle avait demandé que les trous soient signalés par des drapeaux confédérés « invisibles de la route ». Les Bradlee vinrent fêter l'anniversaire de JFK dans la propriété le 20 mai. Les deux amis inaugurèrent le parcours, étendu entre-temps à quatre trous sur « huit hectares de pré, agrémentés de petites collines, de gros rochers et même d'un marais », se souviendra Bradlee[25]. JFK « battit le record en trente-sept coups ».

À la mi-mai, les Kennedy se reposèrent également un week-end à Palm Beach, dans la propriété des Wrightsman, en compagnie de Chuck et Betty Spalding. Avec ses parquets du XVIIe siècle du Palais-Royal de Paris, son mobilier Louis XV et son vaste salon au papier peint chinois du XVIIIe siècle, la demeure de Charlie et Jayne offrait un cadre beaucoup plus opulent que *La Guardia* de Joe Kennedy. JFK put nager dans le grand bassin rempli d'eau salée et chauffée à 32° C. Outre le service assuré par quatorze domestiques à l'intérieur et une demi-douzaine à l'extérieur, Jules, « l'immense chauffeur français », pourvoyait à tous les besoins – un véritable « bain de luxe » selon Cecil Beaton[26].

Durant quatre jours entiers, Jack et Chuck jouèrent au golf sur trois parcours différents – le *Palm Beach Country Club* proche de la propriété des Kennedy, le *Breakers* et le très sélect *Seminole* – où Betty vint les rejoindre une fois. La pression et le rythme intense de ses activités officielles avaient en revanche sérieusement ébranlé Jackie. Malgré les consultations téléphoniques que lui accordait le Dr Finnerty et ses efforts pour se donner de l'exercice physique, elle ne parvenait pas à chasser l'angoisse que suscitait la perspective de sa première visite d'État, à l'âge de 31 ans. « Elle se rendait compte de son importance aux yeux du monde ; c'était une énorme pression », expliquera Tish Baldrige[27]. « Elle n'était pas maussade, plutôt solide, mais elle se réveillait avec de grands cernes sous les yeux par manque de sommeil. »

À Palm Beach, ses migraines incitèrent son mari à faire venir le Dr Max Jacobson, médecin de Manhattan à la clientèle riche et célèbre, surnommé « Dr Feelgood » pour ses mystérieuses injections à base d'amphétamines. Débraillé, les ongles tachés par les produits chimiques, Jacobson avait un fort accent allemand et un tempérament direct. Sa pratique médicale et ses stimulants se situaient à la limite de la légalité. Ils généraient des sensations d'euphorie, mais on ignorait encore leurs effets secondaires : agitation, dépression et même psychose.

Parmi les patients de Jacobson figuraient Oleg Cassini, Mark Shaw, photographe de *Life Magazine* admiré par Jackie, et Chuck Spalding, qui avait suggéré ses services à JFK durant la campagne présidentielle. Plusieurs jours avant son premier débat avec Nixon, JFK avait secrètement rendu visite au médecin afin qu'il le soulage de la fatigue et de la faiblesse musculaire qui « gênaient sa concentration et altéraient son élocution », selon un rapport inédit de Jacobson[28]. Après l'injection, il avait confié au praticien « qu'il se sentait détendu, calme et très alerte ».

Ce jour-là, Kennedy sollicitait son aide pour la « déprime et les maux de tête fréquents » de Jackie, se souviendra Jacobson. Après sa piqûre, « son humeur changea radicalement ». Kennedy n'eut pas besoin de traitement lors de cette visite, en témoigne son intense pratique du golf. Il avait adhéré au programme de natation prescrit par Janet Travell en février, et recevait des injections quotidiennes de procaïne dans le dos. Néanmoins, selon les notes du médecin, depuis son arrivée au pouvoir, Kennedy s'était régulièrement plaint de problèmes gastro-intestinaux et urinaires, d'accès de fièvre et d'insomnies. Si le Président laissait peu transparaître sa gêne, Ken Galbraith[29] avait remarqué à l'occasion d'une réunion qu'au moment de lui verser une tasse de thé, il avait « distraitement rempli la tasse de lait et de sucre » tellement il était « transi de fatigue ».

En guise d'échauffement avant leur voyage outre-Atlantique, les Kennedy effectuèrent à la mi-mai une visite de deux jours au Canada. La cérémonie remporta un franc succès auprès des citoyens d'Ottawa, « habituellement blasés », qui se massèrent dans les rues pour acclamer les Américains : près de soixante-dix mille personnes sur deux cent quatre-vingt mille habitants, selon les estimations. Ayant pris note, avec une ironie désabusée, qu'elle devrait garder le silence au nom de la « regrettable répartition des tâches »[30], Jackie sourit gentiment en écoutant le français hésitant du discours de JFK à leur arrivée. Même après avoir annulé un entretien télévisé pour cause de fatigue, Jackie fit un « véritable triomphe », selon la presse, auprès des responsables et des citoyens canadiens, ravis de son enthousiasme au spectacle des manœuvres de la police montée.

Dès le premier jour, le Président se fit un lumbago lors d'une cérémonie de plantation d'arbre chez le gouverneur général. Alors que Jackie avait poliment accepté de retourner trois « minuscules » pelletées de terre, JFK n'avait pas ménagé sa peine autour du jeune érable. Il ressentit un élancement, mais pensa que la douleur allait disparaître. Deux jours de golf avec Ben Bradlee sur le « parcours » de Glen Ora, le week-end suivant, n'arrangèrent rien. JFK dut ensuite recourir aux béquilles pour se déplacer chez lui et dans l'intimité du bureau Ovale.

Le mardi 23 mai, Kennedy fit discrètement venir Max Jacobson à la Maison-Blanche. Durant quatre jours, le médecin lui administra des injections d'amphétamines « pour soulager la gêne locale et lui redonner des forces afin de surmonter son stress »[31], se souviendra-t-il. Le même jour eut lieu le « second discours sur l'état de l'Union », durant lequel Kennedy négligea maints passages et plaça de nouvelles expressions. Jacobson nota que Jackie était « dans de meilleures dispositions » ; néanmoins, elle reçut également un traitement avant de partir, le mercredi soir, se reposer cinq jours à Glen Ora. Inquiet de l'éventuel impact de son lumbago sur ses réunions parisienne et viennoise, Kennedy demanda au praticien de l'accompagner.

Avant le départ, JFK dut régler une crise intérieure. Une bande de plus de mille émeutiers blancs avait attaqué un autocar à Montgomery, en Alabama. Les victimes, des libéraux noirs et blancs étaient venues de Birmingham pour manifester contre la politique de ségrégation appliquée par la gare routière de la ville. Quelques jours auparavant, alors qu'un autre autocar avait été incendié entre Anniston et Birmingham, Kennedy s'était essentiellement inquiété de l'avantage politique que Khrouchtchev risquait de retirer des conflits raciaux aux États-Unis. « Pour l'amour du ciel, faites descendre vos amis de ces bus ! Empêchez-les ! »[32], s'était-il lamenté auprès de Harris Wofford, son conseiller en matière de droits civiques.

Devant la détermination de ce second groupe de manifestants à se rendre à Montgomery, JFK avait autorisé Bobby à faire intervenir les services d'ordre en cas de besoin. L'émeute du samedi 20 suscita l'intervention non seulement des marshals, mais de la garde nationale. Parmi les blessés, l'adjoint de Bobby au ministère de la Justice, John Seigenthaler, avait été assommé par-derrière alors qu'il tentait d'aider une jeune blanche à échapper à ses agresseurs. Quelques jours plus tard, Bobby avait prié les manifestants de modérer leurs ardeurs, puis les esprits s'étaient calmés. Alors que la loi martiale était levée à Montgomery, la veille de son départ, JFK déclara[33], très confiant, qu'il « ne céderait pas d'un pouce » face à Khrouchtchev.

À la seconde où ils les aperçurent, les Parisiens tombèrent sous le charme de la beauté, de la jeunesse et du prestige du Président américain et de son épouse. La foule – un demi-million de personnes selon les estimations – scandait « Jackie » et « Kennedy », avec un enthousiasme encore plus marqué qu'au Canada. Lors de ses apparitions en public, Kennedy se montra plein d'esprit (« Je suis l'homme qui a accompagné Jacqueline Kennedy à Paris »[34]) et agréablement détendu, n'hésitant pas à fausser compagnie à son escorte pour s'adonner au bain de foule. La presse française[35] le jugea « serein, décontracté et intelligent ». Aussi impressionnante, Jackie répondit aux questions des journalistes en anglais et dans un français « très louable » pendant quarante minutes.

Seuls Jackie, ses médecins et ses plus proches conseillers étaient au courant des douleurs permanentes dont souffrait Jack. À la moindre occasion, il se glissait dans sa baignoire pour soulager son dos dans l'eau chaude tout en bavardant avec Kenny O'Donnell et Dave Powers. Il s'était arrangé pour qu'Air France affrète un avion pour Max Jacobson et son épouse – un curieux vol étant donné qu'ils étaient seuls à bord. Malgré la présence des médecins traitants, Travell et Burkley, Jacobson administrait discrètement ses injections à Jack et Jackie. Lorsque Ted Sorensen demanda la raison de sa venue, on lui répondit que c'était pour Jackie, « à cause de ses nerfs et de la tension »[36]. Même si elle tenait Jacobson pour un « homme obséquieux », Tish Baldrige[37] avait le sentiment que les piqûres « n'avaient pas d'effet » sur les Kennedy : « Je ne voyais aucune différence dans leur comportement. »

Au long de ses deux jours d'entretien avec de Gaulle, Kennedy établit des rapports courtois avec l'homme d'État français, sans toutefois parvenir à le faire démordre de son programme d'armement nucléaire que le *Time* taxait de « bricolage ». Bien qu'il promît que les missiles américains défendraient ses alliés européens, de Gaulle refusa de croire que si les Soviétiques envahissaient l'Europe occidentale, Kennedy prendrait le risque d'une contre-attaque nucléaire soviétique sur les États-Unis. JFK[38] fut frappé de constater, comme il le confiera plus tard à

Cy Sulzberger, que « son sentiment antiaméricain et ses suspicions remontaient loin et étaient profondément ancrés ».

Kennedy rejeta sa demande de soutien au programme nucléaire français ainsi que sa tentative pour placer son pays sur un pied d'égalité avec les États-Unis et la Grande-Bretagne – en proposant la constitution d'un « directoire » tripartite pour superviser la défense stratégique de l'Europe. Devant le refus de son interlocuteur de l'aider au Laos – un pays « fictif » aux yeux du Français –, Kennedy exprima sa « peur de la contamination communiste à l'ensemble de la région du Sud-Est asiatique »[39]. De Gaulle fit en revanche part de son opinion à l'égard de Khrouchtchev. Évoquant la « méchanceté » de l'homme, il déclara : « Je ne peux pas vraiment traduire ce mot ; votre épouse vous expliquera mieux. »[40]

Malgré le manque d'avancée sur le fond, de Gaulle fut impressionné par « l'intelligence, la lucidité et la bonne connaissance des affaires internationales »[41] de Kennedy. Le Français le considéra comme son homologue le plus agréable. « Roosevelt et de Gaulle se détestaient, le général méprisait Truman, et avec Eisenhower, les problèmes n'étaient jamais approfondis », observera Hervé Alphand[42]. Tandis que les deux chefs d'État achevaient leur discussion, le Français déclara : « J'ai désormais davantage confiance en votre pays. »[43]

Durant le déjeuner à l'Élysée, le premier jour, Jackie médusa le vieil homme, avec lequel elle conversa dans un « lent et mauvais français ». À peine toucha-t-il à son assiette durant leur débat sur « Louis XVI, le duc d'Angoulême et la dynastie complexe des derniers Bourbons », qui le porta à confier à JFK que Jackie « connaissait mieux l'histoire de France que bien des Françaises », d'après Schlesinger[44]. Jackie se fit davantage apprécier en remettant à de Gaulle une lettre de George Washington au vicomte de Noailles que Jayne Wrightsman avait acquise pour un demi-million de dollars actuels. « Sa maîtrise du français et le charme de sa jeunesse présentent de grands atouts pour Mrs Kennedy. De Gaulle était visiblement de très bonne humeur », commentera l'ancien diplomate Charles Bohlen[45].

Pour la visite historique et culturelle de la ville, la première dame fut accompagnée par André Malraux, ministre de la Culture de l'époque. Quelques jours seulement auparavant, les fils du célèbre écrivain s'étaient tués dans un accident de voiture et Jackie était touchée de le voir surmonter son chagrin pour remplir ses obligations. Ce grand résistant l'intriguait depuis que lui en avait parlé son amie de lycée Jessie Wood. La mère de Jessie, Louise de Vilmorin, était une poétesse élégante et excentrique connue du Tout-Paris qui avait notamment eu pour amants Orson Welles et Ali Khan. Malraux, qui l'avait encouragée à écrire, était assidu à son salon.

Jackie connaissait bien l'œuvre de Malraux pour avoir lu ses romans : *La Condition humaine* et *L'Espoir*. Ils s'entendirent immédiatement, non seulement parce qu'ils partageaient le même amour pour la littérature et la culture mais parce qu'ils s'amusaient ensemble. « Que faisiez-vous avant d'épouser Jack Kennedy », lui demanda-t-il. « J'étais pucelle ! » lui répondit-elle[46]. Tish Baldrige pensait que Jackie avait « un béguin intellectuel » pour Malraux, qui devint son « plus grand mentor. Elle l'écoutait et lui écrivait. Malraux était son modèle. Il la conseillait dans maints domaines »[47].

Après l'avoir escortée au musée du Jeu de paume pour admirer la collection impressionniste (son tableau préféré étant le nu couché provocant de Manet, *Olympia*), Malraux emmena Jackie à la résidence impériale de la Malmaison. Lorsque le conservateur expliqua à Jackie que Joséphine était « extrêmement jalouse » de Napoléon, la première dame s'esclaffa en français : « Elle avait raison, ce n'est pas moi qui le lui reprocherais. »[48] La Malmaison l'intéressa particulièrement en raison des travaux de restauration qu'y avait effectué Stéphane Boudin. À ses yeux, la maison représentait la quintessence du style Empire, qui avait influencé son propre aménagement du salon Rouge et de la chambre Bleue de la Maison-Blanche. Napoléon et Joséphine avaient commandé leur mobilier sculpté et orné de dorures à Bellangé parce que l'artisan était le créateur des meubles du Président James Monroe.

De Gaulle prit grand plaisir à divertir les Kennedy – et leurs proches. Ils étaient en effet entourés de Lee Radziwill, Lem Billings, Eunice Shriver, Tony Bradlee (à qui Ben avait fourni les accréditations nécessaires pour couvrir la visite), Rose Kennedy et « toute une flopée de dames de compagnie », pour reprendre les termes du *Time*[49]. Au départ, Jack s'était opposé à la venue de sa mère, mais selon Billings, « il n'avait rien pu faire parce que Mrs Kennedy était déterminée à participer à tout »[50].

Armées chacune d'un épais carnet noir, Pam Turnure et Tish Baldrige veillaient à ce que Jackie se conforme à son programme et aplanissaient les obstacles, non sans mal compte tenu de la foule déferlante de journalistes. Une seule fois, Jackie parvint à s'échapper du Quai d'Orsay, l'opulente résidence Second Empire réservée aux hôtes de la France, où elle occupait la « chambre de la reine ». Fuyant les valets de pied en livrée, le deuxième soir, elle put retrouver durant quarante-cinq minutes le Paris de sa jeunesse sous la simple escorte des services secrets.

Le point fort de la visite présidentielle fut le dernier dîner aux chandelles organisé dans la galerie des Glaces à Versailles, où chacun des six plats servis aux cent cinquante convives fut dégusté dans la porcelaine dorée de Napoléon. Jackie régala de Gaulle tout en se faisant régulièrement l'interprète de son mari. Ensuite, ils assistèrent à une représentation du ballet de l'Opéra de Paris dans la salle du théâtre Louis-XV nouvellement restaurée. Au milieu de ce décor du XVIIIe siècle dont elle adorait le style, Jackie affirmera s'être « sentie au paradis » car elle n'avait « jamais rien vu d'aussi beau »[51].

En l'honneur de ses hôtes, Jackie portait une éblouissante robe Givenchy en soie blanche composée d'un haut brodé de fleurs multicolores et d'une longue jupe cloche. Le coiffeur parisien Alexandre lui avait donné un « air de fée » en ornant sa chevelure de « quatre barrettes de diamant en forme de flammes ». Le choix minutieux de ses toilettes et de ses accessoires, notamment un faux chignon digne d'une madone gothique du XIVe siècle, déchaîna la presse française[52]

(« Charmante ! », « Ravissante ! »). Comme le fit remarquer David Bruce[53], Jackie se révéla « plus précieuse pour le prestige des États-Unis que dix divisions ».

L'ambiance des deux jours que les Kennedy passèrent à Vienne fut aussi maussade que la pluie froide qui les accueillit le samedi 3 juin au matin. Rose, Lem et Eunice les accompagnaient. JFK comptait en effet sur l'humour de sa sœur pour, dirait Lem[54], « rendre l'atmosphère de cette entrevue plus agréable ». Dave Powers se rendit également disponible pour tenir compagnie au Président durant leurs « conversations au bain ».

Les Kennedy eurent à peine une demi-heure pour s'installer chez l'ambassadeur américain avant la première réunion avec Khrouchtchev. Immédiatement ou presque, on indiqua la chambre de Jack à Max Jacobson. « La rencontre risque de durer. Faites en sorte que mon dos ne me pose aucun problème pour me lever ou me déplacer », lui indiqua JFK[55]. Le médecin lui administra une injection, et c'est un Kennedy au teint hâlé et plein de fougue que l'on vit bondir sur le seuil « tel un cowboy se relevant après une chute »[56] et descendre les marches à toute vitesse « pour accueillir son hôte chauve et gras », selon le *Time*. Quel qu'en fût le prix, Kennedy était résolu à présenter une image éclatante. « Il était hors de question de paraître avec mes béquilles devant Khrouchtchev »[57], révélera-t-il à la fille de Douglas Dillon, Joan, plusieurs semaines plus tard.

Après près de cinq heures d'entretien avec le chef d'État soviétique, Kennedy demeurait sous le choc. « Le mélange de jovialité de façade et de colère rentrée » de Khrouchtchev, confiera-t-il à Schlesinger, l'incommodait particulièrement. Son interlocuteur n'avait aucune intention de débattre de l'interdiction des essais nucléaires, il avait passé la moitié du temps à sermonner JFK et à l'entraîner sur le terrain du marxisme – le piège que ses conseillers lui avaient justement recommandé d'éviter. Lors de sa préparation, Kennedy s'était concentré sur le tempérament et la personnalité du Soviétique, il ne s'était pas du tout plongé dans la philosophie communiste.

Avec « la plus grande retenue », Kennedy avait courageusement tenté de soulever certains points importants – son inquiétude à l'idée qu'une simple erreur de calcul puisse déclencher la guerre, la nécessité de trouver un terrain d'entente qui ne soit pas contraire aux intérêts vitaux de chaque nation. Or, le leader soviétique avait poursuivi ses attaques verbales, réussissant même à piéger Kennedy en lui faisant reconnaître que la baie des Cochons « était une erreur ». Khrouchtchev « cherchait à prendre l'avantage psychologique et l'a obtenu », déclara Richard Davis[58], du ministère des Affaires étrangères.

Ce soir-là, au cours du banquet donné au château de Schönbrunn, Jackie se montra coquette avec Khrouchtchev, qui la lorgnait « comme un jeune boutonneux ». Elle portait une « robe de sirène », très près du corps, « aux reflets rose argenté », que Cassini avait voulue « légèrement aguichante »[59]. Tentant de débattre des coutumes folkloriques de l'Ukraine du XIXe siècle, elle s'exclama en entendant Khrouchtchev entamer une comparaison prétentieuse entre les nouvelles formes d'éducation et la vie à l'époque des tsars : « S'il vous plaît, Monsieur le Président, épargnez-moi vos statistiques ennuyeuses »[60]. Khrouchtchev partit d'un gros rire et se mit à raconter ses blagues préférées. S'efforçant de lui être agréable, Jackie alla même, selon un article de journal, jusqu'à « éclater de rire en renversant la tête en arrière »[61].

Plus tard, Jackie expliquera à Arthur Schlesinger que l'humour de Khrouchtchev lui rappelait les farces bouffonnes des comiques Abbott et Costello, et qu'il lui paraissait parfois « presque intime ». Dans ses propres mémoires, le leader soviétique minimisera le pouvoir de séduction de la première dame. « Elle ne m'impressionnait pas avec son éclat très particulier qui doit hanter bien des hommes, mais elle était jeune, dynamique et avenante », écrira-t-il. Perspicace, il saluera son « esprit de repartie » : « Elle trouvait toujours le bon mot pour vous couper la parole si vous n'y preniez pas garde. » Froidement, il conclura : « Je me fichais éperdument de la femme qu'il s'était choisi. S'il la trouvait à son goût, tant mieux pour lui – meilleurs vœux de bonheur à tous les deux. »[62]

Il est évident que ce court intermède galant en compagnie de Jackie n'eut aucun impact sur l'attitude brutale de Khrouchtchev à l'égard de Kennedy. Durant l'entretien du lendemain, le Soviétique durcit ses attaques. Au cœur de son message se trouvait le statut de Berlin, que Khrouchtchev ressentait comme « une arête dans la gorge »[63]. Après leur victoire au lendemain de la Seconde Guerre mondiale, les Alliés avaient officiellement décrété le partage du contrôle de l'Allemagne ; les États-Unis, la Grande-Bretagne et la France étant chargés du secteur occidental, l'Union soviétique, des régions orientales. De même, les quatre nations avaient divisé la capitale, pourtant située au cœur de la zone soviétique. Il était néanmoins entendu que les puissances occidentales auraient libre accès à Berlin-Ouest, inclus dans l'État ouest-allemand.

Par ailleurs, les vainqueurs s'étaient engagés à réunir l'Allemagne et à organiser des élections démocratiques. Or, les Soviétiques avaient cherché à consolider leur mainmise sur l'Allemagne de l'Est et, en 1948, Moscou avait soudain coupé toutes les voies de communication terrestres entre Berlin et le territoire allié. En guise de riposte, les Alliés avaient établi un pont aérien pour ravitailler la ville isolée durant onze mois, jusqu'à la levée du blocus soviétique. Depuis 1958, Khrouchtchev menaçait de signer un traité avec le gouvernement communiste est-allemand mettant un terme immédiat à toute occupation occidentale de Berlin.

Voilà qu'il annonçait souhaiter la mise en place de cet accord avant la fin de l'année en vue d'une reconnaissance officielle de l'existence des deux entités allemandes et d'une consolidation des relations soviétiques avec l'Allemagne de l'Est. Kennedy déclara cette abrogation unilatérale des termes de la reddition allemande parfaitement inacceptable. Les Soviétiques violaient les principes d'unification et d'autodétermination de l'Allemagne. Khrouchtchev riposta en affirmant que si l'Ouest recourait à la force, il prendrait des contre-mesures militaires. « Si les États-Unis veulent la guerre, c'est leur problème ! »

déclara-t-il. « Dans ce cas, Monsieur le Président, ce sera la guerre, et l'hiver sera froid ! »[64], répondit Kennedy.

Aucun journal ne rendrait compte de la gravité des échanges entre les deux chefs d'État. Seul James Reston du *New York Times* s'en approchera en soulignant les « divergences sur Berlin et les grandes questions d'armement » ainsi que la « polémique ravivée »[65] sur laquelle s'était achevé l'entretien. Son article décrivait un Kennedy « solennel mais d'humeur confiante » et poursuivait : « aucun ultimatum ne fut formulé, mais quelques paroles amères ou menaçantes furent échangées ». En réalité, Reston n'était pas dupe puisqu'il avait entendu une version des faits beaucoup plus sincère de la bouche même du Président, quelques minutes seulement après l'interruption des débats. « Ce fut la pire expérience de ma vie. Il m'a marché dessus », fulminait JFK[66]. Il avoua également que le Soviétique l'avait traité comme un petit garçon : « Il me croit inexpérimenté, à cause de Cuba, et sans doute idiot. Pis : il croit que je manque de courage ! ». Cependant, à l'instar de Joe Alsop, qui entendrait les mêmes révélations le lendemain – que Khrouchtchev avait « exigé sa capitulation en le menaçant de lui faire la guerre » –, Reston choisit de ne pas accabler Kennedy par ses confidences alarmantes.

En réalité, Kennedy avait fait meilleure impression sur Khrouchtchev – qui nuançait toutefois ses propos selon son public. À son conseiller Fedor Burlatsky, il déclara qu'il trouvait Kennedy « trop intelligent et trop faible »[67]. L'ambassadeur américain Llewellyn Thompson entendit dire qu'il le décrivait comme « un homme moderne qui ne s'encombre pas de vieilles formules. Il s'était bien préparé et n'a pas eu une seule fois recours à l'un de ses conseillers »[68]. Khrouchtchev confia à Cy Sulzberger qu'il considérait Kennedy comme un « partenaire digne » sachant « exprimer ses propres idées » et ayant « des vues beaucoup plus larges »[69] que Eisenhower.

Avant leur retour, les Kennedy firent escale à Londres pour assister au baptême de la fille de Stas et Lee, Anna Christina, à Westminster. Les Radziwill les accueillirent dans leur résidence au style classique sur Buckingham Place, dans le non moins sélect quartier de Victoria, au cœur de la capitale. Toujours dans le sillage du Président, Max Jacobson traversa le jardin, se fraya un chemin parmi les sculptures victoriennes du vestibule, puis rejoignit Jack et Jackie dans leur chambre au deuxième étage. En repartant, le médecin croisa Stas – « un bel homme en queue-de-pie » –, qui ne tardera pas à rejoindre la liste de ses patients.

Pour Kennedy, cette visite offrait avant tout l'occasion de s'entretenir en privé avec Macmillan. À son arrivée, il parut « exubérant et en pleine forme » à David Bruce[70] ; en revanche, le Premier ministre vit un homme « assommé et déconcerté » par l'attitude « offensive et même brutale »[71] de Khrouchtchev. JFK regrettait d'avoir été contraint à un débat idéologique, reconnaissant n'avoir « progressé sur aucun sujet ». Macmillan confiera plus tard à la reine que Kennedy avait été « totalement submergé »[72] par Khrouchtchev. À son avis, il avait eu une réaction excessive face au Soviétique, « tel un taureau excité par les piques des picadors ». Kennedy avait bâti sa carrière politique sur sa force de persuasion ; or, « pour la première fois de sa vie », notait le Premier ministre, il avait « rencontré un homme parfaitement insensible à son charme »[73].

En l'honneur de Jack et Jackie, le Premier ministre et son épouse, lady Dorothy, organisèrent « un déjeuner très joyeux avec quantité d'hommes élégants et de jolies femmes ». « Porté par l'entrain du Président »[74], Macmillan tenta de le distraire avec humour. Au sujet d'un article sur Jackie auquel il trouvait à redire, Kennedy demanda[75] : « Comment réagiriez-vous si quelqu'un disait de lady Dorothy qu'elle boit ? », « Je répondrais que ce n'est rien à côté de sa mère », rétorqua Macmillan, réchauffé par la franchise de son interlocuteur. « Notre amitié semble confortée et renforcée », déclarera-t-il ensuite. « Je me sens à l'aise avec Macmillan parce que je peux partager ma solitude avec lui. Les autres me sont tous étrangers », confiera plus tard Kennedy[76] à Henry Brandon.

JFK repartit à Washington après un dîner donné par la reine au palais de Buckingham, le lundi 5 juin, tandis que Jackie resta passer quelques jours de vacances chez sa sœur. Toujours vêtu de son smoking, il embarqua à bord d'Air Force One, l'avion présidentiel, peu avant minuit, en compagnie de Bundy, Rusk, O'Donnell, Powers, Eunice et d'autres conseillers. Après s'être déshabillé jusqu'au caleçon, il convia Hugh Sidey à venir bavarder car il ne trouvait pas le sommeil. Le journaliste remarqua son air hagard et nota une « certaine raideur dans ses tentatives de mouvement pour se soulager le dos ». « Il se souvenait de détails, notamment des mains de Khrouchtchev »[77], évoquera-t-il. Dans un effort pour paraître optimiste, Kennedy soutint que ce voyage avait été « inappréciable », que l'avenir était « morose, mais non dénué d'espoir »[78].

Le face-à-face avec Khrouchtchev et de Gaulle « l'aiderait à prendre les décisions le moment venu », affirmera le Président à Cy Sulzberger : « Il est important de connaître les hommes pour pouvoir jauger leurs déclarations. »[79] Plus que l'échec de la baie des Cochons, le sommet de Vienne fut décisif pour Kennedy – pour la première fois, observait Joe Alsop[80], JFK était confronté « au terrible fardeau moral » de la charge présidentielle.

CHAPITRE 17

L'action politique de JFK

Débarrassée de ses obligations officielles, Jackie passa le lendemain du départ de son mari à faire les boutiques en compagnie de Lee. À leur sortie du salon des antiquaires de Grosvenor House, où elles avaient bénéficié d'une visite privée, les sœurs furent « assaillies par de ferventes admiratrices en socquettes », racontera David Bruce[1]. Le soir même, elles assistèrent à un dîner chez Jakie et Chiquita Astor, amis de longue date de Jack. Le photographe mondain Cecil Beaton nota dans son journal intime que Jackie « n'avait pas mâché ses mots et s'était montrée peu politique en racontant les âpres discussions entre Jack et M. Khrouchtchev »[2]. Beaton, qui était connu pour ses remarques désobligeantes sur le physique des femmes célèbres (Audrey Hepburn : « Une bouche immense, un visage plat aux traits mongols, un long cou de poulet »), prêchait pour son saint avec Jackie. L'automne précédent, elle avait ajourné, puis annulé une séance photo avec lui pour *Vogue*, lui préférant Richard Avedon pour les pages de Diana Vreeland dans *Harper's Bazaar*.

Comme on pouvait s'y attendre, Beaton se révéla caustique à l'égard des manières « affectées » de Jackie, de sa « carrure de joueur de base-ball, de ses hanches, de ses mains et de ses pieds de garçon ». Malgré une « allure quelque peu négroïde et un soupçon de moustache », il lui concédait la beauté de son « regard vif, tantôt espiègle, tantôt triste » et la « légère hésitation » de son élocution qui lui donnait l'air « humble et réservé ». Il nota également qu'elle avait critiqué la toilette de la reine la veille au soir ainsi que sa « coiffure aplatie ». La première dame « ne craint manifestement aucune critique. Tout à la joie de son rôle, même les plus pénibles assauts de la presse lui semblent naturels »[3].

Le lendemain matin, Jackie et Lee s'envolèrent pour la Grèce, où Constantin Karamanlis les recevait huit jours. Comme il logeait dans un petit appartement à Athènes, le Premier ministre demanda à son ami Marcos Nomikos, grand armateur grec, de prêter aux deux femmes sa villa de Kavouri, au bord de la mer, et son yacht de trente-huit mètres, le *North Wind*, pour une croisière de quatre jours dans les îles grecques. Stas et plusieurs amis vinrent les rejoindre, notamment John Mowinckel, responsable à l'ambassade américaine à Paris, et son épouse, Letizia[4] (« Jackie nous avait invités en nous demandant de n'en rien dire à personne. Elle avait un tempérament secret », se souviendrait cette dernière), ainsi qu'Arkady Gerney, un ami que Jackie avait rencontré lors de son séjour à Paris. Malgré le caractère privé de la visite, Tish Baldrige était venue prêter main forte pour préparer la villa et organiser les itinéraires et le programme culturel.

Tout semblait calme, Jackie et Lee alternaient la visite des sites archéologiques, les bains de soleil et la baignade. En réalité, elles étaient redevenues aussi facétieuses que lorsqu'elles sillonnaient l'Europe, tout juste dix ans plus tôt, et s'en prenaient désormais à la jeune secrétaire, dont elles modifiaient arbitrairement le planning. « C'était de la pure mesquinerie. J'entendais des murmures et des rires de conspiration derrière mon dos », se souviendra Tish Baldrige[5]. Pour aggraver les choses, soucieuse de la sécurité de ces dames, cette dernière se plaignit auprès du Président, ce qui lui valut le titre de « commère en chef ».

Le comportement des deux sœurs fut le premier signe du ressentiment croissant que nourrit Jackie à l'égard de la fermeté avec laquelle sa secrétaire gérait ses affaires. « Jackie avait une personnalité complexe. Elle n'était pas manipulatrice, mais elle avait sa manière de faire ; il y avait des choses qu'elle aimait et d'autres qu'elle n'aimait pas. Elle ne tolérait pas qu'on lui dise ce qu'elle avait à faire ; or, Tish le lui disait et cela l'exaspérait », expliquera Letizia[6]. À son avis, « la présence de Lee n'avait pas arrangé les choses. Elle mettait de l'huile sur le feu. Elle influençait beaucoup le comportement de Jackie vis-à-vis de Tish ». Pour excuser Jackie, la secrétaire préférait évoquer « un accès momentané d'égoïsme remontant à ses années d'école où elle faisait ce que bon lui semblait, où elle était indépendante et pouvait se permettre des caprices »[7].

Vers la fin du séjour, les activités de Jackie commencèrent à attirer l'attention des journaux. Un soir, après dîner, elle insista – contre l'avis des services secrets – pour se rendre dans un night-club, où elle interpréta une danse folklorique avec un groupe de Grecs. On la vit par ailleurs foncer sur les routes de campagne « dans une Mercedes conduite par le jeune prince Constantin ».

Ces articles tombaient mal compte tenu de la situation de son mari. Quelques jours après son retour à Washington, la presse s'était largement étendue sur ses problèmes de dos. L'ayant vu souffrir le martyre à Paris, Vienne et Londres, Jackie était parfaitement au courant de son état. D'ailleurs, elle était restée en contact avec la Maison-Blanche durant ses vacances. « Elle téléphonait chaque soir et s'entretenait longuement avec Jack », déclarera Letizia Mowinckel[8].

Pourtant, Jackie refusa d'abréger son séjour, soufflant à Pierre Salinger de mentir par deux fois à la presse, d'abord en prétendant qu'elle était partie en Grèce sans rien savoir des douleurs de JFK, puis en affirmant qu'elle l'avait entendu mentionner la chose « en passant » à Londres. Selon Salinger, ce ne fut qu'à la lecture des journaux qu'elle se rendit compte de la gravité de la situation. Elle avait proposé de rentrer à la maison, mais JFK avait insisté pour qu'elle poursuive ses vacances.

La lombalgie de Kennedy s'était aggravée à son arrivée à la Maison-Blanche. Il était désormais contraint de conserver les béquilles en toute circonstance, même pour accueillir les digni-taires étrangers. Lorsque ses médecins lui prescrivirent « un repos complet » de quatre jours à Palm Beach, durant la deuxième semaine de juin, Salinger révéla l'incident de la plantation d'arbre au Canada. Les béquilles étaient nécessaires, expliquait-il, « pour soulager les muscles froissés »[9]. Rêvant de bains prolongés dans la piscine salée et chauffée des Wrigthsman, Kennedy retourna à la propriété, alors fermée pour la saison. Il y régnait une atmosphère plutôt étrange car le mobilier était entièrement recouvert de housses de protection.

Chuck Spalding ainsi que Janet Travell, le chef de la Maison-Blanche René Verdon et d'autres membres du personnel, dont Priscilla Wear et Jill Cowan, accompagnèrent le Président. Janet Travell « veilla soigneusement sur son patient », qui se permit de dormir près de douze heures, de se prélasser en pyjama et de se baigner sous la pluie. Il consulta en outre un orthopédiste venu de New York.

Un soir, Kennedy invita Hugh Sidey à dîner sur la terrasse en compagnie de Spalding, de Priscilla Wear et de Jill Cowan – « une curieuse soirée » dans le souvenir du journaliste. En pantalon de flanelle blanche, Kennedy ne cessait de plaisanter malgré son infirmité. Tandis que Frank Sinatra chantait en musique de fond, la tablée sirotait des daiquiris en savourant le « poisson en papillote » préparé par Verdon. Kennedy raconta une folle histoire de bombe nucléaire de petite taille qui aurait été passée en pièces détachées dans le grenier de l'ambassade soviétique sur la Seizième Rue – à quelques pâtés de maison seulement de la Maison-Blanche. Jugeant l'anecdote improbable, Sidey se refusa à la colporter. (Des années plus tard, il apprendrait que la Defense Intelligence Agency avait cru pendant vingt ans à l'existence de cette bombe.)

Sa disposition à régaler ainsi le journaliste montrait que le Président avait confiance en sa discrétion. Vers la fin du dîner, Sidey offrit à Fiddle et Faddle de les reconduire au Palm Beach Towers, où la presse et le personnel de la Maison-Blanche avaient l'habitude de descendre. Néanmoins, Priscilla Wear et Jill Cowan lui affirmèrent disposer d'une voiture. Devant l'embarras de la situation, elles se levèrent pour partir en même temps que lui. Une fois dans leur voiture, elles déclarèrent toutefois que celle-ci refusait de démarrer et qu'elles devaient retourner chercher de l'aide dans la maison. « Je me suis dit que j'étais stupide en les voyant repartir. Je n'en ai jamais appris davantage. Il me semble qu'il s'agissait d'une sorte de thérapie. C'était imprudent de sa part, mais il savait bien que je n'écrirais rien sur le sujet »[10], se souviendra le journaliste.

Le retour de Floride n'aurait pu être plus dramatique. Incapable de monter les marches jusqu'à l'avion, le Président dut se faire monter à bord par une nacelle élévatrice. À son arrivée à la Maison-Blanche, il traversa la pelouse sud en clopinant sur ses béquilles – une vision « quelque peu bouleversante pour bien des Américains »[11], observait *Newsweek*. Il fallut l'aider à s'asseoir dans son rocking-chair et il dut tenir plusieurs réunions depuis son lit, voire de sa salle de bains. Ken Galbraith devait s'installer sur un tabouret à côté de la baignoire, tandis que Kennedy faisait couler l'eau chaude. « Son dos doit le faire énormément souffrir. Sans doute est-ce plus sérieux qu'il ne veut bien l'admettre »[12], notera-t-il dans son journal intime.

Très inquiet, Harold Macmillan demanda à un médecin britannique, sir John Richardson, de se rendre à Washington pour établir un diagnostic. Son rapport confidentiel indiquait que JFK avait des « malformations du dos » – « une ou plusieurs vertèbres » ne s'étant « jamais développées correctement » – ce qu'avaient aggravé les blessures ainsi que des interventions chirurgicales malavisées. « C'est pourquoi il est assez voûté et a tendance à garder les bras près du corps », concluait-il. Même si Richardson prévoyait que son lumbago actuel allait s'estomper, son dos continuera à être pour Kennedy « une source de contrariété et de douleurs sporadiques »[13].

Le mardi 15 juin, JFK fut conduit à l'aéroport national juste avant minuit pour accueillir Jackie, mais il ne put descendre de la limousine. Jackie débarqua « bronzée et rayonnante », selon le *Time*[14], sous l'œil des photographes avides de saisir ce rare moment d'intimité avec Jack. Selon *Newsweek*, elle « sauta dans les bras de son mari, qui l'attendait dans sa voiture avec ses béquilles. Sous les crépitements des appareils photo et les acclamations d'une foule de deux cents badauds, le couple présidentiel s'embrassa et échangea quelques propos enflammés jusqu'au moment où, légèrement embarrassé, le Président engagea son chauffeur à prendre la route »[15].

Le lendemain après-midi, ils se rendirent à Glen Ora pour le week-end, mais Kennedy ne se sentit pas suffisamment en forme pour assister au bal des débutantes organisé par Paul et Bunny Mellon, à Oak Spring, en l'honneur de leur fille Eliza. Jackie se fit donc escorter par Bill Walton. Malgré son arrivée tardive, elle avait l'air « fraîche, joyeuse et en beauté », se souviendra Ken Galbraith[16]. Le bal se déroulait dans une salle spécialement construite pour l'occasion, sur le modèle d'une place de village français animée par une fête foraine. Dans un champ voisin, des tentes ornées de drapeaux accueillaient les invités masculins. La musique était alternativement assurée par l'orchestre de Count Basie et un groupe de musiciens populaires. Un feu d'artifice illumina la soirée. « Il s'est dit qu'un millésime entier de Dom Pérignon avait été consommé ce soir-là », écrira Katharine Graham[17].

Après Paris, Vienne et Londres, Jackie était devenue « une immense star »[18], déclarera Tish Baldrige. « Tous les hommes sont amoureux de Jackie », écrira Stew Alsop[19] à un ami en ce mois de juin. Jackie appréciait naturellement l'adulation de la foule et savourait l'aventure liée à sa position de première dame. « Elle aimait toute cette excitation. Elle avait envie de tout goûter », affirmera Martha Bartlett[20]. Comme elle l'avait promis à Joe Alsop l'année précédente, Jackie s'employait désormais à exercer son influence « dans les domaines qui lui tenaient à cœur ». Susan Mary Alsop observait que Jackie avait appris à « user du pouvoir avec tact et retenue »[21].

Mais comme Charles de Gaulle[22] l'avait remarqué avec perspicacité, Jackie parvenait à mettre en valeur la présidence Kennedy « sans se mêler à la politique… Elle jouait le jeu avec grande intelligence ». Pour sa part, Jackie n'avait aucune illusion sur son rôle. « J'étais en position d'observation (non de participation, puisque Jack ne souhaitait pas que sa femme participe) »[23], expliquera-t-elle plus tard à Harold Macmillan.

« Il savait que cela ne me manquait guère et que j'étais au courant de tout ce qu'il faisait. Il en était d'ailleurs fier. »

JFK comptait sur la sagacité de Jackie à l'égard de ses interlocuteurs – des chefs d'État étrangers aux divers hommes politiques de son entourage –, c'était sa « mission secrète », selon Ken Galbraith. Jackie « devait observer, écouter et juger. Elle savait très bien faire la différence entre ceux qui le servaient et ceux qui se servaient de lui, surtout ceux qui masquaient leurs erreurs de jugement en se donnant de l'importance – de parfaits imposteurs. La sagacité et la rigueur de son analyse étaient très importantes aux yeux de Jack Kennedy »[24].

En France, les Kennedy avaient à nouveau pu apprécier le pouvoir des rituels et de l'ambiance historique. De retour à Washington, Jackie appliqua sa nouvelle vision au dîner d'État prévu par le gouvernement en l'honneur du président pakistanais Mohammad Ayub Khan. Compte tenu de sa loyauté, puisqu'il avait donné son accord à l'envoi de cinq mille de ses hommes au Laos, JFK souhaitait lui réserver une cérémonie particulière.

Un peu plus tôt dans l'année, Charles Cecil Wall, directeur de Mount Vernon, avait fait savoir à Jackie que la plantation historique de George Washington aménagée en surplomb du Potomac serait « à sa disposition » pour « toute occasion spéciale ». Selon Tish Baldrige, il avait souligné que l'endroit était « fabuleux en début de soirée avec le coucher de soleil en toile de fond sur le fleuve ». Jackie avait demandé à sa secrétaire de « le lui rappeler le jour où se présenterait une visite officielle ou une personnalité importante ce printemps »[25].

L'arrivée du président Ayub le 11 juillet représenta l'occasion parfaite pour une soirée d'apparat dans ce superbe sanctuaire américain. En moins d'un mois, Jackie, Tish Baldrige, Pam Turnure et une armée d'employés mirent sur pied l'un des plus mémorables dîners de l'histoire de la Maison-Blanche, « une véritable fête champêtre », pour reprendre les termes du *Time*, sur la pelouse de Mount Vernon. Des créateurs de chez Tiffany et Bonwit Teller décorèrent la tente de dix mètres de long sur seize mètres de large, installée près de la terrasse de la maison à colonnades – les cordes disparaissant sous des plantes vertes artificielles, les lustres sous des guirlandes de fleurs. Bunny Mellon et son horticulteur disposèrent des centres de table composés de fleurs saisonnières dans de petits cache-pots en vermeil, sur les nappes jaunes, assorties à l'intérieur bouton-d'or de la tente. Bunny prêta également des chaises de jardin en fer forgé noir pour accueillir les cent trente-huit invités. Le dîner devait être préparé par le chef René Verdon à la Maison-Blanche, puis transporté en camion jusqu'aux cuisines roulantes de l'armée installées dans la propriété.

Par temps clair, répartis sur quatre bateaux, chacun accompagné par un trio de musiciens, les invités effectuèrent pendant une heure une promenade de vingt-cinq kilomètres sur le Potomac. Les hauts responsables – membres du cabinet, chefs de file du Congrès, hauts conseillers de la Maison-Blanche – dominaient la liste des convives, sur laquelle figuraient en outre les Smith, les Shriver, les Reed, les Roosevelt, les du Pont ainsi que Fifi Fell, une beauté de Manhattan souvent conviée par les Kennedy pour assurer l'animation. (« Ce n'était pas le genre de Jack, elle relevait davantage du salon que du boudoir », faisait remarquer Vivian Crespi[26].) Était également présent Maurice Tempelsman, qui deviendra trente ans plus tard l'amant de Jackie et son compagnon fidèle jusqu'à sa mort. À l'époque, il soutenait le parti démocrate grâce à l'importante société d'exploitation diamantaire qu'il possédait en Afrique.

La tenue de Jackie – une robe sans manches en organza blanc rehaussé de fines rangées de dentelle blanche, soulignée par une large ceinture à nœud et une étole « vert Véronèse » – avait été conçue par Cassini dans un style « romantique d'avant la guerre de Sécession » rendant hommage à « l'élégance classique » du lieu. Tous les hommes arboraient leur smoking blanc, sauf le Président et Bobby, qui avaient opté pour le noir, plus habillé. Tandis qu'on leur servait du whisky glacé à la menthe (élaboré selon la recette de George Washington) dans des coupes en argent, les invités admirèrent les manœuvres de la fanfare militaire en uniforme rouge et tricorne. Pour terminer, le corps tira à blanc, les mousquets directement pointés sur la mêlée des soixante journalistes qui avaient envahi la pelouse. À la vue d'un caméraman agitant le drapeau blanc de la reddition, JFK et le président Ayub se tordirent de rire.

Après le repas, l'Orchestre symphonique national joua une sélection d'œuvres de Mozart et de Gershwin. La soirée se déroula dans la tradition du Président Washington, qui ne s'épargnait aucun luxe pour divertir ses hôtes. « Tout était soigneusement choisi pour donner une image aristocratique », expliquera Tish Baldrige[27]. Toutefois, la manifestation s'attira des critiques pour son côté « fantasque trop coûteux pour un pays démocratique ». Le commentaire le plus acerbe vint du *New York Herald Tribune*, dont les comparaisons désobligeantes évoquaient la « grandeur de la cour du roi de France à Versailles »[28]. Même si c'était justement l'esprit qu'elle avait recherché, Jackie se hérissa et fit part de son mécontentement au journaliste David Wise, du *Tribune*.

On estima que la visite de quatre jours de « l'homme fort guindé » à la « moustache grise de soldat de la garde » était un succès. Avant sa venue, Ayub avait exprimé son inquiétude à l'idée que le gouvernement Kennedy puisse préférer aider l'Inde plutôt que le Pakistan. S'il ne parvint pas à obtenir que les États-Unis mettent un terme à leur soutien militaire à l'Inde, il repartit assuré de la valeur de son pays pour les intérêts américains. Portant par ailleurs un coup à son rival Nehru, il affirma à Kennedy : « On croit qu'il réfléchit alors qu'en fait, il est en catalepsie. »[29] Envoûté par Jackie, il ne manqua pas de l'inviter au Pakistan avant de repartir.

Pour assister à ce dîner d'État à Washington, Jackie était rentrée de la propriété du Cape Cod, où elle s'était rendue avec Caroline et John le 30 juin. Hormis quelques brefs séjours en septembre et octobre, elle ne retournerait pas à la Maison-Blanche à plein temps avant la troisième semaine d'octobre. Jack la rejoindrait tous les week-ends, arrivant en général le vendredi soir pour repartir le lundi matin. Lem Billings l'honorait également de sa présence, sauf lorsqu'il s'absenta durant plus de deux semaines, à la fin de l'été, pour escorter Eunice et Jean en Europe. En Pologne, lors d'un dîner dans un palais du XVIII\ siècle ayant appartenu aux Radziwill, Billings déroba un couvert en argent aux armoiries familiales qu'il remit plus tard à un Stas pleurant de reconnaissance. Furieux, JFK ne lui pardonna pas moins, comme à son habitude.

Tout au long de l'été, divers amis – notamment Oleg Cassini, les Spalding, Bill Walton, les Bartlett et les Roosevelt – vinrent séjourner chez JFK à Hyannis. Les occupations ne variaient guère. Par beau temps comme par mauvais, on organisait des croisières sur le cruiser de seize mètres de Joe Kennedy, le *Marlin*, derrière lequel Jackie s'adonnait souvent au ski nautique. En début de soirée, le Président se rendait à la boutique de bonbons de Hyannis Port dans sa voiture de golf bleu pâle à laquelle pouvaient se cramponner jusqu'à dix-huit enfants. On jouait au tennis, on se baignait dans la piscine de l'Ambassadeur, puis on s'offrait une séance de sauna avant de passer à table avec la famille et les amis. Ensuite on regardait un film dans la salle de projection de l'Ambassadeur. (Joe et Rose étaient partis sur la Côte d'Azur pour l'été.)

Durant ce premier été, Jack et Jackie se rendirent compte que leur maison était trop petite pour accueillir tous leurs familiers. « Pour se détendre, il ne reste jamais à l'intérieur, il sort en bateau ou fait la sieste », expliquait Jackie[30] à sa mère. L'océan était son environnement naturel. « Il était assez émouvant de voir ce jeune couple séduisant, vêtu de couleurs gaies, partir comme une flèche sur cette mer gris-vert, digne d'un paysage de Boudin, encadré par les vedettes cuirassées des gardes-côtes », observait Noël Coward[31].

Pour Jackie, ces week-ends étaient « presque aussi épuisants qu'une semaine à Washington ». En semaine, en revanche, elle profitait du bonheur de jouer avec ses enfants, de peindre en écoutant de la musique de chambre (la meilleure pour se concentrer et éviter les distractions), de lire et de prendre le soleil. Jackie prenait même des leçons de golf. Dissimulée derrière des lunettes de soleil et un fichu, elle ne jouait que lorsque le terrain était pratiquement vide. De temps à autre, elle montrait ses progrès à JFK, qui la regardait patiemment s'efforcer, par exemple, de sortir du bunker du dix-septième trou.

Sur les recommandations d'Arthur Schlesinger, elle lut le roman *Démocratie* de Henry Adams et se déclara « captivée » par cette peinture des mœurs de Washington. Elle se rendit incognito (portant une perruque blonde nattée) à Provincetown pour voir *Mrs Warren's Profession*, de Bernard Shaw, en compagnie de Gore Vidal et de Bill Walton. Vidal racontera à son biographe qu'au motel, Jackie avait « sauté sur le lit tout au plaisir de profiter d'un semi-anonymat »[32].

Régulièrement, Jackie rendait visite à Bunny Mellon, installée à Oyster Harbors, une enclave huppée d'Osterville, baignée par les eaux de la Seapuit ; un jour, elle alla à Boston avec les Mellon et Adele Astaire Douglas pour voir *Sail Away*, une comédie de Noël Coward, ami proche de Paul et Bunny. Avant le spectacle, ils dînèrent au Ritz, puis Jackie se montra « délicieuse avec tout le monde »[33], se souviendra Coward.

Selon Joan Kennedy, Jackie « aimait venir se reposer à Hyannis Port. Elle y trouvait l'intimité et le calme nécessaires à ses passe-temps. Je ne venais pas la déranger, sauf si elle m'appelait »[34]. Ensemble, les deux jeunes femmes parlaient de la famille et de sujets culturels, évitant les questions personnelles et la politique. « Avec moi, elle pouvait se détendre. Jackie ne parlait pas beaucoup. Elle appréciait ma compagnie parce que je n'étais guère bavarde », expliquera sa belle-sœur.

Pratiquement tous les jours, Jackie appelait la Maison-Blanche pour rester en contact avec le personnel chargé de ses obligations officielles. À son retour de Grèce, Tish Baldrige avait tenté de démissionner, mais le Président l'en avait dissuadée, en priant Jackie de bien vouloir ménager sa secrétaire. « Elle est redevenue charmante, mais cela n'a pas duré », déclarera Tish Baldrige[35], qui poussait toujours Jackie à assumer de nouvelles responsabilités. La première dame continua de lui opposer de la résistance, même pour les projets qui lui étaient chers, telle l'organisation d'une série de concerts pour les jeunes sur la pelouse sud. Pour l'inauguration de cette manifestation, qui aurait lieu en août, le Président serait contraint de représenter son épouse pour accueillir les jeunes musiciens.

À distance, Jackie supervisait l'accumulation des meubles, des tableaux et des objets destinés à la Maison-Blanche, tout en se maintenant à l'écart des conflits opposant ses divers conseillers en matière de décoration. Lorraine Pearce, première conservatrice de la Maison-Blanche, se montrait à sa manière aussi rigoureuse que Tish Baldrige – une spécialiste scrupuleuse formée à Winterthur, plus encline à partager les vues de Harry du Pont que celles de Stéphane Boudin. À son embauche en mars, Jackie avait acclamé son « intelligence, son dynamisme et son charme », la trouvant « aussi frétillante qu'un chien de chasse »[36]. Au bout de quelques mois seulement, Lorraine s'était retrouvée dans une « situation difficile », selon un courrier de James Biddle, conservateur du Metropolitan Museum, à Harry du Pont, car elle en était réduite à « coordonner de simples lubies de décoration »[37].

Parmi les mécènes, Douglas et Phyllis Dillon firent don, dès cet été-là, d'un splendide mobilier Empire pour le salon Rouge, tandis que Bernice Chrysler Garbisch offrait un « camion de trésors », dans lequel Jackie découvrit les sièges de style Sheraton du salon Vert. « Je me sens un peu comme durant les quatre jours où je n'ai pas pu voir mon fils à sa naissance »[38], écrivit-elle aux Garbisch. Sister Parish incita également ses amis John et Frances Loeb à financer le projet Louis XVI du salon ovale, à l'étage privé. Par un tour de magie, Jackie et Jayne Wrightsman étaient parvenues à lui faire adopter les idées de Boudin, tout en ménageant sa fierté créatrice. Pour les remercier de leur générosité, Jackie[39] demanda aux Loeb : « Ne pourrait-on pas disposer une petite statue de vous sur la cheminée ? ».

Au cours de l'été, Jackie collabora également avec Hugh Sidey à la rédaction d'un article pour *Life* sur la restauration de la Maison-Blanche. L'idée avait fait son chemin depuis le printemps, mais Jackie ne cessait d'en reculer l'échéance. Le journaliste se rendit même jusqu'à Hyannis à plusieurs reprises, pour découvrir finalement que Jackie se trouvait ailleurs. « Un jour, j'ai attendu pendant trois heures sous la pluie »[40], se souviendra-t-il. Fin août, alors qu'il était rentré chez lui dans l'Iowa, il lui fut confirmé par téléphone que le manuscrit était prêt. Il trouva Jackie « vêtue d'un minuscule bikini, enduite de crème à bronzer, allongée sur une chaise longue en train de manger du raisin. Il y avait Oleg, un mannequin du nom de Robyn Butler et un groupe d'autres personnes ». « La scène avait pour moi un relent de décadence »[41], ajoutera-t-il. Jackie lui remit le texte « écrit sur des feuilles de papier à lignes, roulées comme les manuscrits de la mer Morte ». Très flou, l'article dut être entièrement réécrit sous la signature de Sidey.

Pour Jack, la vie à Washington était aussi chargée qu'elle était idyllique pour Jackie à Hyannis. Si son image avait bénéficié du voyage en Europe, il n'avait guère avancé sur le fond. Non seulement il n'avait pas progressé sur le terrain de l'interdiction des essais nucléaires, mais il devait maintenant s'inquiéter du sombre ultimatum que lui avait posé Khrouchtchev sur Berlin. Malgré une pointe d'humour à l'adresse de Billings – « C'est comme avec papa, il veut tout avoir sans rien payer »[42] –, Kennedy ne parvenait pas à chasser le désespoir qu'avait fait naître en lui le sommet de Vienne.

« Durant des semaines, il ne parla guère que de cela après son retour. Il emportait partout avec lui des extraits de la traduction officielle de ses discussions avec Khrouchtchev et m'en lisait et relisait des parties », se souviendra Ben Bradlee[43]. Les militaires estimant qu'un échange de missiles pouvait mettre en péril la vie de soixante-dix millions d'Américains, il fit part de son angoisse à son frère. « Il en avait les larmes aux yeux. Assis sur son lit, il me disait que tout cela était incompréhensible. C'était la première fois que je le voyais pleurer », racontera Bobby[44] à Hugh Sidey. En réunion, Kennedy se laissait distraire, ce qui ne lui ressemblait pas. Selon un responsable de la Maison-Blanche, « il cessait parfois d'écouter pour regarder dans le vide – comme s'il cherchait la réponse à un problème désespérant »[45]. Même Billings trouvait « qu'il était brusquement devenu difficile de lui parler »[46].

D'instinct, Kennedy voulut prendre contact avec le démocrate le plus belliciste qu'il puisse trouver : Dean Acheson, le très respecté secrétaire d'État de Truman. À 68 ans, le diplomate avait la réputation d'un esprit brillant et d'une éloquence intimidante, sans parler de ses critiques cinglantes. « Ses flèches infligent de longues et douloureuses blessures », remarquera un jour David Bruce[47]. Avec sa moustache rase et ses manières bourrues, Acheson représentait la quintessence de l'ordre établi. Kennedy l'avait consulté pour les nominations au gouvernement et suivi son avis pour Rusk aux Affaires étrangères et Dillon à l'Économie.

Néanmoins, Acheson entretenait des relations délicates avec Jack et même avec Jackie. Cette dernière n'avait pas aimé ses commentaires au sujet de JFK dans son livre *Power and Diplomacy*. À propos du discours de Kennedy sur l'Algérie, il déclarait que « ce claquement de doigt impatient... était plutôt malvenu vis-à-vis d'un vieil allié aussi précieux »[48]. Peu après la parution de l'ouvrage, en 1958, Acheson avait rencontré Jackie dans un train qui tentait péniblement de gagner Washington malgré le blizzard. Dès qu'ils s'étaient installés dans le pullman, Jackie avait abandonné sa douce voix ingénue pour se métamorphoser en vengeresse, accusant le diplomate d'attaques injustes contre son mari. Pour l'apaiser, le vieil homme avait suggéré d'éviter les disputes au vu du long trajet qui les attendait. Jackie avait accepté de se montrer plus agréable mais s'était surtout contentée de bouder. Quelques jours plus tard, Acheson avait reçu une lettre dans laquelle Jackie lui adressait de féroces reproches : « Comment peut-on se laisser aller à des attaques aussi personnelles pour un différend politique lorsqu'on peut être capable d'un tel calme olympien. ». « Les Olympiens ne me semblent pas s'être privés sur le plan des attaques personnelles », avait répondu Acheson[49].

Aux yeux de JFK prévalait la maxime selon laquelle « en politique, on ne parle pas d'amitié mais d'alliance »[50]. De plus, il avait besoin du poids d'Acheson pour apporter une réponse musclée aux Soviétiques. L'avis que défendit Acheson avec vigueur le 29 juin frisait néanmoins la déclaration de guerre :

① *Le 9 novembre, Jackie se promène seule sur la plage de Hyannis Port pendant que le clan Kennedy prépare la photographie célébrant la victoire de Jack à l'élection présidentielle.*

② *Jack et Jackie Kennedy après que celui-ci ait prêté serment lors de son investiture. Peu adepte des effusions en public, Jackie lui caressa tendrement la joue.*

③

Pamela Turnure,
23 ans, la porte-parole
de Jackie. Elle fut
préférée, à la surprise
de tous, à une
journaliste
chevronnée. Elle
débuta une liaison
avec JFK alors qu'elle
travaillait comme
réceptionniste au
Sénat.

④

Jackie choisit Oleg
Cassini comme
couturier officiel,
une première dans
l'histoire de la
Maison-Blanche.
Leur collaboration
donnera naissance
au style Jackie.

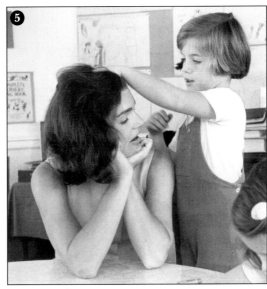

⑤
Jackie avec Caroline
dans l'école ouverte
par Jackie au 3ᵉ étage
de la Maison-Blanche.

⑥ *Jackie apprend à Caroline à monter à*
cheval, à Glen Ora, lieu de villégiature
privilégié où toute la famille se retrouvait.

⑦

Le célèbre architecte d'intérieur et décorateur, Stéphane Boudin. Il conseilla en secret Jackie sur la restauration de la Maison-Blanche.

⑧

Mary Meyer, sœur de Tony Bradlee, dont la liaison avec Jack débuta en janvier 1962. Familières de la Maison-Blanche, les deux sœurs comptaient parmi les plus jolies filles.

⑨
*Jack et Jackie
accompagnés de Ben
et Tony Bradlee au
temps du bonheur...
Derrière les sourires
et la convivialité,
les difficultés.*

⑩
*Helen Chavchavadze
(entourée de ses filles
Marusya et Sasha), une
des maîtresses de Jack.*

⑪

Jackie, Charles de Gaulle, et André Malraux, alors ministre de la culture français, à Versailles le 1ᵉʳ juin 1961.

⑫

JFK saluant le premier ministre soviétique Nikita Khrouchtchev le 3 juin 1961 à Vienne, quelques heures à peine après avoir reçu une injection d'amphétamines pour soulager son terrible mal de dos.

Jack à Palm Beach, portant le corset qui lui maintient le dos. S'il ne porte pas de corset en public, il est obligé de le garder pour dormir. Fragilisé par l'ostéoporose, il subit plusieurs opérations lorsqu'il était sénateur.

Jack se déplaçant avec des béquilles au sortir d'un discours sur l'aide aux pays étrangers en juin 1961.

15

Dîner officiel à la Maison-Blanche en l'honneur des 49 lauréats du Prix Nobel en avril 1962. JFK discute avec la veuve de Ernest Hemingway.

16

Au Madison Square Garden, le 19 mai 1962, Marilyn Monroe susurre le légendaire et sensuel « Happy Birthday » pour le 45ᵉ anniversaire de JFK. Onze semaines plus tard, Marilyn succombera à une overdose.

⑰
Jackie entre Oleg Cassini (à droite) et Benno Graziani, un photographe de Paris-Match. Friand de mondanités, celui-ci ne manquera aucune des réceptions organisées par le couple présidentiel.

⑱ *Jackie, sa sœur Lee, et Gianni Agnelli le 14 août 1962, marchant vers le yacht, l'Agneta, où ils doivent embarquer pour une croisière le long de la côte amalfitaine.*

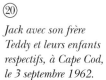

Jack, sur le yacht, le **Manitou,** *en compagnie de la comtesse Vivian Crespi et de Nuala Pell le 2 septembre 1962.*

Jack avec son frère Teddy et leurs enfants respectifs, à Cape Cod, le 3 septembre 1962.

Jackie à cheval en automne 1962.

Adlai Stevenson accompagne Jackie pour un déjeuner aux Nations Unies le 7 février 1963.

23

(23)
*Jackie et André Malraux
à la National Gallery
le 8 janvier 1963 à
l'occasion de l'ouverture
de l'exposition*
Mona Lisa.

24

(24)
*Jackie et l'ambassadeur
Hervé Alphand à
l'exposition* Mona Lisa,
*quelques jours seulement
avant que le président
Charles de Gaulle n'affronte
les États-Unis sur la question
délicate des armes nucléaires.*

Jackie à bord du Honey Fitz, le 4 août 1963. Trois jours plus tard, elle donnera naissance de façon prématurée, à Patrick qui mourra 39h plus tard à la suite de graves complications.

Le 34ᵉ anniversaire de Jackie, le 28 juillet 1963, célébré à bord du Honey Fitz, *à Hyannis Port avec des amis : Lem Billings, Steve Smith, Jean Smith et Chuck Spalding (de gauche à droite). Deux jours plus tôt, JFK annonçait la ratification du traité sur le test des armes nucléaires.*

㉗ Jack et Jackie quittent l'hôpital le 14 août 1963. Le couple sera plus soudé que jamais après la mort de Patrick.

㉘ Le 1ᵉʳ août 1963, Jackie accompagne l'empereur éthiopien Haile Selassie à une réunion avec Jack, Caroline (à gauche) et une de ses amies. La première dame porte un manteau en léopard offert par Selassie.

Jackie en croisière
en août 1963
sur le **Christina,**
le superbe yacht
de l'armateur
grec controversé
Aristote Onassis
(au centre).
Franklin D.
Roosevelt se tient
à droite.

③ Lem Billings avec Jack, Jackie et John Jr à Wenford, le dimanche
27 octobre 1963. Le dernier week-end de Billings avec les Kennedy.

③① Le Président et la première dame devant la démonstration
d'un régiment le 13 novembre 1963, huit jours avant
leur départ pour le Texas.

③② Jackie entourée de Bobby et de Teddy Kennedy, au
cimetière d'Arlington, pour l'enterrement de JFK.

renforcement accru de la puissance militaire, déploiement de plusieurs divisions en Allemagne de l'Ouest, déclaration d'urgence nationale et mobilisation des réservistes. Dans les semaines qui suivirent, Kennedy consacra la majeure partie de son temps à l'étude de son « dossier Berlin », une chemise noire dans laquelle étaient rassemblés les documents correspondant au plan d'Acheson.

Schlesinger, qui avait préalablement prévenu JFK que le vieux démocrate était « rongé par l'orgueil et l'amertume », jugea son analyse « à vous figer le sang »[51] et proposa une note de cinq pages soulignant les alternatives diplomatiques. Depuis son ambassade en Inde, Galbraith fustigea également cette « volonté de se montrer prêt à risquer le feu thermonucléaire »[52]. L'argumentation de Sorensen résonna plus particulièrement aux oreilles du Président : « Nous ne devrions pas acculer Khrouchtchev au point qu'il ne puisse plus revenir en arrière par crainte de perdre la face. »[53] Comme pour le Laos, Sorensen engageait Kennedy à explorer une solution pacifique.

Au cours d'une croisière sur le *Marlin*, début juillet, Kennedy interrogea Rusk, McNamara et le général Maxwell Taylor, récemment admis à la Maison-Blanche. Sur les instigations de Bobby, ce belliciste notoire avait été nommé conseiller militaire personnel du Président. Taylor était un intellectuel élégant et assuré qui parlait couramment japonais, allemand, espagnol et français – le prototype de l'homme de la Nouvelle Frontière. « Nous avons besoin de quelqu'un comme Taylor pour avoir un point de vue froid et panoramique », affirmait Bobby[54].

Suite à la suggestion de Sorensen, Kennedy décida de présenter sa politique sur Berlin lors d'un discours télévisé. Son allocution du 25 juillet coupa court à l'état d'urgence souhaité par Acheson mais rallongea le budget de la défense de vingt milliards et sept millions de dollars actuels – même si cela représentait près d'un milliard de moins par rapport aux recommandations du diplomate, il s'agissait d'une augmentation importante à une époque où les dépenses militaires s'élevaient à quarante-sept milliards et demi de dollars. Le budget de la défense représentait 9 % du produit national brut (contre 3,4 % sous George W. Bush, quarante ans plus tard).

Cette mesure fut le premier pas vers la mise en œuvre d'une nouvelle stratégie militaire, la « réponse graduée » que Kennedy envisageait depuis qu'il avait lu *The Uncertain Trumpet* de Maxwell Taylor, durant la campagne présidentielle. Au lieu de la doctrine des représailles massives prônée par le gouvernement Eisenhower en cas de conflit avec les Soviétiques, Kennedy cherchait des alternatives à « l'holocauste et l'humiliation ». Suivant le cadre élaboré par Taylor, il était partisan d'une diversification des réactions par paliers – opérations indirectes, contre-guérillas, engagement des forces terrestres, navales et aériennes – permettant de répondre à la diversification des attaques. Il nourrissait ainsi l'espoir que le renforcement des forces conventionnelles en Europe dissuaderait toute manœuvre hostile de la part des Soviétiques.

Utilisant un langage fort, Kennedy revendiqua la présence légale des Alliés à Berlin et déclara que « toute attaque contre cette ville serait considérée comme une attaque contre tous » : « Nous ne voulons pas le combat, mais nous savons combattre. » Kennedy manifesta en outre la volonté de négocier une formule permettant l'unification et l'autodétermination de l'Allemagne. Truffé d'idées suggérées par Max Freedman, correspondant à Washington du journal libéral britannique *Manchester Guardian*, son discours sollicitait la patience des Américains car il n'existait, dans la lutte contre le communisme, « aucune solution rapide ni facile ».

À peine trois semaines plus tard se fit entendre la réaction de Khrouchtchev, qui choqua le monde, mais ni Kennedy ni ses conseillers. Ils étaient depuis longtemps au courant que des réfugiés est-allemands – dont beaucoup étaient des professionnels de haut niveau – passaient à l'Ouest par Berlin. Le mouvement s'était accéléré au fil de l'été – près de trente mille personnes avaient fui au mois de juillet –, ce qui rendait Kennedy d'autant plus conscient du problème auquel était confronté Khrouchtchev. « Kennedy n'était pas du genre à compatir aux douleurs des autres, pourtant il passa de longues heures à méditer, en termes cliniques, sur la manière dont Khrouchtchev envisagerait la situation et réagirait », déclarera l'historien Philip Zelikow[55].

Aux premiers jours d'août, alors qu'il traversait les colonnades pour rejoindre le bureau Ovale, Kennedy annonça à Walt Rostow : « Les Russes vont bloquer l'accès à Berlin-Ouest sans que nous ne puissions rien y faire. »[56] Le Président expliqua que la « fuite des cerveaux » à l'Ouest compromettait la position de Khrouchtchev non seulement en Allemagne de l'Est mais dans toute l'Europe orientale. Si les États-Unis pouvaient entrer en guerre pour la défense de Berlin-Ouest, il n'était pas question « de faire la guerre pour empêcher l'Allemagne de l'Est de perdre tout son sang », affirma-t-il à Rostow.

Par divers signaux, transmis par des émissaires privés mais aussi lors de déclarations publiques, Kennedy fit comprendre ses sentiments à Khrouchtchev. Interrogé sur le problème des réfugiés lors d'une conférence de presse organisée le 10 août, Kennedy déclara que les États-Unis n'avaient aucune position sur le sujet. Trois jours plus tard, des soldats est-allemands soutenus par l'armée soviétique tendaient un réseau de fils barbelés autour de Berlin-Est ; quelques semaines plus tard, les fils barbelés seraient remplacés par un imposant mur de béton.

Le mur constituait un véritable affront à la liberté, cependant Kennedy reconnaissait son efficacité pour neutraliser la crise qui avait débuté à Vienne. « Pourquoi Khrouchtchev érigerait-il un mur s'il avait réellement l'intention de s'emparer de Berlin-Ouest ? C'est la seule issue pour lui. Ce n'est pas joli comme solution mais c'est quand même mieux qu'une guerre »[57], faisait-il observer à Kenny O'Donnell. Khrouchtchev cesserait son tapage à propos du droit d'accès des Alliés à Berlin-Ouest et, bien avant la fin de l'année, abandonnerait toute menace de traité séparé avec l'Allemagne de l'Est.

Kennedy ne fit jouer le muscle militaire qu'une seule fois – en partie contre Khrouchtchev, mais surtout pour rassurer les Berlinois de l'Ouest. Cinq jours après la première apparition des barbelés, le Président ordonna qu'un convoi de mille cinq cents soldats rejoigne Berlin-Ouest en traversant l'Allemagne de l'Est, puis il dépêcha Lyndon Johnson à leur rencontre. Devant 350 000 Ouest-Berlinois, Johnson promit[58] : « Cette île n'est pas seule ! ».

En raison d'un curieux épisode, Johnson demeura encore quelques temps sous le feu des projecteurs. En mai, Kennedy l'envoya enquêter en Asie – une mission qu'il accepta avec joie. « Là-bas, il était enfin responsable de ses actes ; c'était l'occasion pour lui de s'établir et de développer sa propre personnalité », affirmera Liz Carpenter[59]. Or, si Kennedy lui avait confié la tâche sérieuse de préparer un rapport sur le Sud-Viêtnam, l'élément le plus marquant de son voyage fut sa burlesque rencontre avec un chamelier au Pakistan. « N'hésitez pas à venir nous rendre visite ! », avait-il lancé à Bashir Ahmed. Sur les instigations d'un journaliste de Karachi, le Pakistanais surprendra tout le monde en répondant à l'invitation de Johnson au mois d'octobre suivant.

S'il reçut sa part de louanges pour sa visite berlinoise, Johnson n'exerça aucune influence sur les résolutions concernant la crise. S'étant rangé à l'avis d'Acheson, il faisait preuve d'une « rigidité conventionnelle sans réellement tenir compte de toutes les implications », selon Walt Rostow[60]. Le vice-président obtint de meilleurs résultats dans d'autres domaines. Tirant parti du nouvel engouement de Kennedy pour l'exploration spatiale, il prit part aux manigances pour installer le nouveau centre de commandes de la NASA, d'une valeur de soixante millions de dollars, à Houston.

Après avoir surmonté plusieurs crises, Kennedy n'avait pas fondamentalement modifié son processus de prise de décisions. « Il se conduit comme un charmeur de serpents. Il joue un air de flûte et nos problèmes tournoient autour de lui comme en transe, sans jamais se rapprocher ni vraiment disparaître. Un jour, l'un de ces serpents se réveillera et personne ne sera plus en mesure de lui échapper », écrivait Dean Acheson[61], déçu, à Harry Truman.

Néanmoins, Kennedy apprenait à distinguer les hommes fiables de son entourage, les théories rationnelles et les rouages les plus efficaces. D'après Douglas Dillon[62], JFK découvrait ceux qui « avaient le sens commun. Il perdait moins de temps à écouter tout le monde et n'importe qui. S'il prêtait l'oreille, c'était en partie pour ne blesser personne, non pour prendre ses décisions. En fait, il manipulait tout le monde. Il écoutait, recherchait du soutien, voulant s'assurer à travers ses questions que chacun avait bien réfléchi et compris toutes les implications de l'avis qu'il prononçait. Il argumentait rarement. Il essayait de se renseigner pour mieux comprendre ».

En tant que conseiller à la sécurité nationale, Mac Bundy était chargé de collecter les opinions de chacun sur la politique étrangère, puis de proposer son analyse au Président. Avant l'affaire de Cuba, il était gêné dans son efficacité car il ne possédait que de simples contacts au sein de la bureaucratie gouvernementale. Désormais, ses nouveaux quartiers de l'aile ouest constituaient le point névralgique des services de renseignement.

Kennedy admirait son « énorme capacité de travail ». Avec Bundy, il pouvait communiquer sans avoir à abandonner son « langage crypté ». Une fois le Président sorti de la pièce, Bundy avait une idée suffisante de sa pensée pour transmettre ses ordres avec précision. « Jamais il ne plie ni ne se démonte lorsqu'ils le critiquent sournoisement », observait Kennedy[63]. Pourtant, un collègue[64] se plaignait de ses « oui ou non sans appel » et de sa capacité à « faire en sorte que tout ce qu'il dit semble plausible », ce qui le terrorisait.

Par son assurance, Bundy avait tendance à éclipser Dean Rusk, un homme discret et contenu, surnommé « le Bouddha » pour son impassibilité. « Rusk tient ses cartes si près qu'il ne les voit plus », commentait Dean Acheson[65]. Bundy était « très correct » avec Rusk, d'après Arthur Schlesinger[66], « mais il présentait toujours mieux la position des Affaires étrangères que le ministère lui-même ».

Dillon entretenait une certaine intimité avec Kennedy sur les plans à la fois professionnel et social. Non seulement il était, avec sa charmante épouse Phyllis, le principal mécène de Jackie, mais il faisait partie de la poignée de familiers qui recevaient les Kennedy chez eux. Leur villa ornée de stucs située dans Kalorama, quartier à la mode de Washington, ressemblait à « un palais italien miniature », selon Jewel Reed[67]. « L'opulence est une chose rare de nos jours, pourtant elle reste si discrète qu'elle ne risque pas d'être en désaccord avec la Nouvelle Frontière. »

Sur le plan économique, ses positions prudentes continuaient de valoir à Dillon les faveurs de Kennedy. Au cours des quelques jours qui avaient précédé le discours sur Berlin, Bobby Kennedy, soutenu par McNamara, Johnson et Rusk, avait proposé une augmentation d'impôts pour aider à financer l'élargissement du budget militaire. Dillon avait avancé qu'un tel geste freinerait l'expansion économique alors que le pays commençait à sortir de la récession, et Kennedy avait diligemment rejeté la suggestion. Constatant son ascension, Stew Alsop[68] qualifiait le ministre de « brillant adversaire sur le terrain des luttes intestines qui déchirent l'appareil bureaucratique ».

Même Ken Galbraith, qui l'avait d'abord considéré comme un « républicain endurci », en venait à dire de lui qu'il était « un excellent dirigeant ». Galbraith n'hésitait pas à faire pression sur le calendrier économique à la moindre occasion. « Il revenait voir Kennedy pour lui expliquer que la situation était dramatique parce que nous ne dépensions pas assez d'argent », déclarera Dillon. « Kennedy me retournait les questions que Galbraith lui avait posées et je répondais. Rien n'y faisait. » Un jour, alors que Dillon croyait Galbraith en Inde, Kennedy lui posa une « question d'économie particulièrement étrange ». « J'ai assuré le Président que je me pencherai sur le problème, en lui demandant au passage si Galbraith était en ville. Il a éclaté de rire, puis m'a répondu que oui »[69], se souviendra le secrétaire d'État.

Galbraith connut davantage de succès en attirant l'attention de Kennedy sur la situation en Inde, au Viêtnam, au Laos et en Chine. À l'automne 1961, ses missives d'outre-mer – son « feuilleton indo-talleyrandien », disait-il en référence au diplomate et homme politique français – faisaient déjà partie des lectures quotidiennes de Jack et de Jackie. Dans ses efforts

pour éviter « l'ennui », il attirait l'œil par certaines observations :
« Saigon possède les femmes les plus élégantes de toute l'Asie.
Grandes, avec de longues jambes, la poitrine haute, elles
portent des tuniques de soie blanches fendues sur les côtés
jusqu'aux aisselles sur des pantalons de soie blancs... À bicy-
clette comme en scooter, elles sont irrésistibles. »[70]

Bob McNamara consolida sa position grâce à un curieux
mélange d'intelligence, de loyauté et d'habileté. Avant une
réunion du Conseil national de sécurité (NSC) au sujet de
Berlin, Kennedy avait réuni plusieurs hauts conseillers dans son
bureau. Lorsqu'il avait sollicité son opinion, le ministre de la
Défense « avait fait la présentation la plus brillamment argu-
mentée et solidement documentée qu'on eût pu imaginer
pour une urgence nationale, le tout sans notes », se souviendra
Ted Sorensen[71]. Suite à d'autres interventions, Kennedy s'était
prononcé contre l'urgence nationale, qu'il considérait, selon
un raisonnement pertinent, indûment alarmiste. Le groupe
avait ensuite officiellement ouvert la séance du NSC et, une fois
encore, Kennedy avait demandé : « Qu'en pensez-vous, Bob ? ».
McNamara avait alors avancé « l'argument le plus éblouissant
et le plus qualifié pour justifier la non-déclaration de l'urgence nationale », selon le souvenir de Sorensen.

À sa manière, avec retenue, Sorensen s'était rapproché
d'aussi près que Kennedy pouvait le tolérer du statut de chef
d'état-major. Il analysait et faisait la synthèse des différentes vues
de la même façon qu'il exerçait le pouvoir : avec une formidable
réserve. Sa voix douce et ses pauses volontairement régulières
faisaient partie d'une tactique psychologique pour retenir l'attention tout en s'entourant d'une aura de maturité. « Mieux
que quiconque, Ted sait vous regarder en silence. Il joue avec
le silence jusqu'à vous faire craquer », commentait Teddy
White[72]. Les paroles oiseuses relevaient de l'anathème à ses
yeux, de sorte qu'il frappait souvent par son côté péremptoire.
« J'étais sans doute brusque, mais ce n'était ni de la réserve ni
de l'arrogance de ma part, peut-être de la réticence. C'était
surtout lié à l'incroyable masse de travail qui m'incombait. Je

manquais de sommeil. Sans doute me coupais-je des autres de temps en temps »[73], se souviendra-t-il.

Bobby Kennedy usait de son influence de manière beaucoup plus extravagante. La vie sociale à Hickory Hill, où il résidait avec son épouse de 32 ans, Ethel Skakel, leur sept enfants et toute une bande d'animaux, occupait le pôle opposé à la cour des Kennedy. La plupart des familiers fréquentaient Hickory Hill, les Dillon et les McNamara en tête. Non seulement l'un de ses enfants portait le prénom du ministre de l'Économie, mais Bobby passait régulièrement chez lui le samedi à l'improviste pour qu'il l'accompagne au cinéma avec plusieurs de ses chérubins.

Si on buvait, fumait et dansait jusqu'au petit matin à la Maison-Blanche, les soirées de Hickory Hill ne connaissaient guère moins de retenue. L'extravagance à laquelle son mari, mal à l'aise en société, consentait, venait d'Ethel. Sixième de sept enfants, elle avait un tempérament quelque peu écervelé et appréciait les blagues farfelues. Aussi n'hésitait-elle pas à lâcher un poulet vivant sur la table des convives ou à pousser les conseillers présidentiels (notamment Arthur Schlesinger) dans la piscine en tenue de soirée.

Jack et Jackie étaient rarement présents, Ethel et Bobby, de leur côté, se montrant peu à la Maison-Blanche. Lors de l'une de leurs apparitions, toutefois, Mary Gallagher nota l'étonnant contraste entre la « langueur » de Jackie et « l'entrain » d'Ethel. L'exaltation de Bobby faisait obstacle à ses rapports avec son frère. Bobby « ne semblait jamais avoir besoin de relâcher » la pression, commentait Chuck Spalding[74], « au contraire, manifestement, du Président ». « Avec Bobby, il n'y avait jamais de gros rires, comme avec Jack », affirmait Red Fay[75].

La majeure partie du temps, Bobby se montrait suspicieux. À la Maison-Blanche, il était perçu comme quelqu'un de grossier, ce que JFK trouvait plus utile que gênant. Un jour, après une conversation téléphonique délicate, Kennedy[76] annonça à Ken Galbraith : « Bobby vient juste de me dire d'arrêter ces conneries. Et encore, je suis poli ! ». Bobby était connu pour ses silences déconcertants et ses investigations acharnées. « Un véritable chien enragé », confiait la fille de Douglas Dillon, Joan[77]. Comme Harry Hopkins pour Roosevelt, Bobby était le « Seigneur de la Vraie Raison » de son frère. Il était autorisé à trouver le fond du problème à l'aide « de questions accablantes qui, venant du Président, auraient eu un impact plus explosif », expliquait Arthur Schlesinger[78].

Il était clair, en témoignait son conseiller Jim Symington[79], que « Bobby savait instantanément ce que Jack voulait. Ils débattaient chaque jour des problèmes du pays comme un pilote et son copilote ». Pour beaucoup, les deux frères communiquaient de manière quasi télépathique, anticipant les idées de l'autre, s'envoyant des signes d'un simple regard ou d'un geste. Dès que Kennedy avait entendu parler de la construction du mur de Berlin, sa première réaction avait été : « Appelez Rusk au téléphone ! Allez chercher mon frère ! ».

Néanmoins, JFK connaissait les points faibles de Bobby – sa tendance à réagir trop violemment et à tout voir en noir ou blanc. « Jack connaît cet état de conjecture régi par le doute alors que Bobby n'en a jamais fait l'expérience », affirmait Chuck Spalding[80]. JFK pouvait rejeter les décisions de son frère – ce qu'il faisait – parce que, comme le soulignait Walt Rostow, « il n'avait pas besoin d'être gentil avec Bobby »[81].

La mission pour laquelle Bobby se fit le plus remarquer lui fut confiée pendant le séjour de Jack à Paris. Rafael Trujillo, dictateur de la République dominicaine, fut assassiné à l'aide de mitraillettes fournies par la CIA. Dean Rusk étant parti pour l'Europe, le sous-secrétaire d'État Chester Bowles se retrouvait techniquement en charge du dossier. Cependant, Bobby établit un poste de commandes au septième étage du ministère des Affaires étrangères et donna l'ordre à la Marine d'envoyer des navires au large de l'île. L'objectif consistait à montrer le soutien des États-Unis à la faction anticommuniste qui tentait de prendre le pouvoir. Néanmoins, Bowles objecta lorsque Bobby – avec l'appui de McNamara – tenta de faire intervenir les marines. Devenu prudent depuis la baie des Cochons, JFK tomba d'accord avec le sous-secrétaire bien qu'il ne réprouvât pas les efforts de son frère pour empiéter sur son territoire.

À la fin de l'été, Jack semblait s'être remis de son tour de rein, même s'il lui faudrait encore des mois avant de pouvoir de nouveau ramasser un club de golf par terre. Le traitement le plus efficace se révéla être un nouveau régime d'exercices abdominaux prescrit par le Dr Hans Kraus, un spécialiste en rééducation de New York. À l'insu du public et de la presse, Max Jacobson continua de jouer les magiciens de cour, proposant à Kennedy ses injections avec une régularité surprenante. D'après ses registres de dépenses, il vit le Président trente-six fois entre juin et octobre 1961. En apprenant l'existence de Jacobson, le Dr Eugene Cohen, l'endocrinologue qui le traitait pour sa maladie d'Addison, lança à JFK un grave avertissement : « Il ne saurait vous être permis de recevoir des traitements de la part de médecins aussi irresponsables que M. J. Jacobson. De telles injections peuvent induire chez les patients un état d'euphorie passager. Mais ce traitement entraîne une dépendance similaire à celle des narcotiques. C'est fortement déconseillé lorsqu'on risque d'avoir à décider en un rien de temps du sort de l'univers. »[82] Si Kennedy refusa malgré tout de se séparer de Jacobson, il n'eut recours à ses services que de manière intermittente au cours des deux années qui suivirent.

Peu après que Billy Brammer eut déclaré à la mi-juillet que le Président ne pouvait plus faire la fête à cause de son dos, Kennedy voyait à nouveau d'autres femmes. Les deux mardis soir, entre la fin août et le début du mois de septembre, il effectua des promenades en bateau de trois heures sur le Potomac, à bord du *Honey Fitz*, en compagnie de George Smathers et de Bill Thompson, un responsable des chemins de fer de Floride, ainsi que de plusieurs femmes charmantes, dont Helen Chavchavadze. « Sur le bateau, Jack les a juste un peu enlacées et embrassées. Tout cela était bien innocent, vraiment », racontera Smathers[83] au biographe de Robert Kennedy, Evan Thomas, quelques décennies plus tard. Helen évoquera la « bonne humeur » de ces excursions : « Jack se défoulait. Il était entouré de gens avec lesquels il pouvait être lui-même, échapper au sérieux de la charge présidentielle. Il s'est peut-être retrouvé avec quelqu'une dans la cabine, mais ce n'était pas moi, pas à ce moment-là, ni à cet endroit. »[84]

Durant plusieurs semaines en septembre, Otto Preminger vint à Washington tourner *Tempête à Washington*, le thriller politique d'Allen Drury. À l'affiche se côtoyaient Henry Fonda, Charles Laughton, Walter Pidgeon, Burgess Meredith, Franchot Tone et Peter Lawford. Gene Tierney, diplômée de la célèbre école pour milliardaires de Farmington, y interprétait également le rôle d'une jeune mondaine de Washington. Lawford dînait souvent à la Maison-Blanche, parfois accompagné d'une jeune femme pour divertir le Président. Aussi invraisemblable que cela puisse paraître, le *New York Times* révéla ainsi un jour « le conte de fées » de la jeune Susan Perry, 21 ans, du bureau du sénateur républicain Jacob Javits. La « jolie réceptionniste » avait « attiré l'attention » de Lawford et « accepté en rougissant » son invitation à dîner avec le Président à la Maison-Blanche.

Compte tenu de sa fascination pour Hollywood, Kennedy suivait de près le tournage. « Il était tellement excité à l'idée de leur présence qu'il les a appelés pour savoir ce qui se passait ; il ne voulait pas être tenu à l'écart », déclarera Laura Bergquist[85], de *Look*. Kennedy tenta plusieurs fois d'organiser un dîner avec les acteurs. Ils vinrent finalement déjeuner à la Maison-Blanche avec Jack et Jackie à la fin septembre. Également présent, Frank Sinatra « posait et se montrait extrêmement désagréable », selon Helen Chavchavadze[86], placée du côté des femmes avec Eunice, Jean, Ethel, Mary Meyer et Nan McEvoy, l'héritière d'un magnat de la presse de San Francisco – toutes connues pour leur pétulance et leur beauté.

Dave Powers continua à servir d'alibi chaque fois qu'une femme venait rendre visite à Kennedy le soir. En plaisantant, il disait de lui-même qu'il était « la seconde épouse de John » lorsqu'il était « de garde la nuit », au deuxième étage de la Maison-Blanche. En l'absence de Jackie, JFK conviait Powers à lui tenir compagnie pour alléger son « confinement solitaire ». Selon la routine, Powers dînait, bavardait avec JFK s'il le souhaitait ou se distrayait tandis que le Président consultait ses dossiers. Parfois, ce dernier mettait l'un de ses disques préférés, des airs de danse des années 1930 et 1940, notamment *Beyond the Blue Horizon, The Very Thought of You, Stardust* ou encore *Stormy Weather*. Powers attendait toujours qu'il soit couché pour rentrer chez lui retrouver son épouse, Jo, et ses trois jeunes enfants à McLean, en Virginie.

Pour les dix derniers jours de septembre, Jack rejoignit sa famille en vacances à Hammersmith Farm pendant le voyage en Europe de Janet et de Hughdie. L'immense demeure en bardeaux du XIXᵉ siècle, avec son toit rouge et sa « tour poivrière », était située sur une propriété de trente hectares surplombant Narragansett Bay, de sorte qu'elle offrait davantage d'intimité que Hyannis. La vie s'y déroulait également sur un rythme plus lent, avec de longues promenades à bord du *Honey Fitz*. Entouré de sa cour, Jack s'asseyait dans son fauteuil en cuir fixé au pont, Bill Walton papillonnait caméra en main tandis que Roosevelt Jr « surveillait les flots tel un vieux loup de mer du haut du pont »[87].

Tous les jours, un avion de Washington venait déposer la valise diplomatique. JFK lisait les documents officiels et les rapports des renseignements « par piles entières ». Par ailleurs, il était en contact avec la Maison-Blanche par le biais d'une ligne de téléphone spécialement installée. Néanmoins, il prenait peu d'appels, préférant relire le *Talleyrand* d'Alfred Duff Cooper – « un livre formidable ». Pour la première fois depuis le début de son mandat, il put réellement se détendre. « On reste assis sur la terrasse pendant des heures à regarder la baie et embrasser toute cette beauté. On reprend des forces. On ne peut pas imaginer à quel point ces vacances font du bien à Jack. Il affirme que ce sont les meilleures qu'il ait jamais eues », écrivait Jackie[88] à sa mère.

CHAPITRE 18

Entre vie publique et vie privée...

Rejoignant Jack Kennedy autour d'un verre le 3 octobre, au lendemain de son retour à la Maison-Blanche, Cy Sulzberger nota que le Président « avait l'air en bonne santé, bronzé et en forme, mais le visage un peu gonflé »[1] – ce que relevèrent nombre d'observateurs. Néanmoins, seul l'entourage très proche était en mesure d'établir un rapprochement entre ce détail et la cortisone. (À cause de ses traitements, Kennedy changeait souvent de physionomie ; dix jours plus tard, Molly Thayer[2] remarquera que le Président « avait minci et perdu son air joufflu ».) Kennedy évoqua de nouveau Khrouchtchev, mais avec moins de passion, faisant observer que le dirigeant soviétique semblait « s'être adouci » dernièrement. Le Président s'insinua par ailleurs dans les bonnes grâces de Sulzberger en qualifiant son rival, le journaliste Walter Lippman, de « très confus »[3].

Ce soir-là, Jackie devant rentrer de Newport le lendemain après-midi, Jack Kennedy reçut pour la première fois Mary Meyer en visite privée. Comme elle le fera en treize occasions authentifiées au cours des deux années suivantes, la jeune femme se présenta à la Maison-Blanche sous prétexte d'un rendez-vous avec Evelyn Lincoln. (Il est possible que sa venue ait été, à d'autres reprises, notée dans les registres sous la mention anonyme « Dave Powers plus invitée ».) Outre sa présence remarquée aux six soirées dansantes données par le couple présidentiel, elle sera invitée à une demi-douzaine de déjeuners et de dîners chez les Kennedy. En octobre 1961, ses relations intimes avec le Président n'avaient pas encore commencé, selon Anne Truitt, confidente de Mary Meyer, néanmoins, leur amitié était déjà bien établie.

Ayant grandi dans le raffinement des quartiers chic de Manhattan et de Grey Towers, une propriété de mille cinq cents hectares en Pennsylvanie, Mary Pinchot Meyer et sa sœur benjamine, Tony Bradlee, avaient bénéficié des mêmes privilèges que Jackie – chevaux, gouvernantes françaises et écoles privées réservées à l'élite. En revanche, l'ambiance chez les Pinchot, au contraire de la maisonnée Auchincloss, était plutôt bohème. On bronzait nu au soleil et, le week-end, on accueillait des écrivains, des artistes et des activistes politiques new-yorkais.

Mary avait rencontré Jack pour la première fois en 1935, au bal de promotion de Choate, alors qu'il y achevait sa scolarité. Elle terminait sa seconde année à la Brearley School de New York. Évoquant de vieux souvenirs avec William Attwood, le cavalier de Mary ce soir-là, Kennedy « se rappelait avec bonheur lui avoir fait une queue-de-poisson sur la piste de danse »[4]. Mary était devenue journaliste avant d'épouser Cord Meyer, un héros de guerre formé à Yale ayant perdu un œil à cause d'un éclat d'obus. (Ses mémoires lui avaient valu le prix O'Henry en 1946.) Issu d'une famille new-yorkaise en vue, Cord était considéré, à l'instar de JFK – aux côtés duquel il avait figuré dans un article de presse sur les futurs dirigeants – comme l'un des grands espoirs de sa génération.

Partisan idéaliste d'un gouvernement mondial (futur chef de file des *United World Federalists*), Cord avait assisté en 1945 à la conférence des Nations Unies à San Francisco, en compagnie de Mary, qui couvrait l'événement pour l'*United Press*. Ils y avaient croisé JFK, également journaliste à l'époque. Dès le premier instant, les deux hommes s'étaient voué une antipathie qui ne se démentirait jamais. De retour à Washington, Cord était entré à la CIA tandis que Mary, occupée à élever ses trois fils, se mettait à la peinture. Leurs liens avaient commencé à s'effilocher au début des années 1950 et le mariage s'était effondré quelques années plus tard après la mort de leur deuxième fils, renversé par une voiture.

Mary avait emménagé à Georgetown, où elle avait rencontré le peintre Kenneth Noland, adepte du « color field » (champ coloré), dont elle admirait le style. « Elle a sans doute été influencée par mon travail. Ce n'était pas une artiste professionnelle, néanmoins, c'était un bon peintre et elle avait de l'ambition »[5], se souviendra son amant. Très appliquée, Mary avait développé un style minimaliste aux thèmes circulaires lumineux. Par ailleurs, elle avait entrepris une psychothérapie, d'abord auprès d'un disciple de Wilhelm Reich à Philadelphie, que consultait également Noland, puis avec un thérapeute de Washington.

Début 1959, lorsque Tony et Ben Bradlee s'étaient liés d'amitié avec les Kennedy à leur retour de Paris, Mary était entrée dans leur cercle social à Washington. À tous égards lumineuse, avec ses cheveux blonds détachés et ses yeux bleu clair, sa présence imposait souvent le silence lorsqu'elle faisait son apparition dans un cocktail. « Elle était d'une grande féminité, plutôt discrète, comme Tony. Malgré sa beauté, elle ne se donnait pas de grands airs, elle était très terre à terre », disait Ben Bradlee[6].

Comme Jackie, Mary avait quelque chose d'insaisissable. En revanche, elle dégageait une plus grande sensualité : elle arborait ses tenues séduisantes avec une spontanéité suggérant une indépendance d'esprit qui tranchait par rapport à la carapace que Jackie semblait s'être minutieusement forgée. Depuis l'adolescence, Mary avait conscience de son pouvoir sur les hommes. « Elle avait un charme dévorant. Elle aimait tenter le coup. Elle cherchait à attirer l'attention comme une nymphe surgissant des eaux. Où qu'elle allât, elle captait les regards et en tirait grand plaisir », affirmait Anne Truitt[7]. D'ailleurs, elle « ne vivait que pour donner et prendre du plaisir ». Comme Jack et Jackie, elle agissait à son gré. « Le secret de sa personnalité, c'était qu'elle se moquait des conventions », expliquait son amie intime Cicely Angleton[8], épouse de James Angleton, le légendaire chef du contre-renseignement à la CIA.

On ignore précisément pourquoi Mary se présenta à la Maison-Blanche le 3 octobre. Depuis sa participation privilégiée à la soirée donnée en mars, elle avait pratiquement disparu, jusqu'au fameux déjeuner avec l'équipe du film *Tempête à Washington,* deux semaines plus tôt. Selon Ben Bradlee, Jack était attiré par « son côté inaccessible, le fait qu'elle se distinguait du lot »[9]. Malgré toutes les starlettes, les mannequins et les personnalités de son entourage, Kennedy était immensément attiré par les femmes intelligentes et originales – Jackie, Mary Meyer, Helen Chavchavadze, Diana de Vegh et même Marilyn Monroe. « Alors que Jack Kennedy lui demandait un jour ce que Kenneth Noland pouvait bien avoir de plus que lui, Mary lui répondit : "Du mystère !" Le Président en resta, bien entendu, tout interdit », se souviendra Cicely Angleton[10].

Cet automne-là, le tourbillon social atteignit son paroxysme. La dernière vedette en date, l'ambassadeur David Ormsby Gore, arriva fin octobre à Washington pour présenter ses lettres de créance. Jackie se montra plus pointilleuse que jamais sur l'ambiance sociale qu'elle souhaitait créer. « À quatre pattes sur le sol jonché de schémas, elle réfléchissait à la manière dont elle allait placer les gens. Après cette opération délicate, elle étudia les menus avec minutie », écrira Hugh Sidey[11]. Elle pouvait se montrer sévère dans ses jugements, en témoigne son refus d'inviter Scottie Lanahan, la fille de F. Scott Fitzgerald à un dîner officiel. « Les deux fois où j'ai vu Scotty [*sic*], elle s'est enivrée… Un spectacle affligeant »[12], avait griffonné la première dame sur la liste que Tish Baldrige lui avait soumise.

« Le grand privilège consiste à avoir ses entrées à la Maison-Blanche et, bien sûr, le cachet final sera donné par la visite du Roi-Soleil dans votre maison particulière », expliquait Stewart Alsop[13] à un ami. Si les Kennedy s'aventurèrent moins loin que l'année précédente, la « maison particulière » qu'ils étaient le plus susceptible d'honorer de leur visite était celle de Joe Aslop, sur Dumbarton Avenue. Lors d'un week-end de décembre, alors que Jackie était à Glen Ora, Jack s'y présenta comme à son habitude à l'improviste, à son retour d'une tournée de discours qui l'avait mené jusqu'à Palm Beach et Miami, en compagnie de Dave Powers. Alsop recevait le duc et la duchesse du Devonshire, qui envisageaient de prêter leur collection de tableaux de maîtres à la National Gallery pour une exposition prévue l'année suivante.

Dix-huit invités se pressaient dans la salle à manger des Alsop. Tandis que Susan Mary, l'épouse de Joe, s'entretenait du musée avec le Président, celui-ci décida tout à coup de le faire visiter à la duchesse. « Allons-y ! », lança JFK à John Walker, le directeur des lieux, qui s'empressa de prendre les arrangements nécessaires. Kennedy et la duchesse arrivèrent au musée avant minuit, en compagnie de Dave Powers. « Notre arrivée fit sensation. Le Président n'avait pas, il me semble, autant l'habitude de fréquenter les expositions que Jackie »[14], racontera la duchesse. Kennedy et Powers ne rentrèrent pas à la Maison-Blanche avant 1 h 16 du matin.

À Glen Ora, Jackie se rendait fréquemment à la chasse, participant aux sorties organisées par les clubs du Piedmont et de l'Orange County. En novembre, sa monture la renversa en franchissant une clôture. Saisie par un photographe local, sa chute finira en double page dans *Life Magazine*. Au petit déjeuner suivant, personne ne remarqua rien. « Jackie ne semblait pas le moins du monde échevelée ou bouleversée »[15], se souviendra son hôtesse, Kitty Slater. Jackie arriva en compagnie d'Eve Fout, posa sa bombe et sa veste d'équitation et sirota son Dubonnet glacé en bras de chemise et gilet jaune canari. « Elle était à l'aise, naturelle et gracieuse », poursuivra Kitty Slater. Après avoir complimenté son hôtesse pour sa « charmante vieille maison »[16], Jackie demanda, avant de partir, à emprunter un livre intitulé *Fifty Years of White House Gossip*.

La première dame commençait à marquer les manifestations officielles de sa forte empreinte culturelle. Pour la venue du général Ibrahim Abboud, président du Soudan, elle organisa une représentation de Shakespeare sur la nouvelle scène de la salle est. La Maison-Blanche ayant réclamé de la « viande saignante » pour l'après-dîner, les comédiens servirent la scène de meurtre de *Macbeth* ainsi que des extraits de diverses comédies. Jackie avait également invité Helen Sandison, qui lui avait enseigné Shakespeare à Vassar. Pour le *New York Times*, le spectacle évoquait « les soirées polies organisées par la reine Victoria autour de Shakespeare »[17].

Ensuite Jackie fit venir le violoncelliste Pablo Casals pour un récital en l'honneur du gouverneur portoricain Luis Muñoz Marín. Le gala suscita également des allusions à la monarchie, le *Time* n'hésitant pas à comparer la soirée à « un concert dirigé par Haydn à la cour des Esterhazy »[18]. Parmi les cent cinquante-trois invités figuraient de grands compositeurs et chefs d'orchestre américains en queue-de-pie et cravate blanche. « La monarchie anglaise reçoit les vedettes de cinéma, notre Président reçoit les artistes », déclarait le compositeur Gian Carlo Menotti[19]. Vêtue d'une robe vert chartreuse ornée de perles, signée Cassini, Jackie présida la soirée telle « une svelte princesse médiévale tout droit sortie d'un tableau, avec son faux chignon entrelacé de velours noir et de perles »[20].

Le 7 novembre, Lee arriva pour un séjour prolongé. Comme en mars, les Kennedy décidèrent d'organiser une soirée « en l'honneur de » la sœur de Jackie mais aussi de Giovanni « Gianni » et Marella Agnelli, venus d'Italie. Les deux couples s'étaient rencontrés dans le sud de la France ainsi que chez les Wrightsman à Palm Beach. Ils se connaissaient du reste par l'intermédiaire de Roosevelt Jr, représentant américain de Fiat, l'empire automobile de Giovanni Agnelli.

Non seulement l'industriel était puissant et immensément riche, mais il avait une solide réputation de play-boy. Marella était par ailleurs l'une des femmes les plus élégantes d'Europe. Gianni et Jack s'appréciaient énormément. « Ils se ressemblaient sur certains points. Curieux de tout, ils s'ennuyaient aussi très facilement. Lorsqu'ils étaient quelque part, ils ne rêvaient que d'ailleurs »[21], commentera Marella. La présence de cette dernière enchantait tout autant Jack. Quelques jours plus tard, lors d'une soirée chez les Shriver, Nancy Dickerson surprendrait JFK « en intense conversation avec la splendide épouse de Giovanni Agnelli », une scène des plus « émoustillantes », selon la journaliste[22]. Pour sa part, Marella trouvait que Jack lui rappelait énormément son frère Carlo. « Il était charmant et d'un abord très facile », tandis que la « chaleureuse

Jackie aimait s'amuser »[23].

En ce 11 novembre, lors d'un dîner aux chandelles habillé, donné pour quatre-vingts personnes, la partie de plaisir tourna sans doute un peu trop à l'excès. Les femmes « avaient consacré des heures et des jours à leur toilette, pour un résultat remarquable. C'était du plus bel effet avec toute cette jeunesse réunie », commentera Ken Galbraith[24]. La musique étant assurée par Lester Lanin, Oleg Cassini fit une démonstration de twist, dernière danse à la mode sur laquelle toute l'Amérique commençait à se déhancher. Né au *Peppermint Lounge*, le club le plus branché de New York à l'époque, il était considéré comme inconvenant, à tel point que Pierre Salinger niera son introduction dans les plus hautes sphères de la société. Charley Bartlett, très prude, selon ses propres aveux, inciterait par la suite JFK à le bannir de la Maison-Blanche. « Tous ces gens se sont contentés de champagne et de fox-trot pendant des années, nul besoin du twist pour les maintenir éveillés. De toute façon, la mode va passer et le prix à payer, aussi faible soit-il, me semble trop élevé »[25], expliquait-il.

Le champagne coula à flots jusqu'à 4 h du matin et nombre d'invités burent beaucoup plus que de raison. Au beau milieu d'une danse, Lyndon Johnson s'affala sur Helen Chavchavadze. « Il est tombé comme une masse », se souviendra Mary Bailey Gimbel[26], de Manhattan, qui connaissait Jack et Bobby depuis l'école. Heyward Isham dut le soulever pour dégager Helen. En portant un toast après le dîner, Franklin Roosevelt confondit Oleg avec Stas (les deux hommes portaient la moustache), pour le plus grand plaisir de Kennedy. Le lendemain dans l'aile ouest, Ken Galbraith, lui-même atteint d'une forte gueule de bois, vit Mac Bundy titubant retourner trois fois à son bureau pour chercher sans le trouver un dossier dont ils devaient parler, avant de demander finalement la raison de sa présence à son collègue. Pour d'autres, les conséquences furent cependant moins amusantes.

Celui qui se donna le plus en spectacle fut sans doute Gore Vidal, lointain parent par alliance de Jackie. Même si elle ne le connaissait guère que depuis ses 20 ans, elle était, comme

Jack, impressionnée par son talent d'écrivain et appréciait sa compagnie ; il était « plein de charme et de malice », écrira Schlesinger[27]. Après sa défaite aux élections au Congrès en 1960, Vidal avait écrit un article admirable sur JFK pour le *Sunday Telegraph* à Londres. Les Kennedy l'avaient reçu à Hyannis Port et à la Maison-Blanche ; quinze jours plus tôt, il rejoignait encore Jack, Jackie, Eunice et Bill Walton à un concours hippique international. Au cours du dîner, ce fameux vendredi soir, Jackie avait lancé à ses convives : « Nous sommes des catholiques pratiquants de la vieille école » en sortant une boîte de caviar Beluga. « Jackie nous avait tous tirés de force à ce concours hippique. Jack ne voulait pas y aller. Il fulminait »[28], commentera Vidal.

Ses conversations avec Kennedy virevoltaient sur les sujets politique, sexuel et culturel. Libertin affiché, Vidal se réjouissait d'entendre le Président apprécier *La Dolce Vita* de Fellini, à l'opposé du puritanisme anglo-saxon. Selon son biographe Fred Kaplan[29], Vidal « admirait le pragmatisme de JFK, son objectivité d'analyse, son égoïsme féroce », ainsi que ses mœurs légères. En revanche, ses relations avec Bobby produisaient des étincelles. Vidal tenait Bobby pour un « catholique rigide », rancunier et intolérant. À raison, il sentait qu'il voyait son homosexualité d'un mauvais œil.

Au dîner, Vidal s'était attablé à côté de Sue Roosevelt, dans l'idée de passer « une folle soirée », confiera-t-il plus tard. Au gré de ses pérégrinations dans le salon Rouge, il avait échangé quelques propos acerbes avec Janet Auchincloss, qu'il détestait. Dans la chambre Bleue, bondée, il avait repéré Jackie parmi un groupe d'invités. En se penchant pour bavarder, il avait appuyé son bras contre le haut de ses épaules. C'est à cet instant que Bobby Kennedy avait fait son entrée. « Il avait travaillé tard et se sentait frustré », se souviendra Sue Roosevelt[30], en racontant qu'il avait foncé sur Vidal pour lui retirer le bras du dos de Jackie. L'écrivain l'avait suivi hors de la pièce et menacé : « Ne refaites jamais cela ! J'ai toujours pensé que vous étiez un sale petit con suffisant ! »[31] Selon les versions, les deux hommes se seraient lancé des « barre-toi ! » ou « fous le camp ! ». Ensuite, Vidal eut une autre prise de bec avec Lem Billings, qui lui reprochait de ne pas avoir assisté à une réunion du conseil sur les arts. « Gore l'a agoni d'injures », déclarera George Plimpton. Pour couronner le tout, Vidal lâcha à Jack Kennedy qu'il « tordrait bien le cou » à son frère.

Arthur Schlesinger[32] se souviendra : « Quelqu'un, peut-être Jacqueline Kennedy, m'a demandé de sortir Vidal. » Avec l'aide de Galbraith et de Plimpton, il le conduisit derrière le Madison Hotel. « Gore se sentait très mal. Il savait que les dés étaient jetés », affirmera-t-il. Même s'il était évident que « Bobby s'était montré susceptible et grossier », selon Plimpton, Jack et Jackie rejetèrent la faute entière de ces trois contretemps sur Vidal. Ce dernier tenta de se justifier le lendemain auprès de Schlesinger, en vue de ses futurs écrits sur les années Kennedy. Quoi qu'il en soit, Schlesinger nota que Jackie était suffisamment « fâchée » par la conduite de l'écrivain pour « décider de ne plus le recevoir à la Maison-Blanche »[33].

Jack Kennedy avait passé une grande partie de la soirée à musarder, en buvant le moins possible, comme à son habitude, et à bavarder avec les amis et la famille. (Seuls l'Ambassadeur, Teddy et Joan étaient absents ; Joe Kennedy évitait ce genre de manifestations alors que Rose ne s'en lassait pas.) Le mari d'Anne Truitt, James, alors journaliste au *Washington Post*, déclarera que Mary Meyer lui avait confié plus tard que pendant qu'elle dansait avec lui, le Président lui avait fait des avances, qu'elle avait toutefois repoussées.

La visite officielle la plus intéressante de l'automne 1961 fut celle de Jawaharlal Nehru, Premier ministre indien, et de sa fille. Indira Gandhi, alors âgée de 43 ans, prendra la tête du gouvernement en 1966. Dirigeant ombrageux d'une nation neutre, cet homme de 71 ans s'entendait trop bien avec l'Union soviétique au goût de Kennedy. Les deux responsables s'étaient déjà rencontrés lors de la tournée asiatique de JFK en 1951. Kennedy jugeait son homologue « très intelligent » mais « plutôt grossier » et s'irritait de ses réponses vagues. (« On a beau chercher à se raccrocher à quelque chose, tout vous glisse entre les doigts. »[34])

Formé à Harrow et Cambridge, le veuf gouvernait depuis près d'un quart de siècle avec sa seule enfant pour compagnie et confidente. Indira, qui avait fait ses études à Oxford, était déjà une ambitieuse femme politique. Deux ans auparavant, elle avait été élue présidente du Congrès national indien. Ayant établi de bons rapports avec le père et la fille, Ken Galbraith avait, fin octobre, remis à Jackie l'invitation en Inde du Premier ministre. Juste avant l'arrivée de Nehru aux États-Unis, les Kennedy avaient annoncé que Jackie répondrait aux invitations d'Ayub et de Nehru et se rendrait au Pakistan et en Inde fin novembre. Sur son insistance, Lee acceptera d'accompagner sa sœur pour ce voyage.

Nehru avait sollicité une première rencontre informelle avec le Président, c'est pourquoi Kennedy organisa un déjeuner à Hammersmith Farm. Pendant que les deux dirigeants discutaient de politique, Jackie dînait en compagnie d'Indira et de Lem Billings. S'il montra un bref « intérêt et une certaine verve »[35] en présence de Jackie, Nehru demeura froid avec Kennedy, lui répondant par monosyllabes. Pour leur part, Jackie et Billings découvrirent avec étonnement une Indira charmante ; évitant la politique, elle évoqua son enfance et plaisanta même sur elle-même. Par la suite, son attitude renfrognée laisserait cependant entendre qu'elle était froissée d'avoir été exclue des débats avec son père. « Jack Kennedy vit Nehru sous son pire jour, l'homme était las et cynique, et Indira se montra amère et malveillante », déclarera Schlesinger[36].

À bord de l'avion présidentiel, durant le vol de retour de Rhode Island à Washington, Indira feuilleta un *Vogue* avec une désinvolture incongrue tandis que Jackie lisait Malraux. Lors des rencontres ultérieures entre Kennedy et Nehru, on assista à « un brillant monologue de la part du Président », rapportera Galbraith[37]. Seule la présence de Jackie et de Lee, assises de part et d'autre du Premier ministre au dîner de la Maison-Blanche, réussit à allumer « une lueur d'amour dans son regard ». Du reste, Jackie annonça ensuite à l'ambassadeur qu'elle souhaitait ajourner son voyage. Indira continua à s'aliéner ses divers interlocuteurs à table en proférant « des remarques gauchistes approximatives et équivoques au sujet des États-Unis »[38]. Kennedy déclarera à Arthur Schlesinger que ses entretiens avec le Premier ministre avaient été « un désastre », « la pire visite de chef d'État »[39] dont il eût fait l'expérience.

Grâce à l'humour, JFK parvint malgré tout à lutter contre cette sinistrose. Ravi du succès de son déjeuner avec elle, Lem Billings se sentit flatté de recevoir un flot de messages téléphoniques de la part de la fille du Premier ministre pendant son séjour chez Steve et Jean Smith à Georgetown. En revanche, jamais elle ne répondit lorsqu'il tenta de la joindre à Blair House, résidence réservée aux hôtes présidentiels près de Lafayette Park. Plus tard, il découvrirait que « la passion de Mme Gandhi pour sa compagnie »[40] avait été inventée de toutes pièces par Kennedy avec la complicité du standard de la Maison-Blanche.

À peine les tensions liées au statut de Berlin retombées, suite à la construction du mur, Kennedy avait été de nouveau confronté à un problème international d'origine soviétique. Le 1er septembre, les Russes avaient en effet repris les essais nucléaires. À Vienne, Khrouchtchev avait pourtant promis à Kennedy de n'entreprendre aucun essai si les États-Unis s'abstenaient de leur côté. « L'espèce de menteur ! »[41], lança Kennedy à Steve Smith en apprenant la nouvelle. Tout au long de l'automne, l'Union soviétique effectua la plus intensive série d'essais jamais vue. Kennedy sut qu'il lui faudrait donc faire de même.

Or, il envisageait ses relations avec les Soviétiques avec davantage d'optimisme, malgré les fanfaronnades de chaque partie au sujet de leur domination militaire respective. Fin septembre, Khrouchtchev avait en effet engagé une curieuse correspondance avec son homologue. Ces échanges épistolaires secrets, qui avaient commencé par un courrier décousu de vingt-six pages acheminé par des voies détournées, dureraient jusqu'à la mort de Kennedy – plus de trois cents pages en tout. Le Président n'en montra le contenu qu'à certains de ses hauts conseillers – Bundy, Rusk et Bobby, pour l'essentiel. Aucune position ferme n'était exprimée de part ou d'autre, néanmoins, les lettres laissaient transparaître des humeurs et des intentions, ce qui devait éviter les malentendus ou les erreurs de calcul en temps de crise.

Le Sud-Viêtnam commençait également à faire sentir son poids. Au retour de sa tournée asiatique au mois de mai précédent, Johnson avait recommandé une aide américaine considérable ainsi que la formation militaire des Sud-Vietnamiens, tout en s'opposant à l'envoi de troupes. Si ses considérations sur l'attitude distante du président Ngo Dinh Diem à l'égard de son peuple étaient avisées, dans l'ensemble, son rapport se révélerait trop optimiste. Quelques semaines plus tard, au cours de son entretien avec le Président à Vienne, le correspondant du *Times* notera que Kennedy avait mentionné, presque après-coup, la nécessité d'une démonstration de force face à Moscou : « Nous devons les affronter. L'unique terrain dont nous disposons est le Viêtnam. Il nous faut y envoyer des renforts. »[42]

À l'automne, Kennedy dépêcha Maxwell Taylor et Walt Rostow sur place pour une seconde mission d'enquête. Hormis quelques problèmes, l'armée sud-vietnamienne semblait pleine de promesses, c'est pourquoi les deux hommes recommandèrent un déploiement américain. Le Président reçut alors une pluie d'avis contraires. À son retour du Viêtnam, Teddy White lui expliqua, dans un courrier de deux pages à interligne simple, que la situation était « bougrement difficile à résoudre » et qu'il « serait malavisé d'engager des troupes »[43]. Kennedy évoqua ces observations lors d'une réunion du NSC, « au plus grand agacement des chefs d'état-major », se prendra à raconter avec plaisir Arthur Schlesinger[44]. Renouvelant ses jérémiades, Galbraith[45] qualifia le Viêtnam de « nid de vipères », prédit une « congestion totale » de la situation politique et préconisa l'abandon de tout espoir de réforme avec Diem.

Pour diverses raisons – un scepticisme inné, le souvenir de la désinvolture française lors de sa visite au Viêtnam en 1951, la mise en garde du général Douglas MacArthur contre « un conflit terrestre en Asie », la prudence de certains conseillers tels que Schlesinger et Galbraith –, Kennedy opta pour l'augmentation du nombre de ses conseillers militaires plutôt que pour l'envoi de troupes. Il avait le sentiment de ne pas pouvoir battre en retraite, écrira Schlesinger ; néanmoins, il lui fallait gagner du temps. Au fil des dix-huit mois suivants, les incursions du Viêt Cong se firent plus rares, ce qui incita Bob McNamara et d'autres observateurs américains à parler d'une avancée du Sud-Viêtnam. « Kennedy laissait filer en espérant que le problème disparaîtrait de lui-même »[46], déclarera Sidey.

Plus tard dans l'automne, Kennedy remania son gouvernement pour la première fois depuis la baie des Cochons. En octobre, il remplaça Allen Dulles, 68 ans, par John McCone, 59 ans, à la tête de la CIA. Ce nouveau directeur, un industriel républicain inflexible de Californie, avait été sous-secrétaire de l'Armée de l'air sous la présidence de Truman. Le mois suivant, Kennedy prit pour cible Chester Bowles – visé depuis son autoglorification après l'affaire de Cuba. Durant l'été, le Président avait tenté de l'écarter du ministère des Affaires étrangères par des coups montés avec Charley Bartlett et Joe Alsop. Toutefois, Bowles avait alerté ses alliés libéraux qui avaient fait courir le bruit selon lequel « la première tête qui roulerait après l'affaire de Cuba serait celle de son plus fervent opposant »[47]. Kennedy l'avait donc maintenu en place, « furieux » de constater « sa très habile manœuvre pour conserver son poste » et voyant déjà « briller les longs couteaux », confiera Stew Alsop[48] à un ami.

Depuis, Bowles s'était retrouvé « de plus en plus à l'écart ». « Il ne peut plus justifier ses décisions », écrira Galbraith[49] début novembre. Lors d'un week-end de remaniement, pour Thanksgiving, Kennedy avait remplacé Bowles par George Ball, un juriste de 51 ans expert en économie internationale, accordant à Bowles le titre ronflant de « conseiller spécial ».

Comme toujours, Kennedy ne put se résoudre à le congédier lui-même, et envoya donc Ted Sorensen tempérer la colère de l'homme blessé dans son amour-propre.

Aux yeux du Président, le ministère des Affaires étrangères n'en demeurait pas moins le maillon faible de son administration. Dean Rusk, 52 ans, lui déplaisait en raison du manque de fermeté de ses positions. Pour stimuler « la force et la fertilité de la réflexion »[50] du locataire de Foggy Bottom, Kennedy confia l'élaboration des politiques à Walt Rostow, 55 ans. Va-t-en-guerre consciencieux, Rostow défendait avec une telle ardeur la contre-insurrection que certains le taxaient de « Chester Bowles à la mitraillette »[51]. L'ancien professeur du MIT, gras et dégarni, s'était bien intégré au poste d'adjoint de Mac Bundy. Néanmoins, pour son épanouissement intellectuel, il souhaitait sortir de l'ombre, dût-il pour cela quitter l'aile ouest.

Fred Dutton, dont la liaison avec sa secrétaire commençait à poser problème, fut également transféré aux Affaires étrangères, de même que Richard Goodwin, qui vexait Sorensen par la rapidité avec laquelle il rédigeait ses éloquents discours. Enfin, preuve que la vigueur du clan Kennedy ne dépendait pas des années, le Président nomma Averell Harriman à l'Extrême-Orient. À 70 ans, l'ancien ambassadeur en Union soviétique et en Grande-Bretagne était si avide de jouer un rôle qu'il accepta ce poste malgré sa position relativement modeste. Cette nomination venait en partie le récompenser des négociations qu'il avait menées pour obtenir la neutralité d'un Laos encore instable. Par ailleurs, le diplomate s'entendait bien avec Kennedy car il « savait prendre soin des chefs d'État », commentait Schlesinger[52].

JFK demeurait « le centre du pouvoir suprême », expliquait David Gore[53] à Macmillan. Le Président était entouré « d'excellents conseillers » qui n'étaient cependant « manifestement pas capables de le décharger de la moindre parcelle de son immense fardeau » – en grande partie parce qu'il ne leur en laissait pas la possibilité. Les hommes du Président n'étaient plus aussi « enivrés de pouvoir » qu'au début de l'année. Après « avoir été poussés au bord du précipice par l'éventualité d'une guerre nucléaire »[54], remarquait l'ambassadeur britannique, ils se montraient « moins désinvoltes ». Loin d'être affligés pour autant, ils poursuivaient leur vie professionnelle et sociale sur le même rythme trépidant.

Témoins de ce mélange d'allant intellectuel et de convivialité, les premiers séminaires de Hickory Hill furent inaugurés par Bobby et Ethel en novembre. Inspirées par leurs deux semaines passées à l'Aspen Institute durant l'été 1961, ces réunions reflétaient une réelle volonté d'introspection de la part de Bobby. Ce dernier en confia l'organisation à Arthur Schlesinger et, de l'automne au printemps, le groupe se réunit presque chaque mois chez l'un ou l'autre des participants. Parmi les plus réguliers figuraient les Dillon, les McNamara, les Gore, les Bundy, les Shriver, les Rostow et les Gilpatric. Trois séminaires (dirigés par les historiens David Donald, Arthur Schlesinger père et Isaiah Berlin) se déroulèrent à la Maison-Blanche. Jackie assista à plusieurs autres. Sinon, le couple présidentiel se faisait envoyer les débats auxquels il n'avait pu participer. Le ton était passionné, Ethel et Eunice « ne se laissaient pas intimider pour poser des questions »[55], commentera Schlesinger.

Alice Roosevelt Longworth se montra d'abord sceptique à l'égard de ces colloques, qu'elle jugeait « guindés » avant de décider qu'ils étaient finalement « très amusants ». Selon l'épouse d'Arthur, Marian[56], il s'agissait « d'une sorte de piqûre de rappel intellectuelle » : « Sans doute était-ce un exercice inoffensif mais tellement kennedien... Toute la pensée occidentale résumée en huit heures de séminaire, c'était un peu stupide ! ». Ces réunions firent néanmoins une excellente publicité au gouvernement, comme le découvrira David Donald, professeur à Princeton, après sa présentation sur la période de la reconstruction à la Maison-Blanche. À sa plus grande surprise, confiera-t-il à Ros Gilpatric, il reçut un appel téléphonique de Mary McGrory, journaliste au *Washington Star*, « apparemment très bien renseignée sur le détail des questions et des commentaires du Président ». « Comment ce genre de choses s'ébruite ? Cela demeure un mystère pour moi »[57], avait répondu Gilpatric.

Du reste, les familiers de Kennedy étaient hommes à fréquenter les cercles. Fervents partisans des échanges informels, ils aimaient se retrouver pour dîner autour de longues tables, puis partager cognac et cigares au coin du feu, dans les grands fauteuils en cuir d'un vaste salon. C'était essentiellement au *Metropolitan Club*, à quelques rues seulement de la Maison-Blanche, mais aussi au *Cosmos Club*, dans le quartier des ambassades, que se déroulaient ces échanges courtois. Comme New York, Boston et d'autres grandes villes, Washington possédait des clubs réservés aux femmes mais les bastions masculins constituaient les centres du pouvoir – et de la controverse. Non seulement les femmes, mais les Noirs et autres minorités ethniques en étaient exclus.

Cette discrimination attira l'attention, en septembre, lorsque le républicain George Lodge, fils de Henry Cabot Lodge, reçut un blâme du conseil d'administration du *Metropolitan Club* pour avoir invité un homme de couleur à déjeuner. Ce dernier, George Weaver, était vice-secrétaire au Travail de l'administration Kennedy. En guise de protestation, Lodge quitta le club et Bobby Kennedy lui emboîta le pas, en divulguant sa lettre de départ à la presse : « Il me paraît inconcevable qu'on refuse les privilèges du *Metropolitan Club* à quiconque en raison de sa race ! »[58].

D'autres démissions suivirent : Charley Bartlett, Burke Marshall, du département des Droits civiques et Bill Blair, ambassadeur au Danemark. Pourtant, un nombre plus important de membres en vue, notamment Adlai Stevenson, Hugh Auchincloss, Stuart Symington, Dean Acheson, Claiborne Pell, Arthur Krock, Rowland Evans et Joe Alsop, maintinrent leur adhésion. Mac Bundy choisit même ce moment précis pour adhérer, alors que son frère Bill, haut fonctionnaire au ministère des Affaires étrangères, en partait. Si le Président refusa de s'exprimer publiquement sur l'affaire, on supposa que son point de vue était défendu par Bobby. Selon le *New York Times*, JFK laissa « ses conseillers décider en leur âme et conscience »[59]. En privé, il aimait taquiner son conseiller à la Sécurité nationale au sujet de son adhésion, ce qui embarrassait ce dernier plus qu'il ne voulait bien l'admettre.

Ce que Bundy ignorait, c'est que le Président avait maintenu son adhésion au *Brook*, le club le plus fermé de New York, qui ne comptait à l'époque aucun membre noir. Par le biais de son amitié avec Earl E. T. Smith, Kennedy s'était inscrit en 1957, alors qu'il était sénateur depuis quatre ans. (Il était ulcéré, avait-il confié un jour à Red Fay, de constater qu'il était « impossible pour un catholique irlandais de faire partie du *Somerset Club* de Boston » – l'équivalent local du *Brook*.)

Peu après son admission au *Brook*, il y avait invité Evan Thomas, éditeur chez Harper and Row, à déjeuner. « C'est la première fois et sans doute la dernière que je viens ici »[60], avait-il déclaré, feignant l'embarras. En réalité, il s'y rendait chaque fois qu'il le pouvait, y ayant même organisé une réunion de stratégie durant la campagne présidentielle. Avec sa faculté de compartimenter, il pouvait apprécier le confort d'un club en toute sérénité et réprimander ses conseillers pour leur appartenance à un autre. Bundy finira par quitter le *Metropolitan* à l'automne 1963, poussé par « les piques permanentes et pas toujours gentilles » de Kennedy. « Je plaignais beaucoup Mac Bundy », déclarera Charley Bartlett[61] en se souvenant que ce dernier ne cesserait de répéter, après l'assassinat du Président : « Je n'ai jamais eu l'occasion de le lui dire... »[62] À sa mort, Kennedy faisait toujours partie du *Brook*.

Après ses déboires aux plans national et international, Kennedy semblait sur le point d'entamer l'année 1962 sur un meilleur pied. En compagnie de Jackie, il effectua de rapides visites d'amitié (« plus tournées vers le sentimentalisme que vers l'aventure »[63], selon le *Time*) à Porto Rico, en Colombie et au Venezuela. À l'apparition de Jackie, la foule scandait « Viva Miss America ». En deux jours d'entretien aux Bermudes avant Noël, Kennedy fit pression sur Harold Macmillan pour obtenir l'autorisation d'utiliser le territoire britannique dans le Pacifique pour des essais nucléaires atmosphériques. Bien que « touché » par le penchant du Premier ministre pour le désarmement, il insista au point que son interlocuteur accepta de soumettre la proposition à son cabinet.

Les deux dirigeants se vouaient une profonde confiance mutuelle, avec la complicité de David Gore, qui avait presque le sentiment d'assister « à une discussion familiale » lorsqu'ils se retrouvaient tous ensemble. Kennedy montra sa correspondance secrète avec Khrouchtchev à Macmillan et lui avoua l'agacement que lui inspirait de Gaulle. Le Britannique nota que JFK était plus efficace sur les problèmes spécifiques tandis que « sur les sujets plus larges, il semblait un peu perdu ». Il décela également une grande sensibilité chez son homologue, « très facilement content et très facilement offensé » : « Il aime qu'on lui prête attention. »[64]

Kennedy se sentait tellement à l'aise avec Macmillan qu'il aborda naturellement avec lui ses penchants sexuels – dont Jock Whitney avait déjà informé le Britannique deux ans auparavant. « Je ne sais pas ce qu'il en est pour vous, Harold, mais moi, si je dois me passer de femme pendant trois jours, je souffre de terribles migraines », confia JFK[65] – déclaration dont Nancy Mitford avait déjà entendu parler par des amis à Venise, cinq mois plus tôt, et qu'elle avait répétée à sa sœur, la duchesse du Devonshire. Selon le biographe Alistair Horne, auquel Macmillan révélera cette conversation avec Kennedy trente ans plus tard, « le Premier ministre, 67 ans et monogame, en demeura perplexe »[66]. Le leader britannique n'était pourtant pas candide puisqu'il avait enduré pendant des années la liaison de sa femme Dorothy avec le député Robert Boothby, également membre du parti conservateur.

Avant son arrivée aux Bermudes, Kennedy s'était à nouveau blessé au dos. Macmillan remarqua d'ailleurs sa gêne et son agitation ; il avait des « difficultés à rester assis dans la même position et à ramasser un livre ou un journal par terre »[67]. Curieusement, quatre jours plus tard, suite à un examen physique, les médecins du Président le déclaraient « en parfaite santé ». L'état de son dos s'améliorerait après plusieurs mois de traitement par le Dr Kraus.

Le voyage aux Bermudes, ainsi que toute la fin de cette première année de mandat, fut néanmoins assombri par la soudaine maladie qui affaiblit Joe Kennedy. En rentrant d'Amérique du Sud, le 18 décembre, Jack et Jackie s'étaient arrêtés à Palm Beach. Jackie devait s'installer avec les enfants, pour des vacances de Noël prolongées, dans la demeure de style Régence prêtée par des amis des parents Kennedy, le colonel Capton Michael Paul, un ancien cosaque fortuné, et son épouse Josephine, également riche, directrice de l'agence de courtage Kidder and Company. La propriété des Paul – qui, outre dix-huit chambres, comprenait cent vingt mètres de plage, une piscine chauffée, des tapisseries gothiques et une loggia accueillant une riche collection de plantes exotiques – se situait à un kilomètre et demi de *La Guerida*. Jack n'avait pas prévu de rester, mais compte tenu d'un rhume et d'un mal d'oreilles contractés pendant le voyage, il décida de se reposer une journée au soleil avant de rentrer à la Maison-Blanche.

En short et chemisette, Joe vint dire au revoir à Jack à l'aéroport le lendemain matin, avec la petite Caroline. L'Ambassadeur semblait joyeux à l'idée d'aller jouer au golf avec Ann Gargan. Au dix-huitième trou, se sentant défaillir, il demanda à sa nièce de le reconduire chez lui, où il croisa Jackie et Caroline en route pour la baignade. Alors qu'il gagnait sa chambre pour se reposer, il prononça ses dernières paroles : « Inutile d'appeler le médecin ! ». Venue prendre des nouvelles et découvrant qu'il ne pouvait plus ni bouger ni parler, Ann alerta Rose, qui appela une ambulance. Ce même après-midi, Jack revint d'urgence à Palm Beach, où le rejoignirent d'autres membres de la famille.

Joe avait eu une grave attaque, une thrombose intracrânienne, dûe à la formation d'un caillot de sang dans une artère cérébrale. Après plusieurs jours passés entre la vie et la mort, il reprit conscience mais sans grand espoir de recouvrer ses facultés. Lorsque le cardinal Richard Cushing annonça que son vieil ami avait prononcé quelques mots, l'hôpital expliqua gentiment que l'archevêque avait « sans doute interprété avec optimisme » le flot de sons incompréhensibles dont Joe était seulement capable désormais. Jamais plus il ne pourrait parler de manière intelligible ; en revanche, il conservait toutes ses facultés de compréhension.

Il y avait eu des signes avant-coureurs. Pour Thanksgiving, le clan Kennedy s'était réuni comme à son habitude à Hyannis. Lem Billings les avait accompagnés tandis que Red Fay et sa famille s'étaient installés chez Bobby et Ethel. Préférant dîner chez eux (« Jackie a sans doute envie d'être un peu seule pour une fois », notait Rose[68] dans son journal), Jack et Jackie avaient rejoint tout le monde chez l'Ambassadeur pour la soirée. Pendant que le Président savourait un cigare, Fay avait chanté, Teddy dansé (avec son « gros derrière, il est drôle de le voir se remuer ainsi », commentait Rose), et Jackie, vêtue d'un tailleur-pantalon Schiaparelli rose, avait offert une démonstration de twist « sur la musique endiablée de Joan ». Joe Kennedy, lui, s'était montré inhabituellement silencieux. Dix jours aupara-vant, il avait fait « une crise », selon les notes de Rose : « Il se plaint de ne plus avoir de goût et se sent un peu déprimé. »

Comme Jackie le raconterait plus tard à Cy Sulzberger, Joe avait eu une série de petites attaques, suite auxquelles on lui avait prescrit des anticoagulants qu'il avait « envoyés promener ». Il avait prévu, disait-elle, « de partir brutalement » – sans doute expliquait-elle ainsi sa recommandation formelle de ne pas faire venir le médecin. Trois jours après l'accident, le *New York Times* citera un membre de la famille selon lequel Joe avait reçu plusieurs mises en garde contre une « éven-tuelle attaque », mais avait refusé de prendre ses médicaments.

Si Joe Kennedy était déprimé, il ne le montrait guère. Frank Waldrop, ancien rédacteur en chef du *Washington Times-Herald*, confierait que, lors d'une conversation avec lui à l'automne, ce dernier avait admis : « Je vois vraiment les choses en noir parfois. »[69] Pourtant, moins d'une semaine avant qu'il ne tombe malade, il s'était lancé dans un tout nouveau projet pour promouvoir l'image de marque présidentielle. Il s'agis-sait de l'adaptation cinématographique de *PT 109*, le nouveau livre retraçant l'épisode héroïque de la vie de Jack durant la Seconde Guerre mondiale. Jack Warner, directeur des studios

Warner Bros, avait affirmé à Joe : « Tout sera soumis à l'approbation finale du Président... pas uniquement la personne qui interprétera son rôle mais le scénario lui-même. »[70] Enthousiaste, Joe avait répondu qu'il s'occuperait des dispositions nécessaires lors de la venue de Jack pour Noël.

Jack et Jackie rendaient visite à l'Ambassadeur tous les jours à l'hôpital. Le soir du réveillon de Noël, ils le quittèrent avant minuit après avoir passé une heure avec lui. Ils le virent deux fois le jour de Noël et reçurent la communion dans la chapelle de l'établissement. Par ailleurs, la vie poursuivait son cours. Jack se réunit avec Ted Sorensen, Doug Dillon et ses autres conseillers, Jackie reçut la famille pour dîner à Noël, puis le couple présidentiel effectua quelques promenades à bord du *Honey Fitz* en compagnie de leurs proches (Oleg Cassini, Fifi Fell, Lem Billings). Un soir, Jack resta chez Earl et Flo Smith de 23 h à 1 h 30 du matin.

La perte de la présence quotidienne de son père fut un coup dur pour le jeune Président, qui comptait énormément sur son esprit pragmatique et son soutien moral. Il ne pouvait plus appeler l'Ambassadeur pour solliciter ses conseils et s'entendre invectiver, comme cela lui était arrivé une fois pour avoir téléphoné à 3 h du matin : « Seigneur, rappelle-moi quand il fera jour, mon petit gars ! »[71] En revanche, Jack continuait de rendre visite et de décrire consciencieusement son environnement à son père. Joe répondait par des grognements. Il était particulièrement cruel, pour cet homme habitué depuis si longtemps au pouvoir et doté d'une telle maîtrise de soi, de se retrouver prisonnier de ce grand corps immobile sans pouvoir s'exprimer. L'ironie du sort n'échappait pas à ce fils, lui-même déjà confronté de plus près à la mort que la plupart des hommes de son âge. « La vieillesse est un naufrage », déclarera JFK[72] à Charley Bartlett en opinant tristement.

CHAPITRE 19

Comment Jackie séduit les hommes politiques et les artistes...

En ce réveillon de nouvel an, Charlie et Jayne Wrightsman recevaient les Kennedy ainsi qu'une foule d'amis réunis pour une soirée dansante avec l'orchestre de Lester Lanin, après un repas raffiné, arrosé au champagne Krug millésime 1929. Après minuit, la réception très chic prit un tour plus tapageur. Oleg Cassini et son frère Ghighi se lancèrent dans un mélange de twist et de kazatchok tandis que Bobby, Teddy, Steve Smith et Peter Lawford jouaient au football américain dans le salon, renversant et cassant les verres sur les tapis de la Savonnerie. D'après Oleg Cassini[1], « deux chaises anciennes signées furent brisées » et le millionnaire Stephen « Laddie » Sanford « faillit se noyer dans dix centimètres d'eau, dans le bassin devant le salon, mais il fut repêché, de même que le poisson rouge coincé dans sa poche ».

Jack et Jackie prolongèrent leur séjour à Palm Beach jusqu'à la fin de la première semaine de janvier pour pouvoir rendre visite à l'Ambassadeur. Plusieurs jours plus tard, Kennedy prononça son discours sur l'état de l'Union. Assise dans la galerie aux côtés de Martha Bartlett, de Tony Bradlee et des épouses des conseillers de la Maison-Blanche, Jackie « ne le quitta quasiment pas des yeux pendant les quarante-cinq minutes de son allocution »[2], écrira le *Washington Post*.

Kennedy souhaitait obtenir le soutien du Congrès sur les thèmes de l'assurance pour les personnes âgées, les subventions à l'éducation, la réduction des impôts et le relâchement des restrictions concernant le commerce international. Or, les républicains et les démocrates conservateurs, qui avaient conservé la mainmise sur la Chambre, lui faisaient obstacle. Néanmoins, il tirait parti de sa cote de popularité, maintenue à plus de 75 % tout au long de sa première année de mandat. Lorsque le *Time* l'élit « homme de l'année », l'article consacré à ce sujet ne tarit pas d'éloges sur sa gestion « plus sage, plus mûre »[3] après une première année difficile. Pour sa part, Jackie avait, selon le magazine, « réussi à rester elle-même », en se refusant à la « fausse modestie ». Offrant une autre interprétation, le *New York Times* déclarait qu'elle avait « rendu le monde plus sûr pour les brunes » et transmis « des habitudes aristocratiques » à « la femme ordinaire ».

Le lundi 15 janvier 1962, Jackie prit la décision sans précédent de tourner pendant près de sept heures devant huit caméras de télévision de la chaîne CBS, pour présenter les travaux de restauration réalisés à la Maison-Blanche grâce aux dons et aux prêts de centaines de bienfaiteurs. Cette émission d'une heure était prévue depuis que Blair Clark, responsable audiovisuel connaissant JFK depuis Harvard, avait convaincu Jackie, en octobre, de coopérer avec CBS comme elle l'avait déjà fait avec *Life Magazine*.

Après des mois de préparatifs, l'enregistrement devait enfin avoir lieu. Le producteur de CBS engagea Franklin J. Schaffner, un metteur en scène hollywoodien en pleine ascension (futur réalisateur de *Patton* et de *Papillon*), ainsi que le doucereux présentateur Charles Collingwood, ancien voisin des Kennedy à Georgetown. « J'ai pensé que cela ne nuirait pas d'avoir affaire à deux hommes élégants », affirma Perry Wolff[4], le producteur. Jackie et la conservatrice Lorraine Pearce réfléchirent aux objets que la première dame pourrait mettre en valeur ainsi qu'à ce qu'elle dirait. Ayant appris tous les éléments par cœur, Jackie se contenterait de suivre le « script de base », ce qui lui permettrait d'improviser au fur et à mesure.

Le jour de l'enregistrement, Jackie limita son escorte à son coiffeur new-yorkais, Kenneth Battelle, accompagné de Pam Turnure, tandis que l'équipe de CBS réunissait quarante

personnes. Admiratrice manifeste du réalisateur hollywoodien, Jackie s'en remit entièrement à « M. Schaffner » pour tous
ses déplacements. Elle bavarda avec Collingwood, lui confiant
que Nehru avait essayé de lui enseigner le yoga : « Mais il fallait
que j'appuie les jambes contre un mur »[5]. Le présentateur fut
séduit par « sa timidité, qui transparaissait même dans ses
gestes » : « Elle était jeune et pourtant assurée, mais sans
aucune arrogance. »[6] Distinguée mais distante, surtout lorsque
Collingwood commit l'erreur de l'inviter, avec une trop grande
familiarité, à le rejoindre à son hôtel pour boire un verre avec
sa femme. Jackie finit par l'envoyer poliment sur les roses.

    La première dame fit preuve d'une grande discipline.
Répétant avant chaque prise, elle revoyait même les questions
que le présentateur devait lui poser sur le ton de la conversation. « Elle connaissait bien son sujet. Personne ne lui donnait
la réplique. Elle se débrouillait toute seule en veillant à soigner
son langage. Ce mélange d'élégance et d'ingénuité, presque
enfantine, lui conférait une grâce irrésistible », expliquera
Wolff[7].

    Entre les prises, « elle fumait tout le temps ». « Chaque fois
qu'elle visait à côté du cendrier, sa cendre atterrissait sur la soie
magnifique jetée sur le banc qu'elle occupait. Je voyais qu'elle
était tendue »[8], poursuivra-t-il. Malgré la fatigue nerveuse, elle
ne relâcha pas la pression de la journée et faillit même en
oublier de déjeuner. L'enregistrement se termina par la visite
de la salle du traité, au deuxième étage, que Jackie qualifia de
« salle des horreurs »[9] devant les caméras, en raison des travaux
en cours. L'objectif, expliqua-t-elle, consistait à en faire un
endroit confortable pour ces hommes « qui doivent aujourd'hui
s'installer dans le hall au beau milieu des poussettes ; ainsi, ils
pourront tenir conférence autour de cette table »[10] en attendant le Président. Comme il était prévu, Jack vint rejoindre son
épouse à la fin de l'émission pour quelques commentaires
rapides. Il mémorisa brièvement le script préparé avant de le
débiter à vive allure devant les caméras.

    En dépit de l'épuisement suscité par l'enregistrement,
Jackie invita Joe et Susan Mary Alsop à dîner le soir même. À

la demande des Kennedy, Wolff présenta certains rushes dans la salle de projection de la Maison-Blanche. Entre-temps, Jackie s'était débarrassée de la coiffure bouffante destinée aux caméras, elle sirotait un grand verre de scotch, les cheveux détachés. Après la projection, tout le monde applaudit. « Lorsque les lumières se rallumèrent, le Président la regarda, les yeux remplis d'amour et d'admiration »[11], se souviendra Wolff. « Il existait un véritable lien affectif entre eux, j'en suis certain. Il avait l'air très fier d'elle et elle heureuse de le rendre aussi fier. » Mécontent, en revanche, de sa propre performance, trop empruntée à son goût, JFK demanda à refaire une prise le lendemain à un rythme plus modéré.

Un jeudi soir, durant l'hiver, les Kennedy organisèrent un petit dîner en l'honneur du compositeur d'origine russe Igor Stravinsky. Sur la liste des invités, venus de Londres, de Paris, de New York et de Chicago, figuraient Leonard Bernstein, Lee Radziwill, Vladimir Nabokov, son cousin Nicholas et Helen Chavchavadze, placée à côté du maestro. Alors que tout le monde s'embrassait à la russe, Bernstein entendit JFK se plaindre : « Et moi, alors ? » Le chef d'orchestre trouva sa réaction « sympathique » parce qu'il savait abandonner « sa posture présidentielle sans pour autant perdre sa dignité ». Les invités furent déçus du départ prématuré de Stravinsky, « épuisé » par une journée de répétitions, selon les explications de la Maison-Blanche à la presse. En réalité, le compositeur avait tellement bu que son assistant Robert Craft avait dû le porter pour partir.

Jackie profita de la compagnie de Lee durant de longues périodes en janvier et février. Selon toutes les apparences, les deux sœurs n'avaient jamais été aussi proches. Lee et Stas passaient de plus en plus de temps séparés, leur mariage s'effritant encore plus depuis la naissance difficile de leur fille et les cinq mois d'hospitalisation qui suivirent. Christina vint au monde un an après l'arrivée de leur fils Anthony. En réalité, il subsistait des tensions latentes avec Jackie. Après son déjeuner avec Lee à New York, le vendredi 9 février, Truman Capote[12] avait déclaré à Cecil Beaton : « Seigneur, elle est d'une jalousie à l'égard de Jackie ! J'étais loin d'imaginer... Son mariage est quasiment fini ! »

Ce soir-là, Lee et Stas assistaient ensemble à une autre soirée dansante à la Maison-Blanche, organisée cette fois en l'honneur de Steve et Jean Smith, qui partaient vivre à New York. Compte tenu de l'incapacité de Joe Kennedy, il incombait en effet au gendre doté d'un sens aigu des affaires de superviser l'immense fortune familiale. Ces adieux, confiait JFK à Ben Bradlee, feraient l'objet de la plus belle des trois réceptions privées données à la résidence présidentielle. Les Kennedy étant tenus d'inviter près d'une centaine de convives, les Bradlee, Bill Walton, Mary Meyer et d'autres familiers dînèrent chez eux avant de se joindre à la soirée à 22 h. « On était totalement en dehors du coup. Les Kennedy ne pouvaient pas se permettre de snober qui que ce soit... sauf leurs vrais bons amis », se souviendra Bradlee[13].

Une fois de plus, le twist occupa le devant de la scène dans la salle est. Oleg Cassini effectua un solo tandis que Jackie et Lee apprenaient la danse à Bob McNamara et Averell Harriman, « au plus grand désespoir de Jack Kennedy, qui tenta de nous arrêter », selon le ministre de la Défense[14]. Lors d'une nouvelle démonstration de twist, Phil Graham, éditeur du *Washington Post*, quitta la piste, le pantalon déchiré sur quinze centimètres.

Dans son fourreau de satin blanc, Jackie dansa pratiquement sur tous les morceaux jusqu'à 4 h du matin. Peu avant minuit, JFK trouva un moment pour informer Bradlee que Francis Gary Powers, le pilote de l'avion espion U-2 abattu par les Soviétiques en mai 1960, allait être échangé contre un espion soviétique détenu par les Américains. La dernière limite étant passée pour transmettre l'information à *Newsweek*, Bradlee dicta un article, sur fond de musique, au *Washington Post*, sa publication sœur. À 2 h du matin, Kennedy s'éclipsa afin de s'assurer auprès de Berlin que Powers était en sécurité, puis rejoignit les festivités et ne quitta pas la soirée avant que l'orchestre se fût arrêté de jouer, à 4 h 30 du matin. « Entre-temps, Tony et moi avions constaté qu'il était un peu "parti" – or, il était très rare de le voir dans cet état »[15] –, se souviendra Bradlee.

En lui reparlant de la soirée le lendemain au téléphone, Kennedy mentionna sa belle-sœur : « Mary ne doit pas être facile à vivre. Ce n'est pas la première fois que je le remarque. »[16] Bradlee était d'accord. « Mary n'était pas facile parce qu'elle attirait énormément l'attention, sans aucun effort. Son mari faisait figure de laissé-pour-compte ; c'est ce que voulait dire Kennedy », affirmerait Cecil Beaton[17]. Ce que Bradlee ignorait, néanmoins, c'était que la remarque désinvolte de JFK masquait sa toute nouvelle intrigue clandestine.

Moins de trois semaines plus tôt, alors que Jackie et les enfants étaient partis à Glen Ora avec Lee et son fils Tony, Mary et Jack avaient consommé leur liaison un lundi soir, par un froid glacial, à la Maison-Blanche. Même si elle avait l'esprit aussi libéré que son amie Helen Chavchavadze, Mary s'investit beaucoup plus dès le début. Contrairement à Helen, qui garda le secret sur son aventure, elle se confia à Anne Truitt deux mois plus tard – ainsi que plus tard cette même année au mari d'Anne, James. « Quand elle m'a annoncé qu'elle était amoureuse de Jack Kennedy et qu'elle couchait avec lui, je n'ai pas été si surprise. Mary faisait ce qui lui plaisait. Elle était ravie »[18], mentionnera son amie. Peu encline à porter des jugements, Anne était une confidente sûre, trop polie et trop « respectueuse » pour chercher à approfondir.

Bill Walton servait fréquemment de cavalier à Mary Meyer, tout comme à Helen Chavchavadze d'ailleurs, lorsque les Kennedy l'invitaient. Malgré son savoir-vivre, JFK ne lui donna jamais aucun renseignement sur la nature de ses relations avec l'une ou l'autre. « Bill était un ami du couple. Il servait de couverture à Jack. Jack s'arrangeait toujours pour que Bill m'accompagne aux soirées de la Maison-Blanche. Bill avait une vision très romantique du mariage, peut-être trop romantique », expliquera Helen Chavchavadze[19].

Mary Meyer connut d'autres amants durant sa liaison avec Kennedy. « Ils se comprenaient. Mary ne voulait pas se marier.

Sur ce plan, leur relation était superficielle. Le couple de Jack fonctionnait. Par ailleurs, Mary souhaitait préserver son intimité. Ils avaient l'intelligence de se dire que leur amitié ne durerait pas éternellement. Ils étaient ensemble pour le plaisir et pour se remonter le moral », déclarera Anne Truitt[20].

À ses yeux, ils vivaient une « amitié amoureuse ». « Il voyait bien qu'elle était digne de confiance, qu'il pouvait discuter avec elle sans avoir à surveiller ses propos. Mary lui apportait un peu d'air frais, un peu de légèreté. Il aimait varier les plaisirs et l'on ne s'ennuyait pas avec Mary », poursuivra la confidente.

Mary et Jack ne laissaient jamais rien paraître en société – même Tony et Ben n'avaient pas la moindre idée de leur histoire. « Au fond, Jack adorait prendre des risques. Comment pouvait-il coucher avec elle et l'inviter à dîner avec Jackie ? », s'interrogera Bradlee. Kennedy avoua un jour à Charley Bartlett qu'il trouvait que Mary était « une femme géniale ». « Comme il ne me parlait jamais des femmes, ce commentaire éveilla mes soupçons », se souviendra Bartlett. Comme à son habitude, ce dernier ne souffla mot. « Dans l'aile ouest, nous savions que Mary était une amie et qu'elle était souvent invitée à dîner. Jackie acceptait sans se plaindre. Elle gardait toujours son sang-froid », commentera Tish Baldrige[21].

Le jour de la Saint-Valentin, l'Amérique tomba plus amoureuse que jamais de Jackie Kennedy tandis que les chaînes CBS et NBC présentaient en *prime time* sa visite de la Maison-Blanche à quarante-six millions et demi de téléspectateurs, selon les estimations – soit près de 75 % de l'audience. (ABC présenterait l'émission le dimanche après-midi suivant à dix millions de téléspectateurs supplémentaires.) Peu importait que Jackie portât une robe rouge, les téléspectateurs n'en surent rien, pas plus qu'ils ne purent apprécier d'ailleurs les superbes nuances des tissus d'ameublement et des rideaux, puisque l'émission avait été tournée en noir et blanc. Pendant une heure (sans une seule coupure de publicité), le public américain découvrit l'histoire de la Maison-Blanche tandis que Jackie et Collingwood bavardaient en flânant de salle en salle.

Le récit était émaillé d'anecdotes piquantes, de portraits, mais aussi de détails factuels. Charles Dickens avait qualifié la Maison-Blanche de « club-house anglais », puis, lorsque les fonds étaient venus à manquer, l'édifice avait été surnommé « la maison pauvre ». Dans le salon Vert, Jackie fit observer que Thomas Jefferson organisait des dîners pour faire découvrir des plats exotiques à ses convives, notamment « des macaronis, des gaufres et des glaces ». Consciencieusement, elle expliqua les périodes représentées dans chaque pièce, signalant les touches égyptiennes apportées par Napoléon au style Empire, évoquant avec une ironie désabusée le mélange « Antiquité grecque et roues à aubes du Mississippi » choisi par le Président Grant pour la salle est et s'arrêtant dans la salle à manger d'apparat pour s'émerveiller de « l'unité architecturale » époque 1902.

La présentation fut captivante de bout en bout. Jackie parlait à voix basse, avec son doux phrasé marqué d'un léger souffle, tout en s'avançant, les jambes arquées, vers la caméra. Certes, son accent trahissait ouvertement ses hautes origines new-yorkaises ; néanmoins, elle faisait preuve d'une grande simplicité. En parlant de ses acquisitions préférées, elle se montrait enthousiaste et ses yeux brillaient d'une joie retenue. Habilement, elle mentionna les noms de donateurs célèbres, notamment les Annenberg, les Ford et les Field.

Ce soir-là, Jack et Jackie reçurent les Bradlee à dîner avec Max Freedman et Fifi Fell. Ensuite, ils regardèrent l'émission dans le salon Lincoln, « impressionnés par les connaissances et l'assurance » de la première dame, se souviendra Bradlee[22]. Même après une seconde prise, Kennedy demeurait mécontent de son image à l'écran. (Tony commenterait plus tard à son mari que JFK était peut-être jaloux de son épouse.) Parmi ceux qui téléphonèrent pour féliciter les protagonistes, Charley Bartlett affirma avoir été ému aux larmes, ce qui fit dire à JFK, pour plaisanter, que lui aussi avait pleuré – sur sa propre performance. Quelques instants plus tard, lorsque Eunice appela à son tour et demanda à parler à Jackie, la première dame « fit non de la tête », notera Bradlee dans son journal intime. Inexplicablement, Jackie partit se coucher les larmes aux yeux.

Le lendemain, dans son article publié en première page du *New York Times*, Jack Gould s'extasiait sur l'émission. Louant « la verve et le plaisir » éclatants de Jackie, le respecté critique de télévision déclarait qu'elle était « un fin critique d'art ». Au cours des trois jours suivants, la Maison-Blanche fut submergée par six mille trois cents lettres d'admirateurs adressées à la première dame. Cependant, plusieurs mois plus tard, Norman Mailer, soudain pris d'un « délire névrotique »[23], selon *Newsweek*, la descendrait en flammes dans *Esquire*. Après avoir essayé de s'insinuer dans les bonnes grâces des Kennedy, l'écrivain se retournerait contre eux pour avoir été exclu de leurs réceptions à la Maison-Blanche. Sa « curieuse voix en public » lui rappelait celle d'une « présentatrice de la météo », elle marchait « comme un cheval de bois », une « starlette sans le moindre talent ». Bref, à ses yeux, Jackie était une « aristocrate bidon »[24].

Il n'était pas rare que les détracteurs de Jackie associent le voile de sa voix – « d'une grande douceur ; comme si elle était en permanence étonnée[25], selon Hervé Alphand, dans une posture étudiée ». Or, ses amis, notamment Jessie Wood, qui la connaissait depuis l'adolescence, affirmaient que ce ton était naturel. D'ailleurs, cette voix constituait souvent un handicap puisqu'elle conduisait certains à mésestimer son intelligence. Ainsi, l'épouse de Cy Sulzberger, Marina, qui s'attendait à l'entendre exprimer des platitudes, avait eu l'heureuse surprise de découvrir qu'elle disait « des choses réellement intelligentes » : « Elle vous laisse bouche bée et totalement transporté. »[26] Pour une femme comme Sue Wilson, une connaissance de Vassar : « Sa voix vous maintenait un peu à distance. Elle ne vous incitait pas à poser vos chaussures pour venir vous détendre à ses côtés. »[27] Aux yeux de George Plimpton en revanche, ce petit bruissement « faisait entièrement partie d'elle » : « Depuis toute petite, elle me parlait comme cela. »[28] Ceux qui appréciaient ce timbre particulier remarquaient souvent la petite lueur espiègle qui brillait dans ses yeux.

En février 1962, la restauration de la Maison-Blanche n'était encore que partiellement achevée. Jackie travaillait sur de nouveaux thèmes décoratifs pour la chambre Bleue et le salon Vert en collaboration avec Boudin et Jayne Wrightsman, au grand dam de Lorraine Pearce, qui conservait sa fidélité à Harry du Pont. Bien qu'elle la considérât « trop imbue d'elle-même », Jackie confia à cette dernière la rédaction du premier guide de la Maison-Blanche. Cet élément revêtait une « importance extrême » à ses yeux car les revenus qu'il devait générer devaient contribuer au financement de l'ameublement.

« Elle souhaitait raconter l'histoire des différents locataires de la Maison-Blanche et des objets de leur époque », expliquera Jim Ketchum. Jackie consacra de nombreuses heures à ce guide, dont elle élabora la maquette avec des collaborateurs bénévoles du *National Geographic*, et relut le texte préparé par Lorraine Pearce. Bien que satisfaite du résultat, elle demanda à Arthur Schlesinger, à la mi-février, de rajouter « un peu d'émotion et quelques jolies tournures »[29].

Entre-temps, Schlesinger était devenu l'intellectuel de service de la première dame comme du Président. En se rendant en Floride pour apaiser la colère des chefs de file des exilés cubains après la baie des Cochons, il avait affermi leur loyauté envers Kennedy. De temps à autre, JFK tenait compte de ses notes régulières sur les politiques nationales et internationales. C'est ainsi, notamment, qu'il avait retenu sa mise en garde contre le fait de jouer « au premier qui se dégonfle » avec l'Union soviétique dans l'affaire de Berlin. Cependant, Kennedy négligeait la plupart de ses conseils. C'est en vain qu'il avait, par exemple, recommandé de contraindre le Congrès récalcitrant à appliquer un programme libéral et s'était opposé à la nomination de John McCone à la tête de la CIA.

Schlesinger échangeait librement des informations avec certains journalistes privilégiés tels que Ben Bradlee, qui « comptait énormément sur lui » pour avoir une perspective historique. « Il tirait constamment les ficelles », commentait Jean Friendly[30], qui le connaissait depuis la fin des années 1940.

Outre ses responsabilités d'organisateur des séminaires de Hickory Hill, Schlesinger proposa August Heckscher, un critique culturel new-yorkais, pour la création du premier poste de consultant artistique à la Maison-Blanche, ce que Kenny O'Donnell considéra comme une attaque non déguisée. À titre de critique de cinéma pour la revue *Show*, Schlesinger alertait par ailleurs les Kennedy sur les nouveautés à présenter dans la salle de projection de la Maison-Blanche – sa sélection semblait davantage plaire à Jackie qu'à Jack. Le Président trouva le rythme de *L'Avventura* si lent qu'il demanda qu'on lui épargne la dernière bobine et sortit de la salle au bout de vingt minutes lors de la projection de *L'Année dernière à Marienbad*. Jackie adora « le puzzle » édifié par Resnais. « À ses yeux, il s'agissait d'un film stylisé, mystérieux », expliquera Schlesinger[31]. Elle demanda même à Cassini de lui créer une robe de soirée à l'image des « mousselines de soie Chanel » portées par Delphine Seyrig.

Pour Jackie, le rôle le plus important de Schlesinger consistait à la seconder dans son projet de restauration en qualité de consultant. « Je suis désolée de m'imposer ainsi. Vous êtes la seule personne à pouvoir le faire – et le seul à avoir la gentillesse de toujours m'apporter son aide quel que soit mon projet »[32], écrivit-elle en sollicitant sa contribution au guide. Une fois qu'il eut poli le texte de Lorraine Pearce, Jackie insista pour qu'il réécrive l'introduction. La première version lui semblait en effet pécher par sa longueur et sa pédanterie : « Épouvantable, maladroite et prétentieuse »[33], précisa-t-elle à Schlesinger.

JFK suggéra à Jackie de rédiger elle-même une courte introduction. Dans une longue note à Schlesinger, elle indiqua ses objectifs pour ce livre : donner aux visiteurs « quelque chose à emporter », rappeler l'importance de la Maison-Blanche dans l'histoire des États-Unis et expliquer les efforts consentis pour offrir un ameublement historique « sans avoir l'air prétentieux ». En outre, il lui fallait « une merveilleuse phrase de conclusion digne d'Euripide »[34].

Schlesinger s'exécuta et fournit quatre paragraphes élégants évoquant les « souvenirs impérissables » liés à la Maison-Blanche ainsi que la volonté, par les récents travaux de restauration, « de faire revivre de beaux objets anciens » rappelant à chacun le « riche et émouvant passé » de la nation. Toutefois, il se refusa à rédiger un guide sur les Présidents malgré l'insistance de la première dame. Elle envisageait une présentation caustique sous forme de portraits « vivants, voire sujets à controverse ». Fait révélateur, elle remit à Schlesinger un livre sur Versailles pour l'inspirer. « Si vous faites tout cela, je ferai graver votre nom au-dessus de la cheminée dans la chambre Bleue »[35], écrivit-elle.

Schlesinger lui rappela gentiment qu'il avait « certaines priorités à remplir pour son mari » et lui promit de lui soumettre le nom d'un autre historien. Même si Jackie ne s'en offusqua pas, le projet fut retardé pendant plus d'un an, jusqu'à ce que Frank Freidel, historien de Harvard suggéré par le conseiller, acceptât la tâche.

La visite d'amitié de Jackie et Lee en Inde et au Pakistan avait été ajournée à trois reprises depuis la fin novembre. La dernière cause de retard, annoncée moins d'une semaine avant l'arrivée prévue à New Delhi, le 4 mars, fut une « sinusite » accompagnée d'une « légère fièvre intermittente ». La veille de l'annonce, Jackie et Lee offraient encore une superbe démonstration de ski nautique à leurs amis à bord du *Honey Fitz* à Palm Beach et, de retour à Glen Ora plusieurs jours plus tard, Jackie participait à une chasse. Selon les conjectures du *Time*, l'ajournement était davantage lié à la volonté de « Jack Kennedy d'envoyer une pique à l'intransigeant Nehru », qui venait d'envahir le minuscule territoire portugais de Goa.

En réalité, Jackie était revenue sur sa décision. Lors du dîner donné le lendemain de son apparition sur le petit écran, elle s'était follement amusée, dansant le twist avec Joe et Susan Mary Alsop, le diplomate Chip Bohlen et son épouse, Avis, les Gilpatric et Joan Braden, l'épouse de l'ancien responsable de la CIA devenu éditeur de presse. « Jackie n'a plus envie de se rendre en Inde, mais JFK insiste pour raison d'État car elle s'est engagée. Elle ne cesse de répéter que Joan doit l'accompagner pour lui remonter le moral », confiait Stew Alsop[36] à un ami.

Or, Jackie n'était guère intime avec Joan Braden, une femme minuscule mais guillerette, mère de sept enfants, qui avait quitté le parti républicain pour les démocrates afin de soutenir JFK. Elle avait travaillé à divers postes gouvernementaux et, durant la période électorale, avait servi de nègre à Jackie pour une chronique hebdomadaire toute simple sur son rôle d'épouse en campagne. En outre, jouant les porte-parole, elle avait fait barrage aux journalistes et conseillers trop zélés. « Elle a le don de se lier d'amitié avec les grands de ce monde ; c'est un mélange unique de charme et de toupet », remarquait Stew Alsop[37].

Jackie, qui la surnommait « la petite aux taches de rousseur », ne comprenait pas pourquoi Jack et Bobby lui « demandaient toujours son avis ». Joan et Tom Braden pratiquaient ce qu'on appellerait plus tard « le mariage libre », chacun disposant « d'une entière latitude et lâchant suffisamment la bride » à l'autre, comme disait Joan[38], pour laisser la place aux aventures extraconjugales. La liaison la plus remarquée de Joan avait été Nelson Rockefeller, gouverneur républicain de New York et l'un des principaux adversaires prévus contre JFK pour 1964. (Ultérieurement, Robert McNamara deviendrait à son tour son amant.) Quoi qu'il en soit, Jackie se sentait à l'aise en sa compagnie, c'est pourquoi Jack annonça que Pierre Salinger « s'arrangerait » pour qu'elle participe au voyage sous prétexte d'un reportage exclusif. Stew Alsop se chargerait de rédiger l'article de Joan sur le voyage de la première dame pour le *Saturday Evening Post*, dans « un style familier et amusant ».

En chemin, Jackie fit une escale de plusieurs jours à Rome, où la foule l'accueillit aux cris de « Che bella ! » (« Qu'elle est belle ! »). Il était prévu que le pape Jean XXIII lui accorde une audience privée, secrètement sollicitée pour aider Lee à obtenir l'annulation de son premier mariage avec Michael Canfield. Étant catholiques, Lee et Stas avaient dû se contenter d'un mariage civil – cinq mois avant la naissance de Tony. En dépit des signes de craquèlement de leur union, Stas désirait toujours une célébration religieuse, ce que devait permettre l'annulation.

Jackie vit le pape toute seule. Leur entrevue, en français, se prolongea de manière inhabituelle – plus d'une demi-heure contrairement aux quinze ou vingt minutes accordées d'ordinaire. Ensuite, Jackie consulta le cardinal Cicognani, secrétaire d'État du Vatican, avec lequel elle avait entamé les pourparlers d'annulation lors de sa visite à la Maison-Blanche au mois de novembre précédent. Les Kennedy avaient des relations importantes au Vatican : l'un des plus vieux amis de Joe Kennedy, Enrico Pietro Galeazzi, était haut conseiller et architecte du Saint-Siège, et ses bonnes œuvres avaient valu à Rose Kennedy le titre de « comtesse papale », décerné par le pape Pie XII.

Jackie et Lee arrivèrent à New Delhi le lundi 12 mars 1962. Durant les « deux semaines les plus magiques »[39] de sa vie, Jackie effectua plusieurs visites de politesse, notamment dans un hôpital et un foyer pour « garçons inadaptés et vagabonds ». Néanmoins, son attention fut surtout retenue par la splendeur des sites – le Taj Mahal au clair de lune, une merveille de « volume et de symétrie », les jardins de Shalimar à Lahore, l'impressionnant col de Khyber où, le chapeau en astrakan d'Ayub Khan campé sur le coin de l'œil, elle médita sur Alexandre le Grand. Logées dans un palais de neuf cents pièces, les deux sœurs assistèrent à de nombreuses réceptions données par les maharajas et les maharanis. Un soir, à Jaipur, Jackie ne se coucha pas avant 3 h du matin, non sans avoir vu les monuments roses de la ville dans leur habit de lumière. À New Delhi, elle fit la démonstration de sa maîtrise technique lors d'un concours hippique organisé avec les gardes du corps du chef d'État indien. Au Pakistan, Ayub lui fit présent d'un hongre bai baptisé Sardar, sur lequel elle exécuta, ravie, trois « figures fantastiques »[40].

Une fois apaisée, Jackie oublia son inquiétude initiale. C'est d'ailleurs nullement intimidée qu'elle fumait en s'installant dans la loge qui lui avait été réservée au concours hippique national du cheval au Pakistan. Lorsque Bashir Ahmed, le célèbre ami de Lyndon Johnson, lui proposa une promenade à dos de chameau, elle força facétieusement Lee à l'accompagner. « À côté d'un chameau, l'éléphant tient de l'avion à réaction »[41], commentera-t-elle ensuite. « La première dame et sa sœur se montrèrent aussi naturelles et simples qu'elles l'étaient jeunes filles, lorsque leur vie n'avait pas encore été bouleversée par la politique », écrira Molly Thayer[42].

Totalement envoûté, Nehru insista pour que Jackie et Lee quittent la maison soigneusement préparée pour elles par les Galbraith et s'installent chez lui. Il leur présenta un charmeur de serpent et leur organisa de somptueux banquets agrémentés de danses en costume. Chaque jour, elles se promenaient dans le jardin en compagnie du Premier ministre pendant environ une heure. « Nous n'abordions jamais aucun sujet sérieux. Sans doute parce que Jack m'avait prévenue que s'il y a bien une chose dont un homme occupé n'aime pas parler après une journée harassante, c'est de savoir si la conférence de Genève sera couronnée de succès ou quel accord il serait possible de conclure au Cachemire », expliquera Jackie[43] à Joan Braden. En fait, « ils parlaient de leurs lectures, des gens et de certaines aberrations en matière de politique étrangère. Nehru était un homme solitaire qui appréciait la compagnie des femmes belles et intelligentes », se souviendra Galbraith[44].

Jackie se découvrit également des atomes crochus avec Ayub, un militaire – « magnifique » dans son uniforme – formé en Angleterre, comme Nehru. Harold Macmillan lui trouvait « un tempérament charmant, d'un abord facile ». Pour Jackie, le président pakistanais « ressemblait à Jack – un homme dur et courageux, qui aime que les choses soient faites dans la minute »[45].

Jackie et Lee offrirent un défilé de splendides toilettes, en grande partie créées par Cassini, dans des teintes acidulées destinées à s'accorder avec le décor. « Il y aura beaucoup de soleil, beaucoup de lumière », avait signalé Jackie[46], soulignant à Oleg qu'elle ne voulait rien de « trop doux ». Le soir, elle arborait souvent ce que l'ambassadeur appelait « le blanc royal ». À Bénarès, sa robe couleur lavande était parfaitement appropriée « à son sens de la mise en scène » car « on la distinguait à des kilomètres à la ronde ». Les sœurs ayant apporté soixante-

quatre valises, Jackie se montra dans vingt ensembles différents durant les six premiers jours. Lors d'une séance de shopping, la première dame dépensa en cinq minutes l'équivalent
de trois mille six cents dollars actuels en sacs à main brodés de
rubis et d'émeraudes et en brocart. Elle se montra ensuite
légèrement agacée que Ken Galbraith lui ait laissé penser que
le tout coûtait beaucoup moins. « Une erreur digne d'un
économiste »[47], confiera-t-elle à Joan Braden.

Jackie s'entendit très bien avec les Galbraith, même si elle
avoua à Jack dans une lettre que l'ambassadeur recherchait un
peu trop la publicité à son goût. « À côté de lui, Tish paraît
réservée. Il est toujours à courir après la presse », écrivait-elle.
Dans son journal, Galbraith[48] notera : « Le Président avait tout
à fait raison de me dire que l'accueil de Mrs Kennedy exigeait
une grande attention. »

Comme l'année précédente en Grèce, il régnait une
discorde discrète entre Jackie et Tish Baldrige. La secrétaire
s'était donné beaucoup de mal pour tout organiser, en épar-
gnant les détails à Jackie (une centaine de pages de notes
dactylographiées comprenant des schémas pour indiquer la
place occupée par la première dame). À sa suggestion, les
Galbraith avaient même fait venir des provisions de Beyrouth
afin que leur chef indien puisse préparer des sandwichs au
fromage grillé « à l'identique de ceux qu'on peut acheter à
l'épicerie chez nous »[49].

Mais surtout, Tish Baldrige s'était adaptée aux changements de plans de Jackie. Non seulement cette dernière refusait tout rendez-vous le matin, mais elle insistait pour faire la
sieste l'après-midi. « Il faut demeurer inflexible, sinon ils vous
mèneraient droit dans le mur », affirmera Jackie plus tard à une
connaissance. « Ce n'était pas facile pour moi. Elle se comportait comme la fois précédente. C'était la faute de Lee mais
aussi la sienne. Jackie aurait dû être plus sensible à mon rôle »,
se souviendrait la secrétaire[50]. À mi-chemin du parcours, elle
tomba malade et prit l'avion pour aller se rétablir chez les
Bruce à Londres.

Avant son départ, Galbraith s'inquiéta de l'état de fatigue de Jackie et du « bulletin de santé légèrement alarmant » émis par un médecin local. Néanmoins, lors d'une escale de plusieurs jours à Londres, elle se remit très vite et participa à une soirée organisée par Lee et Stas en compagnie d'Oleg Cassini, Benno Graziani et son épouse Nicole, Cecil Beaton et l'actrice Moira Shearer. Après le caviar et la vodka, ils dansèrent le twist et apprirent le « hully gully » sous la houlette de Graziani et de Cassini. Les deux amis se parèrent d'immenses colliers indiens, Graziani se coiffa d'un pot sur la tête et Cassini se déguisa en empereur mongol en se confectionnant un turban à l'aide d'une serviette – polissonneries qu'ils réitéreraient plusieurs semaines plus tard lors d'un dîner à la Maison-Blanche en présence de l'ambassadeur de France. La visite de Jackie n'eut aucun impact politique particulier ; toutefois, Galbraith[51] informa Kennedy qu'elle « avait éliminé toute trace d'amertume dans les relations avec l'Inde ». De son côté, Nehru[52] déclara que « le charme de sa personnalité » avait exercé « une influence psychologique » sur les liens entre les deux nations. Même Indira Gandhi s'était laissée séduire. Lors d'une visite ultérieure à New York, elle affirmera que « tout le monde adorait » Jackie et se présentera sous un bien meilleur jour lors de son entretien privé avec JFK dans le bureau Ovale. Avec son sens de la formule, Kennedy ne put s'empêcher de se moquer des activités de Jackie. En apprenant qu'elle avait effectué une promenade à dos d'éléphant en Inde, il déclara à la presse : « Elle lui a donné du sucre et des noix, mais, évidemment, l'animal n'était pas content. »[53]

CHAPITRE 20

JFK, Marilyn et les services secrets

En l'absence de son épouse, Jack Kennedy avait profité de sa vie de célibataire. Le lendemain de son départ, le 8 mars, il s'était envolé pour un week-end à Miami en compagnie de deux de ses compères, George Smathers et Bill Thompson. La semaine suivante, il avait passé une soirée à la Maison-Blanche en compagnie de Mary Meyer, quelques heures à peine avant le retour des enfants partis chez leurs grands-parents à Palm Beach.

Le jeudi 22 mars, deux mois jour pour jour après le début de sa liaison avec Mary, Jack Kennedy déjeunait avec le patron du FBI, J. Edgar Hoover. Le Président savait son interlocuteur en possession d'un vieux dossier sur Inga Arvad et avait conscience que le FBI le tenait à l'œil. Cette fois, Hoover lui déclara être au courant de ses rendez-vous galants avec Judith Campbell depuis le début de l'année 1960, citant les appels téléphoniques de l'actrice au bureau d'Evelyn Lincoln. En réalité, cette révélation était une mise en garde car le FBI détenait la preuve que Judith était par ailleurs la maîtresse du gangster de Chicago, Sam Giancana, et de son associé Johnny Roselli, impliqués dans les tentatives d'assassinat de la CIA contre Fidel Castro. Cet après-midi-là, Kennedy appela l'actrice pour la dernière fois, mettant un terme à leur relation.

Le lendemain, Kennedy se rendit en Californie pour prononcer un discours à Berkeley et inspecter des installations militaires. Durant le week-end, il séjourna avec Dave Powers à Palm Springs, dans la luxueuse résidence du chanteur républicain Bing Crosby. Il était prévu qu'il demeure chez Frank Sinatra, mais il avait annulé sa visite sur la recommandation de Bobby. Ce dernier savait en effet depuis la fin février que le FBI était au courant de la liaison de Judith Campbell avec la pègre et que Sinatra, ami de Giancana, racontait qu'elle « était à la colle avec Jack Kennedy dans l'Est ».

Les relations entre Sinatra et les Kennedy s'étaient refroidies depuis que Jackie s'était fortement opposée à la participation de l'artiste à la campagne électorale. Par l'intermédiaire de Lawford, le chanteur avait été chargé de l'organisation du gala d'inauguration de la présidence, mais il était vexé de n'avoir été invité « qu'une seule fois à voir Jack »[1] à la Maison-Blanche, selon Tina, toujours prête à défendre ce père tant controversé. À ses yeux, Sinatra « incarnait une page d'histoire que les Kennedy auraient préféré pouvoir effacer ». Durant la campagne, écrira-t-elle, il avait servi d'intermédiaire entre Joe Kennedy et Giancana : Joe avait eu besoin des services du mafieux pour obtenir l'appui des « syndicats infiltrés par la pègre » lors des primaires en Virginie-Occidentale, mais ensuite, l'Ambassadeur n'avait plus voulu prendre le risque d'entretenir des contacts directs avec lui, c'est pourquoi il avait fait appel à Sinatra.

Après l'élection de Kennedy, Bobby avait lancé une vigoureuse campagne contre la mafia et fait placer Giancana et ses associés sous surveillance. « Papa fut stupéfait de voir le gouvernement engager des poursuites contre ceux-là mêmes dont il s'était assuré le concours l'année d'avant », écrira Tina. Dans ces circonstances, Bobby souhaitait que son frère se tienne à l'écart de Sinatra ; or, ce dernier avait fait travailler ses ouvriers sans relâche pour préparer la venue de JFK fin mars. Lorsque Lawford lui avait appris la mauvaise nouvelle, quelques jours seulement avant l'arrivée prévue du Président, le crooner s'était mis en rage. Se voyant perdre tout contact avec la Maison-Blanche, il avait « accusé Peter de ne pas l'avoir soutenu »[2] et avait rompu les liens avec l'acteur britannique, dont la carrière à Hollywood avait dès lors commencé à décliner.

Le week-end des 24 et 25 mars, alors que Jackie visitait le col de Khyber et se promenait à dos de chameau en compagnie de Bashir Ahmed, son mari avait rendez-vous avec Marilyn Monroe chez Bing Crosby, par l'entremise de Peter Lawford. Kennedy n'avait vu l'actrice que très irrégulièrement depuis qu'ils avaient disparu ensemble au cours de la convention démocrate. Malgré son statut de sex-symbol, Marilyn s'enfonçait dans une spirale autodestructrice. Psychologiquement instable, elle s'adonnait à l'alcool et à la drogue.

La liaison avec Marilyn Monroe fut l'exemple le plus frappant de la prise de risques dont Kennedy était capable et qui, selon ses conseillers les plus proches, ne cadrait pas avec son habituelle retenue en public. Seule la mention de Cuba le rendait en général imprudent. Début janvier 1962, Ted Sorensen[3] avait déclaré à la télévision que la baie des Cochons avait donné à Kennedy un aperçu « des difficultés que pose l'organisation d'une opération clandestine dans une démocratie ». Pourtant, dès le printemps suivant, l'opération Mongoose – sur une idée tordue de Bobby – était sur pied. En dépit des enquêtes menées par le ministère de la Justice, l'homme de main engagé dans les divers complots visant l'élimination de Castro n'était autre que Johnny Roselli.

Richard Helms, alors vice-président de la CIA, taxera plus tard ces conspirations de « folles intrigues »[4], sans toutefois accepter d'expliquer clairement ce que le Président savait. « Jamais Bobby n'aurait rien fait que Jack n'eût pas souhaité. S'il apportait ses propres suggestions, il finissait toujours par faire ce que disait Jack… Dans toutes ces conversations téléphoniques et ces réunions, Jack devait le pousser à se débarrasser de Castro. Personne d'autre n'aurait pu le faire. Bobby n'aurait pas pu s'en sortir tout seul »[5], affirmera-t-il.

Les services de renseignement cubains avaient déjà suffisamment de sujets d'inquiétude avec les activités clandestines américaines pour envisager la perspective d'une invasion. Castro fit part de ses craintes à Khrouchtchev, déjà alerté par divers signes indirects – des articles dans la presse américaine, les discours de divers responsables du gouvernement – soulignant la supériorité militaire des États-Unis et suggérant l'éventualité d'une attaque nucléaire préventive contre l'Union soviétique. La reprise des essais nucléaires atmosphériques le 25 avril – en réaction à la série de détonations soviétiques – semblait d'ailleurs conçue pour renforcer la suprématie américaine vis-à-vis de Moscou.

Leurs appréhensions partagées rapprochèrent Khrouchtchev et Castro qui, au printemps 1962, imaginèrent l'installation de missiles nucléaires à Cuba. Outre la protection de l'île contre les États-Unis, la manœuvre pouvait éventuellement permettre à l'Union soviétique de chasser les Alliés hors de Berlin et de rétablir l'équilibre des forces entre les deux grandes puissances. Malgré les risques évidents, le projet semblait raisonnable à Khrouchtchev, qui le mettait sur le même pied que le récent déploiement américain d'ogives nucléaires en Turquie, à la frontière soviétique. De plus, Khrouchtchev avait déjà vu Kennedy se dégonfler – la baie des Cochons, le Laos et Berlin – de sorte que rien n'empêchait de croire que la chose ne se reproduirait pas. Or, même si les deux dirigeants échangeaient des idées dans leur correspondance secrète, le chef d'État soviétique mésestimait la crainte du Président face à une éventuelle menace nucléaire sur le monde occidental.

Le jeudi 29 mars, à son retour triomphal du sous-continent indien, Jackie fit une humble déclaration, légèrement teintée de mélancolie : « Il ne me paraît pas naturel d'effectuer ce genre de voyage semi-officiel sans mon mari. Ma famille m'a manqué et je ne souhaite aucunement devenir moi-même un personnage public. »[6] Jack disparut alors à l'intérieur du *Caroline* afin qu'ils puissent se retrouver en privé. Sur le tarmac, les ambassadeurs indien et pakistanais attendaient de pouvoir saluer Jackie, en compagnie de Ken Galbraith, qui reçut un baiser inattendu et « largement médiatisé »[7], notera-t-il pour son plus grand plaisir.

L'ambassadeur et les Schlesinger rejoignirent Jack et Jackie à Glen Ora le dimanche pour dîner. La soirée se déroula dans une ambiance détendue. Ils regardèrent l'émission spéciale de NBC consacrée à la visite de Jackie, accompagnée d'un commentaire suivi de la première dame et de Galbraith. Selon ce dernier, JFK exprima son admiration pour la « grâce et le style politique » de son épouse. Schlesinger[8], lui, se souviendra de ses « observations perspicaces sur Nehru ».

Galbraith perçut une « légère fatigue » chez Jackie, mais la trouva « irrésistiblement belle malgré l'absence de maquillage et de coiffure ». En réalité, elle était épuisée, avouant même à Janet Cooper qu'elle ne pourrait faire face à aucune question concernant la restauration de la Maison-Blanche pendant au moins une semaine. « Elle peut même brûler, je ne veux pas le savoir ! », écrivait-elle. Par ailleurs, elle assurait la jeune femme qu'elle la verrait dès qu'elle serait remise : « Dites-vous que c'est peut-être la variole. »[9]

Ce lundi-là, Jackie s'envola de Virginie avec Caroline et John pour aller passer huit jours à Palm Beach. À peine rentrée à Washington, elle repartit à nouveau en Floride avec ses enfants pour passer les vacances de Pâques chez les Paul. Après trois semaines d'absence en mars, elle ne séjourna guère plus longtemps à la Maison-Blanche en avril. Le Président dut organiser seul un déjeuner de vingt-quatre couverts en l'honneur de la duchesse du Devonshire ainsi que la visite d'État du président brésilien. Durant ses loisirs, il approuva le script et les essais du film *PT 109*, dans lequel son personnage était interprété par Cliff Robertson, et il inaugura le nouveau stade de baseball de Washington, d'une valeur de vingt-quatre millions de dollars, en compagnie de Dave Powers.

Au cours du mois, le décor de ses deux séances de natation quotidiennes, partagées avec le même Powers, connut quelques améliorations. Considérant la piscine de la Maison-Blanche tristement ordinaire, Jackie avait commandé à l'artiste français Bernard Lamotte la réalisation d'une fresque représentant des vues de Sainte-Croix, l'une des îles Vierges, sur trois de ses murs blancs (le quatrième était couvert de miroirs). Les scènes de voiliers dansant dans ce port céruléen des Caraïbes faisaient écho à celles ornant *Le Pavillon*, le restaurant new-yorkais préféré de Joe Kennedy, qui finançait le projet. Afin de prévenir toute détérioration dûe à l'humidité, l'Ambassadeur offrait en outre à la Maison-Blanche un nouveau système d'aération spécialement conçu. Fasciné, JFK admira la lente progression de l'œuvre. Un jour, alors qu'il travaillait sur une plate-forme, Lamotte perdit l'équilibre en étendant un peu trop le bras et tomba dans l'eau.

En avril, Jackie effectua plusieurs visites éclairs à Washington pour présider à quelques manifestations très en vue – une réception du Congrès, un concert de jeunes sur la pelouse sud, un dîner d'État en l'honneur du schah d'Iran et de son épouse et une soirée de gala organisée pour quarante-neuf prix Nobel, surnommée le « dîner des cerveaux » par le personnel de l'aile ouest. Au dîner officiel, l'épouse du schah, l'impératrice Farah, se présenta parée de bijoux « d'une splendeur éblouissante »[10]. Elle portait notamment une tiare et un collier alternant émeraudes et diamants de vingt-quatre carats, tandis que Jackie arborait, plus modestement, de simples pendants en diamants et une broche de diamants en forme de soleil piquée dans son chignon en brioche. Pour le spectacle, Jackie avait fait venir les Ballets USA de Jerome Robbins, une compagnie réunissant des danseurs de jazz en tee-shirts et baskets dont elle avait vu certaines représentations en Europe et à New York.

Malgré la présence de cent soixante-quinze invités, la réception des prix Nobel frappa par son ambiance décontractée – « l'une des plus passionnantes soirées jamais donnée à la Maison-Blanche »[11], selon le *Washington Post*. Les hôtes étaient enveloppés d'un beau hâle doré et Jackie portait une robe longue en jersey vert pâle, dont les plis et le drapé lui donnaient l'air d'une statue grecque. Selon l'écrivain Diana Trilling, Arthur Schlesinger « paraissait emprunté, comme écrasé par ses liens officiels avec la Maison-Blanche »[12]. Durant le cocktail, « l'alcool coula à flots », poursuivra-t-elle. On entendit son mari, Lionel, « légèrement éméché » par ses six martinis, dire à Jackie : « À Vassar, vous ne brilliez guère par vos résultats, mais vous présentiez toujours bien. »[13]

À table, JFK était assis à côté de la veuve d'Ernest Hemingway. Pour sa contribution à l'une des trois lectures données dans la soirée par l'acteur Frederic March, Mary avait remis un chapitre d'un roman encore inédit de feu son époux. Il était question d'un jeune Américain combattant les sous-marins nazis à bord de son bateau de pêche. Selon Diana Trilling, la prose d'Hemingway était « si médiocre qu'on en avait de la peine pour son auteur ». Voyant sa pauvre veuve « soumise à si rude épreuve », Kennedy voulut « se montrer gentil et lui pressa le bras pour la réconforter »[14].

Ce geste fut d'autant plus charitable que, durant le repas, Mary Hemingway avait réussi à profondément irriter le Président en lui faisant la leçon sur sa conduite à l'égard de Castro. Plus tard, Kennedy confiera à Walton qu'elle était « la personne la plus ennuyeuse qu'il lui eût été donné de supporter depuis bien longtemps »[15]. Assise de l'autre côté, la veuve de George Marshall l'avait toutefois amusé en lui confiant : « Je suis ravie d'avoir pu m'échapper de ma campagne pour venir dîner ici. »[16] Lorsqu'il se leva pour saluer l'assistance, notait Diana Trilling, Kennedy « capta immédiatement l'attention ». « Nous avons là la plus extraordinaire assemblée de talents, de connaissances humaines, jamais réunie à la Maison-Blanche, si l'on excepte peut-être les soirées où Thomas Jefferson dînait seul »[17], lança-t-il.

Alors que les festivités officielles tiraient à leur fin, les Kennedy invitèrent une dizaine d'invités à poursuivre la soirée à l'étage – « pour le plaisir personnel de Jackie, qui souhaitait s'amuser à son tour », se souviendra Diana Trilling[18]. Le salon ovale « était rempli de fumeurs de cigare accompagnés de leur cavalière. On aurait cru que la réception des prix Nobel n'avait été organisée que dans le seul but d'atteindre ce point culminant », écrira William Styron[19]. Installé dans son rocking-chair, que Jackie surnommait son « fauteuil de remise en forme », JFK savourait un havane, « enveloppé de volutes de fumée », ajoutera Styron, « détendu et satisfait »[20].

Ayant oublié l'insolence de Lionel Trilling au sujet de Vassar, Jackie testa la perspicacité littéraire de ce critique distingué.

Leurs débats sur les qualités de *L'Arc-en-ciel* et de *Femmes amoureuses*, de D. H. Lawrence, la poussèrent même à aller chercher son exemplaire des mémoires du romancier britannique, Compton Mackenzie, pour y retrouver un passage pertinent. « Jackie parlait avec beaucoup de franchise et sans aucune prétention. Sûre d'elle, elle avait confiance en ses propres idées », écrira Diana Trilling[21]. À minuit et demi, Bobby Kennedy réussit à faire entrer les Trilling, Robert Frost et quelques autres invités dans l'ascenseur. Faisant mine d'avoir peur des conséquences d'une surcharge, Jackie lança : « Imaginez les gros titres, demain, si on retrouvait toutes ces personnalités mortes au pied de la cage d'ascenseur ! ». « Tenez bon, M. Frost ! », ajouta Bobby[22] en refermant la grille tandis que Jackie leur faisait au revoir de la main.

En cette période, Jack Kennedy pouvait se réjouir d'avoir résolu son principal problème d'ordre domestique, non sans une solide prise de bec, conséquence de ce qu'il considérait comme une véritable trahison. Depuis le mois de septembre précédent, JFK cherchait à obtenir que le syndicat des métallurgistes et les grands patrons de la sidérurgie parviennent à un accord sur les salaires qui n'entraîne aucune hausse des prix. Le spectre de l'inflation continuait de le hanter – un héritage de l'enseignement de son père. Durant la première semaine d'avril, les deux parties avaient conclu un contrat de deux ans avec une augmentation acceptable de 2,5 % – uniquement en avantages en nature. Roger Blough, le président de United States Steel, avait affirmé à Douglas Dillon qu'il s'agissait « du meilleur accord conclu depuis vingt ans »[23].

Kennedy avait toujours entretenu des rapports délicats avec les milieux des affaires et de la finance. À l'exception de Thomas J. Watson, le président d'IBM (marié à Olive Cawley, une ancienne petite amie de JFK), il possédait peu d'amis parmi les personnalités influentes de ce monde. Même les hommes d'affaires de son entourage étaient atypiques : McNamara se distinguait par son non-conformisme, et Dillon, certes banquier d'investissement, avait passé la majeure partie de sa carrière dans la publicité. Le père de JFK avait été un opérateur indépendant, parfaitement indifférent à bien des pratiques et usages du monde des affaires. Comme Ros Gilpatric disait, il « voyait les choses sous un seul angle »[24].

Gilpatric étant amené à fréquenter les grands hommes d'affaires dans son cabinet juridique de New York, Kennedy l'interrogeait régulièrement sur son expérience. « Ses questions étaient souvent très naïves à cause de ce que lui avait enseigné son père. Il ne comprenait pas le mode de fonctionnement des hommes d'affaires. »[25]

Le mardi 10 avril, Roger Blough se présenta dans le bureau Ovale pour annoncer une hausse de 3,5 % de ses tarifs – passant à six dollars la tonne d'acier. Cette majoration, la première depuis 1958, allait être suivie par d'autres entreprises. Kennedy[26] était furieux. « C'est un véritable coup bas ! », dit-il à Ben Bradlee en fulminant. Son sentiment de trahison était d'autant plus fort qu'il avait pris soin de faire miroiter pendant des mois à Blough la présidence de son comité consultatif économique. « Mon père m'a toujours dit que les hommes d'affaires étaient des salauds, mais jusqu'à présent je ne le croyais pas ! », répétait-il à chacun de ses conseillers – l'information se propagerait largement dans la communauté concernée.

Or, Kennedy n'avait pas été totalement pris par surprise. Le vendredi précédent, Hal Korda, responsable de relations publiques proche des dirigeants de U. S. Steel, avait signalé les intentions de l'entreprise à son ami Charley Bartlett. Ce dernier avait immédiatement alerté Kennedy, mais ses conseillers n'avaient pu apporter ensuite aucune confirmation. Après l'annonce de Blough, Bartlett (s'appuyant sur les relations qu'il possédait chez U. S. Steel par l'entremise de sa belle-famille) joua un rôle prépondérant d'intermédiaire et de conseiller auprès du Président. Le mercredi matin, Kennedy l'appela pour lui demander s'il fallait se montrer « plutôt ferme ou conciliant »[27]. Bartlett lui conseilla de « jouer plutôt franc-jeu, de leur faire un peu peur, mais sans exagération »[28].

Kennedy opta néanmoins pour l'exagération, dénonçant, lors d'une allocution télévisée, « l'irresponsable mépris pour l'intérêt public »[29] des sidérurgistes. Contenant à peine sa rage, la voix dure, le Président brandit toutes les menaces à sa disposition : enquêtes sur les abus de position dominante et la fixation des prix par le Congrès, mais aussi par l'autorité suprême de la Concurrence et le ministère de la Justice, et transfert d'importants contrats militaires à des fournisseurs maintenant des prix stables.

Bobby Kennedy se hâta d'envoyer des agents du FBI saisir les documents des responsables de U. S. Steel et menaça d'engager des poursuites contre eux pour violations de la législation fiscale. Les agents fédéraux réveillèrent même les journalistes au milieu de la nuit pour les interroger sur les déclarations faites par ces mêmes dirigeants. « C'était très exagéré », déclara Charley Bartlett[30]. Bobby admettrait plus tard que « la manière était un peu forte, assez angoissante, mais que nécessité faisait loi »[31].

« Les sidérurgistes ont commis une terrible erreur. Kennedy avait parfaitement raison de se sentir trahi. Il a explosé et Bobby a explosé », expliquera Dillon[32]. Le mercredi soir, alors que les Kennedy recevait le schah d'Iran, Korda appela Bartlett pour lui dire que U. S. Steel était « prêt à faire la paix ». Immédiatement alerté, Kennedy accepta la négociation. Korda et Bartlett étant chargés de la logistique, le gouvernement entama une série de pourparlers avec les dirigeants de la société.

Kennedy décida de se faire représenter par Clark Clifford car, expliqua-t-il à Bartlett, cette éminence grise « comprenait le mode de fonctionnement et la position à défendre des hommes politiques »[33]. Pour la forme, il continua à pousser des hauts cris en public, déclarant le vendredi à Ben Bradlee : « On va leur faire ravaler leur morgue ! »[34] Tandis que se déroulaient les discussions secrètes à New York ce jour-là, Bethlehem Steel, le deuxième plus grand producteur, annonça la baisse de ses tarifs, et U. S. Steel suivit peu après.

Trois jours plus tard, la crise était passée, les enquêtes terminées et Kennedy redevenait conciliant. Lors d'un dernier
entretien, Blough se souviendra que le Président « commençait à entrevoir le revers de la médaille »[35]. Kennedy lui faisait
valoir, selon Bartlett, que s'il « avait été assez intelligent pour
patienter jusqu'à l'été », Blough aurait pu pratiquer une
discrète hausse de prix. Le problème venait en réalité de la
« coïncidence de l'augmentation avec l'accord sur les salaires ».
Pour Bartlett, Kennedy « n'avait rien d'un doctrinaire », il
comprenait que le secteur sidérurgique était « en droit d'aug-
menter » ses prix. Un an plus tard, lorsque ces mêmes sociétés
prendraient des mesures en ce sens pour couvrir leurs coûts,
le Président n'émettrait aucune objection.

Sa prise de position plut d'ailleurs à l'opinion publique,
qui l'approuva à 77 %. Néanmoins, avec cette tactique jugée
« pratiquement totalitaire » par le *Time*, Kennedy s'attira dans
le milieu des affaires un sentiment d'inimitié qu'il ne parvint
jamais à dissiper. Même Harold Macmillan se formalisa de le
voir soumettre à « une certaine forme de chantage » un
« homme aussi modeste et intelligent »[36] que Blough.

Kennedy tenta de revenir sur ses propos, prétendant que le
terme de « salauds » visait uniquement le secteur sidérurgique.
Dans un discours à la Chambre de commerce des États-Unis,
il proclama sa volonté d'aider l'industrie et non de lui nuire.
Poursuivant son rôle de conseiller secret, Bartlett « surveilla
l'élaboration de ce discours et en débattit avec lui ». Cependant,
l'assistance réagit avec froideur et continua de faire « une fixation » sur le fait que le Président « cherchait à couper la gorge
à l'industrie »[37].

Le dernier week-end d'avril fut consacré à une rencontre
avec Macmillan – la cinquième en un peu plus d'un an. JFK
profitait de ces entretiens privés pour se défouler. « On dirait
qu'il cherche conseil mais par ailleurs il demeure très vague.
Du reste, quand on en vient aux faits, on n'avance guère. Il est
très secret et méfiant à l'égard d'éventuelles fuites », observera
le Britannique[38]. « Son acrimonie contre les Français » le

surprenait. JFK se plaignait de « la grossièreté de de Gaulle vis-à-vis de Rusk » et « du cynisme dont il faisait preuve dans sa politique »[39]. Macmillan pensait que son homologue souffrait de ne pas parvenir à « prendre ce genre d'attitude avec humour, à l'instar des Britanniques »[40].

Le dimanche, les deux dirigeants déjeunèrent à la Maison-Blanche en compagnie de Jackie et des Gore. La conversation roula essentiellement sur le livre de Barbara Tuchman, *The Guns of August*, consacré à l'enchaînement d'impairs qui déclencha la Première Guerre mondiale. Kennedy venait d'en terminer la lecture et se sentait renforcé dans sa conviction que la guerre résultait souvent de malentendus et de mauvais calculs, une opinion dont il avait fait part à Khrouchtchev l'année précédente. Il avait déjà pressé ses hauts conseillers, notamment les militaires, de lire cet ouvrage dont il offrit un exemplaire à Macmillan.

Par ailleurs, le Premier ministre eut l'opportunité de prendre conscience de l'importance de la relation particulière unissant David Gore et le Président. David et Sissie s'entendaient à merveille avec Jack et Jackie, ils dînaient et partaient ensemble en week-end à la campagne. Avec sa beauté sculpturale, son teint de porcelaine et sa chevelure noire, Sissie évoquait « un Plantagenêt aux traits vigoureux »[41]. Aussi gracieuse à cheval que Jackie, il émanait d'elle un charme surnaturel et délicat. Sa ferveur catholique laissait percer « un certain puritanisme ». « Néanmoins, si elle désapprouvait Jack, elle n'en laissait rien voir », expliquait l'homme d'État britannique Roy Jenkins[42].

Pour Jackie, les quinze premiers jours du mois de mai se révélèrent « les pires de l'année »[43] car elle ne put se soustraire à ses nombreuses obligations officielles. Ainsi, il lui fallut assister à des déjeuners organisés en son honneur par le *Senate Ladies Red Cross* et le *Congressional Club*, où elle fit semblant, pour s'occuper, de chanter les paroles des chansons interprétées par la star de Broadway, Alfred Drake. À son tour, elle donna un thé pour près de deux cents élèves, membres de la faculté, membres du conseil d'administration et anciennes étudiantes de Farmington, parmi lesquelles figurait la mère de Lem Billings. Puis elle se rendit à Groton, dans le Connecticut, pour participer à la cérémonie de baptême d'un sous-marin nucléaire. Sur un ton jovial, elle déclara : « Je vous baptise Lafayette ! »

En chemin, elle s'arrêta rendre visite à Joe Kennedy, qui venait d'être transféré au centre de rééducation de l'hôpital universitaire de New York. « Alors que tout le monde faisait mine de ne pas remarquer son hémiplégie, elle lui prenait toujours la main déformée et l'embrassait sur la partie du visage paralysée. Son absence de peur l'aidait à surmonter la sienne », écrira Rita Dallas[44], l'infirmière de l'Ambassadeur. Durant deux heures, Jackie le poussa dans son fauteuil, lui lut la une des journaux, lui parla de ses enfants et lui raconta « les petites gaffes domestiques du Président ». « Toute la visite se déroula dans un murmure et, lorsqu'elle partit, il semblait totalement apaisé », poursuivra la soignante.

Avant la fin de la saison sociale, les Kennedy organisèrent un mémorable dîner pour Frederick « Fritz » Loewe, au cours duquel le compositeur joua quelques extraits de *Camelot* et de *My Fair Lady* sur le piano demi-queue de la grande salle centrale au deuxième étage. Les Bradlee et les Spalding ainsi que Bill Walton et Helen Chavchavadze étaient également de la partie. Ami depuis Choate avec le parolier Alan Jay Lerner, JFK connaissait déjà une grande partie de son œuvre. C'est donc avec beaucoup de curiosité qu'il s'entretint avec son collaborateur : « Comment vous y prenez-vous pour écrire un morceau ? », « Composez-vous la musique en premier ? ». Expliquant qu'il écrivait toujours la musique « dans un but particulier », Loewe[45] décrivit le processus complexe de la composition au Président, qui en resta muet d'admiration.

Ce printemps-là, les Kennedy donnèrent une nouvelle soirée dansante, cette fois en l'honneur de Ken Galbraith. La réception ne réunit que trente-cinq invités, dont Mary Meyer et Helen Chavchavadze. Outre les McNamara, les Bundy, les Schlesinger et les Smith, le couple présidentiel avait convié des célibataires tels que Bill Walton, Arkady Gerney et Walter Sohier, un bel homme très apprécié de Jackie qui avait habité quelques années à côté de Merrywood, la propriété des Auchincloss. L'ambassadeur se déclara satisfait de « l'allure, parfois même sensuelle » des femmes, en particulier de ses compagnes de table, une « actrice franco-suédoise » et Lilly Pulitzer, dont il approuva « le superbe bronzage et les formes admirables ». Arrosée au champagne, la soirée ne prit fin que vers 5 h du matin. Malgré quatre heures de sommeil seulement, Galbraith affirma s'être réveillé « avec les idées remarquablement claires »[46].

Le dîner organisé à la mi-mai pour cent soixante-huit sommités en l'honneur d'André Malraux revêtait une tout autre importance pour Jackie, qui s'y préparait depuis janvier. Comme l'écrivain l'avait fait pour elle au Jeu de paume, elle lui fit d'abord visiter la National Gallery. Or, Malraux l'avait prévenue : « Je connais ce musée par cœur. Pour moi, il abrite le plus fabuleux des tableaux – *La Balayeuse* de Rembrandt »[47]. Comme on pouvait s'y attendre, il « traversa les lieux à grands pas, ne tarissant pas d'explications sur l'histoire et l'influence de certains chefs-d'œuvre ».

En guise de bienvenue, Jackie offrit au ministre français deux éditions rares du XIXe siècle sur la caricature politique. Ce n'est que plus tard qu'elle découvrit la valeur (douze mille dollars actuels) de ces ouvrages prélevés dans la bibliothèque d'oncle Hughdie. Pour la soirée, elle avait choisi une éblouissante robe de shantung rose signée Christian Dior et orné sa coiffure d'un diamant en forme de soleil.

Afin d'honorer la multiplicité des talents de son hôte, à la fois romancier, critique d'art, philosophe et grand résistant, la liste des invités était truffée d'artistes et d'écrivains, dont Tennessee Williams, Saul Bellow, Elia Kazan, Geraldine Page, Archibald MacLeish, Andrew Wyeth et George Balanchine, qui faillit se faire rejeter pour être arrivé en taxi, vêtu d'un imperméable élimé. Jackie avait également convié des mécènes tels que les Wrightsman et les Loeb. JFK avait insisté sur la présence de « grands Américains ». Ainsi, le solitaire Charles

Lindbergh et son épouse, Anne, leur réservèrent la surprise d'accepter. L'idée que Lindbergh avait « atterri en France » séduisait particulièrement Kennedy. En portant un toast à Malraux, il railla : « C'est devenu le point de rencontre de tous les artistes ; malheureusement, ils ne nous invitent jamais. »[48]

Compte tenu de la faiblesse de l'anglais de Malraux, Jackie plaça l'épouse de Walt Rostow, Elspeth, professeur d'histoire parlant couramment le français, à côté du ministre afin qu'elle lui serve d'interprète auprès d'Arthur Miller. L'année précédente, l'écrivain avait divorcé de Marilyn Monroe, dont Jackie savait l'attrait qu'elle exerçait sur JFK – une semaine à peine plus tard, son hommage à l'occasion de l'anniversaire du Président ferait d'ailleurs les gros titres des journaux. Malraux, toujours fringant malgré ses 60 ans, « manifestait davantage d'intérêt pour Arthur Miller que pour l'épouse du Président », affirmera Rostow[49].

Il s'avéra que Miller maîtrisait le français, de sorte qu'Elspeth Rostow se sentit dans le rôle « du tiers importun ». Jackie ne sembla pas se laisser déconcerter par le mépris de Malraux pour le protocole. « Son attitude fut parfaite » selon le professeur. De temps à autre, le Français se tournait vers elle et elle lui murmurait quelque chose en français. C'est ainsi qu'elle lui confia que le chancelier Konrad Adenauer était « un peu gaga »[50]. Vers la fin de la soirée, Malraux exprima sa gratitude en promettant que la France prêterait la *Mona Lisa* pour une exposition à la National Gallery.

Quelques mois plus tard, Kennedy avouera à Cy Sulzberger qu'il avait du mal à communiquer avec Malraux et qu'il n'était guère impressionné, « surtout en matière de politique ou de diplomatie »[51]. Pourtant au déjeuner à Glen Ora, à la fin du séjour du ministre, le Président écouta avec plaisir ses théories sur la persistance de la mythologie dans la société contemporaine. Lorsqu'il mit en cause le problème du choix entre capitalisme et socialisme, Kennedy hasarda cependant que « la gestion de la société industrielle »[52] dépassait le cadre idéologique et qu'il ne se posait désormais plus que des questions d'ordre essentiellement administratif et technique. C'est d'ailleurs un thème qu'il reprendrait deux semaines plus tard lors d'une conférence économique à la Maison-Blanche ainsi que le mois suivant, dans un discours, à l'occasion de la remise des diplômes à Yale, destiné à favoriser l'émergence d'une réflexion novatrice sur l'économie. Le monde des affaires, le monde du travail et le gouvernement devaient, affirmait-il, « regarder les choses en face et non pas à travers le prisme des partis politiques »[53].

Tout au long de l'automne 1961, le pays avait connu une croissance continue et, en décembre, la bourse avait atteint un record de près de 735 points. Toutefois, le mois de janvier avait été marqué par un recul qui s'était accentué avec la crise de la sidérurgie. Selon Dillon, les milieux d'affaires avaient le sentiment que « le gouvernement allait tenter de généraliser le contrôle des prix alors que, bien évidemment, cela n'avait jamais été l'intention du Président »[54]. Cette perte de confiance avait continué d'alimenter la baisse des actions. Pour finir, le lundi 28 mai, le marché plongea de 611 à 576 points, la plus forte chute en une journée depuis 1929.

Kennedy appela sur le champ Galbraith[55], « Thucydide du krach de 1929 » autoproclamé, en vacances dans le Vermont. D'instinct, le Président voulait prendre la parole à la télévision afin de « calmer les esprits enflammés ». Or, Galbraith s'opposa à cette idée car il risquait ainsi de « mettre en jeu son prestige »[56] et de donner à penser que la situation était beaucoup plus grave qu'elle ne l'était. Bundy, Dillon et d'autres conseillers tombèrent d'accord. Pour Dillon[57], l'écroulement de la bourse était « un incident psychologique, en grande partie motivé par une peur excessive, qui se réglerait de lui-même ». Le ministre de l'Économie fit d'ailleurs une déclaration publique prudente, dans laquelle il souligna la bonne santé de l'économie et qualifia l'effondrement du marché de correction nécessaire. L'inflation ayant été jugulée, la stabilisation des prix devait permettre la relance de l'économie.

Pour son quarante-cinquième anniversaire, le lendemain, la bourse offrit à Jack Kennedy une remontée à près de

604 points, indiquant la fin de ce vent de panique. Maintenant la pression pour obtenir, en 1962, le vote de la loi de finances relative au crédit d'impôt sur les investissements, Kennedy annonça, lors d'une conférence de presse organisée le 7 juin, son intention de présenter en janvier sa proposition de loi depuis si longtemps promise pour une réduction fiscale généralisée.

Le 29 mai, le Président fêta son anniversaire à Glen Ora en compagnie de Jackie, Lem, Jean, Bobby, Ethel, Sarge et Eunice. Le gâteau au chocolat préparé par le chef René Verdon arriva en Virginie par hélicoptère. Jamais Kennedy ne vit l'extravagant rocking-chair orné de coussins à fleurs blanches et jaunes envoyé par Frank Sinatra. Affront suprême pour le chanteur banni : le cadeau fut donné à l'hôpital des enfants malades peu après son arrivée à la Maison-Blanche.

En réalité, l'événement le plus marquant pour cette occasion avait eu lieu dix jours plus tôt, lors d'une soirée de gala organisée par le parti démocrate à Madison Square Garden et retransmise par la télévision nationale. Kennedy avait été enchanté par les prestations de divers artistes tels que Maria Callas, Harry Belafonte, Ella Fitzgerald et Jack Benny, qui avait lancé : « Comment un homme dans un rocking-chair fait-il pour avoir une femme aussi jeune ? »[58] Le Président avait admis que la maxime de son père, selon laquelle « tous les hommes d'affaires étaient des salauds »[59], ne s'appliquait pas au milieu du spectacle.

Le clou du spectacle avait été, sans conteste, l'intervention de Marilyn Monroe. « Le personnage était célèbre. L'espace d'un instant, les quinze mille spectateurs du Madison Square Garden avaient retenu leur souffle. D'un pas léger, Marilyn Monroe avait traversé la scène dans un nuage de vison blanc. Arrivée au lutrin, elle s'était tournée et avait fait glisser la fourrure sur ses épaules. Un frémissement avait parcouru l'assistance au moment où chacun avait pu constater qu'elle portait une robe moulante couleur chair »[60], racontera le *Time*. Kennedy avait souri en écoutant Marilyn lui susurrer son « Happy Birthday », puis déclaré : « Après d'aussi douces paroles, je peux prendre ma retraite. »[61] Néanmoins, la manière suggestive dont Marilyn avait interprété la chanson fit tiquer. Pour la journaliste Dorothy Kilgallen, elle avait ni plus ni moins « fait l'amour au Président sous les yeux de quarante millions d'Américains »[62].

Ensuite, Kennedy avait assisté à une réception donnée pour une centaine de personnes chez Arthur Krim, le directeur des studios United Artists, sur East Sixty-ninth Street, où un photographe avait surpris Jack et Bobby dans la bibliothèque, penchés sur Marilyn vêtue de sa robe couleur chair ornée de perles. « Je n'ai pas vu les perles ! », écrira Adlai Stevenson[63] à Mary Lasker pour décrire sa « dangereuse rencontre » avec la star du cinéma ce soir-là, « après avoir eu bien du mal à percer la défense de Robert Kennedy, qui lui tournait autour tel un papillon attiré par la lumière »[64]. Dans son souvenir, Bill Walton (qui soutiendra plus tard que Marilyn « ne fut jamais la maîtresse d'aucun Kennedy »[65]) se tenait avec JFK dans l'escalier et regardait « Marilyn faire des avances à Bobby, le pousser contre le mur » : « Il ne savait plus ni quoi faire ni où regarder pendant que nous, en haut, nous pouffions de rire. »[66]

Arthur Schlesinger déclarera que Bobby et lui avaient rencontré l'actrice ce soir-là pour la première fois. « Enchanté par son allure et son esprit, simple et pénétrant, qu'elle cachait bien », Schlesinger[67] affirmera avoir néanmoins éprouvé « un terrible sentiment d'irréalité en sa présence, comme lorsqu'on tente de parler à quelqu'un sous l'eau »[68]. Compte tenu de son penchant pour les mélanges explosifs d'alcool et de barbituriques (la plus récente de ses multiples tentatives de suicide ayant eu lieu le mois précédent), elle devait être totalement « partie » ce soir-là – du moins à en juger par le comportement décrit par Walton. « Une véritable exhibitionniste. Je l'ai surprise dans une chambre non éclairée, nue devant la fenêtre, en train d'effectuer une danse érotique pour des gardes postés sur le toit d'un bâtiment voisin », racontera l'artiste[69].

Judicieusement, Jackie évita le numéro de Marilyn Monroe en restant en Virginie, où elle participa en « invitée surprise » à un concours hippique. Avec Minbreno, un cheval dont elle était conjointement propriétaire avec Eve Fout, elle se classa troisième dans une épreuve sur trois. Jack avait débattu de la sagacité sur le plan politique de cette participation publique à une activité de luxe (la chasse, elle, étant une activité privée). Il avait même demandé son avis à Mac Bundy, son conseiller à la Sécurité nationale, qui lui avait répondu de la laisser faire.

À l'approche des vacances d'été, Jackie mit la dernière touche à ses travaux de restauration. En mai, Bunny Mellon avait achevé le réaménagement de la roseraie. L'idée venait en réalité plus de Jack que de Jackie. Le Président avait confié cette tâche à son hôtesse au mois d'août précédent, lors d'un pique-nique à Osterville. Inspiré par les jardins qu'il avait vus lors de son voyage en Europe, il désirait « plaire au goût le plus critique et pouvoir accueillir une cérémonie de mille personnes »[70]. Kennedy avait en outre lu les notes de Thomas Jefferson sur la question, de sorte qu'il « souhaitait des fleurs anciennes de cette époque »[71].

Bunny Mellon avait fait venir Perry Wheeler, un architecte paysager de renom. Tout au long de l'automne, elle avait réfléchi à la conception. Au dîner, suivi du récital de Pablo Casals, JFK l'avait interrogée à table : « Bunny, où en est le plan de mon jardin ? »[72] Toujours dans sa tête. Peu après, elle avait quand même fini par jeter ses idées sur le papier – aux quatre coins nus du nouvel espace se dresseraient des magnolias, une large pelouse serait délimitée de part et d'autre par « un tapis de fleurs qui changerait au fil des saisons »[73] et le tout serait souligné de rosiers. Dix pommiers sauvages en fleur ombrageraient les parterres bordés de basses haies de buis.

Retourné en mars, le terrain fut prêt deux mois plus tard. Le Président dessina les escaliers et les estrades pour les cérémonies devant la porte de son bureau. Jamais il ne relâcha sa surveillance. Il refusa à Bunny l'idée d'un « pavillon aux rayures gaies » qu'elle imaginait à l'est du jardin : « Trop exotique ! », déclara-t-il. Tous deux travaillaient souvent tard le soir, elle à « rempoter et tailler ses plantes », lui à son bureau. « J'étais émue par la sereine gravité de la scène »[74], se souviendra-t-elle.

Jackie inaugura la nouvelle bibliothèque et la salle du traité en juin. Avec sa palette de tons doux et le mobilier Duncan

Phyfe, la bibliothèque devait faire revivre l'ère classique des Jefferson et des Adams, deux des Présidents les plus « portés sur la lecture »[75]. La pièce trahissait l'empreinte de Harry du Pont, quoique Boudin eût conseillé Jackie sur la couleur des peintures et le tapis ancien d'Aubusson. Il restait à réunir les deux mille cinq cents volumes prévus, tâche confiée à un comité d'érudits dont faisait partie Arthur Schlesinger. En effet, Jackie souhaitait une « bibliothèque de travail » et non une collection d'éditions précieuses présentées « dans le cadre figé d'un musée »[76].

La salle du traité rappelait distinctement l'époque victorienne, la moins appréciée de Jackie. Cette dernière lui reconnaissait toutefois le mérite d'être la pièce « la plus historique de la Maison-Blanche », car elle était entièrement garnie d'authentiques meubles présidentiels au « charme plutôt laid »[77]. La plupart de ces éléments lourds et solennels dataient de Lincoln et de Grant. Jackie avait recouvert les murs d'un papier peint velouté vert foncé orné d'un liseré rouge à losanges reprenant celui de la pièce dans laquelle Lincoln était mort – formidable mise en scène entièrement suggérée par Boudin. Pour souligner la fonction historique du lieu, Jackie y accrocha des reproductions des célèbres traités signés par le Conseil des ministres, qui venait régulièrement s'y rassembler dans la seconde moitié du XIXe siècle.

Le même jour de ce début d'été, Jackie reçut les premiers exemplaires du nouveau guide de la Maison-Blanche. Debout dans la salle du poisson de l'aile ouest, le Président lut à haute voix l'avant-propos rédigé par son épouse, dans un style moins élégiaque que la version de Schlesinger. Elle y mentionnait sa volonté d'élargir son public pour ne pas s'adresser uniquement aux enfants, mais aussi aux « adultes et aux plus instruits, car lire quelque chose d'un niveau supérieur ne peut pas nuire à un enfant »[78]. Fidèle à son vœu de ne pas paraître « prétentieuse », Jackie n'avait en outre inclus qu'une seule photo d'elle-même, sur laquelle on la voyait écouter Pablo Casals jouant du violoncelle dans la salle est.

CHAPITRE 21

Le magnétisme de JFK

Durant son deuxième été à la Maison-Blanche, Jack Kennedy vit sa popularité baisser dans les sondages. En septembre, sa cote était descendue à 62 %. Certes, ce taux de confiance restait supérieur aux 56 % d'Eisenhower en septembre 1958 et aux 43 % de Truman à la même période en 1950. Néanmoins, compte tenu des 79 % enregistrés encore en mars, cet effondrement se révélait troublant.

Sa retentissante visite de trois jours au Mexique fin juin ne contribua guère à faire remonter les chiffres. Plus d'un million de personnes accueillirent les Kennedy à Mexico. Là encore, la foule et la presse furent subjuguées par la beauté de Jackie et ses robes signées Cassini aux chatoyantes « couleurs ensoleillées »[1] – rose, bleu azur, jaune et vert.

Au-delà du faste dont fut entourée cette brève tournée, c'est par son réalisme que Jackie enflamma les esprits mexicains. Lors d'un déjeuner donné par le président Adolfo López Mateos, elle prononça de mémoire un bref discours dans un espagnol impeccable. D'un geste un peu nerveux, elle se frottait les mains tout en évoquant les « valeurs fondamentales » de la culture mexicaine, de la « foi profonde en la dignité humaine »[2] dont témoignaient l'art et la littérature du pays. Le *Washington Post* ne perçut aucun bouleversement dans l'équation politique américano-mexicaine, mais un « changement d'attitude de la part du gouvernement et du peuple »[3] de ce voisin latino-américain.

Quelques jours seulement après le retour de Kennedy à Washington, Jackie partit en vacances. Son absence durera à nouveau plus de trois mois. Par souci d'intimité et de sécurité, les Kennedy avaient loué une maison de sept pièces à Hyannis appartenant au ténor Morton Downey, ami de longue date de la famille. Située sur Squaw Island, à moins d'un kilomètre de la propriété familiale, elle était reliée au continent par une petite route à l'autre bout de laquelle se dressait la maison de Teddy et Joan.

Durant l'été 1962, Jackie se montra plus détachée à l'égard de ses obligations officielles que l'année précédente – en partie parce qu'elle avait atteint nombre de ses objectifs à travers la restauration de la Maison-Blanche, mais aussi parce qu'elle souhaitait davantage se soustraire aux pressions liées à sa position. Comme pour Bess Truman, le temps passé hors de Washington représentait pour Jackie quelque chose de sacro-saint. Lors de la visite officielle du président équatorien, ce fut donc Rose qui accompagna JFK à la capitale. Ensuite ce fut Janet Auchincloss qui s'envola de Newport pour accueillir les épouses des banquiers du fonds monétaire international (FMI) pour le thé à la Maison-Blanche.

Cessant d'utiliser le téléphone pour joindre son personnel, Jackie se mit à enregistrer ses instructions sur dictaphone et à en confier l'acheminement à Washington aux services de transmission de l'armée. « Elle devint très distante. Il me semblait que c'était lié à Tish, qu'elle trouvait trop exigeante parce qu'elle lui disait de faire des choses dont Jackie ne voulait pas entendre parler », expliquerait Janet Cooper[4]. Néanmoins, Jackie demeurait « très organisée. Elle rédigeait des notes, posait un millier de questions, voulait connaître les détails pour tout. Elle dominait parfaitement la situation ».

Dans les conférences de presse et autres apparitions en public, Kennedy conservait son optimisme malgré de terribles lombalgies. Convoqué à la Maison-Blanche après la crise de la sidérurgie, Max Jacobson[5] avait trouvé JFK « tendu et inquiet ». Après traitement, il « avait déclaré en souriant qu'il pouvait enfin descendre serrer la main à plusieurs centaines d'amis proches »[6]. En mai, un lit spécial avait été installé dans la salle de cinéma de la Maison-Blanche afin de permettre au Président d'être plus à l'aise pour regarder les films. Un mois plus tard, il avait dû emporter l'un de ses rocking-chairs chez Jean Smith, à Georgetown, pour dîner dans le jardin. Au milieu de l'été, Stas Radziwill confiait à Cy Sulzberger qu'il souffrait toujours du dos et qu'il ne pouvait pas jouer au golf.

Dans ces circonstances, on ne peut que souligner l'ardeur dont Kennedy faisait preuve en réunion – une constatation de ses plus proches conseillers que le public ne découvrirait que des décennies plus tard avec la divulgation du système d'écoute mis en place les 28 et 29 juillet dans le bureau Ovale, la salle du Conseil et la salle du traité au second étage. Il suffisait au Président d'appuyer sur un simple bouton pour enregistrer ainsi les conversations et les entretiens qu'il souhaitait conserver.

L'existence de l'installation n'était connue que des techniciens, de certains membres des services secrets, d'Evelyn Lincoln, de Bobby Kennedy et de sa secrétaire Angie Novello et, peut-être, de Kenny O'Donnell. Le vice-président Johnson n'en saurait rien avant d'accéder lui-même au pouvoir. Il décidera d'ailleurs de l'élargir et réalisera des enregistrements beaucoup plus systématiques. À son tour, Richard Nixon aménagera un système encore plus sophistiqué à commande vocale.

Si l'on ignore les motivations réelles de Kennedy, on peut imaginer qu'il pensait à ses mémoires et aux besoins des futurs historiens. La majeure partie des enregistrements le montrait sous un jour favorable, illustrant sa formidable capacité à passer d'un problème à l'autre dans la journée et à s'immerger chaque fois avec une grande maîtrise dans le sujet. Néanmoins, étaient également saisis sur ces bandes des jurons, des marques d'intolérance et des accès de colère. Le Président s'était par ailleurs lancé dans cette entreprise au plus bas de sa cote de popularité, alors que l'économie accusait une perte de vitesse et que de nouvelles crises s'annonçaient au plan de la politique étrangère.

Deux semaines auparavant seulement, *Newsweek* avait fait savoir que les critiques des deux bords l'accusaient d'être « un dictateur ivre de pouvoir »[7] (pour sa prise de position lors de la crise de la sidérurgie) et un « piètre rhéteur » (pour son fiasco législatif). Malgré ses efforts pour apaiser les milieux d'affaires et les signes de reprise de la bourse, les investisseurs demeuraient frileux, le chômage augmentait et ses conseillers en économie s'inquiétaient en privé d'une récession. Le Congrès avait rejeté sa loi « chérie » sur l'assurance santé des personnes âgées par 52 voix contre 48 et les journalistes influents tels que Walter Lippmann insistaient pour qu'il réduise rapidement les impôts afin de relancer l'économie. Après une mise en veille de près d'un an, le problème de Berlin commençait à resurgir. Outre leur harcèlement sporadique dans les couloirs aériens de Berlin-Ouest, les Soviétiques menaçaient à nouveau de signer ce fameux traité de paix entraînant l'expulsion des Alliés.

L'unique réussite de Kennedy fut la conclusion des accords de Genève sur le Laos vers la fin juillet – plus d'un an après le début de négociations tortueuses à la suite d'un cessez-le-feu orchestré par les États-Unis et la Russie. Le fragile gouvernement de coalition disposait désormais d'un soutien international et sa neutralité était garantie. Cependant, Kennedy craignait que le Pathet Lao ne viole les accords et s'interrogeait sur les mesures à prendre en pareil cas.

D'après le premier enregistrement à la Maison-Blanche, daté du lundi 30 juillet, les plus proches conseillers se sentaient désormais suffisamment à l'aise en présence du Président pour plaisanter mais aussi pour exprimer fermement leurs opinions. Aussi, lorsque Kennedy commença à dénoncer les diplomates qui « semblaient manquer de couilles », et plus particulièrement un qui « ne se montrait guère viril »[8], Dean Rusk manifesta son désaccord. Néanmoins, JFK persista, se répandant en injures contre les diplomates américains « alanguis » qui ne semblaient « ni très durs ni très solides » face à « l'aplomb et l'aisance » du nouvel ambassadeur soviétique, Anatoli Dobrynine. D'un rire, Mac Bundy rabaissa le Russe en le taxant de « mécanicien d'avion », puis s'associa à Dean Rusk pour défendre le corps diplomatique en affirmant que « les apparences étaient parfois trompeuses »[9]. Pour terminer la conversation, Kennedy évoqua le souvenir du conseiller de son père à Londres, Herschel Johnson, « une vieille cocotte qui appelait l'Ambassadeur Jeeves, ce qui le rendait fou »[10].

Toutefois, l'enregistrement montre que ces moments de légèreté demeurèrent rares car Kennedy souhaitait se concentrer sur les détails et faire jaillir des idées neuves. Plus tard dans la journée, il passa d'une heure de débat sur l'économie à une discussion complexe de deux heures sur l'interdiction des essais nucléaires, fourmillant de détails techniques sur le contrôle des signaux sismiques émis par les explosions souterraines. Face au désaccord de son équipe sur le nombre d'inspections sur site à exiger de l'Union soviétique, Kennedy résuma avec efficacité les arguments de chacun au terme de la réunion. En guise de solution temporaire, il finit par décider de consulter Robert Lovett et John McCloy.

Le soir, après un entretien confidentiel avec le journaliste d'investigations Clark Mollenhoff, Jack reçut Mary Meyer et le responsable des chemins de fer Bill Thompson. L'interlude fut néanmoins interrompu à maintes reprises par les appels téléphoniques de Dean Rusk, Lee Radziwill, Jackie (deux fois), Peter Lawford et Pierre Salinger. La première conversation téléphonique du lendemain matin fut pour Helen Chavchavadze, que le Président n'avait pas revue depuis une croisière sur le Potomac à bord du *Sequoia* dix jours plus tôt.

Le nom de Mary figurera cinq soirs de l'été 1962 sur les registres de la Maison-Blanche – une fois en juin, deux fois en juillet, une fois en août et une fois le mercredi précédant le week-end de la fête du Travail. Jim Reed, séparé de sa femme, Jewel, depuis juin, se souviendra d'avoir assisté à l'un de ces dîners en compagnie de Ben et Tony Bradlee. À ses yeux, Mary « avait quelque chose de charmant ». « Elle était très discrète, une vraie dame ». Si Jack et elle « étaient très amis »[11], Reed affirmera ne pas avoir perçu la moindre trace d'intimité entre eux.

« En général, Ben et le Président monopolisaient la conversation et je ne pouvais pas placer un mot »[12], expliquera Reed.
Ben tourmentait JFK au sujet de Frank Morrissey, un juge à la
cour municipale de Boston qui avait longuement servi Joe
Kennedy. L'année précédente, Kennedy avait tenté de le
nommer à la magistrature fédérale, puis avait battu en retraite
devant l'opposition manifestée par les associations du barreau.
Selon Reed : « Bradlee le critiquait et Jack le défendait. La
discussion était animée et intéressante. »[13]

Plus tard, James Truitt prétendra que, lors de sa visite du
16 juillet, Mary Meyer avait fumé de la marijuana avec le
Président – une allégation jamais corroborée par une source
indépendante. Cette révélation sera publiée par le *National
Enquirer*, le 2 mars 1976, dans un article traitant de la liaison
de JFK avec Mary Meyer. Souffrant d'alcoolisme et de troubles psychologiques depuis le début des années 1960, Truitt
vendra son témoignage pour mille dollars. D'après lui, ses
informations provenaient de notes prises lors de ses conversations avec Mary durant le mandat présidentiel de Kennedy.

Il est vrai que la jeune femme se confiera au journaliste, mais
pas avant la fin 1962, soit six mois après avoir parlé de sa liaison
à Anne. Durant cette période, James était souvent « ivre et
déchaîné »[14], selon son épouse. Comme d'autres dans les
milieux artistiques, Mary avait effectivement fait l'expérience
de la marijuana. « Elle aimait prendre des risques. Sa curiosité
s'étendait à beaucoup de domaines », déclarera Kenneth
Noland[15]. Ni lui ni les Bradlee n'auraient pourtant vent de
telles pratiques avec Jack Kennedy. Mary ne parla jamais non
plus à Anne d'usage de drogue à la Maison-Blanche.

Ben, Tony et Anne lurent tous le journal intime de Mary
découvert par les Bradlee après sa mort en 1964. Quelques
années plus tard, il fut beaucoup question des révélations
prétendument explosives sur JFK renfermées dans ce journal.
En apprenant la liaison entre Mary et le Président, les Bradlee
furent stupéfaits. La nouvelle porta « un coup terrible » à
Tony, selon Ben[16]. Néanmoins, le « petit carnet à la jolie couverture »[17] décrit par Anne contenait essentiellement des notes

relatives aux travaux de l'artiste ainsi que des échantillons de peinture sur des pages par ailleurs blanches. Seules dix pages étaient consacrées à Kennedy, dont le nom n'était d'ailleurs jamais mentionné.

Anne, qui avait appris l'existence de ce carnet de la bouche même de son auteur, fut « simplement déroutée » de constater qu'il ne s'agissait rien de plus que « d'un tas de gribouillis et de notes sans aucun classement, ne se rapportant ni à un ordre chronologique ni à aucun fait réel ». Pour Tony, le tout demeurait « très énigmatique » : « Il fallait interpréter. Ce n'était pas du tout une vision fascinante de la situation. C'était plutôt comme des images juxtaposées de ce qu'elle avait en tête, de l'atmosphère qui régnait lors de ses rencontres avec Jack. »[18] Selon Ben Bradlee : « Jamais il n'y avait plus de vingt-cinq mots de suite. Il s'agissait de minuscules détails. Le journal ne comportait absolument aucune allusion à la drogue. »[19] En revanche, poursuivait-il : « Il était parfaitement clair que Mary décrivait sa liaison et qu'il s'agissait du Président des États-Unis. Les indications telles que "À la soirée, l'autre jour" ne laissaient planer aucun doute sur la soirée dont il était question. »[20]

Après l'entretien accordé par James Truitt au *National Enquirer*, Tony décidera de détruire le carnet. Elle conviera Anne Truitt (alors divorcée de James), sa voisine d'en face à Washington, à venir regarder le journal brûler dans sa cheminée. « Tout le monde pensait à tort qu'il renfermait toutes sortes de commérages. Si je l'ai brûlé, c'est parce que j'avais peur que les enfants mettent leur nez dedans. »[21]

En juin 1962, Jack Kennedy s'entretint à la télévision avec Eleanor Roosevelt au sujet de sa commission sur le statut des femmes. À titre d'exemple, il cita les diplômées de l'institut de jeunes filles de Radcliffe, dont « les courbes de résultats surpassaient celles de Harvard »[22], mais dont il constatait à regret qu'elles devenaient souvent mères au foyer une fois mariées. « Je me demande si elles ont eu la pleine opportunité de développer leurs talents car, comme disaient les Grecs, le bonheur, c'est s'accomplir en poursuivant l'excellence »[23], déclara-t-il.

Son amie Diana de Vegh, elle-même ancienne élève de Radcliffe, trouvait peu de réconfort dans ce principe aristotélicien. Après plus d'un an passé au service de JFK, elle avait du mal à gérer leurs rares rencontres clandestines. De temps à autre, elle voyait d'autres hommes en société ; outre Billy Brammer, elle fréquentait Cord, l'ancien mari de Mary Meyer, alors âgé de 42 ans, qui sortait aussi avec Jill « Faddle » Cowan. À 24 ans, Diana se sentait désabusée quant à son avenir professionnel et trouvait Kennedy trop indifférent à son égard.

Ignorant ses relations avec Mary Meyer et Helen Chavchavadze, elle ne décela pas non plus l'intérêt que Kennedy se mit à porter à une nouvelle femme, encore plus jeune, de son entourage. Marion « Mimi » Beardsley (future Mimi Fahnestock), 19 ans, arriva cet été-là pour un stage à la Maison-Blanche après sa première année d'études au Wheaton College, dans le Massachusetts. Rédactrice en chef du journal de Farmington, elle avait d'abord demandé à Tish Baldrige de l'aider à obtenir un entretien avec la première dame car elle souhaitait réaliser un portrait de la plus célèbre des anciennes élèves de l'école. La secrétaire lui avait fourni de la documentation et avait arrangé une visite à Washington en 1961. Lors de son passage à la Maison-Blanche, Mimi « avait été présentée au Président »[24], déclarera Barbara Gamarekian. La jeune femme avait aussi rencontré Priscilla « Fiddle » Wear, également diplômée de Farmington. Un an plus tard, sur l'invitation de cette dernière, Mimi venait travailler dans le bureau de Pierre Salinger. En juin 1962, peu après son arrivée à la Maison-Blanche, elle entamait « une relation sexuelle »[25], selon ses propres termes, avec JFK.

« La presse ne tarda pas à poser des questions sur sa présence dans le bureau », se souviendra Barbara Gamarekian[26] : « Mimi ne possédait aucune compétence. Elle ne savait pas taper à la machine. C'était une jeune fille brillante. Elle pouvait répondre au téléphone et prendre les messages, mais elle ne représentait pas un grand atout pour nous. » D'ordinaire, les employées de bureau participaient à tour de rôle aux voyages présidentiels. Durant l'été 1962, Mimi « fut de tous les voyages ! Elle adorait tellement son job d'été qu'elle ne voulait plus retourner à ses études », commentera Barbara. Finalement, sur l'insistance de sa famille, elle repartit à Wheaton à l'automne.

Trois à quatre mois après le décès de son père, au printemps, Diana de Vegh confiait sa peine à Marc Raskin, du NSC. Il se trouvait que ce dernier était au courant de son idylle avec Kennedy, « comme ce genre de choses pouvait se savoir dans l'entourage de la Maison-Blanche »[27]. Or, lorsqu'elle lui fit part de sa tristesse, Raskin lui suggéra de partir immédiatement. Elle alla trouver Mac Bundy pour l'informer de son départ. Il l'interrogea sur ses projets et elle lui répondit qu'elle comptait partir vivre à Paris. Jack Kennedy lui demanda également ce qu'elle souhaitait faire en lui déclarant qu'il espérait la revoir. Après son séjour en France, elle retourna aux États-Unis, où elle devint actrice, et finit par rejoindre la distribution de *All My Children*, un feuilleton télévisé diffusé en début d'après-midi. Par la suite, elle obtint un diplôme d'assistante sociale à l'Université Columbia, contribua à un groupe de réflexion libéral à Washington, puis décida de s'installer comme psychothérapeute.

Tandis que Diana de Vegh prenait la fuite, Marilyn Monroe s'effondrait. Suite à sa prestation lors de l'anniversaire du Président, elle avait commencé à raconter à Hollywood qu'elle avait une aventure avec lui. JFK coupa tout contact avec elle, mais elle se mit à appeler le bureau de Bobby, sans doute pour lui demander d'intercéder. « Les registres téléphoniques montraient qu'il y avait bien eu des conversations. C'était une femme très inquiète », expliquera Evan Thomas[28], le biographe de Bobby Kennedy. Appelé à « surveiller les dégâts », Bobby « la vit en quatre occasions », selon Thomas, qui émettra toutefois des doutes quant aux allégations selon lesquelles Bobby couchait aussi avec elle.

Craignant que les propos de Marilyn ne soient repris par les échotiers de Hollywood, JFK sollicita l'aide de George Smathers. Le sénateur de Floride expliquera plus tard qu'il avait envoyé un ami convaincre Marilyn de se taire. Dans sa dernière interview, accordée à Richard Meryman de *Life*, au milieu de l'été 1962, l'actrice ne révéla rien de compromettant pour le Président. En fait, elle avoua son trac avant l'interprétation du « Happy Birthday ». « Bon sang ! je chanterai cette chanson, même si c'est la dernière chose que je puisse faire au monde ! »[29], s'était-elle dit.

Si elle semblait abattue, elle n'en demeurait pas moins lucide quant au « fardeau particulier » de la célébrité. « On se heurte à la nature humaine à l'état brut. La célébrité attise toujours la jalousie. Elle vous réchauffe un peu, mais d'une chaleur éphémère. »[30] À deux reprises, elle fit écho à des commentaires de Jackie : « J'ai toujours été un peu trop fantaisiste pour être une femme d'intérieur », « Je ne supporte pas l'idée d'être une chose » – or, Jackie déclarait au moment de l'investiture : « J'avais l'impression d'être devenue propriété publique. »[31]

L'entretien fut publié le vendredi 3 août. Le lendemain, Marilyn appela Peter Lawford, suffisamment alarmé par son élocution indistincte pour alerter son agent. Assuré par sa gouvernante qu'elle allait bien, l'agent ne fit rien. Le dimanche 5 août, on retrouvait l'actrice morte. Lawford en informa JFK, qui avait passé l'après-midi au soleil à faire du bateau en famille à bord du *Patrick J*, un voilier de soixante-quatre pieds. Durant ces cinq heures de croisière, Jack avait paressé dans le cockpit tandis que Jackie faisait du ski nautique derrière un petit hors-bord. Kennedy ne fit aucun commentaire public sur le décès de la superstar.

Le lundi, le *Washington Post* titrait « Marilyn Monroe retrouvée morte. La police conclut provisoirement à une overdose de barbituriques. »[32] Ce matin-là, quelques instants après être descendu d'hélicoptère, Kennedy accueillit jovialement un groupe d'adolescents venus participer au quatrième concert organisé par Jackie sur la pelouse sud. Pendant l'heure que dura le spectacle, il laissa la porte du bureau Ovale ouverte afin d'écouter la musique. À midi, il retrouva Arthur Schlesinger et August Heckscher, alla nager, puis se retira au second étage pour déjeuner. Il ne retourna pas à son bureau avant 17 h. Lors de sa dernière réunion de la journée, avec Willbur Mills, il apprit que le puissant président de la Commission des finances de la chambre des représentants s'opposait à « une rapide réduction des impôts »[33]. Après une discussion prolongée, les deux hommes décidèrent de maintenir le projet de réforme fiscale à l'horizon 1963. Quarante-cinq minutes après le départ de Mills, Mary Meyer se présenta à la Maison-Blanche pour y passer la soirée.

Au matin du 6 août, Jack Kennedy prit congé de sa femme et de sa fille à Hyannis. Il n'allait pas les revoir pendant près d'un mois. Le lendemain, Jackie et Caroline partaient en vacances sur la côte amalfitaine, en Italie, avec Lee, Stas et leurs deux enfants. À bord de leur vol commercial, un carré de quatre places avait été spécialement transformé en chambre dans la cabine des premières classes.

La famille logeait à la villa *Episcopio*, une demeure ancienne de neuf cents ans, à Ravello, perchée en haut d'une falaise à trois cent soixante mètres au-dessus de la baie de Salerne. Le soir de leur arrivée, le village avait illuminé sa place centrale de guirlandes d'ampoules rouges, vertes, bleues et blanches. Jackie savourait la scène depuis sa haute terrasse. Lee et Stas invitèrent divers amis, dont Gianni et Marella Agnelli, qui séjournèrent une semaine, Arkady Gerney, Sandro D'Urso, un ami proche de Lee, et Benno et Nicole Graziani, qui tinrent compagnie à Jackie durant toutes les vacances. « Nous visitions les sites touristiques, nous faisions de la voile. La conversation évoluait sur un registre léger. À son grand avantage, Benno les faisait rire. Jackie et Lee étaient en très bons termes. C'était de vraies vacances avec un vrai changement de décor », se souviendra Marella[34].

Durant plusieurs jours, le petit groupe se promena à bord de l'*Agneta*, le voilier de vingt-cinq mètres des Agnelli, reconnaissable à ses voiles brunes. Une croisière de deux jours leur permit de gagner Capri, au désespoir de Caroline, qui « fit la grimace »[35] en apprenant qu'elle devait rester à Ravello. Au dîner, chez Irène Galitzine, grande créatrice italienne amie des Agnelli, trois guitaristes vinrent leur jouer la sérénade.

Ensuite ils se rendirent au *Number Two,* le night-club le plus en vogue de l'île, et dansèrent jusqu'au petit matin, chantant avec insouciance « *Volare* » tout au long du trajet de retour. Le lendemain après-midi, alors que le bateau quittait Conca Dei Marini, la plage où se situait la maison, Jackie, vêtue d'un chemisier bleu et d'un pantalon blanc, était assise pieds nus sur le pont, les voiles gonflées derrière elle.

Au fil des années, diverses sources laissèrent entendre que Jackie était partie seule en compagnie de Gianni ce soir-là. Or, Marella était à bord, avec plusieurs autres amis, et Clint Hill, l'agent des services secrets chargé de la sécurité de Jackie, assista au dîner à Capri. Cela n'empêcha pas *Vanity Fair* de publier, quelques décennies plus tard, un article prétendant que l'escapade en bateau de Jackie en compagnie d'Agnelli avait été « ponctuée de nombreux échanges de baisers, immortalisés par les paparazzi »[36]. Or, les démonstrations affectives ne ressemblaient pas du tout à Jackie et jamais aucune photo n'est venue confirmer ces dires.

Il existe des clichés montrant Jackie et Gianni sur le quai, dans les cafés, à bord du yacht et en pique-nique sur la plage. Le cadrage de certaines suggère habilement que les deux amis sont seuls ensemble, mais en réalité, ils étaient toujours accompagnés d'amis ou de proches. Sur la plus leste, Jackie paraît en maillot de bain noir et blanc tenant un flacon de lotion solaire dans la main droite tandis que Gianni, penché sur elle, lui tient le poignet, le visage effleurant son avant-bras gauche. Derrière lui, une femme en bikini regarde par terre tandis qu'à ses côtés, un homme prend un bain de soleil.

« Il n'y a jamais rien eu entre Gianni et Jackie », affirmera Benno Graziani[37], le meilleur ami de Gianni. « Nous étions constamment avec eux. Il n'y a pas une once de vérité dans tout cela », ajoutera Lee Radziwill[38]. La comtesse Marina Cicogna, amie intime du couple Agnelli, fera remarquer que « ce n'était pas du genre de Gianni »[39] d'entretenir une liaison avec Jackie. « Il n'aimait pas les situations compliquées ; or, celle-ci aurait été compliquée. De plus, je ne crois pas que Jackie était son style »[40], précisera-t-elle.

Jackie écrivit sa première lettre à son « très cher Jack » le troisième jour après son arrivée en Italie. Sur un ton mélancolique, sans pour autant se laisser déborder par ses émotions, elle commençait : « Tu me manques beaucoup, ce qui n'est pas désagréable – parce qu'il vaut toujours mieux quitter quelqu'un lorsqu'on est heureux et cet été est merveilleux – mais un peu triste. »[41] Elle indiquait que Caroline s'adaptait plus facilement au rythme italien qu'elle-même : « Je sais que j'ai beaucoup de chance d'éprouver ce sentiment de manque – je sais que j'ai tendance à exagérer, mais je pense à tous ces autres couples mariés. »

Sur les dix pages suivantes, elle poursuivait en décrivant toutes ses activités. Elle se plaignait également de n'avoir pu recevoir ses appels, que le petit standard de Ravello ne parvenait pas à lui transmettre. « J'ai attendu l'appel jusqu'à 3 h du matin pour m'entendre dire finalement qu'il s'agissait d'un imposteur. La même chose s'est reproduite à 6 h. J'aimerais tant pouvoir te parler. Si tu as essayé vainement de m'appeler, sache que j'ai patienté trois heures à chaque fois et qu'ils m'ont dit avoir perdu la connexion », écrivait-elle. (Il parviendrait finalement à la joindre – plusieurs fois à 3 h du matin). Par ailleurs, elle exprimait son soulagement à l'idée de ne pas avoir à s'inquiéter des problèmes de réductions fiscales et autres sources de pression. « Je profite d'une chose qui t'est inaccessible – l'absence de tension. Pas un journal pour me rendre folle chaque matin. J'aimerais tellement pouvoir t'offrir cela – je ne m'étais jamais rendu compte de l'importance de cette tension avant d'être allée dans un autre pays –, mais je ne peux pas te l'offrir. Alors, je pense à toi tous les jours – c'est la seule chose que je puisse offrir et j'espère que cela compte pour toi », poursuivait-elle.

Au bout de quinze jours, Jackie appréciait tellement son séjour qu'elle décida de le prolonger de près de deux semaines supplémentaires. Selon Benno Graziani : « Jackie était très calme, très agréable, douce et sereine. Elle préparait des spaghettis pour Caroline. Elle acheta des sandales à Capri. Elle prenait des photos. Elle était plus naturelle, moins sophistiquée que dans son rôle de première dame. En Italie, c'était une simple touriste. »[42] Très expansive, Jackie raconta à Cy Sulzberger, son hôte durant plusieurs jours, qu'elle adorait Lee, considérait Bobby comme un homme « immensément ambitieux » qui ne serait jamais satisfait « avant d'être élu à quelque fonction, ne serait-ce que celle de maire de Hyannis Port » et pensait que l'astronaute John Glenn (premier Américain, six mois plus tôt, à voler en orbite autour de la Terre) était « la personne la plus maîtresse d'elle-même sur Terre ». En comparaison, son mari, qui savait pourtant « très bien se dominer » et était capable « de se détendre et de dormir à volonté », lui paraissait « agité et dissipé »[43].

À la fin de son séjour, Jackie se vit décerner le titre de citoyenne d'honneur de Ravello par la municipalité, qui rebaptisa la plage de Conca Dei Marini, où elle se baignait chaque jour, « la plage Jacqueline Kennedy ». Le dernier jour d'août, la famille se trouva à nouveau réunie (John Jr avait passé le mois chez sa grand-mère Auchincloss) à Newport. Ne se sentant toujours pas prête à retourner à Washington, Jackie demeurerait à Hammersmith Farm avec les enfants jusqu'au début du mois d'octobre.

Son exubérance à l'étranger suscita quelques critiques malveillantes dans la presse américaine, notamment au sujet des photos des paparazzi la montrant en compagnie de Gianni Agnelli. « La grande soirée de Jackie dans le repaire des pirates »[44], titra un article du *Daily News* de New York sur ses exploits en boîte de nuit. Contrariée, Katie Louchheim[45], alors sous-secrétaire d'État assistante chargée de la promotion des programmes culturels et éducatifs à l'étranger, craignait que cette conduite donne une mauvaise image des Américaines. En témoigne un courrier à un ami : « Quel besoin Mrs Kennedy avait-elle d'aller s'exposer ainsi au grand jour en maillot de bain ou en pantalon ? Était-ce pour éviter la publicité à Caroline, comme elle insiste toujours, qu'elle effectuait ce voyage ? ». Dans l'ensemble, les médias manifestèrent cependant plutôt leur adoration pour la première dame, de sorte que sa popularité n'en pâtit guère.

Jackie ne savait que trop bien que l'« absence de tension » était une chose impossible pour son mari. L'inquiétude suscitée par les problèmes internationaux n'avait cessé de grandir durant son séjour à l'étranger. Début août, Kennedy avait adressé un message à Khrouchtchev par une voie détournée, à savoir par l'entremise de Bobby et de l'agent des renseignements soviétique Gueorgui Bolchakov. Il demandait au leader soviétique de « geler » le sort de Berlin jusqu'aux résultats des élections législatives du mois de novembre suivant. En l'absence d'une réponse immédiate, le Président poussa ses conseillers à préparer des plans d'urgence en vue d'une éventuelle provocation dans la ville stratégique – y compris d'envisager l'utilisation d'armes nucléaires tactiques. Par ailleurs, il demanda au Congrès l'autorisation d'appeler sous les drapeaux cent cinquante mille réservistes afin de signifier à Moscou la détermination des États-Unis.

Fin août, Cuba finit par poser un sérieux problème – trois mois après l'élaboration du plan soviétique d'installation de missiles sur l'île. L'opération Mongoose de Bobby Kennedy n'avait abouti à rien de plus que quelques missions d'espionnage, et le directeur de la CIA, John McCone, souhaitait voir le groupe s'affairer davantage. Cependant, le 20 août, lors d'un passage en revue de ces activités, Mac Bundy avait surtout exprimé la volonté d'éviter tout embarras au cas où « il viendrait à se savoir que le ministre de la Justice s'amusait à de vilaines ruses en faveur de la contre-insurrection alors qu'il s'agissait avant tout d'une entreprise étrangère »[46].

Deux jours plus tard, McCone informait Kennedy de la cause de son inquiétude : une arrivée massive de navires marchands chargés de matériel et de personnel militaires soviétiques. Le chef de la CIA avait donc la conviction que les Russes comptaient établir une base de lancement de missiles balistiques sur Cuba. D'après Bundy et Rusk, en revanche, Khrouchtchev ne courrait pas un tel risque. Quoi qu'il en soit, Kennedy demanda à ses conseillers d'étudier des stratégies permettant de faire face à l'armement nucléaire de Cuba, y compris l'idée d'un blocus (« un acte de guerre », observait-il) ou d'une invasion. « Personne ne souhaite plus que moi l'expulsion de Castro, mais il s'agirait là d'une opération militaire majeure »[47], affirmait-il. Par ailleurs, le Président sollicita l'inspection des quinze missiles nucléaires Jupiter installés un peu plus tôt dans l'année en Turquie. « J'expliquerai que certaines régions sont soumises à la répression soviétique. Du reste, les Russes n'ont pas réagi lorsque nous avons placé des missiles à tête nucléaire en Turquie »[48], rappelait-il.

Le 31 août, la reconnaissance aérienne exigée par Kennedy confirma la présence de missiles surface-air à Cuba. Selon McCone, la mise en place de ces armes défensives constituait un simple prélude à celle de missiles ciblant le sud des États-Unis. Accusé de rétention d'informations par le sénateur républicain Kenneth Keating, le Président élabora avec ses hauts conseillers une mise en garde à l'adresse de l'Union soviétique signalant qu'en cas d'installation d'armes offensives, « des mesures nouvelles seraient justifiées »[49].

Bobby insistait non seulement pour que son frère lance cet avertissement mais aussi pour qu'il use de fermeté. « Malgré la doctrine Monroe, ils nous crachent à la figure »[50], bredouillait-il. Rusk s'inquiétait de « susciter la panique », tandis que Dillon conseillait d'éviter de « proférer des menaces ». Alors qu'ils débattaient de la formulation, JFK dit à son frère sur un ton brusque : « Tu vois bien qu'il va falloir recommencer ! ». Finalement, Rusk départagea les avis en proposant un ton plus doux à la forme passive. En réponse, Khrouchtchev fit savoir par divers messagers, dont l'ambassadeur Dobrynine et l'homme de l'ombre, Bolchakov, que l'Union soviétique aidait simplement la défense cubaine.

Ce ne fut qu'à la mi-septembre que Kennedy obtint enfin une réponse à son message sur Berlin. Stewart Udall était à Moscou avec son ami Robert Frost pour rencontrer des poètes russes lorsque Khrouchtchev convoqua les deux hommes dans sa retraite au bord de la mer Noire. Au cours des deux heures de discussion qui s'ensuivirent avec Udall, Khrouchtchev réitéra son ultimatum : « La guerre ou la paix. Nous ne permettrons pas à vos troupes de rester à Berlin. »[51] Néanmoins, il ajouta :

« Nous ne bougerons pas avant novembre. »[52] Frost eut également une longue conversation avec le dirigeant soviétique. Aux journalistes, le poète octogénaire déclara ensuite que selon Khrouchtchev, les Américains « étaient trop libéraux pour se battre »[53]. Considérant cette déclaration impardonnable, JFK romprait toutes relations avec l'homme dont les propos avaient contribué à donner le ton à sa présidence.

Rien des plans d'urgence concernant Berlin ou Cuba ne filtra dans la presse. « Célibataire pour l'été, se retirant au crépuscule dans la Maison-Blanche désertée avec des piles de dossiers sous le bras »[54], comme disait le *Time*, Kennedy avait l'air de travailler dur. Une seule fois se rendit-il à Hammersmith Farm pour voir son fils de 21 mois pendant le voyage de Jackie en Italie. D'ailleurs, il insista pour coucher dans une chambre d'amis « où il régnait une chaleur épouvantable », selon sa belle-mère. « Jamais il ne se plaignait. Il descendait du bateau vers 15 h et il s'asseyait là pour travailler »[55], se souviendra-t-elle.

À la mi-août, le Président s'accorda un long week-end de voile dans le Maine avec notamment Red Fay, Chuck Spalding, Jim Reed et Peter Lawford à bord de plusieurs bateaux des gardes-côtes. Le groupe logea chez l'ancien champion du monde des poids lourds, Gene Tunney, un ami de la famille, sur John's Island en face de Boothbay Harbor. Avec Kennedy à la barre, ils se rendirent jusqu'à Dark Harbor, à près de cent milles.

Chacun des amis de JFK joua son rôle. Fay et Spalding se chargèrent d'amuser la galerie. Reed, désormais adjoint de Doug Dillon, répondit aux questions de Kennedy concernant l'avancement de la loi relative au crédit d'impôt sur les investissements au Congrès. Face à tant de problèmes, le Président semblait apprécier d'évoquer cette législation dont il pensait qu'elle soulagerait l'économie.

Le week-end suivant, Kennedy se rendit brièvement dans l'ouest pour prononcer un discours et en profita pour passer deux après-midi chez Peter Lawford à Santa Monica. S'ennuyant au bord de la piscine trop tranquille, il franchit soudainement la porte pour gagner la plage. Ce fut entouré de femmes qu'il plongea dans les vagues. (« Elles se pâmaient d'admiration tandis qu'il nageait »[56], écrira le *Time*.) Au moment où Jackie écumait les eaux de la Méditerranée « avec panache sur son monoski rouge et blanc »[57], son mari était photographié ruisselant dans son maillot de bain, des admiratrices pendues à ses bras. « Kennedy aime le plaisir et les femmes. Difficile de combler ses désirs sans provoquer le scandale ni donner prise à ses adversaires politiques. Cela pourrait néanmoins se produire un jour, car il ne prend pas suffisamment de précautions dans ce pays puritain », notera Hervé Alphand[58] dans son journal cette semaine-là.

Lorsque Jackie rejoignit son mari à Newport, les amis se succédèrent auprès du couple au fil des week-ends pour profiter de cet agréable mois de septembre – Vivian Crespi, Bill Walton, les Reed, les Gore, les Roosevelt et les Fay. En prévoyant la liste des invités à Ravello, Jackie avait indiqué à Jack : « Si tu souhaites d'autres intimes, je peux m'en occuper. »[59] Si Bradlee brillait par son absence, c'est parce que ses commentaires sur le Président et la presse, confiés à Fletcher Knebel pour un article dans *Look* en août, avaient agacé Kennedy.

Citant un appel téléphonique de JFK au sujet d'un article de *Newsweek* sur la nomination de Morrissey à la magistrature fédérale, il avait déclaré : « Il est pratiquement impossible de les satisfaire. Même si l'article leur est plutôt favorable, ils trouvent toujours à pinailler sur un paragraphe. »[60] De plus, il avait expliqué avec franchise que la famille Kennedy exigeait « de ses amis, surtout ceux de la presse, un soutien à 110 % », ce qui lui valut une mise au placard de trois mois – alors qu'il « dînait à la Maison-Blanche une ou deux fois par semaine, sans compter les échanges téléphoniques dans les deux sens, il n'eut subitement plus aucun contact ».

À la mi-septembre, Kennedy parvint à s'accorder dix jours de vacances à Newport. Le point fort de ce séjour fut la Coupe de l'America. Les Kennedy et leurs invités assistèrent aux séries depuis le pont du destroyer *Joseph P. Kennedy Jr.* Alors qu'ils étaient déjà séparés, Jim et Jewel Reed se montrèrent ensemble

« pour sauvegarder les apparences », déclarera Jewel[61]. Un après-midi, Jackie passa un long moment à discuter avec Jim, au grand dam des Fay. « Ils essayèrent de lui tirer les vers du nez, mais Jim joua les timides »[62], se souviendra son ancienne épouse.

Ben Bradlee fit une brève apparition à Newport car Kennedy le convoqua pour un « scoop », lui faisant ainsi sentir que son invitation ne revêtait aucun caractère amical. Depuis plus d'un an, le bruit courait que JFK avait été secrètement marié à une mondaine de Palm Beach du nom de Durie Malcolm. Durant l'été, plusieurs revues de droite avaient relayé l'information, c'est pourquoi Kennedy proposait à Bradlee d'utiliser des documents du FBI pour démentir cette rumeur et en discréditer les auteurs. Le journaliste rédigerait son article, Kennedy donnerait son approbation, mais ils resteraient en froid. L'apercevant, David Gore demanda au représentant de *Newsweek* s'il venait assister aux régates. « Non, il ne vient pas ! », avait sèchement rétorqué JFK.

Sous les jumelles de Jack Kennedy, vêtu d'un blazer bleu marine à boutons dorés, le *Weatherly,* sloop de douze mètres skippé par l'équipe américaine, emporta son défi contre le *Gretel* australien. Pendant ce temps, Washington célébrait le centenaire de la proclamation d'émancipation devant le mémorial de Lincoln. En réalité, l'absence du Président ne fit sourciller personne car il s'était toujours abstenu d'intervenir dans le débat sur les droits civiques.

Son éclaireur en la matière, Bobby, était assis dans la tribune aux côtés d'Arthur Schlesinger et d'Adlai Stevenson. Devant trois mille personnes, ce dernier déclara que la liberté individuelle demeurait « le grand problème actuel à régler »[63]. Dans un message enregistré transmis par les haut-parleurs et diffusé par les radios et les télévisions nationales, JFK emboîta le pas à Stevenson et fit l'éloge de « la fière et tranquille détermination » des Noirs, dont il salua également le refus de recourir à « la politique de l'extrémisme ou de la violence »[64] dans leur lutte pour l'égalité.

Le lundi 24 septembre, dernier jour des vacances, Jack et Jackie organisèrent un déjeuner en l'honneur du président pakistanais Ayub Khan à Hammersmith Farm – comme l'année précédente pour son homologue indien. Le soir même, Jackie prit l'avion avec son mari pour une visite de deux jours à Washington. Le mardi soir avait lieu au théâtre national une représentation de *Mr President*, une nouvelle comédie musicale d'Irving Berlin inspirée par le gouvernement Kennedy. En mémoire du frère de Jack, Joe, les soixante-dix mille dollars de recette devaient être reversés à deux organisations d'aide aux déficients mentaux. Parmi les spectateurs, on dénombra mille six cents personnalités de « l'élite politique et sociale de Washington et de New York »[65], pour reprendre les termes du *New York Times*. Au sein du gouvernement, certaines sommités telles que les Dillon, les McNamara et les Johnson, organisèrent des réceptions avant le spectacle dans leur maison à la façade décorée comme un fronton de théâtre. À la Maison-Blanche, les Kennedy reçurent Rose, Bill Walton, Alice Longworth et Carlos Sanz de Santamaria, l'ambassadeur de Colombie et son épouse.

Le Président était parfaitement au courant du bide essuyé par la comédie musicale – et ses vedettes Robert Ryan et Nanette Fabray – lors de sa présentation à Boston. Laissant partir Jackie et ses invités en éclaireurs, Jack s'installa devant sa télévision en circuit fermé pour regarder un match de boxe opposant les poids lourds Floyd Patterson et Sonny Liston. Devant le fauteuil en cuir rouge vide de la loge présidentielle, le producteur de Broadway Lelan Hayward retarda le lever de rideau d'une demi-heure. Néanmoins, Kennedy ne se présenta pas avant l'entracte à 22 h 30. Du reste, il sembla plus intéressé par le programme que par la scène. À un moment, il se tourna même pour demander à Bill Walton : « La première partie était-elle déjà aussi mauvaise ? »[66] Un numéro de twist, une chanson intitulée « Les services secrets me rendent nerveux » et une première dame juchée sur un éléphant blanc couvert de paillettes : le cocktail tombait à plat. « Lugubre, bébête et désespérément daté »[67], tel fut le verdict de David Bruce.

Les réjouissances commencèrent après, au somptueux souper dansant donné sur la terrasse de l'ambassade de Grande-Bretagne. Six cents personnes avaient été invitées à venir sabler le champagne, à partir de minuit, sous une immense tente de soie blanche décorée de galons et de médaillons dorés, illuminée de guirlandes de branchages de pin et de sapin entremêlés de petites lumières blanches. Jack et Jackie étaient placés à côté de la piste de danse, auprès des Gore, des Alphand et des de Santamaria.

« Tout le monde s'observait », se souviendra Katie Louchheim[68]. Une tiare de diamants ornait la chevelure de Sissie tandis que Jackie arborait une exquise robe de brocard rose et or, offerte par le roi Saud d'Arabie Saoudite. Bien qu'elle eût choisi Hervé Alphand comme cavalier pour la première danse, Charlie Wrightsman s'interposa. Comme à son habitude, Jack bavarda à droite et à gauche, mais accorda deux danses, l'une à Eunice, l'autre à Natalie Cushing, la fille de Fifi Fell. Selon les observations de David Bruce, le Président comme la première dame « dansèrent avec entrain »[69].

Même si la cote de popularité de Jack Kennedy était en baisse, « il ne subsisterait aucun doute, après cette soirée, que le magnétisme des Kennedy s'exerçait sur l'univers social », déclarera Maxine Cheshire[70], influente journaliste du *Washington Post*. Il semblait que Jackie aurait aimé prolonger la soirée, mais son mari la prit par la main à 2 h du matin. Finalement, ils partirent trente-cinq minutes plus tard car les autres invités étaient encore nombreux « à galoper ». « La seule ombre au tableau de cette soirée mémorable avait donc été portée par cette pitoyable pièce »[71], notera le *Time*.

CHAPITRE 22

La restauration controversée
de la Maison-Blanche

À peine une semaine après le centenaire de la proclamation d'émancipation, les problèmes raciaux aux États-Unis prenaient l'ampleur d'une véritable lame de fond. Le mouvement de violence fut déclenché par la première demande d'inscription d'un étudiant noir à l'Université du Mississippi, une institution intraitable sur la pratique de la ségrégation. Après avoir vu son cas se perdre dans les méandres du système judiciaire pendant près de deux ans, le jeune James Meredith, 28 ans, avait obtenu un jugement en sa faveur auprès d'une cour fédérale en septembre 1962. Pendant quatre jours d'affilée, à partir du mardi 25 septembre, il avait ensuite tenté de s'inscrire à Oxford, mais s'était fait reconduire de force sur ordre du gouverneur Ross Barnett. En réaction, la Cour d'appel du cinquième circuit condamna Barnett pour outrage.

À ce stade, JFK annula son week-end en famille à Newport et décida de prendre l'affaire en main. Durant les quarante-huit heures suivantes, Jack et Bobby passèrent en revue divers stratagèmes, allant jusqu'à imaginer d'inscrire subrepticement Meredith afin de permettre au gouverneur de se clamer victime d'une ruse pour sauver la face. Toutefois, deux mille cinq cents ségrégationnistes armés de fusils, de pierres, de pointes de fer et de cocktails Molotov décidèrent d'encercler le Lyceum, bâtiment administratif placé sous la protection des marshals. (À l'insu des émeutiers, Meredith était à l'abri dans un dortoir sous bonne garde.) Ce fut au moment où JFK annonçait, dans un discours télévisé, le dimanche soir, que Meredith s'inscrirait sans encombre le lendemain, que l'émeute éclata. À son arrivée un peu avant l'aube, le lundi, l'armée américaine découvrirait deux cents blessés et deux morts, dont un journaliste français.

Pour superviser la situation, Kennedy avait réuni ses conseillers nationaux les plus proches – O'Donnell, O'Brien et Sorensen, qui dut quitter l'hôpital où il se remettait d'une crise d'ulcère depuis une semaine – ainsi que Bobby et Burke Marshall. Durant plus de six heures, le dimanche soir, à partir de 22 h 40, le groupe fit la navette entre la salle du Conseil et le bureau Ovale. Evelyn Lincoln leur apportait du lait, des bières et des sandwichs au fromage.

Dans la confusion ambiante des conversations téléphoniques menées tantôt avec Barnett tantôt avec les représentants du ministère de la Justice, ils apprirent que des coups de feu avaient été échangés à l'intérieur du Lyceum, et durent faire face à de fausses rumeurs. Ainsi Bobby rapporta que le dortoir de Meredith était assiégé. « Il faut absolument éviter le lynchage ! »[1], s'exclama O'Donnell. Néanmoins, il régnait entre le Président et ses hommes un profond esprit de camaraderie qui se manifestait par des éclats de bonne humeur.

« Où est Nick ? Il s'est réfugié au grenier ? »[2], demanda JFK parmi les rires. « Non, dans la casemate »[3], rétorqua Sorensen. Plus tard, Kennedy fera remarquer en gloussant : « Je ne m'étais pas autant amusé depuis la baie des Cochons ! »[4]. Ce à quoi Bobby répondrait : « Le ministre de la Justice a annoncé aujourd'hui qu'il allait rejoindre Allen Dulles à l'Université de Princeton. »[5]

Régulièrement, Kennedy se faisait du mauvais sang pour les blessés. « Il s'est cassé le dos ? Il s'est cassé le dos ? »[6], demanda-t-il instamment lorsqu'on l'informa qu'un soldat avait été victime de blessures. Cependant, malgré les attaques des agitateurs, le Président s'opposa à toute riposte de la part des marshals. Au fil des heures, la cellule de crise commença à s'impatienter face à la lenteur de l'armée censée rejoindre Oxford depuis Memphis, au Tennessee. « Ils auraient dû être dans cet avion en cinq minutes. Je suis bien certain que Khrouchtchev les ferait bouger plus vite que ça ! »[7], grommela O'Donnell. Et pourtant, quelques instants plus tard, le même O'Donnell faisait rire l'assemblée en racontant une anecdote au sujet d'un journaliste du *Boston Post* qui avait appelé le gouverneur. « La voiture de votre fille a été retrouvée écrasée. Avez-vous une déclaration à faire ? », demandait le journaliste. « Absolument. Le voleur doit être appréhendé »[8], répondait le gouverneur.

Hormis les accès d'exaspération de Kennedy, le groupe conservait un calme olympien. « Si on classait par ordre chronologique tous les rapports que nous avons reçus par téléphone au cours de ces trois dernières heures, ça n'aurait aucun sens », déclara Sorensen peu avant 2 h du matin. Néanmoins, ni l'échauffourée du Mississippi ni les erreurs ni les actions à l'aveuglette du gouvernement fédéral n'entraînèrent de conséquence politique pour le Président. Le soir qui suivit cette nuit de supplice, Kennedy se sentit suffisamment détendu pour recevoir Mary Meyer et Bill Thompson à dîner. Sous la protection de quelque cinq mille hommes de la garde nationale et de l'armée, James Meredith s'inscrivit à Oxford et le souvenir de la crise fut rapidement chassé par l'actualité mondiale.

Jackie, Caroline et John finirent par rentrer à la maison le mardi 9 octobre. Suite au feuilleton en huit parties publié en septembre par le *Washington Post* sur les travaux de restauration à la Maison-Blanche, la première dame se trouva confrontée à des difficultés inattendues dans la poursuite de son projet. La série d'articles de Maxine Cheshire était parue dans les jours suivant son retour de Ravello. L'auteur ne tarissait pas d'éloges sur ses efforts pour « transformer la Maison-Blanche en une éblouissante vitrine de l'héritage culturel américain »[9]. Jackie avait la réputation d'être « terriblement grippe-sou »[10] avec l'argent du contribuable et experte pour soutirer des mille et des cents par la « manière douce » à ses donateurs privés. Néanmoins, la journaliste soulignait l'extravagance de certaines dépenses – « l'équivalent de cent soixante-six mille dollars actuels pour la réalisation d'un tissu exclusif magenta orné de fils d'or »[11] pour le salon Rouge.

La pire révélation, selon laquelle un bureau Baltimore très estimé du salon Vert était un faux, embarrassa sa donatrice, Mrs Maurice Noun de Des Moines, mais aussi Jackie, qui s'était spécifiquement arrêtée sur ce meuble durant sa visite télévisée. Maxine Cheshire révélait en outre le rôle secret du « fringant moustachu »[12] Stéphane Boudin et les expéditions de Jayne Wrightsman dans les boutiques françaises. D'après les conjectures de la journaliste, l'influence de Boudin verrait le salon Vert devenir chartreuse et les murs de la chambre Bleue se couvrir de soie blanche à rayures – « le boudoir de Boudin »[13], selon les propres termes de Harry du Pont. Elle décriait également les efforts pour évoquer la Malmaison dans le salon Rouge malgré la volonté présente de « minimiser l'influence française à la Maison-Blanche »[14]. L'idée qu'une telle importance eût pu être accordée à un décorateur non-américain utilisant des meubles, des tissus et des objets européens fournit maints prétextes aux adversaires politiques de Kennedy pour s'adonner à la médisance.

Jackie fut totalement prise au dépourvu. D'ordinaire, Maxine Cheshire se montrait favorable au gouvernement, mais, comme d'autres membres de la « volière » couvrant l'aile ouest, elle se heurtait à un mépris non déguisé de la part de Jackie. Un jour, cette dernière déclara en voyant arriver à la Maison-Blanche la libérale Doris Fleeson pour un déjeuner en l'honneur des femmes journalistes : « Pour l'amour du ciel, Doris, que faites-vous ici ? »[15] Naturellement, tout le monde avait compris le message car Jackie avait veillé à se faire entendre. Laura Bergquist se souviendra que la première dame « ne voudra jamais reconnaître l'existence »[16] de Helen Thomas et de Frances Lewine, célèbres « harpies » de sa démonologie journalistique.

Sur le pont du *Joseph P. Kennedy Jr*, pendant la Coupe de l'America, Jackie avait griffonné une lettre « bouillante d'indignation »[17] de douze pages à l'adresse de Harry du Pont au sujet des articles. « Si vous êtes consterné, imaginez que je le suis un million de fois plus »[18], écrivait-elle. À ses yeux, l'habile Maxine Cheshire était l'une des « plus malveillantes de ces charmantes journalistes qui faisaient tant pour le plaisir de sa vie et de celles de ses enfants »[19]. La critique au sujet du bureau Baltimore avait particulièrement courroucé JFK : « Il dit à Bill Elder qu'il était criminel d'avoir laissé subir une telle humiliation à Mrs Noun. »[20] Néanmoins, Jackie refusa de blâmer Elder, un « homme zélé, dévoué et sérieux », car c'était « une joie de l'avoir comme conservateur »[21]. (Sa nomination était intervenue après la démission de Lorraine Pearce à la fin de l'été.) Son seul défaut était le manque d'expérience et la naïveté face à « la lumière crue constamment braquée sur la Maison-Blanche »[22]. Jackie regrettait amèrement de ne pas avoir eu connaissance de ces publications assez tôt pour pouvoir « gérer correctement l'affaire avec les éditeurs du *Post* »[23].

S'il devait en résulter un esclandre politique, Jackie craignait de ne pouvoir poursuivre ses travaux dans le salon Vert et la chambre Bleue. « Messieurs Scalamandré et Jansen se retrouveront avec leurs matériaux sur les bras et Maxine Cheshire l'aura sur la conscience jusqu'à la fin de ses jours. » À son avis, il fallait en tirer la leçon suivante : « Si nous voulons achever quelque chose d'aussi important, nous devons garder un silence de mort. Pourquoi être aussi avide de publicité alors que cela empoisonne tout. Je la déteste et m'en méfie. D'ailleurs, aucune des personnes ayant travaillé pour moi et qui aimaient la publicité n'était digne de confiance. »[24]

Toujours alarmée, Jackie s'efforça de limiter les dégâts. Elle chargea Pam Turnure d'examiner de près l'article prévu par *Newsweek* sur la restauration et exigea qu'il ne soit fait mention ni d'un salon Vert « chartreuse » ni d'une éventuelle transformation de la chambre Bleue en blanc. « La pièce demeurera bleue. Aucune décision n'a encore été prise concernant la pose de tissu sur les murs », expliqua la secrétaire à Chalmers Roberts, le représentant de *Newsweek*. Quelques mois auparavant, Jayne Wrightsman et Jackie avaient effectivement choisi une soie blanche rayée blanc et un liseré de tissu bleu, conformément à la suggestion de Boudin, qui souhaitait évoquer les tentures de la Malmaison.

En contrepartie, Jackie avait eu le bonheur, à son retour de Newport, de recevoir de Paris une armoire ornée d'un trompe-l'œil pour son dressing. Sur les portes figuraient des peintures sur toile de l'artiste Pierre-Marie Rudelle représentant les « objets adorés » de Jackie, des motifs tour à tour évidents et énigmatiques conçus par Boudin. L'idée avait été suggérée fin 1961 par Bunny Mellon, dont la propre vie était illustrée sur un trompe-l'œil similaire qui ornait une galerie reliant les serres de sa propriété en Virginie.

Sur l'armoire de Jackie figuraient des livres écrits par Jack (*Profile in Courage, Why England Slept*, ainsi qu'un recueil de discours intitulé *The Strategy of Peace*), une photo d'elle à 6 ans avec son père lors d'un concours hippique, la photo réalisée par Marshall Hawkins pour *Life Magazine* lors de sa chute de cheval, une gravure du XIXe siècle représentant la Maison-Blanche, des peintures du bijoutier Fulco di Verdura et de Philippe Julian, un livre sur la famille Roosevelt, des horloges Fabergé, sa sculpture de Madame de Pompadour en sphinx, un morceau de corail que Jack conservait en souvenir de son naufrage pendant la Seconde Guerre mondiale et *Les Fleurs du mal*, le recueil de poèmes très suggestifs et quelque peu déca-dents de Charles Baudelaire. Dans l'article qu'elle avait adressé à *Vogue* à l'âge de 21 ans, Jackie avait décrit Baudelaire et Oscar Wilde comme « des poètes idéalistes capables de dépeindre leurs péchés avec honnêteté, sans pour autant nier leur foi en une instance supérieure »[25].

Jackie s'empressa de remercier Boudin pour ce « miracle ». « Je suis époustouflée ! »[26], écrivit-elle, affirmant que l'armoire était « encore plus belle que tous ses objets adorés » et qu'elle était « aux anges ». De plus, elle plaisait tellement à JFK qu'il désirait l'installer dans la chambre Bleue. D'ailleurs, la première dame s'inquiétait à l'idée que son mari puisse venir faire admirer l'objet à un dignitaire en visite. « Je veille à être toujours coiffée et je porte un peignoir de chez Worth »[27], indiquait-elle. Quant à la salle du traité, Jackie expliquait que

JFK préférait désormais ce décor historique au bureau Ovale pour apposer sa signature sur les documents officiels. Furtivement, elle ajoutait que cela éviterait peut-être qu'il prenne à son mari l'idée de déménager son bureau à l'étage et de recevoir ses visiteurs dans sa chambre à elle.

Caroline approchant de son cinquième anniversaire, ses parents devaient envisager son inscription à l'école maternelle. Or, Jackie souhaitait la garder auprès d'elle encore une année. C'est ainsi que naquit l'idée de la création d'une véritable école à la Maison-Blanche. Au printemps précédent, Anne Mayfield et Jackie Marlin, qui s'occupaient de la garderie, avaient décidé de partir – la seconde pour cause de grossesse. Personne n'ayant été mis au courant de son état, elle avait été très surprise d'entendre la première dame s'exclamer après les vacances de Pâques : « Jackie, vous êtes enceinte ! ». « En voyant l'expression de mon visage, elle m'a dit de ne pas m'inquiéter, qu'elle avait un sixième sens et qu'elle savait toujours déceler les femmes enceintes »[28], se souviendra la jeune femme.

Pour recevoir tous les inscrits, la première dame engagea deux institutrices chevronnées, élargit la capacité d'accueil de quatorze à vingt enfants et étendit le planning à cinq matinées par semaine. Afin d'enrichir le programme, elle décida en outre de faire donner des leçons de musique et de danse deux fois par semaine par des intervenants extérieurs.

Les deux nouvelles enseignantes, Alice Grimes, chargée de la classe de Caroline, et Elizabeth Boyd, responsable de la garderie, présentaient toutes les qualifications nécessaires. Diplômée de Sarah Lawrence (école que Lee avait brièvement fréquentée), Alice Grimes avait eu en charge la maternelle à la Brearley School, à New York. C'est elle qui avait recruté sa collègue, formée à Farmington (où elle avait connu Lee) et à Vassar, institutrice de maternelle à la Potomac School, dans la banlieue de Washington.

Jackie savait pouvoir compter sur la discrétion des deux femmes quant aux activités et aux membres de l'école. Au début, Alice Grimes fut sollicitée à plusieurs reprises par les journalistes, mais « il était entendu » qu'il fallait en référer au service de presse. « Nous tenions à préserver notre vie privée. À Potomac, on nous demandait de ne pas parler des enfants en dehors de l'école. À Washington, un murmure suffit pour que toute la ville soit au courant »[29], commentait Elizabeth Boyd.

Cependant, pour des raisons politiques, la Maison-Blanche avait elle-même violé la règle de la confidentialité avant le début de l'année scolaire. La veille de la cérémonie du centenaire de la proclamation d'émancipation, le service de presse avait annoncé l'inscription du fils du porte-parole adjoint Andrew Hatcher, l'un des trois hauts fonctionnaires noirs (avec George Weaver au ministère du Travail et Carl Rowan aux Affaires étrangères) du gouvernement Kennedy. À 5 ans, Avery, le plus jeune des sept enfants du couple Hatcher, était destiné à compter pour Kennedy, devenant un symbole de sa foi en l'intégration à une époque particulièrement tendue.

Le mercredi 10 octobre, dès le lendemain soir de son retour à la maison, Jackie organisait son premier grand dîner de la saison. Le Président allait se livrer à un incroyable numéro de funambule. Sur la liste des convives figuraient Najeeb Halaby, le directeur général de l'aviation civile, et son épouse, James Truitt, désormais adjoint de Phil Graham au *Washington Post,* et Anne, que Jackie connaissait par le biais de l'école de la Maison-Blanche, Bill Walton, l'architecte John Warnecke et Mary Meyer – invitée pour la première fois à une réunion intime en la présence de Jackie depuis le déjeuner avec l'équipe du tournage de *Tempête à Washington,* l'année précédente.

Walton arriva en compagnie de Mary Meyer (qui avait vu JFK pour la dernière fois neuf jours plus tôt), mais s'entretint surtout avec Warnecke durant la soirée. Depuis l'investiture, l'artiste œuvrait à la sauvegarde de Lafayette Square. Ses premiers efforts n'ayant guère remporté de succès, il s'était résigné, de même que le Président, à la destruction des demeures du XIXe siècle bordant la place. Or, Jackie était intervenue avec vigueur au printemps 1962 : « Tant que les démolisseurs n'ont pas commencé, il est encore temps. » Par pure coïncidence, Red Fay avait présenté à Jack son ami Warnecke, de San Francisco. Admirant ce bel architecte, un ancien joueur vedette de football de Stamford que Fay surnommait « Rosebowl », Kennedy avait sollicité son aide.

Warnecke avait trouvé un compromis pour conserver les maisons situées à l'est et à l'ouest de la place et construire derrière des immeubles modernes en briques de huit à dix étages. Le projet, de l'avis du conseiller pour les arts August Heckscher, correspondait au « goût conservateur » du Président. Pour sa part, Jackie préférait aussi des structures ni trop contemporaines ni trop à l'image de « certaines institutions pour les sourds »[30] construites au XIXe siècle.

À deux reprises, Jackie avait trouvé JFK et Walton travaillant à quatre pattes sur les maquettes en papier de la place. Néanmoins, ce fut elle, selon Walton, qui « joua le rôle le plus important en les forçant à s'y tenir »[31]. En sa qualité de membre du Comité des beaux-arts, Walton demeurera le représentant personnel de Kennedy sur le projet.

Warnecke était venu à Washington en octobre 1962 pour présenter les plans de Lafayette Square à la presse et le dîner à la Maison-Blanche était destiné à célébrer le succès du programme de sauvegarde. James Truitt devait sa présence au fait d'avoir mis en relation Warnecke et Nathaniel Owings, l'architecte choisi par Kennedy pour un autre cheval de bataille : la réhabilitation de la portion délabrée de Pennsylvania Avenue, entre la Maison-Blanche et le Capitole.

Néanmoins, cette soirée venait à un moment inopportun pour Jack comme pour Jackie. Lui était préoccupé par la gestion des affaires tant sur le plan national qu'international, elle devait régler les détails de sa rentrée. Lors d'une réunion organisée hâtivement avec John McCone dans la journée, le Président avait appris que des bombardiers soviétiques d'une portée de mille cinq cents kilomètres avaient gagné Cuba – premier signe d'un armement à capacité offensive. La nouvelle était tellement inquiétante que Kennedy avait demandé au directeur de la CIA de n'en rien dire aux autres membres du gouvernement.

Le Président était par ailleurs soucieux à l'approche des élections de mi-mandat. Contre l'avis de certains de ses conseillers, il avait entamé sa campagne de soutien aux candidatures législatives. Schlesinger, en particulier, l'avait averti que son prestige en souffrirait si les démocrates obtenaient de mauvais résultats – ce qui se produisait d'ordinaire à mi-mandat pour le parti au pouvoir. Or, Kennedy était résolu à donner son appui à des candidats plus modérés du Nord afin de faire pencher la balance en sa faveur. Aussi s'était-il engagé à intervenir pendant quinze minutes lors du meeting de Baltimore organisé ce soir-là. Il resterait pour le cocktail jusqu'à 20 h et reviendrait après le dîner rejoindre ses invités pour le café.

Au sein de l'assemblée réunie dans le salon ovale, seule Anne Truitt était au courant de la liaison entre Jack et Mary. Dans son souvenir, les deux amants ne s'écartèrent pas un instant du registre de la « simple politesse » et aucun regard ne les trahit. « Le seul moment où je ressentis le poids du pouvoir »[32], affirmera-t-elle, fut lorsque tout le monde sortit sur le balcon Truman à l'atterrissage de l'hélicoptère chargé d'emmener Kennedy à Baltimore. Après quelques échanges de plaisanteries, le Président décolla de la pelouse sud.

À son retour, Anne Truitt commença à éprouver le sentiment de ne pas être à sa place : « C'était malhonnête de ma part. Sachant que le Président et Mary avaient une liaison, je n'aurais jamais dû m'asseoir à la table de Jackie Kennedy. »[33]

En octobre, Jackie avait déjà pris la plupart de ses grandes décisions pour la restauration de la Maison-Blanche. En attendant la préparation des soies spécialement tissées pour le salon Vert et la chambre Bleue, elle avait acheté le mobilier et les œuvres d'art. Tout devait être installé pour la mi-janvier.

Le nouveau projet, mené dans le plus grand secret, concernait une maison de campagne en Virginie. Par l'entremise de Paul Fout, les Kennedy avaient fait une affaire en achetant pour vingt-six mille dollars quinze hectares de terres sur Rattlesnake Mountain, entre Middleburg et Upperville, près d'un petit croisement de routes nommé Atoka. Jack s'était engagé à contrecœur même si Jackie avait baptisé la propriété *Wexford*, du nom du comté irlandais berceau de la famille Kennedy. Deux ans plus tard, il continuait de ne guère apprécier la vie dans ce pays de chasse. Au mois de juillet précédent, Stas Radziwill avait d'ailleurs confié à Cy Sulzberger : « Il déteste la Virginie et Glen Ora, il déteste les chevaux. »[34]

Au cours de l'été, JFK avait passé plusieurs week-ends à Camp David, fief qu'il « aimait surtout parce qu'il n'était pas situé en Virginie mais dans le Maryland »[35]. Entourée de cinquante hectares de bois, la retraite présidentielle (baptisée à l'origine *Shangri-La* par Roosevelt) se composait de chalets, aux noms tels que *Aspen* et *Hickory*, construits au sommet des Catoctin Mountains. En outre, le domaine comptait une piscine, un ball-trap, un manège, une aire de jeux pour enfants et des kilomètres de chemins de randonnée. Néanmoins, Jackie dédaignait ce « vulgaire motel bâti sur un terrain truffé d'abris antiaériens ».

Même s'il y emmenait régulièrement des amis, Kennedy s'ennuyait en Virginie. « Lorsqu'il partait à Glen Ora, je savais qu'il m'appellerait le dimanche, à midi précisément. Il se sentait désœuvré », expliquait le ministre du Travail Arthur Goldberg à Katie Louchheim. Son aversion n'était un secret pour personne, à tel point que, lorsqu'il assista en compagnie de Jackie à la représentation de la pièce française *Quand l'inspecteur s'emmêle*, à l'automne, le public s'esclaffa à la réplique suivante : « Moi, je n'aime pas la campagne. C'est ma femme qui aime les chevaux et la chasse ! »[36]

Quoi qu'il en soit, Jackie avait résolu de bâtir une maison sur un terrain où elle pourrait accueillir son club de chasse, l'Orange County Hunt, et celui de Paul Mellon, le Piedmont Hunt. Son choix s'était porté sur cette propriété en raison de son isolement : l'ancien propriétaire, Hubert Phipps, éditeur d'un journal local, en avait conservé quatre cents hectares et les Mellon possédaient les cent soixante hectares voisins. Seule une allée sinueuse permettait de rejoindre la route la plus proche à trois kilomètres.

Jackie imaginait une sorte de ranch de mille mètres carrés entourant une cour sur trois côtés – sept chambres, cinq salles de bains et un cabinet de toilette, un vaste salon-salle à manger, une bibliothèque, un petit bureau et une pièce pour le petit déjeuner. Les façades en stuc jaune pâle et en pierre se détacheraient sur le paysage alternant roches volcaniques et épaisses forêts avec, en toile de fond, une vue panoramique sur les Blue Ridge Mountains. Il y aurait une piscine, une terrasse spacieuse, un manège et un étang dans lequel les enfants pourraient pêcher.

Par souci de discrétion, Jackie choisit l'architecte Keith Williams, de la ville voisine de Winchester, et demanda à Paul Fout de l'engager sans mentionner son nom. « Elle désirait une maison fonctionnelle. La salle de bains de Jack devait être équipée d'une immense baignoire à cause de son dos »[37], expliquera Fout. Pour l'intérieur, simple, voire austère, Jackie souhaitait néanmoins des matériaux de la plus haute qualité. Grâce à son œil expert, Bunny Mellon apporta de précieux conseils.

Lorsque les travaux démarrèrent, en octobre, la Maison-Blanche se vit contrainte d'annoncer officiellement le projet. En dépit d'estimations inférieures, chacun s'attendait à ce que les coûts atteignent six cent mille dollars actuels. Payé par une société de la famille Kennedy dirigée par Steve Smith à New York, Fout devint l'entrepreneur général de Jackie : « Elle n'hésitait pas à se plonger dans les détails, à mon grand plaisir, car elle était douée. »[38] Le week-end, installée dans son bureau, « elle traçait des plans, les modifiait. Elle était brillante. Jamais on n'aurait imaginé qu'elle puisse penser à toutes ces choses ».

Le lundi 15 octobre 1962, le Président était rentré à la Maison-Blanche peu avant 2 h du matin après avoir mené une campagne réussie à New York, dans le New Jersey et en Pennsylvanie. Le week-end avait également été marqué par deux importantes victoires législatives. Plusieurs jours auparavant, il avait signé le *Trade Expansion Act*, une loi visant à faire baisser les tarifs douaniers et, après amendement, le Sénat lui avait renvoyé la loi relative au crédit d'impôt sur les investissements – deux composantes fondamentales de son programme économique.

Ce matin-là, Kennedy accueillait le chef du gouvernement algérien, Ahmed Ben Bella. La cérémonie organisée sur la pelouse sud fut ponctuée par le tir de vingt et un coups de canon. Tandis que les officiers hurlaient leurs commandements, les cris des enfants perchés sur le balcon du troisième étage, devant la salle de classe, parvenaient en écho aux dignitaires assemblés : « Attention ! », « En avant, marche ! », « Boum ! »[39] Levant la tête, Kennedy chercha en vain les coupables du regard. Mortifiée, Alice Grimes envoya immédiatement une lettre d'excuses. Pour l'apaiser, Jackie lui répondit : « C'était charmant et pas du tout gênant. » Le Président « était sans doute le plus amusé de tous »[40].

Plus tard dans la journée, Joe Kennedy arriva à la Maison-Blanche pour un séjour d'une semaine – la première visite depuis son attaque près d'un an auparavant. Selon sa méticulosité habituelle, Jackie avait paré à toute éventualité en donnant des instructions à J. B. West pour qu'il se procure, entre autres équipements médicaux, un lit d'hôpital et un siège élévateur pour la baignoire. Dans son souci du détail, elle avait même spécifié le contenu des plateaux devant être placés au chevet du lit ainsi que sur le porte-valises dans la salle à manger : gin, Schweppes, boisson gazeuse au gingembre, rhum, scotch, glaçons, shaker à cocktails, jus de citron et sirop de sucre. Néanmoins, elle indiqua que l'Ambassadeur « faisait semblant de se préparer des cocktails »[41]. Joe devait loger dans la chambre Lincoln ; sa nièce, qui s'en occupait à plein temps, dans la chambre de la reine, et les trois infirmières dans les chambres d'amis du troisième étage.

Pendant que le Président et sa famille recevaient Joe ce lundi soir, Mac Bundy organisait une soirée chez lui, dans Partridge Lane, en l'honneur de Charles « Chip » Bohlen, sur le départ pour Paris, où il devait remplacer l'ambassadeur des

États-Unis. De l'autre côté de la ville, Robert McNamara présidait un séminaire sur la cybernétique à Hickory Hill, en compagnie d'un professeur de neurologie et de psychologie de l'Université de Californie. Tout l'après-midi, des analystes de la CIA avaient étudié une série de photos aériennes de Cuba prises la veille par un avion espion U-2. Peu avant 18 h, ils découvrirent la présence de missiles de moyenne portée capables de frapper la capitale du pays – preuves indéniables de l'installation d'armes offensives contre laquelle McCone avait mis le Président en garde.

McNamara et Bundy furent mis au courant le soir même. Elspeth Rostow, dont le mari était à Berlin, affirmera plus tard que McNamara avait poliment offert de la raccompagner chez elle en voiture sans rien lui révéler. « Nous étions tous là, à écouter parler de cybernétique, alors que la crise des missiles cubains était sur le point d'éclater »[42], se souviendra-t-elle. En tant que chef de la Sécurité nationale, c'était à Bundy qu'incombait la charge d'informer le Président. Par respect pour la fatigue occasionnée par « un rude week-end de campagne »[43], Bundy s'était refusé à appeler Kennedy. « C'était un sacré secret à porter »[44], lui expliquera-t-il par la suite. Bundy attendrait donc le lendemain matin, persuadé que le Président aurait besoin « d'une soirée calme et d'une bonne nuit de sommeil pour se préparer »[45] aux journées à venir.

CHAPITRE 23

La crise des missiles cubains

C'est durant les treize jours de la crise des missiles cubains, en octobre 1962, que Jack Kennedy se montra sous son meilleur jour, à quelques ombres près. Statuant avec célérité, il jongla calmement avec les points de vue contradictoires, anticipa les problèmes et agit prudemment, sans jamais perdre de vue son objectif. Finalement, il opta pour la ligne de conduite lui offrant la plus grande souplesse et fournit à Khrouchtchev maintes occasions de reculer, puis tint ferme face à ses conseillers enclins à l'entraîner dans de douteux débats. C'est avec autorité qu'il supervisa les opérations, mandatant Bobby pour le représenter dans les réunions auxquelles il ne pouvait pas assister, mais aussi pour faire des propositions aux Soviétiques par des voies détournées. La réussite finale fut liée à une vaste supercherie que huit de ses hommes ne dévoileraient pas avant plusieurs décennies. Pour sa mise en place, Kennedy s'attaqua à un ancien rival et exploita, à son insu, la loyauté d'un vieil ami.

Tout au long de la crise, le Président s'en remit à sa prodigieuse faculté de compartimenter sa vie. Durant les sept premiers jours, JFK et ses hauts conseillers délibérèrent dans le plus grand secret, excluant même les alliés étrangers et les chefs de file du Congrès. En parallèle, Kennedy s'acquittait de ses fonctions comme si de rien n'était. Il accueillait les dignitaires et faisait campagne pour les candidats à la Chambre et au Sénat dans l'Est et le Midwest.

Du début à la fin, il n'éprouva aucune difficulté à passer de la tension des réunions dans l'aile ouest à la légèreté des dîners. (Selon l'historien Robert Dallek, il fut largement aidé par des « quantités croissantes d'hydrocortisone et de testostérone destinées à enrayer sa maladie d'Addison et à accroître son énergie »[1].) Loin de mettre leur vie sociale en veilleuse, Jack et Jackie intensifièrent le rythme des festivités, recevant non seulement leurs amis proches mais aussi de simples connaissances.

À 8 h le mardi 16 octobre, Bundy présenta à JFK les clichés des missiles et des sites en cours de construction à Cuba. Rapidement, le Président réunit ses principaux conseillers en politique étrangère – un groupe trié sur le volet qui sera surnommé « l'Ex-comm » (comité exécutif du Conseil national de sécurité). Les membres du noyau dur comptaient Lyndon Johnson, Dean Rusk, Robert McNamara, Douglas Dillon, Bobby Kennedy, John McCone, George Ball, Roswell Gilpatric, Maxwell Taylor, Llewellyn Thompson, Ted Sorensen et McGeorge Bundy. D'autres personnalités ne faisant pas partie du gouvernement, ainsi que des experts extérieurs tels que Dean Acheson, Robert Lovett et le négociateur sur le désarmement John McCloy se joindraient selon les besoins aux discussions. Jack Kennedy décida secrètement d'enregistrer la plupart des débats.

Son premier instinct le portait à lancer une attaque surprise avant que les missiles ne soient opérationnels. « Nous allons détruire ces missiles »[2], dit-il, envisageant soit une action aérienne, soit une invasion. Toutefois, il sollicita les avis de ses conseillers et exprima ses propres appréhensions. Dès le départ, il s'inquiéta d'une éventuelle contre-attaque de Khrouchtchev sur Berlin. « Il s'emparera sans doute de Berlin de toute façon »[3], plaidait-il. Par ailleurs, il avait conscience des craintes suscitées chez son homologue par la récente installation des missiles Jupiter en Turquie. « La seule chose qu'on puisse négocier, et il me semble que cela aurait un sens pour lui, ce sont les missiles en Turquie »[4], annonça-t-il le troisième jour.

Durant la première semaine, ce fut Robert McNamara qui exerça la plus grande influence en poussant le groupe vers la décision d'un blocus. Le déploiement de la flotte américaine devait apporter la preuve de la détermination du gouvernement tout en lui permettant de gagner du temps et d'empêcher de nouveaux cargos de venir approvisionner l'île en matériel offensif supplémentaire. De manière surprenante, Bundy se contenta de poser des questions au lieu de construire des arguments ou de fixer un programme. Au départ, il se montra partisan de ne rien faire, de peur que la moindre action n'entraîne une attaque soviétique sur Berlin, ce qui risquait de déclencher une guerre nucléaire. Rusk incitait également à la prudence. Capable de prendre du recul, il émaillait parfois son propos de références historiques, mentionnant notamment *The Guns of August* de Barbara Tuchman, un ouvrage phare pour Kennedy.

Sorensen (toujours tourmenté par son ulcère) parlait peu, se contentant de solliciter un éclaircissement de temps à autre, car il préférait s'entretenir en tête à tête avec le Président. JFK se tournait souvent vers Llewellyn Thompson pour lui demander comment il interprétait la pensée de Khrouchtchev. L'ancien ambassadeur à Moscou fut le premier à reconstituer le plan du dirigeant soviétique, à savoir attendre la fin des élections de novembre pour révéler l'installation complète des missiles et s'emparer ainsi de Berlin.

Plusieurs participants envisageaient une attaque surprise à l'image de Pearl Harbor. « Je redoute le pire »[5], déclarait Marshall Carter, vice-directeur de la CIA, le premier jour. Deux jours plus tard, George Ball affirmait que « l'Union soviétique était bien capable »[6] de frapper sans avertissement tandis que Rusk prédisait que les États-Unis en porteraient « la marque de Caïn »[7].

« Je compte sur toi pour mettre tout le monde à l'unisson »[8], annonça Jack à Bobby. Selon un autre collaborateur, Bobby « faisait avancer la discussion en évitant de revenir cinquante fois sur le même sujet »[9]. Alternant les rôles d'aiguillon et de conciliateur, Bobby prenait des notes sur les positions de chacun. Pour Ros Gilpatric, il tenait « la feuille de match » et établissait « le classement »[10]. Initialement, Bobby s'exprima en faveur de l'action militaire. À un moment donné, il proposa de provoquer les Cubains par une manœuvre clandestine, dans le style de l'opération Mongoose, rappelant l'explosion du cuirassé *Maine* qui avait déclenché la guerre hispano-américaine. Après quatre jours de débats, il reconnut néanmoins qu'une attaque surprise « ne serait pas dans les traditions » américaines.

Le jeudi soir, Kennedy et la plupart de ses conseillers étaient tombés d'accord sur l'idée du blocus, que le Président défendrait le vendredi matin devant ses chefs d'état-major pour le moins sceptiques. Kennedy ne broncha pas lorsque le responsable de l'armée de l'air, Curtis LeMay, compara cette stratégie à la politique de « conciliation de Munich »[11]. Néanmoins, lorsqu'il fit remarquer : « Vous êtes dans de sales draps », JFK rétorqua : « Vous aussi. À titre personnel ! »[12]

Les vues belliqueuses des militaires donnèrent à réfléchir au Président, d'autant plus lorsqu'il vit Bundy se rallier du jour au lendemain à l'idée d'une attaque aérienne. Avant de partir pour le Midwest, où il devait faire campagne, Kennedy demanda à ce dernier d'approfondir sa proposition. À son retour au sein de l'Ex-comm, le samedi après-midi, le « plan Bundy »[13] bénéficiait du plein soutien de l'armée. Une fois encore, le consensus parvint néanmoins à repousser l'attaque « à la Pearl Harbor ». Contrairement au mythe répandu par la suite, le plus fervent défenseur d'une solution pacifique fut McNamara – et non Adlai Stevenson. Le ministre de la Défense prônait le blocus et la négociation.

Pour obtenir le retrait des missiles cubains, « le prix minimum »[14] à payer, selon lui, serait le retrait des missiles américains stationnés en Italie et en Turquie. Sorensen appuyait la proposition de McNamara, de même que Stevenson. Néanmoins, l'ambassadeur américain aux Nations Unies suggérait également d'envisager l'évacuation de Guantanamo, base navale américaine installée à Cuba. Kennedy « rejeta vivement » cette concession supplémentaire, synonyme de faiblesse.

« Admirez Adlai, il n'en démord pas, même lorsque tout le monde lui saute dessus »[15], disait Kennedy, d'un ton songeur, sur le balcon Truman en compagnie de Bobby et de Sorensen. Finalement, JFK exclut toute proposition d'ouverture aux Soviétiques. Au lieu de cela, il approuva la mise en place d'un blocus plus musclé – qu'il qualifiera de mise en quarantaine à la suggestion de Rusk – soutenu par la menace d'une attaque militaire en cas de non-retrait des missiles. L'annonce du blocus et de l'ultimatum fut fixée au lundi soir, dans le cadre d'une allocution télévisée. Les partisans de cette stratégie en deux étapes, Bobby et Thompson, finirent par convaincre Dillon et McCone, qui préféraient au départ la solution d'une prompte attaque aérienne. Tout au long des discussions, Kennedy accepta à plusieurs reprises et de manière significative d'envisager, « à un moment opportun » dans l'avenir, l'éventuel retrait des missiles turcs et italiens. Il comprenait que ces armements étaient devenus militairement obsolètes et qu'ils pourraient être remplacés par de nouveaux sous-marins nucléaires Polaris en Méditerranée.

Il lui paraissait vital de maintenir l'emploi du temps habituel pendant ces délibérations, « afin de ne rien trahir de tout cela ». Plusieurs fois, le groupe se réunit dans l'élégant salon ovale après avoir pris soin d'emprunter des voies différentes. L'après-midi du mardi 16, Kennedy fit une apparition lors de la conférence sur la politique extérieure du ministère des Affaires Étrangères. Il s'exprima brièvement, répondit aux questions et repartit aussi vite. « Il n'a pas l'air très heureux »[16], fit remarquer Katie Louchheim.

Ce soir-là, Jack et Jackie étaient invités à un dîner organisé en l'honneur de Chip et Avis Bohlen chez Joe et Susan Mary Alsop. Autour de la table étaient rassemblés Phil et Katharine Graham, Bobby et Ethel, Mac et Mary Bundy, Hervé et Nicole Alphand ainsi que Isaiah et Aline Berlin. Compte tenu de la chaleur de cet été indien, Kennedy partit prendre son apéritif dans le jardin en compagnie de Bohlen. Leur conversation dura si longtemps que Susan Mary eut peur que son rôti ne soit trop cuit. Kennedy insistait pour que l'ambassadeur retarde son départ pour la France et se joigne aux discussions de l'Ex-comm. Ce dernier fit cependant valoir qu'un retard risquait d'éveiller les soupçons.

À table, JFK se montra « d'humeur enjouée », se souviendra Isaiah Berlin[17]. « Son sang-froid, en ce jour particulièrement tendu, était surprenant. Il faisait preuve d'une telle retenue et d'une telle force d'esprit que rien ne semblait pouvoir le troubler. » Le Président dit d'un air taquin au professeur anglais : « Allez vous asseoir à côté de Jackie. Elle veut vous mettre en valeur. »[18] Se sentant « très honoré et plutôt intimidé », Berlin constata qu'il était « infiniment plus facile de parler »[19] à Jackie qu'à son mari.

Après le dîner, les hommes se réunirent pour boire le cognac et fumer le cigare. Jack pressa l'expert en histoire et politique russes de questions sur les réactions des Soviétiques « lorsqu'ils sont acculés ». Berlin eut le sentiment de répondre à côté, sans pouvoir s'empêcher d'admirer le Président pour son « contre-interrogatoire ». Comble de l'ironie, Kennedy lui rappelait Lénine, « qui épuisait ses auditeurs à force de les écouter »[20].

Les jours suivants, Jack « rechercha la compagnie de Jackie lors des repas habituellement consacrés aux affaires et à ses promenades sur la pelouse sud », écrira Sorensen[21]. La première dame s'en tenait également à sa routine habituelle. Elle participa à la conférence de presse sur la réhabilitation de Lafayette Square, se rendit à New York, le mercredi 17, pour recevoir une distinction pour son rôle dans les arts, puis emmena les enfants à Glen Ora le vendredi. Les autres couples demeurèrent dans l'ignorance. Toutefois, Adlai Stevenson mit son amie proche, Marietta Tree, dans la confidence.

Grâce à son œil perçant, Charley Bartlett vit clair dans le jeu de Kennedy dès le mercredi, lors d'un déplacement dans le Connecticut pour la campagne électorale. L'interrogeant sur l'Amérique latine, il lui sembla le voir « s'affaisser ». « Son visage se creusa et il m'assura que les problèmes ne manquaient pas dans la région »[22], se souviendra Bartlett. Au fil des événements, Jack se livra aux amis intimes tels que Lem Billings et

Chuck Spalding. « Il n'hésitait pas à m'appeler au milieu de la nuit, simplement pour relâcher la pression. Il me parlait de tout et de rien, de Voltaire, des filles, toujours avec chaleur et humour. »[23] Entre deux réunions de l'Ex-comm, Jack et Jackie dînèrent une dernière fois en compagnie de Joe Kennedy le jeudi soir. Le lendemain, l'Ambassadeur repartait pour Hyannis tandis que Jack se rendait à Cleveland et à Chicago pour assister à des meetings politiques prévus de longue date.

Le samedi matin, Bobby avisa JFK qu'il était temps de prendre une décision. À la suite d'« une légère infection respiratoire »[24], expliqua Salinger à la presse, le Président était dans l'incapacité de poursuivre ses discours et devait rester à la maison. Jackie rentra de Glen Ora avec les enfants et Lyndon Johnson interrompit son voyage politique à Hawaii. Lors d'une escale à Los Angeles, le vice-président informa son ami Lloyd Hand de la situation, ajoutant : « N'en souffle pas un mot sinon je te tire une balle entre les deux yeux. »[25] Or, le secret avait déjà commencé à filtrer. Arrivé trois heures en retard pour la promenade sur le Potomac organisée par Red Fay à bord du *Sequoia*, Bobby ne parvenait pas à « masquer son angoisse »[26], remarquera Hervé Alphand.

Les rumeurs, relayées par les médias, allèrent bon train durant la réception donnée le samedi soir par James Rowe et son épouse pour leur vingt-cinquième anniversaire de mariage. D'après la salle de rédaction du *Washington Post*, « il devait s'agir de Cuba »[27]. Stevenson avoua à ses amis Katie et Walter Louchheim qu'il se préparait une crise « terrible » depuis le mardi. « Le Président ne souffrait pas d'un rhume »[28], expliquera Katie à un ami. Durant la soirée, Kenny O'Donnell appela la Maison-Blanche pour avertir les autorités que le *New York Times* et le *Washington Post* allaient publier quelque chose.

Comme pour la baie des Cochons, Kennedy téléphona à Orvil Dryfoos, l'éditeur du *New York Times*, qui annula l'article de James Reston. Le Président eut moins de succès auprès du *Washington Post*. Phil Graham, son éditeur, « aurait bien retiré l'article, mais le journal refusait »[29], expliquera Katharine Graham. Le dimanche, une version modifiée parut sous le titre

« Manœuvres des marines dans le Sud liées à la crise cubaine ». Les deux éditeurs acceptèrent d'attendre que le Président eût prononcé son allocution pour poursuivre leurs publications.

Lors de plusieurs réunions avec ses conseillers et d'un briefing aux chefs de file du Congrès le lundi 22 octobre, Kennedy exposa clairement les raisons de l'action projetée ainsi que les mesures à suivre. Les membres de l'Ex-comm furent priés de ne pas mentionner avoir jamais envisagé une attaque surprise. « Je ne saurais être plus ferme sur ce point »[30], déclara-t-il. Les sénateurs et les parlementaires le mitraillèrent de questions. Face à leurs objections, il expliqua qu'un assaut militaire risquerait d'entraîner des représailles nucléaires et que « ne rien faire mettrait en péril »[31] à la fois Berlin et l'Amérique latine. Seul le blocus présentait une certaine « souplesse ». « Inutile d'attendre, M. le Président, ce serait reculer pour mieux sauter », conclut Richard Russell[32], représentant démocrate de la Géorgie et principale force au Sénat. Selon Bobby, ce fut pour son frère « la réunion la plus difficile », car elle le soumit à une « rude épreuve nerveuse »[33].

Dans son allocution à la nation, d'une durée de dix-sept minutes, Kennedy récusa implicitement la position conciliatrice pour laquelle son père avait opté lorsqu'il était ambassadeur en Grande-Bretagne. « Les années 1930 nous ont enseigné une leçon claire : les percées agressives, si on leur permet de s'intensifier sans contrôle et sans contestation, finissent par aboutir à la guerre »[34], déclara-t-il. Peu après, il entamait sa série d'entretiens avec Macmillan – plutôt des monologues ponctués d'encouragements de la part du Premier ministre, dont « les propos demeuraient souvent insipides »[35]. En raison de son âge et de son expérience, le Britannique apaisait Kennedy par le simple fait de l'écouter. Au départ, il avait vivement recommandé au Président de négocier mais, désormais, il penchait pour l'action. La duplicité de Khrouchtchev, plus que toute autre chose, restait sur le cœur de JFK : « Il a mené un double jeu dans le but de nous mettre dans une mauvaise passe en novembre, afin de nous acculer à Berlin. »[36]

Pour distraire son mari, Jackie organisa en hâte un dîner avec Benno et Nicole Graziani, Oleg Cassini et Lee. Arrivée à Washington durant le week-end, cette dernière s'était installée dans la chambre de la reine. Au dernier moment, la Maison-Blanche convia également Bill Walton. Bien que sa cavalière désignée fût Mary Meyer, l'artiste décida de venir en compagnie de Helen Chavchavadze. La jeune femme l'avait rejoint chez lui pour regarder le discours, puis ils avaient foncé à la Maison-Blanche où ils étaient arrivés juste avant le Président.

Alors que Kennedy expliquait à Walton qu'il se contentait « d'écouter et de prier »[37], un conseiller informa Helen qu'en cas d'attaque imminente de la part des Soviétiques, elle devrait se rendre avec le reste du groupe dans l'abri présidentiel de Camp David. La jeune femme éclata en sanglots, implorant qu'on la renvoie chez elle auprès de ses deux filles. Elle ne s'apaisa que lorsque le conseiller l'assura du caractère hautement improbable de l'évacuation.

« Malgré les efforts de Jackie pour mettre de l'entrain, la soirée fut tendue »[38], se souviendra Cassini. Bundy les interrompit à plusieurs reprises, puis Kennedy sortit pour répondre au téléphone et Cassini le suivit. « Il refusait de se montrer déprimé ou submergé par l'immensité de l'instant »[39], ajoutera le couturier. Soufflant sur son cigare, le Président ruminait la possibilité de « se voir rayé de la carte »[40]. C'était là un exemple de son « fatalisme élégant »[41].

Tout au long d'une série de réunions, le mardi 23, l'Excomm débattit de la manière d'imposer la quarantaine et analysa la première réaction belliqueuse de Khrouchtchev. Aux Nations Unies, Adlai Stevenson fit une présentation dramatique de la situation à grands renforts de photos satellites. JFK informa le *Time*, promettant à l'éditeur Harry Luce et au directeur de la rédaction Otto Fuerbringer l'accès complet aux photos pour la parution de l'hebdomadaire la semaine suivante. Dans le bureau Ovale, Kennedy ne cessait de tambouriner avec deux doigts sur la table basse devant lui tout en parlant. « Nos troupes se tiennent prêtes en Floride. À la moindre alerte, elles entreront en action. Khrouchtchev ne s'en tirera pas comme cela »[42], annonça-t-il. Plus tard, Luce indiquerait que « le Président laissait paraître son émotion. Elle n'avait rien d'ordinaire. Il était manifeste qu'il avait conscience de la gravité de la situation et redoutait le pire »[43].

Pendant ce temps, Bobby envoya deux émissaires de confiance rencontrer séparément son contact au KGB, Gueorgui Bolchakov : Charley Bartlett et Frank Holeman, un journaliste du *New York Daily News* qui avait présenté le Russe au ministre de la Justice et contribué à la mise en œuvre de leurs rencontres secrètes. Tous deux étaient porteurs du même message : le retrait des missiles de Turquie et d'Italie contre le désarmement de Cuba. Le Soviétique transmit consciencieusement à Moscou cette proposition faite sous le sceau du secret. Son câble comportait cependant une importante mise en garde de la part de Holeman : « Les conditions de cet échange ne pourront être discutées qu'au calme et non sous la menace d'une guerre. »[44]

À 19 h 10 le soir même, Bobby informa son frère, à la sortie d'une réunion dans la salle du Conseil, que Bartlett et Holeman avaient vu Bolchakov. Fidèle au style télépathique qui caractérisait leurs conversations, il n'entra pas dans les détails de sorte que l'implication du Président dans ces ouvertures demeure incertaine. Se sachant enregistrés, les frères Kennedy se contentèrent soigneusement de confirmer, sans plus, la prise de contact avec l'agent soviétique. Sans doute est-il plus intéressant de noter que Kennedy appela Charley Bartlett à 19 h 50 et que sa dernière conversation avant de quitter le bureau Ovale se déroula à 20 h 06.

Les Kennedy devaient à nouveau dîner avec des amis, mais le Président n'était pas d'humeur. Son entrevue avec Bobby était intervenue quelques instants après avoir eu Jackie au téléphone. « Flûte ! Nous avons un dîner ce soir. Elle a invité quelques personnes et moi aussi »[45], s'était-il exclamé d'un air contrarié. Pour les remercier de leur hospitalité, Jackie avait convié le maharaja et la maharani de Jaipur à venir passer deux jours à Blair House, la résidence officielle réservée aux hôtes présidentiels située dans Pennsylvania Avenue. La réception initialement prévue en l'honneur de ces hôtes de marque se voyait finalement réduite à un simple dîner en compagnie de Lee, Oleg Cassini et les Graziani. De son côté, Jack avait invité le duc et la duchesse du Devonshire, tout juste arrivés en ville pour l'inauguration, à la National Gallery, d'une exposition de dessins de maîtres provenant de leur domaine de Chatsworth. David et Sissi Gore ainsi que plusieurs autres amis britanniques venus voir l'exposition avaient également été conviés.

Le dîner se déroulait à l'étage officiel, dans les deux petites salles de réception. Avec son « inébranlable optimisme », Kennedy « maintint le calme et la bonne humeur »[46], se souviendra David Gore. En fin de soirée, les deux hommes s'éclipsèrent pour discuter seul à seul. Jackie monta à leur recherche dans les appartements privés et les découvrit « à quatre pattes par terre en train de regarder les photos des missiles ». « Je ne cessais de faire des allers et retours pour faire en sorte que la soirée continue »[47], racontera-t-elle.

Kennedy était déçu par la tiédeur des réactions que son discours avait suscitées en Europe. Pour aider à établir le bien-fondé de la position américaine, Gore suggéra de livrer immédiatement une série plutôt qu'une sélection de photos aériennes à la presse. Ensemble, les deux hommes choisirent les images illustrant le plus clairement la situation. (Le *Time* demeurera en mesure de publier sa « saisissante double page »[48] de photos exclusives.) En outre, Gore recommandait de réduire le périmètre de quarantaine de quinze mille à neuf mille milles des côtes cubaines. « L'Union soviétique a plusieurs décisions délicates à prendre. Elle doit trouver un moyen élégant de faire marche arrière. Chaque heure supplémentaire qui lui sera accordée pourrait éviter un désastre »[49], rappelait-il. Le Président téléphona sur-le-champ à McNamara pour lui donner de nouvelles instructions.

Un peu plus tôt, Kennedy avait envoyé Bobby rencontrer Anatoli Dobrynine. Il rejoignit JFK et Gore à l'étage peu après 22 h. L'humeur n'était pas aux réjouissances car Bobby, « dans tous ses états »[50], avait accusé l'ambassadeur soviétique de trahison. S'il avait prévenu que les États-Unis étaient sérieusement résolus à stopper les cargos soviétiques, contrairement à ses émissaires, il avait omis de mentionner les missiles turcs.

Lors de la réunion de l'Ex-comm le mercredi 24 au matin, le Président fut informé qu'un sous-marin soviétique s'était approché de l'un des porte-avions du cordon américain. McNamara cita les options envisageables en pareil cas tandis que JFK endurait « les pires affres ». « Il se couvrit la bouche de la main, puis ferma le poing. Le regard tendu, presque gris, il me regarda sans un mot de l'autre côté de la table »[51], se souviendra Bobby. Quelques instants plus tard, l'assemblée entendit dire que les cargos faisaient demi-tour. Dean Rusk murmura alors à Bundy : « Nous étions nez à nez, et je crois bien que l'autre vient d'éternuer »[52]. Quoi qu'il en soit, lorsqu'il appela Londres, Kennedy demanda à Macmillan : « À brûle-pourpoint, une question à soixante-quatre mille dollars : faut-il éliminer Cuba ? »[53]

Jack invita Charley et Martha Bartlett à dîner. « Sans doute la pression de cette période lui donnait-elle envie de s'entourer davantage. Il réunissait ses amis par petits groupes et les quittait vers 21 h 30 pour retourner lire les câbles »[54], expliquera le journaliste. Bartlett était porté à croire que la manœuvre des cargos soviétiques ne visait pas à tester le blocus : « J'imagine que vous êtes impatient de fêter cela. ». « Il est trop tôt pour les célébrations car tout peut encore arriver »[55], répondit Kennedy. En rentrant chez lui, le couple s'arrêta chez Bill Walton pour un dernier verre. Peu avant minuit, alors que Charley et Martha allaient se coucher, Kennedy appela pour dire : « Sachez que j'ai reçu un câble de notre ami. Il dit que ces cargos passeront demain. ». « C'est sur cette dernière note qu'il avait fallu s'endormir »[56], notera Bartlett.

En réponse à la menace, Kennedy adressa un mot bref et laconique à Khrouchtchev à 2 h du matin. Réitérant son mécontentement à l'égard de la déloyauté soviétique, il sous-entendit que les États-Unis passeraient très vite à l'action si les missiles n'étaient pas démantelés. Le jeudi matin, le *Washington Post* envoya un message très différent : dans son éditorial, Walter

Lippmann suggérait pour la première fois publiquement que la nation propose le retrait des missiles en Turquie contre celui des Soviétiques à Cuba. Il s'agissait d'une fuite, émanant très certainement de George Ball – un ballon d'essai directement adressé à Moscou.

Tout au long des réunions de ce jour, Kennedy et ses hommes débattirent de la mise en vigueur du blocus. Partisan d'une attitude dure, McNamara voulait renforcer le blocus en arrêtant non seulement les cargos d'armement, mais aussi les navires marchands. Kennedy réfréna gentiment son ministre et autorisa une application sélective afin d'éviter les conflits. Plus tard dans la journée, Adlai Stevenson attaqua Valérian Zorine, l'ambassadeur soviétique aux Nations Unies, lors d'une réunion télévisée du conseil de sécurité. Comme Zorine se dérobait, l'ambassadeur américain lança avec effet : « N'attendez pas la traduction – c'est oui ou c'est non ? Je suis prêt à attendre la réponse jusqu'à la nuit des temps. »[57] Devant son téléviseur, Kennedy fit remarquer à Kenny O'Donnell : « Je ne lui connaissais pas une telle hargne. »[58]

Près de quarante ans plus tard, en décembre 2000, le film *Treize Jours* placerait O'Donnell, interprété par Kevin Costner, au centre des débats de la crise des missiles cubains. Exagérant la vérité, le portrait conduirait de nombreux vétérans à refuser de lui reconnaître la moindre importance. Ainsi, Ethel Kennedy envoya un pastiche de carte de Saint-Valentin à ses amis disant : « Les roses sont rouges, les violettes sont bleues, vous avez treize jours pour deviner ce que ferait Kenny O'Donnell. »[59]

Néanmoins, le chef de cabinet de JFK joua un rôle clé durant cette période. S'il ne participa à aucune délibération stratégique de l'Ex-comm, le Président lui demanda d'assister avec lui à toutes les autres réunions à titre d'observateur. Selon les désirs de Kennedy, il devait « observer et écouter », écrivait-il : « Afin que nous puissions discuter ensuite de ce qui avait été dit et comparer nos impressions et nos conclusions. Il souhaitait la présence d'un observateur capable de suivre les divers arguments avec plus ou moins d'objectivité, sans s'impliquer dans le débat ni prendre parti. »[60]

Le vendredi 26, Kennedy tourna toute son attention vers le désarmement de Cuba. En réaction aux importantes manifestations pour la paix organisées en Grande-Bretagne, Harold Macmillan l'incita à renoncer à toute action militaire, à lever le blocus et à négocier – une position qui lui fit perdre son utilité de conseiller aux yeux du Président. (Hervé Alphand soulignerait par la suite « l'attitude hésitante et craintive »[61] du Premier ministre britannique par rapport au soutien sans équivoque de de Gaulle.) Stevenson prônait la même ligne de conduite, exigeant en outre la garantie de « l'intégrité territoriale » de Cuba et l'acceptation du retrait des missiles installés en Turquie et en Italie au cas où celui-ci serait requis. Tapant du poing sur la table, McCone s'exclama : « Les missiles cubains sont pointés sur nos cœurs. Cette menace doit être éliminée avant que nous ne levions la quarantaine ! »[62]

Les données de surveillance indiquaient que les travaux d'installation s'étaient intensifiés tout au long de la semaine sur l'île. Dès le vendredi, les missiles à portée intermédiaire furent opérationnels. À midi, Kennedy apprit en outre des services de renseignement que les Soviétiques avaient déployé des armes nucléaires tactiques de champ de bataille. McCone avertit qu'il devenait beaucoup plus dangereux d'envisager une invasion : « Ces armements sont d'une puissance diabolique ! »[63]

Parallèlement, Kennedy reçut deux ballons d'essai prometteurs, le premier du secrétaire général de l'ONU, U Thant, le second de John Scali, un journaliste d'*ABC* contacté par un agent du KGB. Les deux hommes affirmaient que les Soviétiques accepteraient le démantèlement des rampes de lancement contre l'engagement des Américains de ne pas envahir Cuba. En début de soirée, Khrouchtchev offrit les mêmes conditions dans un message privé au style décousu envoyé par téléscripteur.

Sur cette note d'espoir, Jackie et les enfants partirent pour Glen Ora le lendemain matin. La première dame avait décliné sa participation à deux événements organisés ce jour-là à Washington : le concours hippique international ainsi qu'un dîner assorti du vernissage de l'exposition des Devonshire. L'ouverture de la chasse de l'Orange County, le samedi après-midi, intéressait beaucoup plus Jackie. Alors qu'elle suivait les chiens au sommet de Rattlesnake Mountain et à travers les champs des environs de Wexford, son mari s'efforçait d'éviter la guerre totale que sous-tendaient de nouveaux développements inquiétants.

Ayant rendu publique sa proposition d'ouverture, Khrouchtchev contraignait Kennedy et ses conseillers à formuler à la hâte une réponse adéquate. Or, les conseillers ignoraient tout des démarches de Bartlett et de Holeman, de sorte qu'ils conclurent que l'éditorial de Lippmann avait brusquement enhardi le dirigeant soviétique. Ils passèrent des heures à essayer de répondre aux deux messages tout en se concentrant sur les conditions décrites dans le premier. (« C'est trop compliqué, Bobby »[64], déclara Bundy après plusieurs tentatives.) Au beau milieu du débat, le duc et la duchesse du Devonshire se présentèrent dans le bureau Ovale pour bavarder une demi-heure avec le Président. « De nombreux conseillers furent surpris de nous voir »[65], se souviendra son beau-frère.

Kennedy ne voulait pas risquer la guerre à Cuba et à Berlin pour quelques fusées obsolètes basées en Turquie. Néanmoins, le consentement public à la transaction risquait d'être interprété comme une trahison vis-à-vis de la Turquie, ce qui, selon Bundy, « porterait radicalement atteinte à l'efficacité »[66] de l'Alliance atlantique. Finalement, le conseil fit l'impasse en décidant de ne répondre qu'au premier courrier. Même si l'on parlerait de la « solution de Bobby », l'idée venait de Bundy. Sorensen, Thompson et McCone l'appuyèrent, Bobby la finalisa. Très vite, on surnommerait la manœuvre « ruse de Trollope »[67], d'après un incident similaire évoqué dans l'un des romans d'Anthony Trollope.

Le plan faillit tomber à l'eau lorsqu'un avion espion U-2 survolant Cuba fut abattu le samedi après-midi par un missile surface-air. McNamara proposa immédiatement « la destruction de cette rampe de lancement »[68] tandis que McCone insistait pour émettre une « violente protestation »[69]. Kennedy calma les esprits. O'Donnell se dirait frappé par « l'inconstance de nombreux conseillers face à l'adversité, l'incapacité de certains à formuler un jugement réfléchi et à s'y tenir »[70].

Après près de huit heures de réunion, l'Ex-comm élabora une réponse – le retrait des missiles soviétiques en échange de l'engagement américain de ne pas envahir Cuba – que Bobby remit à Dobrynine à l'instant même où elle fut rendue publique. Kennedy invita Rusk, McNamara, Bobby, Ball, Gilpatric, Thompson, Sorensen et Bundy à le rejoindre dans le bureau Ovale afin de mettre au point l'explication orale qui accompagnerait la lettre. C'est là que Dean Rusk exposa une seconde proposition, à maintenir secrète : les États-Unis démantèleraient leurs missiles en Turquie une fois seulement que toutes les armes offensives auraient été retirées de Cuba et que la crise serait terminée – marché identique à celui transmis par Holeman à Bolchakov. Si l'une ou l'autre partie venait à dévoiler le secret, l'offre ne tiendrait plus.

Furent exclus de la confidence – pour une circonstance fortuite ou des raisons jamais éclaircies – Dillon, Taylor, McCone et le vice-président. Alors qu'il ne s'était guère exprimé durant la plupart des délibérations, ce dernier choisit ce samedi, et plus particulièrement l'instant où Kennedy était sorti, pour contester violemment l'idée d'un échange entre missiles cubains et turcs.

Au retour de la visite de Bobby à l'ambassade soviétique, l'Ex-comm se réunit à 21 h, ce même samedi, pour envisager l'éventualité d'une invasion le lundi ou le mardi, ainsi que la mise en place d'un gouvernement d'intérim à Cuba. « Il me plairait bien de reprendre Cuba »[71], déclara Bobby d'un ton songeur. « Imaginez Bobby maire de La Havane », plaisanta un autre participant. « Il va falloir s'en occuper dès demain », déclara Dillon[72].

Anxieux, de nombreux conseillers ne quittèrent pas leurs bureaux de la nuit. Dave Powers demeura avec le Président dans le palais présidentiel. « Dave, êtes-vous sûr que cela ne dérange pas votre femme de rester seule à la maison en une telle période ? », lui demanda Kennedy. « Bien sûr que cela l'ennuie, mais elle a l'habitude »[73], répondit-il. Après un dîner tardif autour d'un poulet grillé, les deux hommes descendirent dans la salle de projection de la Maison-Blanche pour regarder l'un des films préférés du Président : *Vacances romaines*. Dans cette comédie romantique, Gregory Peck interprète le rôle d'un journaliste libertin avec lequel une princesse fugue le temps d'une journée dans la ville éternelle. Par sa propension à citer Keats et son humeur espiègle, la princesse Anne, jouée par une Audrey Hepburn aux yeux écarquillés, n'est pas sans rappeler la personnalité de Jackie Kennedy.

Le dimanche 28 octobre, au matin, Khrouchtchev accepta les termes de l'accord. Ainsi pourrait-il clamer, comme l'avait souligné McCone la veille : « J'ai sauvé Cuba. J'ai empêché une invasion ! »[74]. « Aujourd'hui, les colombes de la paix ont triomphé ! », déclara Bundy[75]. Tranchant avec l'exultation générale, JFK présida la réunion de l'Ex-comm « sans la moindre trace d'enthousiasme ou d'allégresse »[76], notera Sorensen. Le Président enjoignit d'ailleurs formellement l'assemblée de ne laisser paraître aucune jubilation en public. Après le déjeuner, Kennedy et Billings s'envolèrent en hélicoptère pour rejoindre Jackie et les enfants à Glen Ora.

En dépit des éclaircissements apportés par les documents publiés dans les années 1990 après l'effondrement de l'Union soviétique, personne ne s'expliqua le revirement de Khrouchtchev. La découverte des missiles l'avait pris au dépourvu et il redoutait l'invasion américaine. Soulagé par la résolution, plus modérée, de mise en quarantaine de Kennedy, il avait refusé la suggestion de représailles faite par Dobrynine, qui proposait un blocus soviétique sur Berlin – « de l'huile sur le feu »[77], selon les termes du chef de gouvernement soviétique.

Devant la fermeté inattendue de Kennedy quant au retrait de toutes les armes offensives installées à Cuba mais aussi au vu des rapports des services de renseignement sur l'accroissement de l'activité militaire américaine, Khrouchtchev avait fini par se convaincre de ne pas risquer la guerre nucléaire. Il fut également influencé par l'éditorial de Lippmann et les propositions d'ouverture secrètes transmises par Bolchakov. Sa demande publique d'échange des missiles n'était que du bluff. Même si l'offre secrète était un marché de dupe, elle lui permettait d'apporter habilement une solution définitive au problème irritant que lui posait son voisin turc.

Les négociations s'échelonnèrent sur plusieurs semaines et le blocus fut levé le 20 novembre. Un mois plus tard, Khrouchtchev abandonnait tout espoir de déloger les Alliés de Berlin-Ouest. En avril suivant, les quinze missiles Jupiter seraient discrètement retirés de Turquie. Les Soviétiques et les neufs représentants de l'État américain gardèrent le secret.

À leur insu, les personnes laissées en dehors du coup détournèrent l'attention par leur propre récit de la crise. « Au moment crucial, à la fin de la semaine, Kennedy écarta fermement l'idée, avec raison, d'utiliser les bases turques pour la négociation »[78], déclarera Rostow dans un entretien. Dans ses mémoires, Harold Macmillan admet sa perplexité face au « mystère » : « Pourquoi Khrouchtchev renonça-t-il subitement à l'échange des missiles ? »[79]

Kennedy veilla à ce que la presse n'eût vent de rien. Dans son article sur la crise, le *Time* qualifiait les ruses de Khrouchtchev de « diplomatie cynique »[80]. *Newsweek* notait que l'échange « serait difficile à accepter »[81] d'un point de vue politique mais reconnaissait que les sous-marins Polaris représentaient une force de dissuasion plus efficace que les missiles Jupiter. Après plusieurs semaines, Kennedy confia à Cy Sulzberger que Khrouchtchev « ne pouvait avoir réellement cru au démantèlement des missiles turcs », ajoutant qu'il « ne comprenait absolument pas »[82] l'éditorial de Lippmann.

Ce furent néanmoins Stewart Alsop et Charley Bartlett qui commirent l'acte de désinformation le plus astucieux en publiant leur analyse dans le *Saturday Evening Post*. Le lundi 21, au lendemain du revirement soviétique, Bartlett informa Kennedy de son projet de collaboration avec Alsop. « Il me semble que je pourrais introduire un peu de chaleur, ce dont il manque souvent, et désamorcer, je l'espère, les petits détonateurs qu'il compte insérer. Je reste persuadé que l'article doit être écrit sans implication directe de votre part »[83], écrivait-il.

Kennedy encouragea son ami à poursuivre et donna carte blanche aux deux journalistes pour qu'ils se documentent. Le duo interrogea toutes les personnes ayant participé aux délibérations sauf McNamara. « Manifestement, cela aurait généré des conflits. De toute façon, McNamara avait pour politique de rester en dehors de l'histoire présente. Il ne voulait pas participer »[84], se souviendra Bartlett. Ce fut au cours de leur déjeuner en compagnie de Mike Forrestal, membre du cabinet du NSC, qu'ils tirèrent le gros lot. « Il nous raconta que Adlai Stevenson était devenu partisan du compromis »[85], expliquera Bartlett. Après vérification auprès de Bobby et de Jack, les deux hommes décidèrent de développer le sujet.

Une fois le travail terminé, Bartlett et Alsop soumirent leur chronique à Ted Clifton afin qu'il en vérifie l'exactitude. Le conseiller militaire ne procéda à aucune modification. « Alors, je confiai le manuscrit à Jack, qui apporta quelques changements », ajoutera Bartlett. L'article « portait l'empreinte » du Président. Alsop souhaitait conserver le manuscrit en souvenir, mais son collaborateur le « jeta au feu pour protéger Kennedy »[86].

En dépit de son rôle secret d'émissaire auprès de Bolchakov, Bartlett avait été choqué par la position de Stevenson. « Il était prêt à céder »[87], murmurait-il à Katie Louchheim lors d'un dîner donné fin novembre. « Il vaudrait mieux pour le Président qu'en 1964, Adlai ne soit plus au poste qu'il occupe actuellement. »[88] Selon la démocrate, la remarque ne recelait aucune trace de venin, il s'agissait « simplement d'un ami prenant soin d'un autre ami se trouvant être le Président »[89].

Pourtant, à la parution de l'article de trois pages début décembre, Stevenson fut anéanti par ce portrait – qui faillit ruiner sa carrière. L'essentiel reposait sur le fait qu'il avait défié le consensus au sein de l'Ex-comm et était le seul conseiller à défendre l'idée d'un échange de missiles entre l'Europe et Cuba. Stevenson « voulait un Munich »[90], affirmait une source anonyme – Forrestal, en l'occurrence. Sous une photo, une légende disait : « Si Stevenson s'est montré sévère pendant les débats à l'ONU, il est apparu indulgent aux partisans de la ligne dure à la Maison-Blanche. »[91]

L'ambassadeur aux Nations Unies accusa les deux journalistes de « se tromper littéralement sur tous les détails »[92]. Dans l'émission d'informations *Today*, il souligna pour sa défense qu'il avait « catégoriquement » approuvé le blocus et prédit avec raison que les Soviétiques solliciteraient cet échange. En vérité, la peinture de la situation était injuste car McNamara avait été le principal partisan de la négociation et Kennedy avait fréquemment soulevé la perspective d'un échange de missiles. La plupart des membres de l'Ex-comm avaient changé de position au fil des débats. Or, Stevenson s'était rendu vulnérable en suggérant une concession de trop (Guantanamo) et en prônant la levée de la quarantaine durant les négociations.

L'article déclencha une série de spéculations, alimentées par Joe Alsop, quant à l'éventuelle démission de l'ambassadeur. Prenant la défense de Stevenson, le *Time* fit remarquer qu'il avait été « immédiatement et largement supposé que Kennedy était lui-même à l'origine des accusations »[93] portées par l'article du *Post*. Reconnaissant qu'il lui fallait faire marche arrière, le Président appela Clayton Fritchey, le porte-parole de Stevenson : « Très bien, cessons le feu. Déposons les armes tous les deux ! »[94]

Kennedy insista auprès de Newton Minow, président de la Commission fédérale des communications et ami proche de Stevenson : « Je n'ai rien eu à voir avec cet article. »[95] Dans un courrier privé adressé au concerné, il continua de nier. « La participation de Charley Bartlett à titre de co-auteur me gêne particulièrement. En l'occurrence, je n'ai parlé ni de la crise cubaine ni d'aucun événement corrélé à aucun journaliste. Je suis certain que les citations ne viennent pas de la Maison-Blanche. »[96] Le Président imputait toute la responsabilité de cette affaire aux journalistes qui « se délectent à attiser des polémiques inutiles »[97].

Une version de la lettre fut publiée avec omission du nom de Bartlett. Kennedy y exprimait ses « regrets » face à « ce malheureux retentissement » et louait Stevenson pour son rôle dans la résolution de la crise, lui réaffirmant « sa pleine confiance »[98] dans son œuvre auprès des Nations Unies.

L'ambassadeur resta donc en poste mais ne surmonta jamais l'amertume suscitée par la manière dont il avait été traité. En le trahissant dans le *Saturday Evening Post*, Kennedy s'était donc assuré que personne ne remonterait jusqu'à lui pour trouver l'auteur de l'idée de l'échange de missiles. Il faudra vingt-cinq ans à Charley Bartlett pour comprendre qu'il avait été le pion du Président : « Nous avons eu l'illusion que Mike parlait trop alors que Jack s'était servi de lui car, lorsque je lui avais dit que j'avais ce qu'il me fallait, il avait eu l'air ravi. J'en suis venu à la conclusion que nous avions été manipulés. C'est décevant, mais j'imagine qu'on ne peut gouverner sans manœuvres. »[99]

CHAPITRE 24

1962, bilan d'une année riche en émotions

Le jour des élections, le 6 novembre, Joe Kennedy vit ses ambitions dynastiques se concrétiser à nouveau de manière retentissante. Bien que sans aucune expérience politique, Teddy Kennedy se retrouva catapulté au Sénat, à 31 ans, avec 54 % des voix contre George Cabot Lodge, fils du candidat battu par Jack en 1952. En public, le Président avait suivi la campagne de son petit frère à distance discrète. Dans l'ombre, son équipe s'était cependant fortement impliquée et JFK avait surveillé de près les progrès de Teddy.

En premier lieu, il avait fallu surmonter l'obstacle posé par le fait méconnu que Teddy s'était fait expulser de Harvard pour tricherie. « La famille n'arrivait pas à décider du moyen le moins préjudiciable pour elle de faire connaître l'affaire »[1], se souviendra Tom Winship. L'éditeur du *Boston Globe* avait donc envoyé son responsable du service politique, Bob Healy, en discuter avec Bobby. JFK souhaitait que l'incident soit mentionné dans le cadre d'un portrait général de Teddy ; néanmoins, Winship avait suggéré de le traiter comme une simple information.

Après avoir « longuement réfléchi à ce problème », précisera Winship, Mac Bundy avait persuadé Kennedy du caractère judicieux de la proposition du journal. En effet, l'article publié le 30 mars s'était révélé des plus insipides. « La nouvelle circula durant une journée, puis l'incident fut oublié. »[2]

Moins d'un mois plus tard, JFK avait organisé une réunion stratégique secrète à Washington, à laquelle étaient venus

449

participer des hommes politiques de Boston sous des noms d'emprunt pour passer inaperçus. Pendant la mise en route de la campagne, Ted Sorensen avait prêté main-forte à la rédaction des discours de Teddy, tandis que d'autres conseillers apprenaient au néophyte à préparer les conférences de presse et autres débats. De son côté, la famille Kennedy avait payé des sondages afin de rendre compte des progrès du candidat.

Lorsque les démocrates du Massachusetts s'étaient réunis en juin pour exprimer leur préférence, Steve Smith avait orchestré la victoire écrasante de Teddy, avec 70 % des voix, contre Edward McCormack. Ben Bradlee étant chargé de couvrir l'événement, le Président l'avait appelé à plusieurs reprises de la Maison-Blanche (où il dînait en compagnie de Jackie, Bill Walton et Tony Bradlee) pour s'informer du déroulement du scrutin. Jack avait même correctement prédit le gros titre de l'article à venir : « Le débutant en politique Edward Moore Kennedy aura déclenché ses premiers hourras dans la chaleur et la fumée de l'auditorium de Springfield, dans le Massachusetts, à 12 h 25, le 9 juin 1962 »[3]. Le score que Teddy enregistrerait lors des primaires en septembre serait tout aussi impressionnante : 67 % des votes.

Aux côtés du jeune Kennedy se présentaient cinq autres démocrates au Sénat. Deux sénateurs en exercice ayant perdu les élections, le gouvernement obtint quatre nouveaux représentants. À la Chambre, les démocrates perdirent quatre sièges mais conservèrent une saine majorité. Le résultat de ces élections de mi-mandat se révélait donc positif même s'il ne permettait pas de renverser la domination du bloc conservateur formé par les démocrates du Sud alliés aux républicains. Quoi qu'il en soit, la popularité de Kennedy grimpa à 76 % après la crise des missiles, lui apportant le poids nécessaire pour faire pression sur les législateurs récalcitrants.

Le jeudi 8 novembre, Jackie réunit une douzaine d'amis à dîner pour célébrer les récentes victoires de son mari. En invitant les Schlesinger, elle demanda à Arthur de lui recommander d'autres personnes pour « animer la soirée ». Alliant légèreté et profondeur intellectuelle, il proposa Isaiah Berlin ainsi que l'humoriste S. N. Behrman. De son côté, Jackie ajouta Gardner Cowles, propriétaire du magazine *Look*, et son épouse, ainsi que Joe et Susan Mary Alsop, accompagnés de leurs hôtes Cy et Marina Sulzberger. Au pied levé, Mary Meyer accepta de remplacer Lee, indisponible.

De l'avis de Cy Sulzberger[4], la soirée fut « extrêmement décontractée » : « Le Président avait l'air en forme, calme et reposé. » Aux cocktails servis dans le salon ovale vinrent s'ajouter caviar et crabe sur fond de musique douce, Caroline musardant parmi les invités en chemise de nuit. Le journaliste du *New York Times* découvrit une « très jolie jeune blonde » en la personne de Mary Meyer mais nota par ailleurs que, si Kennedy « avait fait un minimum d'efforts pendant le dîner, il n'en avait consenti aucun avant ou après pour converser avec les dames »[5]. Malgré toutes les bonnes intentions de Jackie, le Président « ne voulait parler que de politique et d'affaires étrangères », écrira-t-il.

Sautant d'un sujet à l'autre, Kennedy aborda l'état d'avancement du désarmement à Cuba, manifesta son exaspération face aux « excès » de la presse et sa frustration à l'égard du refus de la France de fournir davantage de troupes à l'OTAN et déplora l'état de santé de son père. « Mieux vaut partir vite »[6], concluait-il. Assise à sa gauche, Marina Sulzberger – « aussi excitée et nerveuse qu'une débutante »[7] – se contentait de se délecter de sa présence. Aux yeux de cette jeune femme enthousiaste mais quelconque, JFK paraissait « l'homme le plus sexy et le plus irrésistible de la Terre » : « J'aurais tout donné pour pouvoir le séduire. Quand il n'aime pas ou ne fait pas l'amour, il parle politique. Il n'y a pas d'entre-deux. On se laisse envoûter rien qu'à l'écouter parler. »[8]

Comme chez les Alsop quelques semaines plus tôt, Isaiah Berlin se sentit embarrassé en présence de ce Kennedy « rayonnant de bonheur après le triomphe et la satisfaction remportés avec ce second Cuba »[9]. Une fois encore, le professeur eut le sentiment de subir « un contre-interrogatoire sur des sujets qu'il était censé maîtriser »[10]. Selon Cy Sulzberger, Jackie semblait

« légèrement mal à l'aise ». La raison en était, d'après Schlesinger, la présence même du journaliste : « Cy était sourd. Sa conversation s'en ressentait, de sorte qu'il manqua à la soirée la touche de légèreté que recherchait Jackie. »[11]

À 23 h précisément, Kennedy annonça qu'il partait se coucher et « la tension » dûe à sa présence retomba. D'une humeur plus détendue, Jackie tenta d'égayer l'atmosphère en passant des disques, dont le nouveau tube « PT-109 ». « Jackie semblait l'adorer et en connaître les paroles par cœur », noterait Sulzberger[12]. Une demi-heure plus tard, les convives prenaient congé.

Le lendemain soir, les Kennedy organisèrent leur cinquième réception, à l'occasion du retour de l'ambassadeur James Gavin et de son épouse, remplacés par les Bohlen à Paris. Soixante personnes furent conviées autour d'un verre dans le salon ovale, suivi d'un dîner dans la chambre Bleue, puis une douzaine de nouveaux invités arrivèrent pour danser à 22 h. Le cercle des intimes fut en grande partie réuni, avec les Bradlee, enfin sortis du purgatoire. Leur réhabilitation avait commencé le jour des élections lorsque Jackie avait invité Tony et les enfants à venir voir un film et souper. En passant, John Jr et Marina Bradlee s'étaient arrêtés dans le bureau Ovale pour exécuter une « petite danse » devant le Président tandis qu'Arthur Schlesinger leur tenait gentiment leurs sucettes. Trois jours plus tard, lors de la soirée en l'honneur des Gavin, Tony et Jack « s'entretinrent longuement des difficultés d'être ami avec quelqu'un qui confie tout ce qu'il sait à un magazine », notera Bradlee[13] dans son journal, en concluant : « Tout le monde s'aime de nouveau ! »

Parmi les femmes-pots de fleurs, outre Mary Meyer, se trouvait une nouvelle venue, amie d'Helen Chavchavadze, elle-même absente. La jeune blonde de 26 ans était une émigrée hongroise qui enseignait l'anglais comme seconde langue avec Helen à Georgetown. Elle se nommait Enüd Sztanzo et était « extrêmement jolie ». « Enüd était étonnante, à la fois solide et réservée »[14], se souviendra son amie.

La jeune femme avait quitté la Hongrie durant la Seconde Guerre mondiale lorsque son père, professeur en médecine interne, avait été réquisitionné pour enseigner en Allemagne. Après la guerre, la famille était passée en Allemagne de l'Ouest, puis avait gagné les États-Unis. À 15 ans, Enüd était entrée au Manhattanville College of the Sacred Heart (à la même époque que Joan Kennedy), puis avait obtenu une maîtrise de langues et de linguistique à Georgetown.

Lors d'un dîner chez Helen Chavchavadze, en octobre 1962, Enüd avait été présentée à Walter Sohier, l'un des célibataires préférés de Jackie. Quelques semaines plus tard, en début de soirée, ce dernier l'avait appelée pour l'inviter à un dîner en comité restreint à la Maison-Blanche. Il avait expliqué que Mary Meyer devait être sa cavalière mais qu'elle avait annulé à cause de son fils malade. La jeune Hongroise terminait de se faire les ongles lorsque Sohier s'était garé devant le portail de la Maison-Blanche.

Au dîner, elle était assise entre JFK, à gauche, et Susan Mary Alsop, à droite. « J'espère que vous n'êtes pas une espionne, comme l'a suggéré Walter »[15], lui lança le Président. « Si vous voulez savoir, il y a un microphone caché sous la table », répondit-elle, ce qui amusa Kennedy. « Jamais je ne me suis sentie mal à l'aise avec lui »[16], se souviendra-t-elle.

L'invitation à la réception des Gavin ne s'était pas fait attendre, puis Enüd devint une invitée régulière des appartements présidentiels et des réceptions officielles. JFK venait la retrouver pour « s'asseoir dans un coin », or « personne n'interrompait quiconque en conversation avec le Président »[17], et l'interrogeait sur la religion, l'existentialisme et les questions politiques, comme l'accession de la Hongrie aux Nations Unies. Fasciné par sa vie, Kennedy contribuera même à faire transférer son père d'un hôpital pour anciens combattants situé en Virginie-Occidentale dans un établissement de Tampa.

Lorsque le Président lui fit des avances, elle « lui fit comprendre clairement que toute relation sexuelle était exclue »[18]. Enüd était au courant de ses aventures : « Je me refusais à entrer dans ce jeu. J'aurais été blessée de figurer au nombre de ses multiples femmes. Je me protégeais et je crois qu'il ne s'en intéressait que plus à moi. »[19]

Suite à l'augmentation de ses doses de cortisone pour pallier le stress durant la crise des missiles, Kennedy souffrit de problèmes gastro-intestinaux de sorte que ses médecins lui prescrivirent un régime. De plus, ses problèmes de dos s'étant aggravés, il dut à nouveau s'installer sur un lit au premier rang pour regarder les films dans la salle de projection. Le plus inquiétant fut surtout l'apparition d'un sentiment de déprime, au début du mois de décembre, que Jackie attribua à la prescription d'antihistaminiques.

Il est vrai que Kennedy n'était soumis à aucune tension nerveuse particulière. Il passa le second week-end de décembre à se reposer chez Bing Crosby, à Palm Beach, en compagnie de Powers et O'Donnell. Le dimanche matin, Pat Lawford les rejoignit et les accompagna à la messe au Sacré-Cœur avant de se faire ramener à Washington, peu après minuit, par l'avion présidentiel. Ce n'est que plus tard qu'un journaliste confierait à Barbara Gamarekian avoir aperçu l'ancienne stagiaire de la Maison-Blanche, Mimi Beardsley, alors en seconde année d'études supérieures, sur l'un des vols présidentiels « supplémentaires » à destination de Palm Beach.

Le lundi 10 décembre au soir, Jack et Jackie accueillirent l'un des séminaires de Hickory Hill consacré à une conférence d'Isaiah Berlin sur la littérature russe du XIXe siècle. Plus nerveux que jamais, le professeur renversa un tabouret ancien que Kennedy parvint à rattraper avant qu'il ne s'écrase par terre. Au dîner, Berlin tenta de divertir le Président en lui racontant les amours illicites de Lénine. « Ce n'est pas une manière de traiter un grand homme »[20], sourcilla Kennedy. Après le dîner, le Président écouta la conférence en silence dans son rocking-chair. À la grande surprise de l'universitaire, il ne posa qu'une seule question – sur le sort des écrivains et artistes russes après la révolution communiste de 1917 – avant de quitter brusquement la pièce.

Le lendemain, le gastro-entérologue Russell Boles prescrivit à JFK un antipsychotique. Kennedy prit deux cachets de Stelazine dosés à un milligramme le mardi et deux autres le mercredi. Bientôt son humeur se rétablit et il arrêta le traitement. Le jeudi soir au dîner, Ken Galbraith trouva Kennedy « bronzé, animé et en très grande forme » : « La conversation fut colorée et gaie. »[21].

Régulièrement, Jackie manifestait elle aussi des signes de tension. Avant son discours lors d'un gala au profit du Centre culturel national, fin novembre, Arthur Goldberg avait remarqué « qu'elle tremblait ». En dépit de ses nombreuses apparitions, la première dame « mourait de peur » dès qu'elle était confrontée à la foule, concluait le ministre du Travail. « Ces gens vous adorent. Tout ce qu'ils veulent, c'est avoir la chance de vous rencontrer »[22], lui affirmait-il. Deux semaines plus tard, alors qu'elle quittait la Maison-Blanche pour passer les vacances de Noël à Palm Beach, c'était avec les larmes aux yeux qu'elle avait dit au revoir à sa secrétaire, Mary Gallagher.

Le personnel comme les amis décelaient des frictions entre Jack et Jackie au sujet de l'argent. Au dîner chez les Bradlee, à la mi-novembre, ils s'étaient ouvertement querellés au sujet des factures (l'équivalent de deux cent quarante mille dollars actuels) qu'elle avait laissées dans les grands magasins et qui l'avaient fait « bouillir », lui, toute la journée. Si elle s'attachait à obtenir de bons prix pour le réaménagement de la Maison-Blanche, Jackie faisait d'extravagantes dépenses personnelles depuis l'adolescence. Même son père, pourtant indulgent, avait souvent critiqué ses habitudes, énumérant ses dépenses chez Bloomingdale et Saks et la priant de réfléchir davantage avant d'acheter quelque chose dont elle n'avait pas besoin.

Cette fièvre acheteuse, sorte de protestation contre son statut de « parent pauvre » au sein de la famille Auchincloss, se manifestait à la moindre occasion. « Elle ne passait pas son temps dans les boutiques, mais elle achetait cher, de l'avis de Jack aussi »[23], expliquera Tony Bradlee. Jackie avait un faible pour les vêtements, les antiquités et la peinture. « Quand quelque chose lui plaisait, elle le commandait et s'occupait de la facture plus tard »[24], selon Mary Gallagher.

Si l'Ambassadeur lui payait sa garde-robe signée Oleg Cassini, Jackie achetait également en cachette des vêtements en Europe par l'intermédiaire de ses « éclaireurs » : Lee à Londres, Letizia Mowinckel à Paris, Irène Galitzine à Rome et une certaine Molly MacAdoo à New York. D'autres « éclaireurs » la tenaient informée sur les galeries d'art à Manhattan et à Londres. À l'automne 1962, elle avait fait une folie en se faisant tailler sur mesure un manteau croisé en vison noir dont même son mari avait néanmoins admis qu'il était « fabuleux ».

À la fin de sa seconde année de mandat, Jack commençait toutefois à trouver que la situation dérapait. En 1962, les dépenses de Jackie atteignaient l'équivalent de sept cent cinquante mille dollars actuels (soixante mille dollars par mois), soit une augmentation de 15 % par rapport à l'année précédente – dépassant le salaire annuel présidentiel dont Jack faisait entièrement don à des organisations caritatives telles que l'*United Negro College Fund*, la *National Association for Retarded Children* et les Scouts. Disposant de fonds en fidéicommis estimés à l'équivalent de soixante millions de dollars actuels, Kennedy pouvait tout à fait faire face aux achats de son épouse ; néanmoins, il faisait attention à l'argent et détestait donner l'impression de faire des excès.

Comme bien des fois auparavant, Jackie promit d'être plus économe et Jack n'insista pas. Par sentiment de culpabilité ou simple indulgence, le Président « acceptait pratiquement tout de sa part pour lui être agréable »[25], déclarera Mary Gallagher. Selon Lem Billings, Kennedy cherchait uniquement à éviter les bouderies de Jackie, qu'il ne supportait pas. Pour Noël, JFK offrirait à sa femme un dessin de Renoir représentant deux nus ainsi qu'un tableau de Maurice Prendergast. De son côté, Jackie lui remettrait une dent de baleine sculptée par l'artiste Milton Delano. Orné du sceau présidentiel, l'objet avait requis deux cent quarante heures de travail.

Après toutes les tensions des mois précédents, la fin de l'année 1962 augurait d'un nouveau départ pour Jack et Jackie.

Malgré l'augmentation incessante des dépenses, c'était avec enthousiasme qu'ils conviaient leurs amis intimes – Charley et Martha, Lee, Lem et Bunny – à venir passer le week-end en Virginie pour admirer les travaux dans leur maison de campagne. Quelques semaines après le cinquième anniversaire de Caroline et le second de John Jr, fin novembre, Jack et Jackie conçurent un nouvel enfant.

Les Kennedy ne tarderaient pas à faire l'objet d'une parodie acclamée à travers le pays. Avec son album intitulé *The First Family*, un comique de 26 ans allait connaître un succès retentissant à la fin de l'année 1962. À travers divers sketches, Vaughn Meader imitait à la perfection les tics – la voix susurrée de Jackie, l'accent bostonien de Jack – et les manies de chacun des membres de la famille présidentielle. Jackie prit ombrage de cette satire, en particulier de la photo sur la couverture de l'album représentant une fausse famille présidentielle devant la Maison-Blanche : une « blague facile » de la part du comique. Plutôt amusé, Jack, lui, en plaisanta au cours d'un dîner avec les Bradlee.

Kennedy cultivait lui-même l'autodérision. Aux questions d'un journaliste sur son intérêt soudain pour l'art vivant (il avait récemment assisté avec Jackie à des spectacles du Bolchoï et de l'American Ballet Theatre ainsi qu'à la représentation d'une comédie française au théâtre national), il avait répondu sur un ton pince-sans-rire qu'il accordait une attention bien modeste à ces choses par rapport à certains dirigeants du passé. Poussé à fournir un exemple, il avait cité Louis XIV, qui n'hésitait pas à paraître lui-même sur scène en collants de couleurs vives pour divertir sa cour.

Dans un registre plus sombre, le Président s'installa le samedi 15 décembre dans le bureau Ovale pour enregistrer un entretien sans précédent avec les correspondants des trois chaînes de télévision nationale. La diffusion aurait lieu deux jours plus tard. Tout en faisant observer que les superpuissances avaient « perdu tout contact » avant la crise des missiles, sans mentionner sa correspondance encore secrète avec le chef d'État soviétique, Kennedy exprima un optimisme prudent quant à la « longue période de paix » qui pourrait s'installer si Khrouchtchev « voulait bien prendre en compte les réels intérêts du peuple de l'Union soviétique »[26].

Par ailleurs, JFK évoqua brièvement son opposition au programme Skybolt, la construction de missiles nucléaires à longue portée pouvant être lancés d'un avion. En quelques jours, ce commentaire apparemment anodin déclencha une véritable crise, qui menaça à la fois le gouvernement britannique et les relations entre Kennedy et son plus proche allié. Les États-Unis et la Grande-Bretagne avaient investi pas moins de trois cent soixante-quinze millions de dollars (sur un budget estimé à deux milliards et demi) dans le développement de ce projet, qui s'avérait présenter quantité de problèmes techniques. Sans se préoccuper des conséquences politiques, Bob McNamara avait décidé d'y renoncer par souci d'économie et pour travailler sur des armes plus modernes et plus fiables.

Pour les États-Unis, le Skybolt n'était qu'une arme nucléaire parmi d'autres, en revanche la Grande-Bretagne comptait sur ce seul missile pour sa politique de dissuasion nucléaire – il symbolisait donc son accession au statut de puissance nucléaire. La perte d'un élément aussi fondamental pour sa politique étrangère risquait, comme le disait Alistair Horne, le biographe de Macmillan, de porter « un coup fatal » au gouvernement conservateur.

Ayant prévu de longue date de rencontrer son homologue britannique à Nassau pour une conférence débutant le 19 décembre, Kennedy convoqua ses conseillers en hâte pour une série de réunions marathons. En réponse à cette « sommation urgente », David Bruce arriva « en costume de tweed, les bottines maculées de boue » pour retrouver McNamara, Gilpatric, Ball, Bundy et les autres dans la salle, « admirablement meublée »[27], du traité.

Il fut décidé de proposer d'échanger le Skybolt par le Polaris, une arme plus efficace – d'une portée double – et moins onéreuse. Toutefois, ces missiles ne pourraient être tirés que par le nouveau sous-marin américain du même nom, appareil dont la construction demanderait des années aux Britanniques. En contrepartie, la Grande-Bretagne devait en outre s'engager à participer à la création d'une force nucléaire multilatérale (MLF) au sein de l'OTAN, dont l'armement resterait entièrement placé sous le contrôle des États-Unis. Ces troupes composées de marins détachés par les membres de l'OTAN auraient pour mission de contenir la prolifération nucléaire en incitant chaque pays – la France et la Grande-Bretagne en particulier – à abandonner leur capacité nucléaire propre. Dans le même esprit, les États-Unis proposeraient le même programme Polaris à la France.

Tout le monde arriva à Nassau le mardi 18 décembre. Les conseillers furent logés au très sélect Lyford Cay Club tandis que Macmillan et JFK disposaient chacun d'une luxueuse villa. L'atmosphère demeura tendue durant près de deux jours, puis les deux dirigeants parvinrent à un accord. Selon David Bruce, JFK se montra « perspicace, vif et compréhensif », capable de « saisir le moindre faux pas et le moindre argument spécieux »[28]. Macmillan, en revanche, « alternait entre l'hésitation, l'éloquence, le sentimentalisme et, quand cela l'arrangeait, l'inflexibilité »[29]. Finalement, leur « relation spéciale » eut raison des désaccords des deux hommes. Ils aboutirent à un compromis dont David Gore s'affirma « certain qu'aucun autre allié des États-Unis n'aurait pu l'obtenir »[30].

Au moment où Kennedy quittait Nassau, le vendredi après-midi, Mimi Beardsley surgit à nouveau. « Alors que la caravane des voitures s'arrêtait devant la maison pour prendre le Président »[31], se souviendra Barbara Gamarekian, Pierre Salinger et son assistant Chris Camp « aperçurent le sommet d'une petite tête par la porte » et « pensèrent qu'un enfant était assis à la place du passager ». « Chris demanda à Pierre qui cela pouvait être, puis ils s'approchèrent pour regarder dans la voiture et découvrirent Mimi assise par terre ! Elle se tapissait pour ne pas être vue. Manifestement, cela faisait plusieurs jours qu'elle était à Nassau. Ils jetèrent juste un regard, puis se reculèrent sans dire un mot. »[32]

Il s'avéra que Kennedy avait également demandé à Enüd Sztanzo de faire le voyage. « Pour l'amour du ciel, qu'irais-je faire à Nassau ? », s'était-elle exclamée. « L'air gêné, il m'a dit qu'il aimerait m'avoir avec lui pour me voir et me parler », se souviendra-t-elle. À son avis, c'était « une idée folle car cela ne passerait pas inaperçu »[33].

Kennedy vint rejoindre Jackie et les enfants au domaine des Paul, à Palm Beach, pour plus de quinze jours de détente, ponctués de réunions avec ses conseillers. Outre les promenades quotidiennes à bord du *Honey Fitz*, le Président s'adonna aux plaisirs de la manucure au bord de la piscine, du shopping sur Worth Avenue et des séances de pose dans l'atelier d'Elaine de Kooning, qui réalisait son portrait au crayon pour la bibliothèque Truman. Contrairement à la grisaille humide qui avait marqué les vacances de Noël, le séjour bénéficia d'un temps chaud et ensoleillé. On constata la présence assidue de Billings mais aussi celle des Radziwill, des Gore et des Agnelli, accueillis chez les Wrightsman. Un jour, le *Honey Fitz* remonta à l'intérieur des terres jusqu'à Lantana où les Vanderbilt attendaient le couple présidentiel pour un déjeuner en compagnie de George Plimpton, Leland et Pamela Hayward ainsi que Loel et Gloria Guiness.

Hervé et Nicole Alphand vinrent participer à un après-midi de croisière le samedi 29, en partie parce que l'ambassadeur de France souhaitait discuter de l'offre des Polaris. Immédiatement, le Français nota « le curieux petit corset blanc » de Kennedy ainsi que « ses difficultés à s'habiller »[34]. Au début, Nicole plaisanta avec le Président à l'arrière du voilier tandis que Hervé bavardait en français avec Lee. Pendant le déjeuner, l'ambassadeur parla avec Kennedy à côté duquel il était assis. Le Président « s'agitait beaucoup, sans cesse accaparé par une nouvelle pensée ; tantôt il répondait au téléphone, tantôt il posait les questions les plus diverses sur les sujets les plus variés »[35], notera Alphand dans son journal intime.

Sa fébrilité s'expliquait sans doute par l'événement auquel Kennedy avait assisté le matin même. Avec Jackie, Lem, les

Radziwill, Pat et Eunice, il s'était rendu en hélicoptère à l'Orange Bowl de Miami Beach. Cinquante mille Cubains l'y attendaient pour accueillir les mille cent treize vétérans de l'invasion de la baie des Cochons tout juste libérés des prisons de Castro. S'éloignant du discours qu'il avait préparé, le Président réaffirma l'engagement des États-Unis de ne pas envahir Cuba. Pour le plus grand plaisir de l'assistance, Jackie adressa quelques brèves remarques en espagnol.

En échange des prisonniers, Bobby Kennedy avait dû faire parvenir à Cuba pour quelque cinquante-trois millions de dollars de médicaments, d'aliments pour enfants et d'équipement médical par l'entremise de son représentant new-yorkais James B. Donovan. Si la rançon sous forme de biens de consommation avait paru plus acceptable à Jack qu'un règlement en espèces sonnantes et trébuchantes, il soulignait que les dons provenaient de « comités privés ». Pourtant, Bobby et ses hommes « n'hésitèrent pas à enjoindre les fournisseurs de produits pharmaceutiques à participer aux "dons" »[36], écrira le *Time*. En retour, ils bénéficièrent de réductions fiscales et de dérogations à la loi antitrust.

Pour leur habituelle soirée de réveillon du nouvel an, les Wrightsman reçurent le clan Kennedy. « Dès l'entrée dans la maison, remplie d'orchidées, on savait que tout serait parfait et délicieux »[37], se souviendra Lee Radziwill. Salinger figurait sur la liste des invités, de même que Ted Sorensen, que Kennedy n'invitait que très rarement en société. L'austère conseiller s'éclipsa d'ailleurs peu après minuit – de longues heures avant que la soirée ne se termine. « Je n'étais pas très à l'aise en société, surtout dans ce milieu-là. Je n'étais pas intimidé, simplement mal à l'aise »[38], expliquera Sorensen.

Jack et Jackie festoyèrent jusqu'à 3 h 40 du matin. Bien que rien ne transparût dans les journaux, l'ambiance licencieuse de la soirée n'échappa pas à Hugh Sidey, qui envoya une note confidentielle émoustillante à ses patrons à New York : « On n'avait rien vu de tel depuis la chute de Rome. »[39] Salinger « respirait bruyamment dans les buissons » en compagnie d'une femme mariée tandis qu'Andy Hatcher (père de sept enfants) avait disparu en Jamaïque avec plusieurs mannequins. Pour plaisanter, il poursuivait en disant qu'un journaliste avait été attribué comme « gigolo » à Rose Kennedy. « Un entrefilet pour rire »[40], expliquera-t-il.

Quelques mois plus tard, le journaliste se fera remonter les bretelles par Bobby, mis au courant par une copie de la fameuse note. « Il en tremblait de colère », déclarera Sidey. S'il présentera immédiatement ses excuses pour les insinuations à l'égard de sa mère, le journaliste du *Time* ne manifestera pas le moindre repentir pour le reste. « Je n'ai rien inventé. C'est exactement ce qui s'est passé et ce n'était pas très joli »[41], répondra-t-il à Bobby.

En deux ans, le gouvernement Kennedy avait essuyé une vague d'échecs conjugaux. Si certains couples demeuraient ensemble, tels Arthur et Marian Schlesinger, leur mariage présentait des fissures de plus en plus évidentes. Marian avait pris l'habitude de se voir abandonnée « plus ou moins devant la porte d'entrée » lors des soirées à Washington. « Arthur est l'un de mes préférés », écrira Katie Louchheim[42] dans son journal. « Le bruit court qu'il est odieux avec Marian, qu'il passe la soirée à danser avec les jolies femmes en la laissant faire tapisserie – c'est un débauché, paraît-il. »[43] Marian conservait son équilibre – « une femme naturelle, une battante »[44], selon Katie. « Cela m'était égal. Comme je suis un peu voyeuse, j'aime bien être spectatrice. À l'époque, on avait l'impression de pouvoir tout se permettre et Arthur était attiré par le pouvoir et la gloire »[45], expliquera Marian.

Salinger était le plus connu pour ses frasques, et son épouse, Nancy, endura les plus longues souffrances. Durant la crise des missiles, il s'était installé au Claridge Hotel près de la Maison-Blanche. « Il partageait son lit avec une journaliste française »[46], selon les souvenirs de Barbara Gamarekian : « Je pouvais le joindre à deux numéros à l'hôtel. Pierre n'était pas du tout discret. Il avait beaucoup de liaisons. »

À l'automne, Jewel Reed était rentrée dans l'ouest du Massachusetts avec sa famille et Chuck Spalding avait emménagé à Bedford, dans l'État de New York, laissant Betty et les six enfants à Greenwich. À titre exceptionnel, les Spalding assistèrent ensemble à la réception donnée en l'honneur de James Gavin. « Sans la Maison-Blanche, le mariage de Chuck et Betty aurait tenu. Chuck s'est laissé prendre au piège du pouvoir »[47], expliquera Nancy Coleman, une amie de Betty.

Selon cette dernière, Betty devint amère et ses problèmes avec Chuck faussèrent son jugement sur les Kennedy et la Maison-Blanche. « À ses yeux, les hommes du Président étaient faibles. C'était la cour de Louis XIV. »[48] Sa « fièvre de la Maison-Blanche » se transforma en pur délire lorsque Chuck fit des avances à Lee Radziwill. « Elle lui a dit : "Vous plaisantez, j'espère !" C'était tellement absurde ! », se souviendra Charley Bartlett[49].

Le mariage de Lee chancelait depuis plus d'un an. Par inadvertance, le *Time* avait mis le doigt dessus en septembre 1962 dans un impertinent portrait intitulé « Quand mariage rime avec dételage ». Le magazine avait impudemment décrit le manège conjugal qui avait précédé l'union des Radziwill. Furieux, JFK avait même convoqué Harry Luce dans le bureau Ovale pour lui passer un savon. « C'est avec beaucoup de rancœur que le Président m'a indiqué les personnes dont l'article risquait de blesser les sentiments »[50], se rappellera Luce. À sa sortie de la Maison-Blanche, le patron du *Time* avait lancé à Sidey : « Il me faut un verre ! »[51]

En réalité, Lee menait de plus en plus sa vie de son côté. Outre ses fréquents voyages entre Londres et les États-Unis, elle écrivait des articles sur la mode et le stylisme pour *McCall's* et le *Ladies' Home Journal.* (Ravie qu'elle couvre la haute-couture parisienne, Jackie pouvait ainsi se tenir au fait des dernières tendances avant tout le monde.) Par ailleurs, Lee s'était laissée tenter par les aventures extraconjugales. Selon Marella Agnelli, elle avait « flirté en toute amitié »[52] avec Sandro D'Urso à Ravello. En 1963, elle entamera une liaison controversée avec Aristote Onassis. Séduite par la fortune du grand armateur grec, Lee était également intriguée par le curieux mélange de charisme et de laideur qui le caractérisait.

Le mariage de Ted Sorensen s'effondra également durant l'époque Kennedy. Sans doute travaillait-il plus dur que quiconque à la Maison-Blanche, bien souvent vingt-quatre heures sur vingt-quatre. Lorsque Tish Baldrige le taquinait sur ces mauvaises habitudes, il lui répondait avec sérieux qu'il n'y avait franchement rien d'autre qu'il aimait autant faire. Il en développa des ulcères et de terribles lumbagos. Tom Sorensen, qui travaillait au ministère des Affaires étrangères, confiera à Hugh Sidey craindre que son frère ne s'effondre d'épuisement à force de le voir « malade la moitié du temps »[53].

Avec trois fils exubérants de moins de 10 ans, l'épouse de Ted, Camilla, n'avait guère le temps de sortir en société. Quelques mois après l'arrivée au pouvoir du gouvernement Kennedy, le couple se séparait. Katie Louchheim, l'amie de Sorensen, ferait remarquer qu'il était certes « un génie », mais qu'il n'avait « rien d'un mari affectueux ». Très vite, le conseiller s'était rendu seul aux dîners, puis accompagné d'une kyrielle de femmes. « Selon James Rowe, Sorensen sort avec une fille de 18 ans et Pierre est déchaîné. Forcément, si la limite d'âge baisse pour ceux qui détiennent le pouvoir... »[54], écrira Katie Louchheim dans son journal en janvier 1963.

Sorensen fréquenta entre autres une jeune Anglaise (« timide et transpirant des mains »[55]), puis Cissie Miller (« une blonde, battante, un peu trop grande »[56]), qui commençait à percer dans la chronique mondaine, et enfin la future écrivaine féministe Gloria Steinem. Pourtant, même sa préférée, une petite femme aux yeux bleu vif nommée Sally Elberry, se lassa et partit s'installer à Boston. « Il ne me fait jamais comprendre qu'il tient à moi. Je me sentais seule à Washington »[57], expliquera-t-elle à Katie Louchheim.

Au début de l'année 1963, Camilla Sorensen prit l'avion pour le Nebraska avec ses fils ; le divorce serait prononcé au mois d'octobre suivant. « C'était très triste de voir la famille se scinder et les enfants déménager. C'était très triste, mais je ne regrette rien de ce que j'ai fait pour Kennedy »[58], affirmera Ted.

JFK n'avait qu'une vague idée du travail qu'abattait son conseiller. « Un jour, il m'a présenté ses excuses, mais je lui ai assuré que ce n'était pas de sa faute »[59], se souviendra Sorensen. « Il me comparait à Chuck Spalding. Or, j'ignorais tout de la situation conjugale de ce dernier. Je lui ai dit qu'il n'avait pas à s'excuser, mais il a tenu à le faire. Moi qui ne me laisse pourtant pas facilement surprendre, j'ai été très étonné. »

CHAPITRE 25

La grossesse de Jackie

« Je prends le voile »[1], annonça Jackie à Mary Gallagher le vendredi 11 janvier. Le même jour, Tish Baldrige fut avisée par une note de la première dame qu'elle souhaitait réduire considérablement ses activités officielles pour se consacrer davantage à sa famille. Les Kennedy étaient rentrés trois jours plus tôt de leurs vacances à Palm Beach. Jackie y avait séjourné près d'un mois, Jack, dix-sept jours. Après de longues heures passées à faire du bateau ou la sieste et à lire au soleil, le couple présidentiel revenait bronzé et reposé.

En dépit des soupçons de Mary Gallagher et de Providencia Paredes, l'une des femmes de chambre de la Maison-Blanche, Jackie souhaitait garder sa grossesse secrète le plus longtemps possible. En réponse aux questions remises par la journaliste Helen Thomas, elle déclara que Caroline et John étaient désormais « à un âge » où il était « important que leurs parents soient le plus possible à leurs côtés »[2]. Lorsque Arthur Schlesinger lui demanda s'il serait envisageable d'organiser une cérémonie à la Maison-Blanche pour la remise de la première médaille des sciences, elle lui suggéra de consulter JFK : « Tout ce que je demande, c'est que les épouses ne soient pas invitées car j'essaie d'alléger mon planning. »[3]

À peine un mois plus tard, le 20 février, la Maison-Blanche annonçait que Tish Baldrige quitterait ses fonctions à la fin du mois de mai. La secrétaire ignorait encore l'état de Jackie, mais elle se rendait compte que son caractère énergique ne cadrait plus avec les projets de son employeur. Le « boute-entrain »[4] de la Maison-Blanche, comme l'appelait David Bruce, avait largement contribué à la réussite de Jackie. Lors des grandes réceptions, Tish « avait le don de mettre les plus timides à l'aise » et « savait se faire l'interprète de chacun pour favoriser les rencontres entre les divers milieux »[5], écrira l'ambassadeur. Ses qualités de relations publiques avaient en outre fini par être reconnues au sein de l'état-major de l'aile ouest. Kenny O'Donnell, notamment, appréciait son « art de la communication »[6].

En ce début d'année 1963, Tish Baldrige trouvait qu'elle s'était « fait tirer les oreilles » une fois de trop par Jackie. « L'ambiance avait changé. Le rire, la familiarité et les plaisanteries avaient disparu », expliquera-t-elle. Se sentant surchargée de travail et mésestimée, la secrétaire souffrait de contractures dans la nuque et d'étourdissements. « Jackie commençait à être contrariée par les articles de presse mentionnant mon influence sur les spectacles organisés lors des dîners et les concerts sur la pelouse de la Maison-Blanche »[7], écrira-t-elle plus tard.

À Bill Walton, Jackie confiera que sa mère et sa secrétaire « aimaient s'agiter parce qu'elles n'avaient rien d'autre à faire dans la vie »[8]. En public, la première dame ne tarissait pourtant pas d'éloges sur Tish Baldrige. « Leurs relations s'étaient détériorées mais sans atteindre le point de non retour. Tish était trop professionnelle, et Jackie trop sensible, pour laisser les choses en arriver là »[9], selon l'analyse du conservateur de la Maison-Blanche James Ketchum.

Avant son attaque, Joe Kennedy avait affirmé à la secrétaire : « Il ne suffit pas de s'y connaître en hors d'œuvres, en bijoux et en crème fouettée. Vous avez besoin d'apprendre à connaître le monde des affaires ! »[10] Aussi comptait-elle accepter le poste qu'il lui avait proposé au Merchandise Mart, son marché de gros à Chicago, pour quitter la Maison-Blanche.

Dès l'annonce de la nouvelle, Janet Cooper avait appelé Jackie : « Nancy est prête à venir travailler pour vous ! »[11]. Lassée de son emploi chez Frew Hill Travel, à New York, Nancy Tuckerman cherchait de nouvelles opportunités. De temps à autre, elle avait secondé sa mère, Betty, dont la société, à Manhattan, organisait des soirées pour les jeunes filles faisant leur entrée dans le monde. Hormis ces expériences, elle n'avait jamais été exposée aux exigences auxquelles était confronté un porte-parole de la Maison-Blanche. « Elle était mon opposé. Calme, la voix douce, pas excessive, elle ne disposait d'aucune expérience en matière de diplomatie internationale. Jackie appréciait sûrement le changement après la vigueur dont j'avais fait preuve dans ma façon de gérer ses affaires. »[12]

La première dame était demeurée en contact avec Nancy Tuckerman, qu'elle avait régulièrement invitée aux manifestations de la Maison-Blanche ainsi que dans ses retraites en Virginie. Avant l'un de ces week-ends, la jeune femme avait d'ailleurs demandé à Jackie si elle devait emporter un jean ou sa « robe de bal ». Compte tenu de leur sens commun de l'humour et de la discrétion, Jackie et Nancy ne pouvaient que s'entendre tant sur le plan professionnel que personnel. Informée de la grossesse, « Nancy fut assurée que la vie retrouverait son calme après la naissance. Jackie prendrait des congés et J. B. West se chargerait des importuns »[13], expliquera Ketchum. La nouvelle recrue pourrait également compter sur l'aide d'Anne Lincoln, l'ancienne assistante de Tish Baldrige que Jackie venait de nommer gouvernante en chef. « Linky », de son petit nom, était une autre ancienne de Park Avenue et de Vassar qui aidait Jackie à tenir la maison et les comptes et à organiser les soirées. « Elle sait où j'aime que les boîtes à cigarettes soient rangées »[14], avait confié Jackie à West.

Avant de pouvoir relâcher la pression, la première dame aurait encore de nombreux engagements à honorer durant l'hiver 1963. Le soir de leur retour de Palm Beach, les Kennedy assistèrent à un dîner organisé à l'ambassade de France en l'honneur d'André Malraux. Le Français cher au cœur de Jackie était venu à Washington pour inaugurer l'exposition de *La Joconde* qu'il avait promise au mois de mai précédent. En lui dessinant une robe-bustier en mousseline mauve de style Empire, Cassini avait souhaité évoquer la silhouette de l'impératrice Joséphine et « mettre en valeur » les épaules et le cou de la première dame. Mille deux cents personnes s'étaient pressées dans le plus grand désordre au vernissage de la National Gallery. Malraux en avait été choqué, le Président était furieux.

John Walker, le conservateur du musée, adressa une lettre d'excuses à JFK à laquelle Jackie répondit, rassurante : « Ne vous en faites pas trop. C'était une soirée magnifique. Comme le disait Malraux, cela fait sans doute partie de l'envoûtement que suscite *Mona Lisa*. N'y pensez plus, songez plutôt au superbe accrochage que vous avez réalisé ! »[15].

Plusieurs jours plus tard, c'est emmitouflée dans son tout nouveau manteau de vison qu'elle assista au discours sur l'état de l'Union de Kennedy, aux côtés de sa mère et de sa sœur. Jack avait invité les Bradlee à dîner ensuite, en compagnie de Bobby et Ethel, ce qui inquiétait fortement Jackie en raison des rancœurs réciproques que nourrissaient Bobby et Ben. « Je ne veux pas de disputes », avait prévenu Jackie en s'adressant à Evelyn Lincoln. « Le Président ayant affirmé qu'ils parviendraient à s'entendre, tout le monde était venu »[16], avait noté la secrétaire dans son journal intime.

Cette semaine-là, Jack et Jackie se rendirent également au gala annuel de collecte de fonds organisé à la caserne de la garde nationale de Washington. Invités ensuite chez les Johnson, ils ne rentrèrent pas à la Maison-Blanche avant 3 h du matin. Renouant avec leur esprit d'écolières, Jackie et Lee avaient invité, sur une impulsion, certains des artistes présents à la réception – George Burns, Carol Channing et Kirk Douglas – à venir dîner le lendemain soir à la Maison-Blanche. « Les filles, vous êtes folles. Mais j'imagine qu'il est trop tard pour rien changer »[17], avait lancé JFK aux deux sœurs.

Fin janvier, Jackie inaugura le nouveau salon Vert, dans le plus pur style Fédéral du début du XIXᵉ siècle, et la chambre Bleue, qui avait retrouvé le style Empire et les splendides fauteuils de Bellange commandés par Monroe. Après toutes les protestations soulevées à l'automne par le choix de murs couleur crème, cette nouvelle option fut saluée par la critique.

Dans les deux pièces, les parquets en noyer avaient été teints à neuf. Le même traitement ferait également merveille dans le salon ovale. Dans le salon Vert trônait *Nocturne* de James McNeill Whistler, un don d'Averell et Marie Harriman. « Imaginez les générations futures devant ce tableau. Elles seront comme devant un Poussin donné (un siècle plus tard) par Talleyrand. Vous êtes notre Talleyrand ! »[18], avait écrit Jackie au couple, qu'elle assurait de son adoration pour cette mystérieuse peinture.

Le couple présidentiel continuait de fréquenter ses amis en dehors de la Maison-Blanche autant qu'aux tout premiers mois du mandat. Durant janvier et février, les Kennedy furent invités tour à tour chez Franklin et Sue Roosevelt, pour dîner, chez Doug et Phyllis Dillon, pour danser, et chez Joe et Susan Mary Alsop, pour assister à un élégant dîner en l'honneur de Lady Diana Cooper, veuve septuagénaire du diplomate britannique Duff Cooper – un ancien amant de Susan Mary. L'ancienne actrice britannique, longtemps admirée pour sa beauté, venait de publier un livre de mémoires plein d'esprit.

Malgré une différence d'âge de vingt-cinq ans, Jack et lady Diana se découvrirent une « attirance mutuelle », pour reprendre les termes de David Bruce. Elle considérait JFK comme un « animal plein de vigueur »[19], lui ne pourrait que s'exclamer : « Quelle femme ! », après avoir passé la soirée à parer ses avances. « Jackie m'a paru plus belle et avoir cent fois plus de personnalité que je ne l'imaginais »[20], écrira lady Diana. (Il faut dire que Jackie l'avait informée d'avoir lu tous ses livres et de « s'en souvenir très bien ».) Ayant eu vent des « envies de divorce » de Jackie, suscitées par le fait que JFK « se préoccupait de tout et de tout le monde sauf d'elle »[21], l'aristocrate britannique constatait, d'après sa conduite, que la première dame « avait trouvé le bonheur conjugal » : « Il paraît que c'est elle qui a le dessus parce qu'elle se moque totalement du qu'en dira-t-on »[22].

Cecil Beaton avait perçu le même détachement chez Jackie deux ans auparavant. Sa volonté de faire à sa façon s'était encore accrue avec le temps. « Quand on fait partie de la vie politique, il faut s'habituer au fait qu'on n'aime pas toujours que vous vous exprimiez. La vie est trop courte pour se laisser perturber pour autant »[23], déclarera-t-elle à Harry du Pont pendant l'hiver.

Alors que le gros des travaux de restauration était terminé, Jackie poursuivait sa chasse aux trésors dans les galeries et chez les antiquaires new-yorkais. Au cours de la première semaine de février, elle descendit à l'hôtel Carlyle en compagnie de sa sœur. Pour fêter leur arrivée, Adlai Stevenson organisa une soirée. Tout au long de l'épreuve qu'il avait traversée à cause des missiles, Jackie lui était demeurée loyale. Pour rendre hommage à son amitié, il avait donc réuni une brillante distribution : Bill et Babe Paley, Charlotte Ford, Marietta Tree, Teddy et Nancy White, Jason Robards, Mary Lasker, George Plimpton, sans oublier la troupe de *Beyond the Fringe* (Peter Cook, Jonathan Miller, Dudley Moore et Alan Bennett), une comédie musicale satirique se produisant depuis peu à Broadway après avoir fait salle comble à Londres.

Impressionné par la présence de la première dame, un invité appela Teddy White « Jackie » et Stevenson annonça « M. Paley » en présentant Babe Paley. En fin de soirée, les comédiens interprétèrent plusieurs sketches de leur spectacle. Le lendemain, Jackie remercia son hôte : « J'ai passé la plus gaie et la plus heureuse des soirées et j'avoue m'être abandonnée au plaisir de toutes ces sensations – la comédie, le drame… » En outre, elle dédicaça « Très affectueusement ! »[24] à son ami un dessin qu'elle avait fait dans l'avion en venant à New York.

Plus tard dans la semaine, les deux sœurs déjeunèrent en compagnie de Stevenson et du secrétaire général de l'ONU, U Thant, dans la salle à manger des délégués. Jackie déclara au représentant américain être fascinée par « les courants, la tension et l'excitation »[25] régnant aux Nations Unies. Lee et elle « rêvaient d'intrigues dans le salon des délégués »[26]. Néanmoins, toutes ces pressions l'inquiétaient pour la santé de Stevenson.

JFK et Chuck Spalding vinrent rejoindre Jackie, Lee et Stas pour le week-end. La joyeuse bande arpenta Park Avenue, déjeuna chez Voisin et dîna au Pavillon avant d'assister à une représentation de *Beyond the Fringe*, puis à une soirée chez Earl et Flo Smith, qui se prolongea jusqu'à près de 2 h du matin. À leur retour à Washington, le dimanche 10 février, Jack et Jackie surprirent les badauds en arrêtant leur limousine au carrefour de Constitution Avenue et de la Dix-septième pour rejoindre la Maison-Blanche à pied.

Arrivée à la période délicate des six mois de grossesse, Jackie dormit toute la journée du lundi, déclinant même la proposition de dîner, puis de regarder un film en compagnie de Ben et Tony. (Jackie avait déjà dormi douze heures le vendredi précédent et loupé ainsi la soirée d'anniversaire d'Adlai Stevenson.) Jack, en revanche, débordait d'énergie. Durant la conversation au dîner, Ben Bradlee remarqua qu'il était « détendu mais dissipé »[27]. Après leur avoir fait visiter le salon Vert et la chambre Bleue, il insista pour emmener ses amis faire une promenade à minuit, « dans le froid et sous une pluie battante ». « En comptant les agents des services secrets, nous formions un véritable corps expéditionnaire, pourtant personne ne reconnut le Président »[28], notera Bradlee.

Selon les journalistes, la vigueur manifeste de Kennedy était sans doute liée à un « engouement pour l'exercice physique »[29] qu'il avait réveillé en exhumant un décret de Theodore Roosevelt, lequel sommait les officiers de la Marine de parcourir quatre-vingts kilomètres de marche en vingt heures. L'appel avait été entendu aussi bien par l'homme de la rue que par ceux de la Nouvelle Frontière. Le week-end où JFK était parti battre le pavé à New York avec Jackie, Bobby avait réussi à remonter les quatre-vingts kilomètres du Chesapeake and Ohio Canal jusqu'à Camp David, alors que quatre de ses compagnons avaient abandonné, épuisés.

On ne pouvait guère s'attendre à voir JFK suivre l'exemple de son frère. Lors de sa visite à la Maison-Blanche, le 20 février, David Bruce nota que, si le Président « avait toujours l'air bien, la cortisone, ou quel que fût le médicament qu'il prenait, lui avait épaissi le visage au point qu'il en avait presque des bajoues et les yeux légèrement exorbités »[30]. Ses problèmes de dos ne s'étaient pas non plus calmés. Un jour, à la fin de l'hiver, le Dr Hans Kraus fut convoqué à la Maison-Blanche à 21 h et le lendemain soir, au dîner, Ben et Tony entendirent Kennedy décrire la douleur « qu'il ressentait à cette minute dans le dos ». Il se demandait d'ailleurs s'il ne préférerait pas les douleurs intenses de l'accouchement, car « il se pensait capable de supporter n'importe quelle douleur du moment qu'il savait qu'elle cesserait »[31].

Le Président n'en prenait pas moins plaisir à regarder ses amis faire leurs preuves. À Noël, à Palm Beach, il avait parié mille dollars avec Stas et Spalding qu'ils ne parviendraient pas au bout de leur marche de quatre-vingts kilomètres. (La somme devait être reversée à une organisation caritative.) Les deux hommes avaient relevé le défi à condition qu'on leur accorde deux mois d'entraînement. Stas « semblait ne pas avoir remis les pieds dans un vestiaire depuis trente ans »[32], observera Ben Bradlee. Néanmoins, le Polonais s'était soigneusement entraîné tous les jours dans Park Avenue, « avec une implacable détermination et un caillou dans chaque main pour éviter que ses doigts ne gonflent »[33], selon Lee.

Kennedy avait prévu la marche pour le dernier samedi de février, lors d'un week-end prolongé chez les Paul, à Palm Beach. Stas, 48 ans, et Chuck, 44 ans, devaient être accompagnés par le Dr Max Jacobson. Ce dernier avait soigné JFK pour la dernière fois à Glen Ora durant la crise de l'Université du Mississippi, au mois de septembre précédent. En juin 1962, Bobby avait remis des échantillons de ses sérums au FBI pour analyses. Aucune trace de narcotique – source principale d'inquiétude de Bobby – n'avait été décelée ; en revanche, aucun test n'avait été effectué concernant leur teneur en amphétamines. À ses mises en garde, le Président avait rétorqué : « Je me fiche que ce soit de la pisse de cheval. Ça marche ! »[34].

Dans ses mémoires, non publiés, Jacobson ne fera aucune allusion à d'éventuelles injections avant la marche ; toutefois, il reconnaîtrait avoir administré de l'oxygène pur tous les huit kilomètres à Stas, dont les muscles tétanisaient. L'équipée se mit en route à 2 h 05 du matin le samedi 23, suivie par Jackie et Lee dans un break chargé de jus d'orange pour Stas et de viande crue pour Spalding. Parti se promener en bateau à bord du *Honey Fitz*, Jack s'arrêta sur Pompano Beach pour voir où ils en étaient au cinquante-cinquième kilomètre. Inquiet pour le cœur de Stas, il avait autorisé son beau-frère à abandonner, l'assurant que les mille dollars iraient quand même à l'œuvre de bienfaisance. Stas continua, « tel un brave petit soldat, balançant les bras en rythme. »[35] C'est sans chaussures, les pieds couverts d'ampoules, qu'il effectua les vingt-quatre derniers kilomètres.

Ils atteignirent la ligne d'arrivée, à Fort Lauderdale, à 21 h 35. Une limousine les ramena à Palm Beach, où Kennedy leur passa des médailles en papier autour du cou. Jackie immortalisa l'instant dans l'une de ses aquarelles : les deux hommes, de profil, marchant à grandes enjambées sur un fond vert, Stas le rondouillard derrière Spalding, le dégingandé. Par plaisanterie, Stas fut équipé au pied gauche non pas d'une chaussure de marche mais d'un mocassin à glands noir.

Jackie resta à Palm Beach une semaine de plus pour se reposer tandis que Jack reprenait l'avion pour Washington avec Stas et Lee. Le dimanche suivant, il passa l'après-midi ensoleillé à jouer au touriste en compagnie de Charley Bartlett. Ils remontèrent le Mall à pied, visitèrent le monument de Lincoln, puis sautèrent dans une limousine pour gagner le cimetière national d'Arlington. Ils flânèrent parmi les tombes, effectuèrent la visite de l'ancienne demeure du général Lee, perchée sur une colline avec vue sur la statue de Lincoln. Kennedy aimait tant le panorama sur le fleuve qu'il plaisanta : « On devrait peut-être installer la Maison-Blanche ici... »[36]. Les deux hommes abordèrent également la question de la future sépulture de Jack. « Il pensait qu'il serait obligé de retourner à Boston. Je me souviens avoir argumenté en faveur du cimetière national. Nous avons laissé la question en suspens »[37], se rappellera Bartlett.

Un terrible choc ébranla le clan des Kennedy, début 1963, lorsque Philip Graham sombra dans une grave dépression nerveuse. L'influent directeur du *Washington Post* avait rencontré JFK à la fin des années 1950 par l'intermédiaire de Bill Walton. Le jeune sénateur lui avait immédiatement plu. Phil et Katharine Graham, qui figuraient régulièrement sur la liste des invités de la Maison-Blanche, dînaient également très souvent chez les Kennedy à Georgetown. De temps à autre, Phil offrait ses conseils au Président. Ainsi, peu après son élection, il lui avait suggéré que David Bruce ferait « un ambassadeur solide et avisé à Londres »[38].

Ben Bradlee considérait Phil comme un « ami naturel de Kennedy » car « ils avaient en commun l'humour, la maîtrise des rouages du pouvoir, le charme, des objectifs similaires pour l'Amérique et bien plus encore »[39]. Pour Katharine Graham, son mari et le Président étaient « des amis d'un genre particulier. Ils entretenaient de drôles de rapports »[40]. Néanmoins, le patron de presse ne fit jamais partie du cercle des intimes. Il souffrait d'un trouble bipolaire de l'humeur, qui « l'isolait terriblement » selon Anne Truitt[41], au courant de sa maladie par le biais de son mari, assistant de Graham. C'était la raison essentielle de sa relative distance.

Lors de ses accès maniaques, Graham alternait des périodes « euphoriques, souvent rayonnantes » avec des phases « d'abattement profond », fera observer Bradlee[42]. À l'été 1962, il « semblait encore relativement équilibré », écrira plus tard Katharine[43]. Or, cet automne-là, Kennedy lui avait demandé de présider l'entreprise mi-publique mi-privée COMSAT, chargée de gérer les satellites de communication. Dans sa manière d'aborder l'organisation de cette nouvelle société, il se montra « immodéré, fiévreux, insensé ». « Ce qui aurait dû améliorer sa vie ne faisait que la détruire », se souviendra Arthur Schlesinger[44].

Graham injuriait ses collègues, ses employés et jusqu'au Président. Lorsque JFK l'avait appelé en novembre, il avait eu un accès de colère que Kennedy avait supporté avec patience. Walt Rostow avait été lui-même impressionné, lors d'une réunion à la Maison-Blanche quelques semaines plus tard, par les efforts du Président pour « le calmer sans se départir de sa dignité » alors qu'il était « comme fou »[45].

Au cours d'un voyage à Paris fin 1962, Graham avait rencontré une jeune journaliste australienne du bureau local de *Newsweek*. Amoureux, il avait ensuite fait venir Robin Webb à New York et avait emménagé avec elle dans une suite au Carlyle. Son humeur s'était détériorée sous les effets de l'alcool. Après avoir informé son épouse de sa liaison, il avait quitté Katharine à la mi-janvier. Les deux amants avaient pris l'avion pour Phoenix et participé à la conférence organisée par certains membres du conseil d'administration de l'agence *Associated Press* au Biltmore Hotel. Graham « était excité, il jurait beaucoup »[46], se souviendra Otis Chandler, le propriétaire du *Los Angeles Times*, logé à côté de son confrère.

Le jeudi 17 janvier, Graham appela le bureau Ovale à 19 h 30, heure locale de l'Arizona. JFK ayant quitté les lieux trois heures plus tôt, il parla à Evelyn Lincoln. « Il voulait que je demande à Curtis LeMay de le rappeler. Il disait qu'il était amoureux de Robin Webb et qu'il l'épouserait dès que son divorce serait prononcé. Il avait l'air ivre »[47], notera la secrétaire dans son journal.

Ce soir-là, Graham dîna avec ses confrères. Dès que Ben McKelway, le rédacteur en chef du *Washington Star*, rival du *Post* dans la capitale, se leva pour parler, Graham s'avança vers la tribune, s'empara du micro et se mit à invectiver divers participants. Chandler gagna l'estrade et l'escorta jusqu'à sa chambre, où Robin Webb tenta de l'apaiser. Bien après minuit, Graham attaqua à nouveau Kennedy au téléphone. Tambourinant à la porte de Chandler, il implora ensuite ce dernier de parler à « son copain » le Président.

Or, Chandler avait déjà joint le patron des chaînes de télévision du *Washington Post*, également venu à Phoenix pour une réunion : « Phil est déchaîné. Il vaudrait mieux le faire évacuer ! »[48]. Le patron du *Post* appela Katharine Graham. Désespérée, elle prit contact avec James Truitt, qui appela Jack

Kennedy. Le Président dépêcha immédiatement le psychiatre de son ami à Phoenix par l'un de ses avions.

Quelques années plus tard, le bruit courrait que Graham avait choqué l'assistance en racontant « qui couchait avec qui à Washington », y compris Kennedy et sa « favorite », Mary Meyer. Pourtant deux hommes présents déclareraient ne se souvenir d'aucune révélation de ce genre. Bernard Ridder, patron du *Saint-Paul Pioneer Press*, retiendra en revanche « les grossièretés et les diatribes » tandis qu'Otis Chandler affirmera : « Phil sautait du coq-à-l'âne et tenait des propos incohérents. Il régnait un silence de mort dans la salle. Il ne parla pas très longtemps. Ses paroles trahissaient une pensée décousue et se résumaient à des obscénités »[49].

Maîtrisé et placé sous calmants par les médecins, Graham fut hospitalisé durant plusieurs semaines et il démissionna de COMSAT. Dans une lettre de gratitude, Katharine écrivit à Jack Kennedy que son mari « mourrait à l'idée de l'avoir blessé de quelque manière » : « J'espère qu'il ne vous a pas trop heurté. » Elle se référait plutôt à la conduite générale qu'à une déclaration particulière de Graham. « Aucune des personnes présentes ce soir-là ne m'a jamais raconté précisément ce qui s'était passé ni ce qu'avait dit Phil »[50], écrira-t-elle des années plus tard. Tout ce qu'elle savait, c'est que les « propos déraisonnables » de son mari avaient porté atteinte à certaines personnes, mais jamais le nom de Mary Meyer n'avait été mentionné.

« Nous avons entendu dire que Phil était devenu fou. Personne ne faisait allusion à Mary Meyer. Si cela avait été le cas, Tony en aurait parlé à Mary »[51], affirmera Ben Bradlee. « James m'aurait prévenue si Phil avait mentionné Mary. Cela l'aurait énormément inquiété », ajoutera Anne Truitt[52]. Katie Louchheim, qui n'hésitait jamais à se faire l'écho des derniers commérages, écrira à un ami que Phil Graham « faisait la une de la semaine ». Elle décrira son comportement sans évoquer aucune allégation d'ordre sexuel concernant JFK. Onze jours après les faits, Mary viendra passer la soirée à la Maison-Blanche pendant l'absence de Jackie.

À peine sorti de l'hôpital psychiatrique de Chesnut Lodge, Graham retrouvait de nouveau Robin Webb au Carlyle, à New York. JFK arriva peu après, le samedi 9 février, pour passer le week-end avec Jackie, Lee, Stas et Spalding dans la suite qu'il louait au trente-quatrième étage. S'étant arrêté vingt minutes au passage chez Graham, il s'aperçut en arrivant dans sa chambre qu'il avait oublié sa serviette. Selon un auteur, cet « esprit distrait » lui était coutumier, il « oubliait toujours des vêtements, des serviettes ou des documents dans les hôtels, les aéroports et les trains »[53].

Dans un accès de grandiloquence, Graham affirmera à des amis avoir eu en main des documents confidentiels. Lorsque Tony Bradlee en demanda confirmation à JFK, ce dernier expliqua qu'il s'agissait simplement d'une « serviette ne contenant qu'une poignée de dossiers sur les crises intérieures »[54]. S'illustrant d'un geste du pouce et de l'index, Kennedy déclara : « La limite est tellement ténue entre la raison et la déraison chez Phil. Il m'a beaucoup apporté et il a été utile à notre pays. Je veux l'aider à s'en sortir. »[55]. Mais plus rien ne pouvait déjà plus l'aider. Peu après la visite de Kennedy, Graham s'envola pour un voyage dans les Caraïbes et en Europe avec Robin Webb.

Aucun changement d'attitude envers les Bradlee ne trahit le fait que Jackie fût au courant pour Jack et Mary. La seule anicroche qui survint dans leurs relations fut liée à une révélation de Ben, lors d'un dîner en mars. Contre son gré, Tony le força à avouer qu'il tenait un journal de leurs conversations avec les Kennedy. Ben assura JFK qu'il « n'écrirait rien sur lui sans sa permission de son vivant ». Kennedy demeura imperturbable. « Il a affirmé qu'il était heureux que quelqu'un garde trace des détails les plus intimes dont il était impossible de se passer pour retracer l'histoire d'un gouvernement. Je ne suis pas sûr qu'il sache quel degré d'intimité ces détails peuvent atteindre, mais je soupçonne Jackie d'en avoir conscience »[56], nota-t-il ce soir-là.

Le vendredi 8 mars, les Kennedy organisèrent leur sixième et dernière réception à la Maison-Blanche. Ne comprenant pas qu'il n'était l'invité d'honneur que pour la façade, Eugene Black, directeur de la Banque mondiale, insista pour être entouré d'un large groupe d'amis. Aussi le couple présidentiel dut-il « désinviter » certains familiers, comme cela leur était déjà arrivé par manque de place. Une fois de plus, les Bradlee, Bill Walton, Arkady Gerney et Mary Meyer, notamment, dînèrent ailleurs avant de rejoindre la fête à 22 h pour la soirée dansante.

Au cours du dîner, servi dans la chambre Bleue, une dizaine de violonistes jouèrent des « airs tantôt lents et tantôt endiablés de musique viennoise et hongroise »[57], confiera Adlai Stevenson à Marietta Tree. Les salons Rouge et Vert étaient éclairés par des feux de cheminées et de douces lumières. Lorsque la chambre Bleue fut transformée en piste de danse pour la soirée animée par Lester Lanin, « on éteignit les lumières, et les réjouissances, égayées par l'arrivée d'un grand nombre de jeunes après le dîner, se poursuivirent jusqu'au petit jour à la seule lueur de quelques bougies éparpillées »[57].

Les quatre-vingt-quatorze invités se « contentèrent » de trente-trois bouteilles de champagne et six bouteilles d'alcools forts, affirmera plus tard Kennedy. Quoi qu'il en soit, les esprits s'échauffèrent. Comme Jackie le racontera quelques jours plus tard, sans que Jack ne démente, la petite amie de Godfrey McHugh, très distingué conseiller de l'armée de l'air, prit un bain de minuit et sauta sur le lit de la chambre Lincoln. Lyndon Johnson « passa une grande partie de la soirée dans les bras généreux »[58] de Lilly Guest, une jeune beauté new-yorkaise. À 3 h du matin, Stevenson fut surpris de croiser Marian Schlesinger « un peu partie et très affectueuse »[59]. Lors de son retour en voiture, il fut le témoin « d'une conduite étrangement osée de la part de Phyllis Dillon dans un coin sombre de sa voiture »[60].

Kennedy eut une prise de bec cocasse avec le comte d'Arran, un journaliste surnommé « Boofy » (« Petit Pois ») Gore, cousin de l'ambassadeur de Grande-Bretagne. (Gore était connu à la Chambre des lords pour sa défense des homosexuels) Il fit l'erreur de mentionner l'imbroglio au sujet du programme Skybolt. Kennedy s'écria alors : « Où est McNamara ? » et « un homme à l'air terrifiant surgit »[61], notera plus tard le journaliste. Le ministre de la Défense l'abreuva de faits et de chiffres et Kennedy prit le relais lorsqu'il s'arrêta. « On aurait dit un chœur de tragédie grecque »[62], écrira Gore.

Même si le Président parut « d'humeur légère » durant la soirée, quelque chose tourna mal avec Mary Meyer ce soir-là. La jeune femme avait pour cavalier Blair Clark, un vieil ami de Harvard de JFK. Malgré la fraîcheur du soir, elle portait une robe très fine ayant appartenu à sa grand-mère, ce qu'elle regretta sur le champ. À un moment de la soirée, Mary « disparut littéralement pendant une demi-heure »[63], racontera Clark à l'auteur Ralph Martin six ans après les révélations de James Truitt au sujet de sa liaison avec le Président. « J'ai fini par partir à sa recherche. Elle avait d'abord passé un moment en haut avec Jack, puis elle était partie marcher dans la neige. Je n'étais donc qu'un alibi pour elle. »[64]

Tony Bradlee se souviendra : « On se demandait où était Mary. Elle s'était absentée suffisamment longtemps pour qu'on remarque sa disparition. »[65] Plus tard, l'intéressée expliquera simplement à Anne Truitt qu'elle était « malheureuse » et qu'elle n'avait pas trouvé Clark en rentrant à l'intérieur. Bobby Kennedy fit appeler une limousine de la Maison-Blanche, l'installa à l'arrière et la renvoya chez elle. « Mary déclara que Bobby avait été gentil avec elle. Il avait pris les dispositions nécessaires pour qu'elle rentre saine et sauve alors qu'elle était bouleversée »[66], se souviendra Cicely Angleton.

On ignore si Kennedy voulut rompre avec Mary Meyer ce soir-là. Néanmoins, à propos de « l'arrivage de femmes de New York » lors de la soirée, il fit remarquer à Bradlee : « Si seulement nous pouvions nous laisser aller, toi et moi, Benjy ! »[67]. À sa grande surprise, Adlai Stevenson entendit Jackie, sa compagne de table, lui confier avoir, avec Lee, « toujours considéré le divorce comme une perspective dont il fallait pratiquement se réjouir »[68] et l'avoir « aimé », lui, dès leur première rencontre, dans l'Illinois, après son mariage avec Jack. Sans doute donnait-elle libre cours à sa tendance notoire à exagérer pour faire de l'effet. Mais, fait plus révéla-teur, elle lui dit : « Je me moque de savoir avec combien de filles Jack couche du moment que je sais qu'il a conscience que c'est mal, et c'est ce que je crois. De toute façon, tout cela est terminé pour l'instant. »[69]

Les aventures de Kennedy commençaient à se savoir au sein des services de renseignements. Outre que J. Edgar Hoover transmettait probablement ses informations à Johnson, un bruit courut quelques années plus tard que le chef des services secrets de la CIA, James Angleton, avait appris la liaison avec Mary Meyer grâce aux écoutes placées sur la ligne téléphonique de cette dernière. Sa veuve, Cicely, balaierait d'un revers de la main « ces absurdités ». Alors qu'elle était l'une des meilleurs amies de Mary, elle ignorait tout de sa liaison avec Kennedy. « Il me semblait normal qu'une charmante jeune femme comme elle se rende à la Maison-Blanche »[70], déclarera-t-elle. Or, Richard Helms affirmait que James Angleton « avait fait comprendre qu'il était au courant pour Mary Meyer et Jack Kennedy ». « Je ne sais ni comment ni d'où il tenait l'information. Il n'avait aucun moyen de mettre son téléphone sur écoute. »[71]

Helen Chavchavadze faisait également l'objet d'un examen minutieux. À partir de mars 1963, elle commença à en subir les conséquences. En 1961, elle préparait une maîtrise de russe à Georgetown, où elle enseignait l'anglais comme seconde langue pour gagner sa vie. Elle avait présenté son mémoire à l'automne 1962 et le centre de formation des diplomates lui avait offert un poste. Bien que sortie major de sa promotion et munie de chaudes recommandations, elle n'avait pu commencer à travailler en raison des réserves émises par les services de sécurité.

En janvier 1963, les responsables de la sécurité du ministère des Affaires étrangères l'avaient convoquée pour une série d'entretiens. « Ils m'interrogeaient sur ma vie, me posaient des questions sur les avortements que j'avais eus. Ils avaient un dossier sur moi. Ils me demandaient si j'étais une adepte de l'amour libre. J'avais deux enfants à charge et je n'obtenais pas l'autorisation des services de sécurité »[72], se souviendra-t-elle. Rapidement, elle commença à sentir que sa maison était placée sous surveillance. Jack devait être la source de ses problèmes puisque, lorsqu'elle vivait à Berlin, elle avait obtenu l'autorisation d'exercer un emploi de traducteur indépendant pour la CIA, où son mari travaillait à l'époque.

Au début de l'année 1963, Helen était un jour allée nager à la Maison-Blanche avec Jack à l'heure du déjeuner. « Tu as l'air d'un lapin pris dans les phares d'une voiture »[73], lui avait-il lancé. « J'étais sur le point de craquer. Tous ces entretiens me rendaient paranoïaque »[74]. Un jour ou deux plus tard, une limousine s'était arrêtée devant chez elle, à Georgetown, et le chauffeur lui avait remis une enveloppe contenant l'équivalent de trois mille dollars en espèces. « Manifestement, cela venait de Jack. C'était un geste, même si ce n'était pas grand-chose. Il s'inquiétait pour moi… »[75]

Kennedy intercéda auprès du ministère des Affaires étrangères pour permettre à Helen de travailler à partir d'avril. Ne disposant pas d'autorisation officielle, elle ne pouvait néanmoins assister aux réunions, ce qui était humiliant pour elle. Déprimée, incapable de se concentrer ou de lire, elle finit par démissionner. Peu après, une dépression nerveuse l'envoya dans le nouveau service psychiatrique du Sibley Hospital de Washington.

À sa grande surprise, Ted Sorensen lui rendait régulièrement visite. Elle l'avait rencontré chez Florence Mahoney, une activiste de la lutte pour la défense des services médicaux à Washington. « Je pense qu'il s'intéressait à moi en tant que femme, mais je me demande s'il n'avait pas peur non plus que je parle »[76], ajoutera Helen. Elle avait perdu sa maison, et ses deux filles avaient été envoyées chez leur grand-mère à Cape Cod. Mais la plus grande pression à ses yeux était « la conspiration du silence »[77], le fait de ne pouvoir discuter avec personne de sa liaison. « C'est l'une des raisons pour lesquelles j'ai flanché. C'était stressant, ajouté à toutes ces histoires d'autorisation ! »[78].

Au fil de sa grossesse, Jackie réduisait ses apparitions officielles. En mars, elle n'assista qu'à deux réceptions à la Maison-

Blanche – un déjeuner en l'honneur de l'American National Theatre and Academy et un dîner en compagnie du jeune et fringant roi Hassan II du Maroc.

Jack et Jackie furent tous deux enchantés par cette visite. Le roi remit au Président une épée en or incrustée de cinquante diamants. Jackie lui écrivit une lettre de cinq pages en français et annonça aux Bradlee que, s'il y avait bien un pays qu'elle souhaiterait visiter, c'était le Maroc.

En présence de ses amis, Jackie commençait à glisser quelques fines allusions à son état. Lors du dîner en l'honneur d'Eugene Black, elle avait déconcerté Tony Bradlee en claironnant : « Ma poitrine est plus grosse que la tienne mais ma taille aussi ! »[79] Trois semaines plus tard, Ben lui avait demandé au dîner si elle était enceinte. Malgré ses dénégations, les Bradlee en avaient désormais la conviction. Son refus de se confier à eux contraria Tony, mais cette dernière s'en remit en apprenant que Janet Auchincloss n'avait pas non plus été mise au courant.

Ne pouvant monter à cheval, Jackie se consacra à la décoration de Wexford, en y installant essentiellement des meubles de la maison de Georgetown. Le 1er avril, la famille avait entièrement déménagé de Glen Ora. En attendant que la nouvelle maison soit prête, les Kennedy passèrent leurs week-ends de printemps à Camp David. Jackie en profita pour effectuer deux excursions aux champs de bataille de la guerre de Sécession. Elle se rendit d'abord à Gettysburg en compagnie de Paul et Anita Fay dans la décapotable de Jack et, la semaine suivante, à Antietam en hélicoptère avec Lem Billings, Jim Reed et Ralph « Rip » Horton, un ami de Choate, assistant particulier du secrétaire de l'armée.

Au retour du groupe à Camp David ce dimanche-là, Reed et Jackie eurent une conversation très personnelle. « Je divorçais et Jackie me posait toutes sortes de questions : pourquoi je quittais Jewel et qu'est-ce que je pensais d'elle, bref un interrogatoire serré »[80], se souviendra le ministre adjoint à l'Économie. « Elle savait que j'étais au courant des diverses choses que Jack avait à se reprocher. Ce n'était pas le problème. Nous parlions de l'intimité. Elle était très directe en ce qui concerne ses relations avec Jack. Ils avaient une vie sexuelle. Elle m'en parlait de manière très intime. Elle l'aimait tendrement et j'avais l'impression qu'ils se rapprochaient de plus en plus. »[81]. Reed n'était ni choqué ni porté à un quelconque jugement par la franchise de son interlocutrice. « Au contraire, j'appréciais. Je la connaissais bien. Jamais je ne servais d'entremetteur à Jack et elle sentait que je ne contribuais en rien aux écarts de conduite du Président. » En revanche, Reed était frappé par le fait que « Jackie était sincèrement désolée de le voir traverser cette épreuve ». « Elle avait une grande bonté et beaucoup de gentillesse. »[83]

Le mercredi suivant, Jackie et les enfants s'envolèrent pour passer les vacances de Pâques chez les Paul, à Palm Beach. À l'arrivée de JFK et des Fay, le lendemain, la presse eut l'occasion exceptionnelle d'apercevoir cette intimité que Reed décelait au sein du couple présidentiel. Jackie, « qui attendait son mari bien à l'écart des caméras, l'accueillit par une tendre accolade et un baiser à sa descente de l'avion »[84], selon le *Washington Post*.

Dans Worth Avenue, JFK acheta des robes Lily Pulitzer pour Jackie et Caroline. L'après-midi du dimanche de Pâques, il interrompit sa promenade à bord du *Honey Fitz* pour faire signe de s'arrêter à un catamaran baptisé *Pattycake*. Avec Fay, il grimpa à bord et demanda à prendre la barre. Vêtu d'un pantalon de sport rouge, le Président navigua sur le lac Worth, pieds nus sur le pont, le cigare coincé entre les dents.

Le lendemain, le lundi 15 avril, Jackie annonça la venue de son bébé pour la fin août. Ce serait la première naissance pour un couple présidentiel depuis celle de Marion Cleveland en 1895. Jackie cesserait toutes ses obligations officielles et passerait la majeure partie de son temps loin de la Maison-Blanche. Elle resterait à Palm Beach dix jours de plus avant de partir pour Cape Cod, à la fin mai. Comme souvent dans la féconde famille Kennedy, Jackie ne serait pas l'unique future maman. Joan attendait son troisième enfant pour le mois d'août et Ethel, son huitième pour juin.

CHAPITRE 26

Un été 63 torride : des émeutes raciales au projet de loi sur les droits civiques

Durant les premiers mois de l'année 1963, Jack Kennedy puisa son énergie dans l'heureuse perspective d'accueillir un troisième enfant. Pour la première fois en deux ans, il envisageait la situation mondiale d'un œil optimiste. Ce nouvel état d'esprit transparut clairement dans son discours sur l'état de l'Union du lundi 14 janvier. Assise dans la galerie des spectateurs, Katie Louchheim fut émue par « la majesté théâtrale » de la séance et la prestance de Kennedy : « Superbement musclé, il avait la fière allure d'un héros et l'air d'apprécier la situation sans se laisser prendre par les apparences. »[1] Elle le vit lancer un regard « non pas de déférence mais de respect politique » à John McCormack et Lyndon Johnson. Malgré le ton « plat » de sa lecture, « tout le monde écoutait attentivement », car il y avait dans sa manière de communiquer un petit quelque chose qui « dépassait les mots »[2].

Outre la proposition – élément central de ce discours – de réduire les impôts pour relancer la croissance économique et réduire le chômage, qui franchissait la barre des 5 % depuis près de cinq ans, le Président souligna l'éloignement de la menace soviétique depuis la crise des missiles. Dans son premier discours sur l'état de l'Union, il avait solennellement déclaré : « La marche des événements s'est arrêtée et le temps a joué contre nous. La situation empirera avant de s'améliorer. »[3]. Désormais, il proclamait les États-Unis « portés par la marche de l'humanité vers la liberté » : « Nous avons tout lieu de croire que les vents nous sont favorables ! »[4] Concrètement, il semblait possible de parvenir à un compromis de paix avec l'Union soviétique. James Reston en conclurait que Kennedy était passé, en deux ans de temps, du pessimisme à « un ferme espoir ».

Rien ne semblait pouvoir entamer son enthousiasme, pas même l'éclat de Charles de Gaulle le matin même. Le chef d'État français avait rejeté l'offre de Nassau concernant les missiles Polaris – ce qui anéantissait de fait le projet de mise en place d'une force nucléaire multinationale – et s'était opposé à l'entrée de la Grande-Bretagne dans le Marché commun. Aux yeux de Kennedy, aucune de ces déclarations ne représentait pourtant un obstacle majeur aux intérêts américains. « D'un point de vue strictement économique », faisait-il observer à Schlesinger, l'intégration de la Grande-Bretagne à l'Europe posait en fait des problèmes aux États-Unis. Le Président n'était pas non plus transporté par l'idée de créer une force multinationale car les détails du projet demeuraient obscurs. C'est à regret qu'il avait dû admettre l'impossibilité de dissuader la France de développer son propre programme nucléaire. Lorsque Ben Bradlee l'interrogera sur l'avenir de cette force, lors d'un dîner quelques semaines après le discours, Kennedy lui répondra « de manière évasive », ce qu'il interprétera comme un manque d'intérêt réel pour la question.

Se refusant à entrer en conflit avec les Français, Kennedy ne se montra pas moins irrité en privé par l'attitude obstructionniste de de Gaulle. « Que peut-on faire face à un homme pareil ? », demandait-il à ses conseillers. Il « avait du mépris pour les prises de position malveillantes de la France »[5], écrira Schlesinger. Lors d'une réunion du NSC, quelques jours après les rebuffades de de Gaulle, il reconnut « être obligé de faire avec » le président français tout en soulignant que son nationalisme allait à l'encontre des intérêts américains. Début mars, Hervé Alphand notera dans son journal : « Lors des dîners officiels, on se montre froid envers moi. Le Président Kennedy m'a fait dire par son frère Bobby qu'il valait mieux que nous ne nous rencontrions plus pour l'instant. »[6].

L'ambassadeur de France jalousait par ailleurs les liens étroits unissant David Gore à JFK. Cy Sulzberger en concluait qu'Alphand était devenu « amer et nourrissait davantage de ressentiment à l'égard des Britanniques qu'envers le gouvernement américain »[7]. Au correspondant du *New York Times*, Alphand affirma que la propagande britannique contre la France fonctionnait si bien à la Maison-Blanche que Mac Bundy en venait à s'exprimer comme Gore : « Il reprend même ses formulations. »[8] Parfaitement conscient de son avantage, l'ambassadeur britannique annoncera à Macmillan : « Le Président a relégué les Français au plus profond de la niche. »[9]

Malgré ses faux pas au sujet du programme Skybolt, le Premier ministre britannique sera heureux de noter en ce printemps un resserrement des liens entre Kennedy et Gore : « Une amitié intime s'appuyant sur la confiance offre une position remarquable. C'est une chance dont pratiquement aucun autre ambassadeur de Grande-Bretagne n'a bénéficié. »[10]. Le principal objectif commun aux deux nations consistait à obtenir un traité d'interdiction des essais nucléaires – « la plus importante mesure qu'il soit possible de prendre pour chasser l'effrayante atmosphère de peur et de suspicion qui entoure les relations Est-Ouest »[11], écrira Macmillan le 16 mars à Kennedy.

Tout au long du premier semestre 1963, les deux dirigeants échangèrent une correspondance secrète avec Khrouchtchev sur les conditions du fameux traité. Si Kennedy s'intéressait au désarmement nucléaire depuis des années, la volonté d'obtenir l'interdiction « avant qu'il ne soit trop tard » correspondait, chez Macmillan, à un « sentiment d'obligation personnelle très fort ». Le chef du gouvernement britannique se donnait pour mission de renforcer la résolution de JFK contre les « rats » de son administration qui prônaient une ligne de conduite plus timorée. Néanmoins, les négociations tombèrent dans l'impasse sur la question des inspections « sur site ». Lorsque Khrouchtchev se montra prêt à en accepter trois par an, Kennedy maintint que leur nombre ne pourrait être inférieur à huit ou dix.

Cette année-là, le Premier ministre britannique traversa une grave crise politique. Venant s'ajouter à l'échec du programme Skybolt, le rejet du Marché commun lui porta « un coup dévastateur » – « le plus grave revers de toute sa politique ». Fin mars, sa situation s'aggrava avec les révélations concernant les liens de John Profumo avec Christine Keeler, la maîtresse d'un attaché militaire soviétique. Macmillan savait depuis fin janvier que son ministre de la Guerre fréquentait « une fille de réputation douteuse ». Schlesinger, tout juste de retour d'Angleterre (où le bureau de David Bruce avait suivi de près cette divulgation), en informa Kennedy par téléphone le lendemain du jour où le scandale avait éclaté. Le Président ne dit pas grand-chose, se contentant de demander la description des circonstances et si l'intéressée était une espionne. Schlesinger répondit que Christine Keeler était « une sorte de call-girl londonienne à la mode » et qu'aucune « insinuation d'espionnage n'avait été prononcée »[12].

Quelques jours plus tard, Schlesinger expliqua plus en détails la situation critique dans laquelle se trouvait Macmillan. Dans son courrier, il indiqua que l'affaire Profumo auréolait le gouvernement d'une image « frivole et décadente » et donnait l'impression qu'il était « gêné aux entournures »[13]. Le conseiller faisait l'éloge de Harold Wilson, nouvellement nommé à la tête du parti travailliste, dont il soulignait « l'intelligence, la maîtrise de soi et le talent politique », en notant sournoisement que les critiques à l'égard de ses ambitions reflétaient « les propos tenus sur Kennedy en 1960 ». « Wilson a un jeu de jambes très recherché, c'est une cible très difficile à toucher »[14], ajoutait-il. Favorablement impressionné, Kennedy confia à Bradlee qu'il s'agissait de « la meilleure note de service qu'il eût jamais reçue, sans exception, surtout sur le Premier ministre du cabinet fantôme »[15].

Aux yeux de Ken Galbraith, Schlesinger s'était parfaitement acquitté de son rôle de mouche du coche. « On a oublié qu'il était censé jouer les souffre-douleur »[16], avait-il écrit fin 1962 dans son journal. Néanmoins, le professeur de Harvard commençait à ne plus tenir en place. Kennedy lui avait demandé de prolonger son congé exceptionnel d'un an. Néanmoins, il avait conscience que Dean Rusk continuait de le tenir pour « un inconvénient majeur au sein d'une organisation par ailleurs inébranlable ». Rusk était si agacé par « les grands airs qu'il se donnait lorsqu'il soumettait ses opinions à Washington » qu'il avait envoyé un câble à Galbraith pour Noël lui souhaitant : « Bon anniversaire ! »[17]

L'ambassadeur en Inde avait par ailleurs perdu toute illusion concernant la politique économique de Kennedy. Après lecture du discours que ce dernier comptait prononcer au Club économique de New York en décembre 1962, il avait désespéré au vu de « tous ces clichés républicains », y compris l'idée selon laquelle « les impôts constituaient un obstacle aux investissements et sapaient toute forme de motivation »[18]. Galbraith ne parvenait pas à se résigner à l'idée que ces notions « républicaines » faisaient fondamentalement partie des convictions conservatrices du Président. Il eut beau tenter d'y apporter quelques améliorations, le discours « demeura irrécupérable ».

Personne ne fut donc surpris lorsque Kennedy annonça son départ du gouvernement. Premier membre du cercle des intimes à quitter l'administration, Galbraith retournera aux États-Unis en juin pour travailler à divers projets pour le Président, puis reprendra son poste à Harvard à l'automne. « Il est intéressant de noter à propos de Galbraith qu'il ne se laissait pas autant prendre par les apparences que les autres. C'était un tel colosse qu'il était au-dessus de cela »[19], affirmera Marian Schlesinger.

Alors que Jack Kennedy profitait de ses vacances de Pâques pour s'adonner aux plaisirs de la voile à Palm Beach, la première grande crise de sa troisième année de mandat éclatait en Alabama. En février 1963, il avait fini par présenter une loi sur les droits civiques. Une fois de plus, il s'y était pris de manière progressive, en se concentrant uniquement sur le droit de vote. Pour les chefs de file du mouvement des droits civiques, la mesure n'allait pas assez loin.

Le 3 avril, Martin Luther King et d'autres leaders noirs lancèrent une campagne de désobéissance civile à Birmingham. Des sit-in furent organisés dans les buffets où l'on refusait de servir les personnes de couleur et des piquets de manifestants installés devant les grands magasins obligeant les Blancs et les Noirs à utiliser des installations distinctes pour se rafraîchir. Sur une période de trois jours, à la mi-avril, la police arrêta des centaines de manifestants, dont le révérend Luther King. Kennedy contribua à le faire libérer et envoya l'adjoint de Bobby, Burke Marshall, négocier avec les commerçants locaux.

Martin Luther King changea de tactique et opta pour une stratégie controversée mais très efficace. Comme peu d'adultes acceptaient de manifester, il enrôla des milliers d'écoliers pour une marche début mai. Outre d'innombrables arrestations, le responsable de la police de Birmingham, Eugene « Bull » Connor, ordonna à ses hommes de tourner de puissantes lances d'incendie contre les jeunes manifestants et de lâcher sur eux de féroces chiens d'attaque. Les informations télévisées et les unes des journaux relayèrent ensuite de terribles images illustrant la brutalité des événements, y compris l'assaut d'un berger allemand sur un jeune adolescent.

Alors que Kennedy faisait pression pour obtenir un arrangement à l'amiable, les troubles se poursuivirent. Pour finir, le dimanche soir 12 mai, il fit une brève allocution télévisée pour appeler les citoyens de Birmingham à « conserver une conduite raisonnable » et annoncer la mise en alerte de troupes fédérales aux alentours de la ville afin d'assurer le maintien de l'ordre en cas de besoin. Mais sous l'impact des images de violence, l'opinion publique se prononçait déjà plus en faveur de l'égalité raciale. Ses conseillers, Bobby notamment, poussaient le Président à exercer sa primauté morale pour faire voter une loi exhaustive sur les droits civiques.

Or, Jack Kennedy pensait beaucoup à l'empreinte qu'il laisserait à ce moment-là. La veille, il avait visité Boston et ses banlieues en hélicoptère et en voiture afin de repérer un site pour la construction de sa bibliothèque présidentielle. Il avait déjà rencontré John Warnecke, son architecte préféré, pour discuter des différents projets envisageables.

Depuis le début de l'année, Arthur Schlesinger l'incitait dans ses notes de service à faire officiellement consigner « les événements marquants de son mandat »[20]. La manière dont Kennedy prenait ses décisions était contraire aux processus tant admirés par les historiens : il détestait les réunions organisées et préférait établir sa politique en privé, souvent en tête à tête après les réunions. Aux yeux de James Reston[21], « il était extrêmement difficile d'assembler l'histoire » avec un style de direction pareil.

Apparemment sans ironie, Schlesinger[22] prévenait : « Un historien maison peut devenir gênant s'il montre trop de zèle à retracer les faits tels qu'ils se sont produits. » Lui donnant raison, Kennedy écarta non seulement l'idée de s'adjoindre un historien officiel mais aussi la proposition de Schlesinger de recourir à des « spécialistes ad hoc » pour consigner des événements spécifiques. Le Président rejeta en outre l'idée d'enregistrer les conversations afin de conserver les détails « des épisodes marquants » avant que leur souvenir ne s'estompe. « Je vous supplie d'envisager cette possibilité », avait écrit Schlesinger[23].

Néanmoins, les suppliques du conseiller n'aboutirent à rien, sans doute parce que JFK croyait que son système d'enregistrement secret fournirait une matière historique suffisante à la postérité. S'il savait qu'au moins Schlesinger, Sorensen, et probablement Bundy, rédigeraient leurs propres mémoires, ses opinions à ce sujet semblaient équivoques. À Charley Bartlett, qui l'interrogeait à propos d'un prétendu projet de livre devant être confié à Emmet Hughes, déjà auteur d'un ouvrage sur l'administration d'Eisenhower, le Président répondit : « Ne vous inquiétez pas, je suis déjà largement pourvu en biographes ! ». Lorsqu'il en parlait à Bradlee, il traitait les historiens contemporains de « salauds toujours à l'affût avec leur stylo »[24].

Kennedy n'en avait pas moins encouragé Schlesinger à tenir un journal et indiqué à Sorensen qu'il pourrait collaborer avec lui. « Je voulais juste m'assurer que vous aviez pris des notes pour votre futur livre »[25], avait-il déclaré à Sorensen durant la crise des missiles cubains.

Kennedy demeurait par ailleurs préoccupé par ce que Philip Graham appelait « le premier jet » de son histoire – la production des journalistes de la presse quotidienne et hebdomadaire. « Mon seul regret est que le Président soit un tel lecteur omnivore. Il dévore tant la presse nationale qu'étrangère, il prend trop aux sérieux leurs discours pontifiants, sans se rendre compte que les journalistes se focalisent essentiellement sur les crises ponctuelles. À mon avis, il prête trop attention à leurs critiques »[26], notait David Bruce dans son journal à la date du 21 février 1963.

Même si la presse demeurait largement en sa faveur, le Président n'avait d'yeux que pour les critiques. « Au moins une fois dans la soirée, le monde de l'information vient sur le tapis », faisait remarquer Ben Bradlee[27] fin mars. En ce printemps, l'angoisse de Kennedy était de se voir accusé de « diriger » cyniquement l'information. La première charge avait été portée en mars par Arthur Krock dans la revue *Fortune*. Il dénonçait la « flatterie sociale » et les « appuis personnels sélectifs » dont il usait avec les journalistes. Après « un compte rendu privé, le journaliste demeure dans un état d'enchantement prolongé, suscité par le charme du Président et l'aura qui entoure ses fonctions »[28], écrivait-il. Le correspondant du *New York Times*, Hanson Baldwin, livrerait une critique semblable dans l'*Atlantic Monthly*.

Kennedy s'étant plaint de ces accusations auprès de Bradlee, *Newsweek* publia un large démenti intitulé « Qui dirige quelle information ? ». Or, la simple publication de l'article illustrait bien à quel point la Maison-Blanche était passée maître dans l'art de rallier les journalistes à sa cause. « Krock déplorait la manière dont le Président troublait les facultés critiques par son charme... comme s'il pouvait se montrer délibérément ennuyeux »[29], disait l'article. Selon *Newsweek*, « privés de leurs entrées » à Washington, Krock et Baldwin niaient les « contacts internes »[30] dont ils avaient bénéficié au sein des gouvernements précédents.

Kennedy déclara à Bradlee que cet article « était la meilleure chose qu'il ait lue sur le sujet »[31], même s'il était déçu que *Newsweek* n'ait pas suffisamment « attaqué ses adversaires ». Aux yeux de Bradlee, l'hebdomadaire était allé assez loin en qualifiant « l'ancien ami » du Président de « vieux hors du coup »[32]. Kennedy glissa en outre qu'il ne communiquait plus ni avec Lippmann ni avec Reston. « En réponse à une demande d'interview, il avait suggéré à ce dernier de consulter Krock, qui se faisait passer pour l'observateur informé de l'administration Kennedy »[33], fera remarquer Bradlee.

Aucun journaliste, ni aucune publication, n'était cependant parvenu à jouir d'une aussi grande influence ou d'une telle capacité à importuner le Président que le groupe de presse de Henry Luce. Il était manifeste que *Time Inc.* agaçait JFK, en témoigne une conversation téléphonique échangée avec Bobby début Mars. Kennedy se targuait d'avoir épinglé Luce pendant quarante-cinq minutes au sujet du *Time.* Or, le patron du magazine avait renversé la situation en l'invitant au quarantième anniversaire de sa revue en mai. « Ces gens sont vraiment vicieux »[34], affirmait Kennedy. « De vrais salauds ! », avait renchéri Bobby.

Le Président avait déjà coupé les ponts avec Clare Luce après un déjeuner en octobre 1962, avant la crise des missiles. La jeune femme avait déclaré que les grands hommes dignes d'entrer dans l'Histoire se jaugeaient à l'aune d'une simple phrase et elle se demandait si Jack serait suffisamment solide pour « faire obstacle à la marée du communisme »[35]. Lorsqu'il était arrivé à la Maison-Blanche pour venir la chercher, Hugh Sidey s'était rendu compte que leur entretien s'était achevé bien avant l'heure prévue. Kennedy « était ulcéré », se souviendra le journaliste : « Elle lui avait fait la leçon et c'était la dernière fois, à l'entendre, qu'il acceptait de la voir. »[36] Clare ne cachait pas non plus sa colère : « Je n'ai jamais été traitée de la sorte. Il ne m'a même pas laissée terminer mon dessert. »[37]

Kennedy déclina l'invitation à la fête du *Time*. Il expliqua à Sidey qu'on le taxerait de « sot » s'il cherchait à se faire bien voir de Luce en y assistant. Dans le message qu'il transmit pour être lu au dîner, il salua la créativité du patron de presse en faisant remarquer que le magazine « informait, divertissait, déconcertait et exaspérait ses lecteurs »[38], qu'arrivé à maturité, il affichait « un ton adouci, une plus grande tolérance à l'égard de la fragilité humaine » et qu'il lui arrivait de « montrer des signes de faillibilité »[39].

On aurait pu en dire autant de Kennedy lui-même. Quelques semaines plus tard, le mercredi 29 mai, son équipe lui fit la surprise de lui offrir tout un ensemble de cadeaux amusants pour son quarante-sixième anniversaire : un rocking-chair miniature, des gants de boxe « pour affronter le Congrès » et un panier rempli d'herbes sèches, « de l'herbe authentique provenant de l'ancienne roseraie, de la part de la Société historique de la Maison-Blanche », remis par Jackie. Le soir, cette dernière organisa un dîner-croisière sur le Potomac. À bord du *Sequoia* furent réunis une vingtaine de proches : Bobby et Ethel, Sarge et Eunice, Teddy, les Fay, les Bartlett et les Bradlee ainsi que Reed, Walton et Billings. Parmi les invités figuraient également George Smathers et son épouse, Rosemary, l'acteur britannique David Niven et son épouse, les Hjordi (membres distingués du Tout-Hollywood avec lesquels les Kennedy étaient amis depuis qu'ils allaient danser ensemble au *El Morocco*, à Manhattan, au milieu des années 1950), Clem Norton (un homme politique vieux jeu de Boston, venu en compagnie de Teddy), Fifi Fell, Mary Meyer et la nouvelle amie de Jack, Enüd Sztanzo, identifiée sous la simple étiquette : « Enseignante à l'Université de Georgetown ». Bien qu'invités, Steve et Jean, Peter et Pat et Chuck Spalding ne se présentèrent pas, pas plus que Jean Kennedy, enceinte de près de sept mois. Aucun des familiers du gouvernement n'avait été convié, pas même McNamara, qui avait offert au Président, ravi, une onéreuse gravure ancienne de Mount Vernon.

Jackie avait demandé à chacun de se présenter « en tenue de voile » pour un départ à 20 h 01. Jack portait son blazer bleu marine. Après l'apéritif à l'extérieur, le dîner, avec au menu un filet de bœuf rôti et un Dom Pérignon 1955, fut servi dans la cabine. Il faisait chaud, la foudre et les éclairs finirent par céder la place à une pluie torrentielle. Dans une ambiance tapageuse et largement arrosée, au gré de nombreux toasts accueillis par les sarcasmes habituels de la famille Kennedy, Enüd Sztanzo fut priée de prononcer un discours. « Totalement paniquée », elle se contenta d'un « Bon anniversaire ! » et d'un « Meilleurs vœux ! » en hongrois, « comme si c'était la chose la plus naturelle »[40].

Un trio de musiciens assurait l'animation. Kennedy ne cessa de réclamer des morceaux de twist pour les danseurs. Il souffrait de telles lombalgies qu'il avait dû implorer Jackie de demander à Janet Travell de le soulager pour la fête. Une seule injection devait suffire à lui « supprimer toute sensation au-dessous de la taille »[41], avait prévenu le médecin. « On ne peut pas se le permettre, n'est-ce pas Jacqueline ? », avait-il plaisanté. Quel qu'il fût, le palliatif prescrit avait permis à JFK de se sentir « miraculeusement mieux »[42], confiera-t-il plus tard. Il demanda même au skipper de remonter le cours d'eau à quatre reprises, ce qui prolongea les festivités jusqu'à 1 h 23 du matin.

« Ce fut une sacrée soirée. Tout le monde criait et riait »[43], se rappellera Tony Bradlee. David Niven « en goguette, passa la soirée à me susurrer des choses à l'oreille, c'était génial »[44], se souviendra Martha Bartlett. Red Fay entonna ses chansons préférées. Tout le monde était « plus ou moins ivre »[45], ajoutera Ben Bradlee. Teddy était « le plus avancé ». Durant l'un des « jeux assez fatigants proposés par les Kennedy », il perdit la jambe gauche de son pantalon – « déchiré jusqu'à l'aine, son caleçon blanc donnant du mou à bâbord »[46], précisera David Niven. Totalement soûl, Clem Norton s'affala sur la pile des cadeaux, écrasant une gravure rare de la guerre de 1812 offerte par Jackie. À son habitude, son regard prit une « expression voilée », mais elle évita de refroidir l'ambiance et affirma : « Ce n'est pas grave, je la ferai réparer… »[47] Néanmoins, sa « peine » n'échappa pas à Tony.

Ce fut cependant Jack lui-même qui se conduisit le plus mal. Alors que Jackie était à côté, sans parler de Mary, il jeta son dévolu sur Tony Bradlee. « Jack, tu as toujours dit que Tony était ton idéal de femme »[48], avait plaisanté Jackie lors d'un dîner un mois auparavant. « C'est vrai ! », avait répondu JFK avant de s'empresser d'ajouter : « Pourtant, c'est toi mon idéal, Jacqueline… »[49] Depuis, il avait enjoint Tony à deux reprises de l'accompagner lors d'une visite officielle en Europe à la fin juin. Par deux fois, elle avait refusé.

Plusieurs heures avant la croisière, alors qu'elle se rendait aux toilettes, Tony s'était rendu compte que Jack la suivait. « Il me pourchassait à travers le bateau. Cela fit rire certains membres de l'équipage. Je riais en courant pour essayer de lui échapper. Il m'a rattrapée dans les toilettes des dames et m'a fait des avances. C'était assez pénible, non pas parce qu'il me bousculait mais parce qu'il avait les mains baladeuses. Je lui ai dit d'arrêter, que cela suffisait et je suis repartie en courant comme une folle ! »[50]

Dans le souvenir de Tony, Kennedy n'était pas soûl. « Il s'est sans doute laissé influencer par l'ambiance. J'étais surprise, un peu flattée aussi, mais également consternée »[51], affirmera-t-elle. Un jour, elle finira par en informer son mari, mais beaucoup plus tard. Jamais elle n'en parla à Mary, cependant. À l'époque, cette conduite « lui avait paru étrange », mais elle lui « semblait d'autant plus curieuse depuis qu'elle était au courant pour Mary »[52].

Le lendemain, jour du souvenir, le Président se rendit au cimetière d'Arlington pour déposer une gerbe sur la tombe des soldats inconnus. À midi, il s'envola pour Camp David en compagnie de Jackie, des Bradlee et des Niven, où ils s'adonnèrent à la baignade, au ball-trap, au golf et aux simples bavardages. Tony et Jack firent comme si rien ne s'était passé la veille au soir – personne ne releva aucun signe ni de gêne ni de froideur.

Alors que la petite équipe sirotait des Bloody Mary sur la terrasse, Kennedy ouvrit ses cadeaux d'anniversaire, « avec la hâte et la concentration d'un enfant de 4 ans »[53], notera

Bradlee. Il rit en découvrant l'album offert par Ethel, une parodie du guide de la Maison-Blanche sur Hickory Hill. Mais le cadeau le plus remarqué fut celui de Bill Walton : deux dessins commémorant les efforts de JFK en matière de conservation du patrimoine. Jackie affirma à l'artiste qu'elle aurait aimé qu'il fût présent pour voir le plaisir de Jack, avant d'ajouter avec une ironie désabusée : « Encore que Clem Norton aurait sans doute passé le pied à travers ! » À ses yeux, il avait rendu à merveille la statue d'Andrew Jackson sur Lafayette Square : « Magnifique – un véritable de Vinci ! ». De même, son interprétation du bâtiment Eisenhower faisait paraître Washington « aussi romantique que Venise ». Les deux œuvres seront accrochées dans le salon ouest, où Jackie déclarait « conserver toutes les choses qu'ils aimaient le plus »[54].

Le mercredi 5 juin, Kennedy quitta Washington pour un voyage de cinq jours dans l'ouest. À Colorado Springs, il visita un centre de commandement militaire installé dans un bunker, puis s'adressa aux diplômés de l'académie de l'Air américaine. À White Sands, au Nouveau-Mexique, il assista au lancement de missiles. À El Paso, il s'entretint avec le gouverneur John Connally et Lyndon Johnson sur une future collecte de fonds au Texas. À San Diego, il rencontra des recrues de la Marine. À Los Angeles, il prit la parole lors de deux galas au profit du parti démocrate. Et à Honolulu, il sollicita l'aide des maires de la nation pour apaiser dans leur ville les troubles suscités par le mouvement des droits civiques.

Le point d'orgue de ce voyage fut néanmoins la visite de dix-huit heures à bord du porte-avions *Kitty Hawk* au large de la Californie. L'ancien lieutenant « s'installa dans le fauteuil rembourré de l'amiral sur le pont d'envol, avec un cigare et une tasse de café, tandis que les appareils vrombissaient au-dessus de sa tête, que les missiles sillonnaient le ciel et que le sous-marin nucléaire *Permit* faisait surface à un angle de vingt degrés à neuf cents mètres à tribord »[55], écrira le *New York Times.*

JFK souffrait d'une terrible crise de lumbago, qui s'était sans doute déclenchée la nuit du 6 juin alors qu'il logeait à l'Hotel *Cortez* à El Paso. Par la suite, Hugh Sidey entendra dire par une femme de l'entourage présidentiel qu'il s'était fait mal au cours d'une joute amoureuse en sa compagnie. « Il l'avait rejointe dans sa chambre ou lui avait demandé de venir dans la sienne. Ils étaient assis sur le lit et il avait voulu coucher avec elle. Elle s'était dégagée avec un violent mouvement des bras et il s'était fait mal au dos en se heurtant contre le mur »[56], se souviendra-t-il.

Le soir du 7 juin, Alistair Cooke vit Kennedy agripper les bras de son fauteuil et « s'efforcer de se lever en se tordant complètement »[57] pendant une bonne minute avant que deux officiers de la Marine ne lui viennent en aide pour regagner ses quartiers à bord du *Kitty Hawk*. À la Maison-Blanche, quelques jours plus tard, le documentariste Robert Drew surprendra le Président en train de « se déplacer maladroitement, les muscles des mâchoires tendus, serrant les dents à chaque mouvement chancelant »[58].

À son retour à Washington, Kennedy prononça plusieurs discours d'affilée, provoquant la mise en branle de deux des plus grandes réussites de son mandat sur les plans diplomatique et intérieur. Le 10 juin, il adressa à l'Université Américaine un plaidoyer pour la paix qualifié par la suite d'« historique » par *Newsweek*. En préparation secrète depuis plusieurs semaines, ce discours devait permettre de sortir de l'impasse nucléaire. À son habitude, Sorensen en avait été le principal artisan aux côtés de Kennedy mais Mac Bundy, Arthur Schlesinger, Walt Rostow, Carl Kaysen (l'adjoint de Bundy) et Tom Sorensen y avaient également contribué. Selon Schlesinger, le Président avait volontairement tenu Dean Rusk à l'écart du projet, ne l'en informant que deux jours avant la cérémonie.

Non seulement Kennedy appela au désarmement nucléaire, mais il proposa un réexamen des relations américano-soviétiques. À cette fin, il annonça que les États-Unis avaient suspendu les essais nucléaires atmosphériques et qu'une délégation devait se rendre à Moscou pour discuter d'une interdiction complète des essais. « Après tout, nous avons des points communs : nous habitons tous cette petite planète. Nous respirons le même air, nous chérissons tous l'avenir de nos enfants. Et nous sommes tous mortels ! »[59], déclara-t-il.

L'empreinte pacifiste et unitarienne de Sorensen transparaissait dans la volonté de voir l'homme résoudre les problèmes créés par l'homme plutôt que de le laisser s'en remettre au pouvoir de Dieu. « Ma façon de m'exprimer a sans doute contribué à l'inciter à poursuivre cette idée. J'ai écrit des choses que je l'espérais voir partager. Tout rédacteur de discours sait que la manière d'exprimer un sentiment est aussi importante que le sentiment lui-même »[60], expliquera le conseiller.

Moins d'un mois plus tard, lors de sa visite à Berlin-Est, Khrouchtchev annonça, le 2 juillet, qu'il acceptait une interdiction partielle des essais nucléaires. Le dirigeant soviétique revenait en fait sur sa première proposition d'interdiction totale accompagnée de trois inspections annuelles sur site. Devant l'insistance de Kennedy, qui exigeait des contrôles plus fréquents, les partisans de la ligne dure du gouvernement soviétique avaient contraint Khrouchtchev à faire machine arrière.

Quoi qu'il en soit, le discours de Kennedy avait convaincu son homologue de sa volonté de signer un traité et d'améliorer les relations avec l'Union soviétique. Malgré sa déception de devoir renoncer à une interdiction totale, Macmillan[61] déclara à Kennedy : « C'est déjà quelque chose, et cela vaut mieux que rien du tout ! ». En tout, les États-Unis, la Grande-Bretagne et l'Union soviétique avaient procédé à trois cent trente-six explosions nucléaires. L'interdiction des essais réduirait la pollution radioactive et établirait un précédent en créant une obligation légale. Pour Kennedy, l'interdiction partielle représentait « plus un commencement qu'un aboutissement », écrira Sorensen[62]. JFK conservait l'espoir de voir cet accord contribuer à limiter la prolifération des armes nucléaires et à ouvrir la voie au désarmement.

Les équipes de négociations américaines et britanniques se réunirent à Moscou le 15 juillet. Sans avoir à chicaner sur les essais souterrains et les inspections sur site, les négociateurs avancèrent rapidement. En dix jours, ils parvinrent à un accord pour un traité interdisant les essais nucléaires dans l'atmosphère, dans l'espace ou sous la mer.

Le 26 juillet, Kennedy commenta le traité à la télévision afin de rallier des soutiens pour sa ratification par le Sénat. « Hier, un rayon de lumière a percé les ténèbres », déclara-t-il. Il reconnut que les stocks nucléaires demeureraient intacts mais expliqua que le traité « réduirait radicalement les essais nucléaires » qui « alarmaient tant l'humanité »[63].

Durant l'été mouvementé de 1963, Kennedy se trouva également aux prises avec la lutte pour les droits civiques. Lyndon Johnson se révéla un allié crucial dans la mise en place de la stratégie gouvernementale. Ayant touché le fond au cours de la troisième année de son mandat, le vice-président rebondit en se ralliant à cette cause.

« Lyndon est gras, gris et vulnérable »[64], écrivait Katie Louchheim après avoir entendu le vice-président au *Mayflower Hotel*, peu après l'optimiste discours sur l'état de l'Union de Kennedy. Un journaliste du *Time* demanda à Orville Freeman ce qui était arrivé à Johnson, sous-entendant qu'il « s'était flétri parce qu'il ne s'était certainement pas montré à la hauteur des espérances »[65]. L'hebdomadaire avait d'ailleurs publié un article cinglant début février intitulé « Vu mais pas entendu ». « Le pouvoir lui échappe », concluait-il. Certes, le vice-président assistait encore aux réunions et aux soirées de la Maison-Blanche, mais le *Time* écrivait : « Il est libre de s'exprimer, mais personne ne lui prête plus vraiment attention. »[66]

Pour Schlesinger, Johnson était devenu « une présence fantomatique au salon du Conseil. Psychologiquement, il devait commencer à trinquer »[67]. Il n'était pas rare que Johnson parte se réfugier dans son ranch texan le jeudi pour ne rentrer à Washington que le lundi suivant. Il était « au tapis », disait Charley Bartlett. « S'il lui arrivait de déprimer, il luttait contre ce sentiment. De temps en temps, il s'apitoyait sur son sort, mais pas en permanence »[68], expliquera George Christian, l'un de ses collaborateurs. Au ranch, Dale Malechek, son contremaître, lui tenait compagnie en faisant avec lui de longues parties de dominos. Une nuit, alors qu'il trayait les vaches, à 4 h du matin, Malechek avait même surpris Johnson, en robe de chambre, en train de le regarder fixement.

En mai 1963, Johnson et Kennedy étaient apparus ensemble à un gala au profit du parti démocrate. Ensuite, Earl et Flo Smith avaient organisé une soirée chez eux, dans leur appartement de la Cinquième Avenue. « Je suis devenu comme fou. Le Président était là, assis dans un grand fauteuil. En cercle autour de lui, tout le monde buvait ses paroles. Moi aussi, j'étais attentif, et puis soudain, j'en ai eu assez d'être derrière comme cela à écouter »[69], avouera Johnson plus tard à Harry McPherson.

Le vice-président battit en retraite près de la baie vitrée surplombant Central Park. En le voyant seul, Flo Smith s'approcha de Jeanne Murray Vanderbilt, venue en compagnie d'éminents démocrates. « Quelqu'un pourrait-il aller faire la conversation au vice-président ? », murmura-t-elle. « Je veux bien y aller, mais j'ignore de quoi je pourrais bien lui parler », avait répondu la jolie jeune femme. « Ne réfléchissez pas à cela »[70], lui avait lancé Flo. « Elle avait raison. Il n'arrêtait pas de parler et il était charmant »[71], se souviendra Jeanne. Quelques heures plus tard, le vice-président avait offert à la jeune femme de la raccompagner. Au moment de se séparer, il lui avait déclaré : « Je n'oublierai pas votre gentillesse à mon égard. ». « C'était émouvant de voir une telle personnalité se rabaisser autant à ses propres yeux et à ceux des autres »[72], ajoutera McPherson.

Néanmoins, la question de l'égalité des droits œuvrait déjà au retour du grand Johnson. Au début du printemps, le vice-président avait entrepris une série de discours sur le sujet en Caroline du Nord et en Floride. « J'aimerais avoir des Noirs à mes côtés sur l'estrade. Si vous ne les laissez pas monter, je ne viens pas, un point, c'est tout ! », avait-il annoncé aux responsables locaux. Grâce à ses pressions, il avait obtenu gain de cause – une victoire morale.

La résurrection de Johnson – avant-goût de la surprenante mainmise qu'il opérerait sur le pouvoir après l'assassinat de Kennedy six mois plus tard – s'opéra le 3 juin, lors d'une extraordinaire conversation téléphonique avec Ted Sorensen. Alors que les manifestations de Birmingham se propageaient dans d'autres villes, Jack et Bobby avaient commencé à élaborer un cadre pour la nouvelle loi sur les droits civiques. Comme on pouvait s'y attendre, Johnson n'avait pas été mis au courant. « J'en ignorais tout. Je l'ai découvert dans le *New York Times* »[73], affirma-t-il à Sorensen.

Le vice-président prit alors les choses en main et dicta un projet de loi au conseiller. « Je crois savoir ce qu'éprouvent les Noirs dans ce pays. J'ai parlé avec bon nombre d'entre eux »[74], expliqua-t-il. Il énonça cinq mesures : améliorer la législation proposée, faire directement se rencontrer JFK et les leaders noirs, chercher des appuis républicains, à commencer par celui d'Eisenhower, choisir des présidents de comité démocrates et défendre la cause dans le Sud profond en organisant des discours. « Nous avons entre les mains un pistolet dont je veux braquer le canon, autrement dit, le Président ! », clamait-il. Kennedy devait « être le chef de file de la nation et s'engager moralement vis-à-vis d'eux. Les Noirs étaient fatigués d'être patients, de se contenter de bribes »[75].

Johnson mit Sorensen en garde contre « le risque de déclencher un débat de trois à quatre mois qui anéantirait le programme de Kennedy, enflammerait le pays et accoucherait d'une souris »[76]. À son avis, « ces risques importants pourraient coûter le Sud aux démocrates » en 1964, « mais ils pourraient perdre ces États de toute façon »[77]. Revenant à ses propres techniques de 1957, le vice-président proposa que Kennedy défende directement sa cause à Jackson, dans le Mississippi : « S'il se rend là-bas et les regarde droit dans les yeux en soulignant l'aspect moral et chrétien, ils respecteront au moins son courage. Ils sentent bien qu'ils penchent du mauvais côté de la balance sur ce problème de conscience. »[78]

Trop souvent échaudé, il refusait de montrer ouvertement l'exemple au sein du gouvernement. « Je défends ce programme aussi fermement que vous, mon ami. Je n'ai aucune envie de débattre de ces questions avec quinze personnes pour les entendre ensuite faire les gorges chaudes du vice-président. Je n'ai pas assisté à une seule de leurs conférences avec les sénateurs. Cela aurait mieux valu, mais tant pis. Si à la dernière minute, on me demande mon avis, je le donnerai honnêtement. Je le ferai loyalement tant que je serai là »[79], dit-il à Sorensen.

Une semaine plus tard, dans les heures qui suivirent son plaidoyer pour la paix, Kennedy fit face à un nouveau conflit explosif dans le Sud profond. Son adversaire, le gouverneur de l'Alabama George Wallace, avait fait vœu de « barrer le passage » à quiconque voudrait supprimer la ségrégation dans l'université de son État. Le 21 mai, un juge fédéral avait enjoint l'établissement d'accueillir deux étudiants noirs, marquant le début de l'épreuve de force qui opposerait Nicholas Katzenbach, le ministre de la Justice adjoint, à Wallace, le 11 juin.

Le lundi 10 juin se posa la question de savoir si Kennedy devait ou non prendre la parole sur les ondes pour parler des relations raciales. L'éventualité d'une allocution télévisée faisait l'objet de débats depuis des jours. Lors d'un dîner, le jeudi précédent, Ted Sorensen avait déclaré avec emphase : « Il ne devrait passer à la télévision qu'en cas de crise. »[80] Le conseiller spécial ne croyait pas à la nécessité d'éduquer ou d'implorer les Américains sur la question des droits civiques. « Ted veut qu'il annule »[81], écrira Katie Louchheim.

L'exhortation de Lyndon Johnson ne l'avait pas convaincu, ni le Président d'ailleurs, qui partageait sa crainte des conséquences politiques. Finalement, ce fut par l'entremise de Bobby que le vice-président fit valoir son point de vue. Depuis plusieurs mois, le ministre de la Justice cherchait à prendre l'avantage sur la question des droits civiques. L'événement le plus marquant de cette lutte s'était traduit par une attaque, en mai, lors d'une réunion du Comité sur l'égalité des chances au travail, présidé par Johnson. Alors que la commission avait usé de son influence pour accroître le nombre d'emplois accordés aux Noirs au sein du gouvernement fédéral, Bobby avait dénoncé le manque d'action de la part du vice-président. Début juin, il s'était positionné « aux côtés des anges » pour une « cause juste », avait fait remarquer Cy Sulzberger.

Alors que le cinéaste Robert Drew installait ses caméras dans le bureau Ovale, le lundi après-midi, pour un documentaire sur l'intégration devant être diffusé par ABC, Bobby fit pression sur son frère pour qu'il prenne la parole à la télévision. Kennedy ne parvint pas à se décider. Le lendemain, Katzenbach défiait du regard l'implacable gouverneur de l'Alabama – également devant une caméra de l'équipe de Drew. Kennedy rassembla la garde nationale de l'État, qui força Wallace à céder et à autoriser les deux étudiants à s'inscrire. « Je parlerai à la télévision ce soir ! », annonça JFK en revoyant l'acte de défi du gouverneur.

Ainsi, le 11 juin, Kennedy prononça le second de ses discours historiques. Avec Sorensen et Bobby, le Président rédigea ses commentaires à la hâte, en cinq heures, avant la prise d'antenne. Durant dix-huit minutes, il improvisa brillamment à partir d'un texte inachevé. Il insista sur le fait que « les droits de tous étaient limités chaque fois que les droits d'un seul homme étaient menacés »[82]. « Nous sommes fondamentalement confrontés à une question morale. C'est aussi vieux que les Écritures et aussi clair que la Constitution américaine », proclama-t-il. À ses yeux, les Noirs ne pouvaient plus être des citoyens de second ordre dans une nation prônant « la liberté dans le monde ». Il observa que « le feu de la frustration et de la discorde brûlait dans chaque ville », mais que la solution ne pouvait se trouver ni dans « la répression policière » ni dans « des mesures symboliques » ni dans « la multiplication des manifestations de rue ». Il était de l'obligation de l'État de voter de nouvelles lois pour assurer une « révolution, un changement pacifique et constructif pour tous ».

Les improvisations du Président, notera plus tard Sorensen, « s'appuyaient sur au moins trois ans d'évolution de sa pensée, au moins trois mois de révolution au sein du mouvement des droits civiques, au moins trois semaines de réunions à la Maison-

Blanche »[83]. Kennedy avait exercé sa primauté morale au moment crucial. « Les circonstances ont en quelque sorte rattrapé JFK et Bobby », déclarera Richard Bolling[84], représentant du Missouri au Congrès et allié libéral de Kennedy : « La situation politique avait changé. Il était manifeste qu'il y aurait de réelles réactions s'ils ne bougeaient pas. »

Huit jours après le discours, le Président soumit la législation promise au Congrès. La loi interdisait toute discrimination fondée sur la race, la religion, l'appartenance ethnique ou le sexe dans les lieux publics – à l'école, à l'université, dans les hôtels, les restaurants ou les magasins, au théâtre ou dans les salles de sports. En cas de violation de ces dispositions, le gouvernement fédéral se réservait le droit d'en appeler aux tribunaux pour faire respecter la loi. Le ministère de la Justice était en outre habilité à faire appliquer la déségrégation dans les écoles et l'égalité des chances dans l'accès à l'emploi. Certaines dispositions reprenaient aussi les termes de la loi plus restreinte sur les droits civiques soumise en février pour prohiber la discrimination en matière de vote.

Les émeutes urbaines se calmèrent et Kennedy s'efforça tout au long de l'été de tendre la main aux chefs de file du mouvement pour l'égalité des droits qui s'affairaient à préparer une marche de la liberté sur Washington le 28 août. Cherchant à recueillir des appuis en faveur de la législation sur les droits civiques, il reçut les leaders d'opinion à la Maison-Blanche. Lors de ces réunions, Kennedy se montra « contenu et laconique », Johnson « évangélique et souvent très émouvant », Bobby « brusque et passionné », écrira Arthur Schlesinger[85]. À la mi-juillet, Katie Louchheim assista à une réunion avec trois cents dirigeantes de près d'une centaine d'organisations de femmes. « J'observais le visage du Président pendant le long discours du vice-président, qui parlait même du problème que rencontraient certaines femmes de couleur pour se rendre aux toilettes »[86]. Plus tempéré, comme d'habitude, Kennedy demanda à ces femmes de « soutenir la législation » et de « pratiquer l'intégration dans leurs groupes ».

La marche pour l'égalité des droits se révéla plus bénéfique que ne l'escomptaient aussi bien Kennedy que ses organisateurs. Par crainte de débordements violents, le Président
avait d'abord tenté d'empêcher la manifestation, puis avait
choisi de s'en servir pour promouvoir sa loi. Le gouvernement
proposa le symbolique monument de Lincoln comme point de
convergence, aida à planifier le programme et coordonna
soigneusement la sécurité. Point d'orgue du rassemblement,
le légendaire discours de Martin Luther King, « Je rêve »,
appela l'Amérique à devenir une nation où les individus « ne
seraient plus jugés sur la couleur de leur peau mais sur la
nature de leur caractère »[87]. Ensuite, Kennedy invita les dix
leaders de la marche à une conférence d'une heure à la Maison-
Blanche. Pendant qu'étaient servis thé, café, canapés et sandwichs, il loua « la profonde ferveur et la calme dignité »[88] des
deux cent mille manifestants. Ayant regardé les discours à la
télévision, le Président fit part de son admiration au révérend,
auquel il confia avoir désormais lui aussi « un rêve ».

CHAPITRE 27

La baisse de popularité de JFK :
la présidence en danger

En annonçant sa grossesse à la mi-avril, Jackie s'était libérée du fardeau des habituelles manifestations officielles printanières ; néanmoins, elle choisit d'assister à certains événements. Le jeudi 2 mai, elle s'épargna le brunch des femmes du Congrès auquel elle s'était engagée à participer des mois plus tôt. JFK tenta de faire amende honorable en expliquant que sa femme était « occupée à accroître le produit national brut à sa manière »[1]. Malgré la plaisanterie, le télégramme de Jackie fut accueilli avec « la plus grande froideur »[2]. « L'assemblée des deux mille femmes se montra fort silencieuse »[3], écrira Katie Louchheim. Leur mécontentement provenait essentiellement de la présence de Jackie, tous les journaux le rapportaient, la veille au soir au Metropolitan Opera House de New York, où avait lieu une représentation du Royal Ballet.

Cette semaine-là, la première dame s'était déjà acquittée d'un dîner officiel, le 30 avril, en l'honneur de la grande-duchesse Charlotte de Luxembourg. Initialement, la visite devait avoir lieu au mois d'octobre précédent, mais elle avait été annulée en raison de la crise des missiles cubains. Kennedy était « très ennuyé » à l'idée de recevoir la souveraine d'un pays aussi insignifiant. Pour le convaincre, le chef du protocole, Angier « Angie » Biddle Duke, avait dû lui rappeler que Roosevelt avait offert refuge à la grande-duchesse lorsque les nazis s'étaient emparés de son pays durant la Seconde Guerre mondiale. Le Président « se montra certes brave et noble, mais il n'apprécia guère la soirée »[4], se souviendra Duke.

Parmi les personnalités importantes invitées au dîner se trouvait André Meyer, que Jackie avait rencontré pour la première fois un peu plus tôt dans le mois, lors d'une soirée en comité restreint à la Maison-Blanche. Ce financier de Wall Street était un client de longue date de Stéphane Boudin. « C'était un homme à femmes »[5], affirmera Paul Manno, le représentant du décorateur à New York. « Nous sommes allés le voir avec Boudin pour lui proposer de rencontrer Jacqueline Kennedy. Il nous a regardés avec des yeux exorbités. Quand je lui ai dit que cela ne lui coûterait que cinquante mille dollars, il m'a demandé pourquoi. J'ai répondu : « Pour un tapis » »[6]. Meyer avait docilement acheté un tapis du XIXe siècle de la Savonnerie que Jackie convoitait pour sa chère chambre Bleue. Plus tard, il deviendra le confident et le conseiller financier de la première dame.

La soirée avait pour thème la poésie élisabéthaine et la musique baroque. Jackie avait sélectionné des sonnets et autres œuvres de Marlowe, Shakespeare, Jonhson et Donne, que lut Basil Rathbone. En guise de surprise, elle fit réciter par l'acteur britannique à la voix sonore le discours d'anthologie de *Henri V*, tant aimé de JFK : « *Le jour de Crépin-Crépinien ne passera jamais, à compter d'aujourd'hui jusqu'à la fin du monde, sans qu'on se souvienne de nous ; de nous, cette poignée, cette heureuse poignée d'hommes, cette bande fraternelle ; car quiconque aujourd'hui verse avec moi son sang sera mon frère.* » Elle confia à Rathbone que son mari lui « rappelait Henri V, bien qu'à son avis, il n'en sût rien »[7]. Accompagnées par une mélodie jouée sur des instruments anciens (luths, cistres et virginals), ces lectures donnèrent lieu à des « moments d'harmonie feutrée qui plongèrent les auditeurs dans un état d'intense concentration »[8].

Shakespeare figurait pour la seconde fois au programme des divertissements prévus pour un dîner officiel. À cette date, nul n'ignorait plus que Kennedy se plaisait à citer le grand barde. Durant le printemps, il avait déclamé des passages de *Richard II*, de *Henri IV* et du *Roi Jean*. Les journalistes ne cachaient pas leur admiration devant tant d'érudition. Lors de la soirée organisée pour le cinquante et unième anniversaire de Dave Powers, en avril, ils étaient même demeurés perplexes lorsque le Président avait montré une tasse en argent portant cette inscription : *Il y a trois choses dans la vie qui sont vraies : Dieu, la folie humaine et le rire. Les deux premières dépassent l'entendement. Il nous faut donc composer avec la troisième.* Tom Wicker, du *New York Times*, avait fini par découvrir qu'il s'agissait d'un extrait du *Ramayana* d'Aubrey Menen et que Kennedy l'avait récité de mémoire à son conseiller militaire Ted Clifton.

La dernière apparition en public de Jackie avant son départ pour Cape Cod eut lieu à l'occasion du dîner d'État organisé le 3 juin en l'honneur du président indien Radhakrishnan. Pour le spectacle, il fut donné un extrait de *La Flûte enchantée* de Mozart. Jackie n'arriva qu'une fois tout le monde installé, « telle une reine à pattes de velours », commentera Katie Louchheim[9] : « Tout au long du dîner, je surpris son beau regard intense posé sur le vieil homme rabougri. »

Plus nombreux que d'ordinaire, les convives formaient une assemblée hétéroclite. À la demande de JFK, Schlesinger avait établi une liste édifiante d'invités possibles – des philosophes, dont Paul Weiss de Yale et Morton White de Harvard, le théologien Reinhold Niebuhr, divers indologues, ainsi que des auteurs tels que Pearl Buck, Christopher Isherwood, Aldous Huxley et Nicholas Nabokov. Parallèlement, Kennedy voulait lancer un appel aux donateurs démocrates en vue de la campagne électorale de 1964. Fidèle pilier du parti, Katie Louchheim lui avait suggéré des noms par l'intermédiaire de Charley Bartlett. « Le Président donna des ordres avec une rapidité surprenante à mes yeux »[10]. Même Galbraith s'émerveilla de le voir ainsi en mesure de rembourser « un nombre phénoménal de dettes politiques »[11].

Tish Baldrige quitta ses fonctions le lendemain, non pas « sur une civière à cause de la frénésie ambiante »[12], comme elle l'avait prédit à son amie Clare Luce, mais les yeux remplis de larmes, en dépit de la « tension des derniers mois »[13]. « Je les aime vraiment du fond du cœur et je reste convaincue qu'il est un merveilleux Président »[14], lui expliqua-t-elle. Pour saluer son départ, Jackie organisa des adieux chaleureux, arrosés au champagne et animés par l'orchestre de la Marine. Tout le monde entonna « Arrivederci, Tish », chanson écrite par Jackie sur l'air de « Arrivederci, Roma ». JFK passa un quart d'heure en sa compagnie dans le bureau Ovale à commenter sa personnalité – lui déclarant qu'elle était « la femme la plus sensible qu'il avait jamais connue »[15] – et à la remercier pour son indéfectible soutien à Jackie.

À cette époque, Jackie avait bien avancé dans ses derniers grands travaux de réaménagement de la Maison-Blanche. Il s'était écoulé près d'un an depuis l'inauguration de sa « grande bibliothèque ». Pour mener à bien cette entreprise, elle avait délégué Schlesinger pour la représenter auprès du bibliothécaire de l'université de Yale, James T. Babb, et confié à Bunny Mellon, bibliophile passionnée, la tâche de rassembler deux mille cinq cents volumes, par acquisition ou par donation. Or, la bonne marche du projet avait été ralentie, du moins en partie, parce que Jackie n'était pas très sûre du résultat qu'elle souhaitait obtenir.

En avril, la première dame s'était décidée pour une collection d'ouvrages « américains d'envergure ayant influencé la pensée américaine »[16], notamment les mémoires d'Ulysses Grant et d'autres Présidents. Jackie voulait « des livres anciens, si possible dans leur reliure d'origine », mais pas de « précieuses » premières éditions. En mai 1963, Schlesinger lui soumit une liste qui lui convint et elle promit de s'occuper des ex-libris durant l'été.

Alors qu'elle s'était initialement engagée à proposer une « bibliothèque de travail », l'idée de laisser le personnel de la Maison-Blanche emprunter ces ouvrages la chagrinait. Elle s'inquiétait que les donateurs potentiels s'effarouchent à l'idée que leurs livres soient maltraités ou volés. Schlesinger lui avait finalement fait changer d'avis en affirmant : « Il semble un peu stérile et artificiel de disposer d'une bibliothèque que personne n'utilise. »[17] Jackie décida d'accorder « tacitement » le privilège de l'emprunt et de nommer quelqu'un à la supervision de la circulation des ouvrages. « Vous pourriez vous déguiser en gentilhomme du XVIIIe siècle et rester assis là toute la journée à lire *La Désobéissance civile* »[18], écrivit-elle à son conseiller.

Son autre projet, la nouvelle maison en Virginie, s'acheva à la fin du même mois de mai. Hormis quelques rapides visites d'inspection en compagnie de Jackie et de divers amis, Jack avait plutôt évité les lieux. « Cette maison était une vaste plaisanterie. Jack n'en voulait pas. Qu'y aurait-il fait ? »[19], déclarera Ben Bradlee. Une fois terminée, la maison surprit par son allure modeste et quelconque. « Elle n'avait ni proportions ni envergure. En revanche, le paysage était merveilleux. C'est ce qui la sauvait »[20], notera James Ketchum, conservateur de la Maison-Blanche.

Jackie ne passa qu'une seule nuit à Wexford ce printemps-là, en compagnie de Mary Gallagher, venue l'aider à finir de meubler la maison. Pour souligner le côté exotique de la décoration, Jackie installa des éléphants sculptés du Pakistan, des chaises et des tables faites à la main provenant d'Inde et une collection de splendides miniatures mongoles, présentées auparavant dans le salon ouest. « Jack ne les a jamais aimées »[21], expliqua-t-elle à Bill Walton. À Wexford, elle les accrocha dans la salle à manger. « Plutôt érotique ! », grimaça la secrétaire, qui les jugeait mieux adaptées à la chambre.

Mary Gallagher fut la première personne à dormir dans la chambre d'amis, couverte du sol au plafond, et jusqu'aux portes, d'un papier peint en cachemire aux motifs rouge vif, orange et vert. La première fois qu'il avait vu la pièce, Jack Kennedy l'avait comparée à « l'intérieur d'un bordel persan »[22]. Paul Fout était convaincu que ce décor étourdissant était destiné à écourter le séjour des visiteurs. « Ils n'aimeront pas ce plafond »[23], avait-il lancé à Jackie. « J'espère que vous avez raison ! »[24], avait-elle rétorqué.

Avant son achèvement, les Kennedy avaient déjà décidé de louer la maison mille dollars par mois pour l'été – « C'est comme louer un manteau de vison tout neuf avant même de s'être montré avec »[25], notera un chroniqueur de Washington.

A. Dana Hodgdon, agent de change dans la capitale, prit la maison de juin à août, puis céda la place à un pétrolier de San Diego, Ogden Armour, qui y demeura jusqu'au 1er octobre.

Une fois encore, le Président et la première dame avaient convenu de passer l'été sur Squaw Island, mais à l'écart de la propriété des Kennedy. Cette année-là, ils louèrent Brambletyde, une maison en bardeaux gris, pleine de coins et de recoins, appartenant à Louis Thun, un riche industriel de Pennsylvanie. Située sur une pointe de terre, la demeure jouissait d'une vue panoramique sur l'océan. Il était prévu que Jackie et les enfants arrivent le 27 juin. Comme les années précédentes, ils repartiraient ensuite pour passer le mois de septembre à Newport. Des problèmes financiers avaient contraint la mère et le beau-père de Jackie à vendre Merrywood pour emménager, en mai, dans une maison plus petite à Georgetown. N'ayant pas pour autant restreint son train de vie à Hammersmith Farm, Janet Auchincloss préparait avec impatience le bal des débutantes qu'elle avait décidé d'organiser pour Janet, la demi-sœur de Jackie. Elle avait prévu une réception invraisemblable pour mille invités. Dans le jardin transformé en décor vénitien trônait une gondole rouge et noire de neuf mètres de long débordante de fleurs. Les musiciens de l'orchestre de Meyer Davis devaient jouer en costumes de gondoliers.

Quoi qu'il eût pu se passer entre eux à la réception en mars, Mary Meyer était demeurée dans l'orbite du Président. Elle avait aidé à préparer la fête de son anniversaire sur le *Sequoia*, puis JFK l'avait revue à la soirée chez Joe Alsop, après son discours à l'Université Américaine, le 10 juin, pendant que Jackie était à la campagne. « Le Président avait dit qu'il aimerait venir, mais à la dernière minute, son dos l'avait fait à nouveau souffrir à cause de son épuisant week-end à Hawaii passé en charmante compagnie »[26], écrira Alsop à Evangeline Bruce. Finalement, Kennedy avait décidé de « venir prendre un verre »[27]. La femme en question ne pouvait être que Mary ; les autres invités réunissaient David Bruce, le diplomate William Atwood, Alice Longworth, David et Sissie Gore, Oatsie Leiter, Hugh et Antonia Fraser, Bob et Marg McNamara et le professeur d'Oxford, Sir Maurice Bowra.

Kennedy avait affiché « une humeur gaie » ce soir de fin de printemps. Il avait participé aux « railleries au sujet de l'affaire Profumo et des scandales qui restaient à révéler »[28]. Finalement, il s'était attardé près d'une heure chez Alsop. Durant l'apéritif servi dans le jardin, où il était assis à côté de Mary et d'Atwood, il avait évoqué le souvenir de sa première danse avec la jeune femme à Choate, près de trente ans plus tôt. Par ailleurs, il avait pris le temps de bavarder avec la jolie trentenaire Antonia Fraser. Comme le confiera Alsop à Evangeline Bruce, on aurait dit « un petit garçon prêt à plonger sa cuillère dans une coupe de crème glacée à la pêche »[29].

Deux soirs plus tard, le mercredi 12 juin, Mary était revenue dîner à la Maison-Blanche avec Jack, Jackie, Red Fay et Bill Walton. Entre autres sujets, ils avaient abordé le départ de Ros Gilpatric, qui souhaitait quitter le gouvernement pour reprendre ses activités juridiques à New York. En plaisantant avec Ben Bradlee, Kennedy s'était demandé si le beau secrétaire adjoint à la Défense ne serait pas le « Profumo secret » de son administration. Jackie avait récemment passé la journée avec Gilpatric dans sa ferme, sur la côte Est du Maryland. « On voyait qu'elle se contraignait, qu'elle aurait voulu reprendre sa liberté, mais qu'elle s'inquiétait pour son image et qu'elle ne voulait en aucun cas mettre son mari dans l'embarras »[30], se souviendra le ministre adjoint. Dans sa lettre d'adieux, datée du 13 juin, Jackie écrivait à son « Cher Ros » que son départ laisserait « un grand vide ». La première dame passera la nuit suivante à Camp David tandis que Mary Meyer tiendra à nouveau compagnie à JFK à la Maison-Blanche.

Kennedy devait partir le 22 juin pour une tournée de dix jours en Europe. Il souhaitait renforcer l'alliance Atlantique par une visite en Allemagne et en Italie, mais il voulait également s'offrir un voyage sentimental en Irlande. C'est volontairement qu'il avait omis la France, car il n'avait pas digéré le refus de de Gaulle d'intégrer la Grande-Bretagne dans le Marché commun. Parallèlement, il avait prévu de passer vingt-quatre heures en Grande-Bretagne, mais il souhaitait garder le secret le plus longtemps possible afin d'éviter d'échauffer les esprits français. « Le but avoué de cette visite pourrait être annoncé le moment venu, en fonction des événements dans le monde »[31], avait expliqué David Gore à Macmillan après son entrevue stratégique avec JFK, le 3 mai. Pour minimiser l'importance de ce déplacement, finalement annoncé début juin, le Premier ministre britannique avait suggéré qu'ils se rencontrent dans sa maison de campagne, à Birch Grove, plutôt qu'à Londres.

Dans l'attente de la réponse de Khrouchtchev à son plaidoyer pour la paix, Kennedy voulait débattre de la stratégie à adopter pour les négociations du traité d'interdiction des essais nucléaires, qui devaient commencer quelques semaines plus tard. JFK souhaitait en outre apporter son soutien à Macmillan, bouleversé par la multiplication des révélations survenues dans l'affaire Profumo. Le gouvernement conservateur avait vu ses problèmes s'aggraver lorsque le ministre avait avoué, le 4 juin, avoir menti en mars à la chambre des Communes en niant tout rapport sexuel avec Christine Keeler. Macmillan avait déclaré au Parlement avoir été « scandaleusement trompé »[32]. Poussé à la démission par ses pairs, Profumo avait quitté la vie publique en disgrâce – en grande partie parce qu'il « est plus grave d'avouer un tel mensonge au Parlement que de tricher aux cartes dans un club »[33], fera remarquer David Bruce. Dans un télégramme adressé à Kennedy le 18 juin, l'ambassadeur américain avait écrit qu'il était « pitoyable et extrêmement dommageable »[34] que Macmillan eût ainsi admis son ignorance. Ce jour-là, en réunion avec August Heckscher dans le bureau Ovale, Kennedy s'étonna d'apprendre que le Premier ministre n'avait rien su de l'affaire. « D'ailleurs, personne ne m'avait mis au courant non plus. La CIA ne me dit jamais rien de toute façon », déclara-t-il.

Quatre jours plus tard, Bruce envoya à JFK un rapport « confidentiel » sur les « commérages du moment » concernant l'affaire Profumo, rapport qu'il jugeait « d'une diversité et d'une virulence presque inconcevable ». « Je vous en parlerai de vive voix. Jusqu'ici, aucun responsable du gouvernement américain n'a, à ma connaissance, pris part à ces conjectures et accusations. À mon avis, ils ne le feront pas, si ce n'est par insinuations », écrivait l'ambassadeur. Dès que le scandale avait éclaté, Kennedy « avait été à l'affût de la moindre information. L'affaire présentait quantité d'aspects communs à ses centres d'intérêt : manœuvres en haut lieu, aristocratie britannique, sexe et espionnage ».

Cependant, Kennedy s'était montré « très abattu »[35], affirmera Jackie, par l'impact de cette affaire sur Macmillan – « L'image de cet homme, qu'il considérait comme un grand héros, était détruite. »[36] En guise de geste de sympathie, JFK fera remettre à l'épouse du Premier ministre, Dorothy, « un ensemble d'accessoires pour coiffeuse à ses initiales »[37].

Dans l'organisation du voyage, il fallut prendre en compte le transport du lit double de Kennedy. Un « lit spécialement construit pour lui et qu'il était le seul à trouver confortable »[38], selon Macmillan. Mac Bundy et Philip de Zulueta, le secrétaire personnel du chef du gouvernement britannique, consacrèrent une semaine à prendre les dispositions nécessaires alors que Kennedy ne devait passer qu'une seule nuit à Birch Grove.

« Souhaitant que tout soit parfait dans le moindre détail »[39], Jackie participa amplement à la logistique. Dans la lettre qu'elle lui écrivit la veille du départ, elle présenta ses excuses à Dorothy Macmillan pour les instructions compliquées du chef de la Maison-Blanche : « Je vous supplie de considérer Jack comme un ami que David Gore emmènerait chez vous pour le déjeuner et de ne rien changer à vos habitudes. Ses goûts sont d'une normalité affligeante. Il aime tout, la bonne cuisine simple, comme les enfants. »[40]

Kennedy décida naturellement de rassembler tous les dossiers à emporter. Schlesinger intervint pour décrire « la banalité et l'insipidité » des rapports remis par les analystes du ministère des Affaires étrangères et critiqua de nouveau Rusk pour ses idées convenues et sa platitude. Certes, il avait « l'autorité, mais pas les facultés pour commander »[41]. Judicieusement, l'historien déconseilla au Président de se déclarer publiquement en faveur d'une force nucléaire multinationale. Sorensen faisait des heures supplémentaires pour préparer pas moins de vingt-sept déclarations et discours et savait qu'il avait encore quelques nuits d'insomnie devant lui. Sur une suggestion de Schlesinger, Kennedy désigna Mac Bundy pour lui prêter main-forte.

Quelques jours avant le départ, JFK avait convoqué Enüd Sztanzo à la Maison-Blanche pour lui demander la prononciation de plusieurs phrases en allemand qu'il comptait dire devant le mur de Berlin. « Votre prononciation est épouvantable ! »[42], lui avait asséné la jeune fille. « Je dus lui faire répéter les phrases dix fois pour corriger sa prononciation », rapportera-t-elle. Bien qu'ils fussent seuls dans les appartements privés, Kennedy avait eu « une conduite irréprochable. Comme un petit garçon, il avait dit : "J'ai été sage, non ?" ».

Dans la presse, certains journalistes questionnèrent le bien-fondé de ce voyage en Europe étant donné l'urgence des problèmes intérieurs. Même David Gore exprima ses doutes, le 20 juin, quant au moment choisi, jugé « inopportun », pour cette visite. À son avis, Kennedy « laissait derrière lui une situation inquiétante. Les conflits raciaux avaient pris en certains endroits une tournure explosive »[43] et il était question, parmi les leaders noirs, de « désobéissance civile de grande envergure : à l'échelle nationale »[44]. Gore constatait un « manque d'enthousiasme marqué de la part de la nation à l'égard du voyage présidentiel »[45]. Un sondage mené juste avant le départ corrobora son instinct : la popularité de JFK, qui enregistrait 75 % après la crise des missiles, avait chuté à 59 %. L'institut de sondage en attribuait la cause à « l'ébullition liée aux droits civiques »[46].

Lors d'une réunion avec un groupe de chefs de file nationaux, « alors que les émeutes atteignaient leur paroxysme et que la passion faisait rage »[47], se souviendra James Reston, le

Président « sonna l'arrêt de jeu ». Puis, « au grand étonnement de tous les présents », il sortit une feuille de sa poche et conclut par un extrait du *Roi Jean* : « *Le soleil est couvert de sang ! beau jour, adieu ! De quel côté dois-je aller ? Je suis avec l'un et l'autre : les armées ont chacune une de mes mains, et, lié que je suis à toutes deux, elles me démembrent par un arrachement convulsif* » (Acte III, scène 1, traduction de Victor Hugo).

Reston se demandera plus tard si Kennedy avait eu « une prémonition de sa tragédie – lui qui allait être victime des violences qu'il voulait apaiser »[48]. La pièce de Shakespeare résonne d'autant plus largement dans son cas qu'elle retrace l'histoire d'un grand roi qui doit sa perte à sa propre faiblesse. « Avant tout, le dramaturge défend l'inséparabilité des vertus publique et privée, affirmant que seul un homme vertueux peut faire un bon roi »[49], écrira le critique Irving Ribner.

Kennedy réussit à faire de son voyage en Europe un grand cirque politique. Sa visite à Berlin, le 26 juin, attira un million et demi de Berlinois sur les deux millions deux cent mille habitants que comptait la ville – l'audience la plus gigantesque que Kennedy ait jamais eu. Après avoir manifesté un dégoût patent à la vue du mur, le Président prit la parole devant l'hôtel de ville et fit un discours retentissant sur le pouvoir de la liberté face au communisme – sur un ton presque persifleur qui menaça de saper son amorce de détente. « La liberté connaît, certes, bien des difficultés, et notre démocratie n'est pas parfaite. Cependant, nous n'avons jamais eu besoin, nous, d'ériger un mur pour empêcher notre peuple de s'enfuir ! »[50], déclara-t-il. À ceux qui doutaient de la supériorité du monde libre sur le communisme, il rétorquait : « *Lass sie nach Berlin kommen !* ("Qu'ils viennent à Berlin !") », ajoutant : « Tous les hommes libres, où qu'ils vivent, sont des citoyens de Berlin, et c'est pourquoi, en tant qu'homme libre, je suis fier de pouvoir dire : *"Ich bin ein Berliner !"* ("Je suis un Berlinois !") ».

Le sentiment exprimé émanait directement de Kennedy, la traduction allemande, de Bundy. « Alors que ce fichu avion allait atterrir à Berlin, il répétait encore et encore l'expression allemande »[51], se souviendra son conseiller. Il s'avère que la formule suggérée par Bundy pouvait également signifier « Je suis un beignet ! », ce qui amuse beaucoup les historiens, selon lesquels il aurait dû dire : « *Ich bin Berliner* ! »

Toutefois, les Berlinois n'y prêtèrent aucune attention et acclamèrent le discours. Dean Rusk commenta à David Bruce qu'il s'agissait « du plus formidable spectacle auquel il avait jamais assisté »[52]. À la Maison-Blanche, Jackie et Robert McNamara regardèrent ensemble la retransmission à la télévision. Pour sa dernière soirée à Washington, le secrétaire à la Défense avait invité la première dame à dîner à la *Salle du Bois*, un restaurant de Georgetown. « Nous avons parlé du discours », racontera-t-il. Soulignant les progrès d'orateur de son mari, Jackie lui remettrait un film datant des années 1950 pour qu'il se rende compte lui-même de la différence. « J'étais presque gêné de le regarder ».

Les trois jours suivants, Kennedy se rendit en Irlande, où il vécut une expérience forte sur un plan plus personnel. Après avoir revu des parents à New Ross ainsi que la modeste « ferme de ses ancêtres » à Dunganstown, il assista à une élégante garden-party organisée dans la résidence du président irlandais Eamon de Valera. « J'imagine qu'il n'avait jamais été aussi détendu, heureux, à la fois aussi concerné et détaché, autant lui-même » que durant « le merveilleux interlude de ce retour aux sources »[53], écrira Schlesinger. Dans son exubérance, Kennedy manquait cependant de prudence. Un jour, en descendant de voiture, il se « serait laissé prendre en étau par deux rangées de badauds si les services secrets n'avaient pas frénétiquement joué des coudes »[54], se souviendra Matt McCloskey, un responsable du parti démocrate.

JFK avait spécifiquement demandé à tous les membres de son équipe d'origine irlandaise de l'accompagner. Jean, Eunice, Lee Radziwill et Lem Billings étaient également du voyage. Après un tour dans la campagne, il s'enferma à l'ambassade américaine de Dublin. Montant les escaliers en courant pour saluer Lee, il s'exclama : « L'Irlande m'adore ! » « C'était formidable ! »[55], selon Barbara Gamarekian, qui assista à la scène. « Monter comme cela les escaliers en courant trahissait une telle joie, une telle liberté d'esprit. Je ne l'avais jamais vu comme cela ! ». « Ce furent les trois plus beaux jours de ma vie ! »[56], confiera-t-il à Dorothy Tubridy, une amie de la famille.

L'ombre de sa vie secrète n'en rôdait pas moins. À Washington, Mimi Beardsley, qui avait désormais 20 ans et effectuait un deuxième stage d'été à la Maison-Blanche, s'était sentie contrariée de se voir refuser un jour de congé par Helen Gans, la responsable du service de presse. En larmes, Mimi appela Kennedy à l'ambassade, ce qui suscita des soupçons dans son entourage à Dublin. « Dave Powers vint trouver Pierre pour lui dire que le Président était furieux. Si ce dernier s'était trouvé à Washington, disait Dave, Helen Gans aurait été renvoyée sur-le-champ. Il me semblait totalement stupide de penser que JFK ait pu se mettre dans un tel état pour une simple employée de bureau. Il était donc évident qu'elle entretenait une relation particulière avec lui. Il était un peu curieux qu'elle puisse appeler comme cela en Irlande depuis la Maison-Blanche et obtenir directement le Président pour se plaindre »[57], se souviendra Barbara Gamarekian.

Par une journée froide et venteuse, Kennedy quitta l'Irlande, qu'il promit de revenir voir un jour. De retour en Angleterre, il s'arrêta brièvement à Chatsworth pour se recueillir sur la tombe de sa sœur Kathleen. Le chauffeur des Devonshire le conduisit jusqu'au cimetière, aménagé en contrebas du château. Durant deux minutes, JFK fixa la simple stèle ornée de volutes et portant l'inscription : *Elle a apporté la joie. Elle a trouvé la joie.*

À Birch Grove, Kennedy eut de longs entretiens privés avec Macmillan qui n'aboutirent à aucune idée, ou stratégie, nouvelle. Les deux hommes enterrèrent définitivement le projet déjà moribond de la force nucléaire multinationale et tombèrent d'accord pour « mettre la vapeur sur les pourparlers de Moscou »[58], selon les termes du Premier ministre. Macmillan fut ravi de voir Kennedy montrer « davantage d'autorité » et ses conseillers avoir « moins tendance à essayer d'imposer leurs vues »[59].

Les entrevues tenaient davantage de « la partie de campagne » que de « la conférence internationale »[60], se souviendra le chef du gouvernement britannique. Selon lui, Kennedy était « tout joyeux », il avait l'humour « malicieux » et l'humeur « espiègle ». Macmillan eut un aperçu des handicaps physiques de son homologue : il lui sembla « gonflé, en très mauvaise santé ». Ses problèmes de dos lui faisaient « souffrir le martyre »[61] – en dépit de son sprint dans les escaliers à Dublin.

Pourtant, Kennedy n'avait que le plaisir en tête puisqu'il comptait faire escale, le dimanche 30 juin, près de la station balnéaire italienne de Bellagio après son départ de Birch Grove, en fin d'après-midi. À sa demande, Dean Rusk avait réservé des chambres à la Villa Serbelloni, une splendide retraite du XVIIe siècle nichée à flanc de colline et en surplomb du lac de Côme, avec les sommets alpins pour toile de fond. Tenue par l'ancien employeur du secrétaire d'État, la fondation Rockefeller, la Villa offrait cinquante hectares de jardins en terrasses, des grottes et des bois sillonnés par des sentiers dans un cadre particulièrement isolé. L'avion de la presse ayant été envoyé à Rome, Kennedy n'était entouré que de Powers, d'O'Donnell et d'un agent des services secrets.

En début de soirée, le Président « improvisa une promenade en voiture de dix minutes au village pour jeter un œil au lac de Côme. Les commerçants, les touristes et les villageois l'accueillirent par des applaudissements et des acclamations et suivirent la voiture en courant. Il fut ensuite reconduit à la villa, où il dîna tranquillement en compagnie de son équipe »[62], rapportera le *Washington Post*.

Rusk racontera au biographe Richard Reeves que le directeur de la Villa et son personnel avaient été priés de quitter la résidence afin de garantir au Président une parfaite intimité. En réalité, selon le secrétaire d'État, Kennedy avait rendez-vous avec Marella Agnelli, qui vivait à deux cents kilomètres de là, à Turin. Interrogée à ce sujet trente-neuf ans plus tard, l'épouse du patron de Fiat, se contentera de déclarer : « Peut-être ou peut-être pas. C'est impossible à dire. Je suis une grand-mère âgée et je demeure très liée à Gianni. »[63] Son amie, la comtesse Marina Cicogna avouera avoir eu un « petit soupçon » quant à une « brève rencontre » au lac de Côme : « À une ou deux reprises, Marella a évoqué quelque chose de précis en ce sens au sujet de Kennedy, alors je n'exclurai pas cette possibilité... »[64]

À Rome, le lendemain soir, le président italien Antonio Segni organisa un dîner en l'honneur de son homologue au palais Quirinal, où furent également conviés Gianni et Marella Agnelli. La visite officielle s'acheva par une audience avec le pape Paul VI, un vieil ami de la famille Kennedy dont le couronnement avait eu lieu la veille de l'arrivée de JFK. Sur l'insistance de ce dernier, Lem Billings passa quatre-vingt-dix minutes à courir les antiquaires de la ville pour récupérer en toute hâte les bustes, les statues et les bijoux achetés par le Président pour lui-même, Jackie, Billings et d'autres amateurs tels que Mary Lasker. Pour sa table de travail du bureau Ovale, Kennedy avait choisi une statuette du Ve siècle av. J.-C. représentant Héraclès revêtu de la peau d'un lion, et pour Jackie, la tête d'un jeune satyre datant de l'Empire romain.

La cérémonie des adieux à Naples suscita « un engouement encore plus passionné qu'à Berlin »[65], notera Angie Duke : « Les femmes en délire se jetaient littéralement sur le Président ! »[66] JFK dormit durant la majeure partie du trajet de retour. Au milieu de la nuit, il se joignit toutefois à Jean Smith, Pierre Salinger et Angie Duke pour prendre un verre. « Le Président blagua au sujet de tout cela. Il avait l'esprit caustique ; il ne se laissait pas aveugler »[67], selon Duke.

Le lendemain, un programme chargé attendait Kennedy à la Maison-Blanche. Il réunit son cabinet durant deux heures, rédigea et enregistra une brève allocution télévisée relative à son voyage et s'entretint avec ses hauts conseillers en politique étrangère. Après une promenade de sept minutes sur la pelouse sud, suivie de quelques longueurs dans la piscine, il monta dans ses appartements passer la soirée en compagnie de Mary Meyer.

Ironie du sort, la jeune femme avait dû venir en aide à Helen Chavchavadze à sa sortie de l'hôpital. Le fardeau de sa liaison secrète avec le Président pesait toujours lourdement sur les épaules de cette dernière. « Ce n'est pas dans ma nature de mener une double vie. J'ai tout raconté à Mary. Personne d'autre n'était au courant »[68], dira Helen. Pour Mary, Jack « avait fait un pas vers Helen mais, bien que tentée pour des raisons historiques, elle n'avait pas donné suite »[69]. Si les révélations de son amie l'avaient bouleversée, elle n'en montra rien. « En 1963, elle gardait encore soigneusement son secret ».

De son côté, JFK ne semblait avoir aucune difficulté à jongler avec ses divers rendez-vous galants. Il conservait une humeur extraordinairement insouciante. Cet été-là, Mimi Beardsley partageait une maison à Georgetown avec Marnie Stewart et Wendy Taylor, deux camarades de classe de Wheaton, anciennes élèves de Farmington. Ni l'une ni l'autre n'avaient idée de ses liens avec Kennedy.

En juillet, lorsque Dave Powers entraîna sous de faux prétextes les trois stagiaires dans la piscine de la Maison-Blanche, Wendy Taylor fut surprise de voir Kennedy débarquer à l'improviste. Après la baignade, ils bavardèrent autour d'un verre de vin, puis le Président « fit venir un serviteur avec une grande boîte remplie de fourrures »[71]. Jackie avait récemment avoué à Evelyn Lincoln que « la seule chose dont elle rêvait » pour Noël était un couvre-lit en fourrure. Saisissant la perche, Kennedy en profitait pour flirter : « J'aimerais avoir votre opinion. Je fais faire un dessus-de-lit comme cadeau de Noël à Jackie et j'aimerais savoir quelle fourrure vous choisiriez… »[72] Les trois jeunes femmes se séchèrent les mains, examinèrent les fourrures d'écureuil, de lapin, de renard et de vison, puis firent leurs recommandations. « Nous trouvions cela très amusant »[73], se souviendra Wendy.

À cette époque, une menace présentant des similitudes inquiétantes avec l'affaire Profumo se profilait à l'horizon. Bobby s'efforçait donc de tenir la situation en main. Le premier signe s'était manifesté le samedi 29 juin, par l'intermédiaire d'un article du *New York Journal American* du groupe Hearst révélant qu'un « haut responsable américain » avait été intime avec une prostituée nommée Suzy Chang, une amie de Christine Keeler. Le lundi 1ᵉʳ juillet, alors que son frère était à Rome, Bobby avait interrogé Dom Frasca et James Horan, les deux auteurs de l'article. Selon leurs affirmations, le responsable en question était JFK, même si le FBI ne pouvait fournir aucune preuve précise d'une telle liaison. Après leur confrontation, les deux journalistes avaient abandonné la partie et aucun autre n'avait pris le relais.

Deux jours plus tard, J. Edgar Hoover avertissait Bobby sur un ton plus menaçant qu'il détenait un dossier sur les rapports sexuels de Kennedy avec Ellen Rometsch, une jolie brune de 27 ans immigrée d'Allemagne de l'Est huit ans plus tôt et soupçonnée d'espionnage pour le compte des Soviétiques. Mariée à un sergent de l'armée de l'air ouest-allemande en poste à l'ambassade à Washington, la jeune femme semblait mener une vie ordinaire de femme au foyer dans une banlieue chic d'Arlington, en Virginie. Son train de vie élevé, concluaient les enquêteurs du FBI, « ne pouvait guère être assuré par le salaire d'un militaire allemand »[74].

Le soir, Ellen Rometsch était call-girl. On lui connaissait notamment comme client Bobby Baker, le secrétaire du Sénat. Entre autres activités parallèles, ce conseiller de longue date de Johnson dirigeait le *Quorum Club*, au *Carroll Arms Hotel*, sur la colline du Capitole. Les parlementaires et les membres des groupes de pression venaient se retrouver dans ce refuge « sombre et enfumé » pour boire un verre et s'offrir les faveurs de jolies femmes. Arborant une robe moulante et des bas noirs, la jeune Allemande y travaillait depuis plus de deux ans comme « hôtesse », pourvoyant à une vaste clientèle « de politicards très en vue ». Selon Baker, Bill Thompson l'avait plusieurs fois emmenée à la Maison-Blanche en 1962 pour des rendez-vous galants avec JFK.

Depuis que le FBI avait établi un lien entre elle et un employé de l'ambassade soviétique, les insinuations d'espionnage et de chantage la concernant avaient pris une tournure troublante. Comme dans le cas de Suzy Chang, le FBI ne put corroborer l'existence de fréquentations entre Kennedy et Ellen Rometsch. Cependant, le ministre de la Justice demeura suffisamment inquiet pour la faire secrètement expulser vers l'Allemagne fin août. Extrêmement cavalier à son égard, JFK raconta à Bradlee que, selon Hoover, elle demandait « deux cents dollars la nuit » aux sénateurs et que, à en juger par la photo exhibée par le directeur du FBI, c'était « vraiment une très belle femme ». Reste qu'il était tout aussi dangereux qu'on puisse établir la preuve qu'il fréquentait Judith Campbell. Certes, Kennedy se sentait protégé par la complaisance de son service de presse ; toutefois, son attitude insouciante de cavaleur risquait de compromettre, voire de mettre en péril, la présidence.

Si elle ignorait tout d'Ellen Rometsch et de Judith Campbell, Helen Chavchavadze était bien placée pour savoir que la différence de comportement que Kennedy affichait en privé et en public avait un effet perturbateur. « C'était un besoin incontrôlable, une bizarrerie chez lui. Les belles décapotables, les femmes et tout ce raffinement cachaient en réalité un esprit d'autodestruction. Un comportement qui fut destructeur pour Mary et pour moi. »[75]

CHAPITRE 28

La mort de Patrick, troisième enfant du couple

Jackie fêta ses 34 ans le dimanche 28 juillet, lors d'un week-end animé à Hyannis Port en compagnie des Gore, de Lem Billings, de Chuck Spalding et des Radziwill. Après une promenade de trois heures à bord du *Honey Fitz*, la petite troupe dîna à Brambletyde. David Gore offrit à Jackie *The Fox in the Attic* de Richard Hughes, un roman « envoûtant » selon l'ambassadeur britannique, offrant « un récit historiquement exact du putsch de Munich »[1]. Averell Harriman, responsable de l'équipe de négociateurs envoyée par Kennedy à Moscou, arriva dans l'après-midi avec une énorme boîte de caviar de la part de Khrouchtchev. Kennedy accueillit ce vétéran de la diplomatie en « héros conquérant »[2], selon Gore.

Sous le soleil et la brise océane de Cape Cod, Kennedy semblait plus insouciant que jamais. Après deux ans d'interruption, il avait repris le golf et jouait tous les week-ends. En règle générale, il se contentait de cinq trous, poussant parfois jusqu'à neuf, car il lui était difficile de dépasser deux heures de jeu. En compagnie de Lem Billings, il s'amusait avec les cerfs-volants et la maquette de schooner d'un mètre que le président italien Segni avait envoyés en cadeau à John Jr. Le week-end après son retour d'Europe, Kennedy obligea ses proches à regarder trois bobines d'actualités filmées sur sa visite. « En regardant le discours de Berlin, il se mit à applaudir. Il n'était pas égocentrique, mais les images le transportaient »[3], se souviendra Jim Reed.

Tout aussi radieuse, Jackie se détendait en compagnie de ses enfants sur la plage, devant chez Teddy et Joan, et emmenait Caroline prendre ses leçons de cheval à Osterville. Profitant de l'atmosphère tranquille de Brambletyde, elle lut toute une pile de livres, dont *Kim* de Rudyard Kipling et *La Civilisation romaine* de Pierre Grimal. Par ailleurs, elle avait installé son chevalet dans la véranda face à la mer, à l'étage, et s'occupait de sa correspondance.

Elle continuait d'envoyer ses instructions au bureau du conservateur et au personnel de l'aile est. Nancy Tuckerman avait emménagé dans un appartement au 2500 Q Street, à Georgetown, non loin de la nouvelle demeure des Auchincloss. Dans son bureau, haut lieu de la « grande diplomatie », était réunis un tableau de Jackie, une orchidée sur la table basse, plusieurs exemplaires du *Larousse gastronomique*, un livre de cuisine, des piles de menus de restaurants et de magazines, sans oublier la présence, quelque peu incongrue, d'une poupée vaudoue analogue à celle qui trônait sur le bureau de Ted Sorensen.

Si Jackie n'envisageait plus aucune apparition en public d'ici de longs mois, les détails du dîner d'État organisé en l'honneur du roi d'Afghanistan, que devaient présider Jack et Eunice le 5 septembre, n'auraient su lui échapper. La réputation de faste des réceptions à la Maison-Blanche était désormais solidement établie. Démontrant ses talents d'organisatrice, elle avait fait installer un grand miroir carré dans le grand vestibule. « Lors des visites officielles, son reflet permettra à beaucoup plus de gens d'assister aux cérémonies »[4], avait-elle écrit à Harry du Pont. Plus récemment, elle avait demandé au photographe de la Maison-Blanche, Cecil Stoughton, de ne pas les prendre, elle et Jack, en photo : « Prenez plutôt l'objet de nos regards et de nos gestes ! »[5] Après avoir vu les images qu'il avait tournées durant la visite de JFK en Europe, elle avait recommandé au reporter de se rapprocher de la voiture présidentielle « pour saisir l'émotion sur les visages dans la foule au passage du chef de l'État »[6].

Par ailleurs, elle restait en contact avec Bill Walton. Alors qu'Arthur Schlesinger demeurait « le garant intellectuel de la

Maison-Blanche »[7], l'artiste avait été promu à la présidence du Comité des beaux-arts. Sa tâche, selon JFK, consistait à faire de Washington « une ville plus belle et plus fonctionnelle »[8]. « Il est particulièrement agréable de vous savoir en charge de tous ces charmants petits détails »[9], écrivit-elle à Walton fin juillet dans un courrier précisant ses idées pour les nouvelles guérites de surveillance de la Maison-Blanche : le modèle « le plus classique et le plus sobre » afin que « nous n'héritions pas un jour des petites sœurs de la Lever »[10] – sans doute en référence à la très moderne architecture new-yorkaise de la Lever House, qui dressait sa façade de verre vert et d'acier dans Park Avenue.

JFK fit l'éloge des réalisations de son épouse lors d'un entretien accordé à Marianne Means, une journaliste du groupe Hearst. Ainsi souligna-t-il « son intérêt pour les domaines créatifs, son attachement à donner une dimension historique à l'ameublement de la Maison-Blanche et ses qualités d'ambassadrice à l'étranger »[11]. Alors qu'il déplorait, un an auparavant, l'incapacité des diplômées de Radcliffe à véritablement exploiter leurs talents dans le monde professionnel, voilà qu'il déclarait : « En soutenant son mari et en s'occupant de ses enfants, ce qui constitue l'essentiel de ses responsabilités, Jackie remplit pleinement sa tâche. »[12]

À l'approche de la date de l'accouchement, leurs amis constataient un rapprochement de plus en plus marqué entre eux. Lors de sa visite à Brambletyde, à la mi-juillet, se souviendrait Jim Reed, Jack avait un jour envoyé chercher en hâte John Walsh, le gynécologue de Jackie, parce que son épouse s'était sentie mal au réveil. Il était « extrêmement inquiet » pour Jackie et « très, très contrarié »[13] par l'absence du médecin. Walsh était parti se promener et, à son retour, Kennedy avait dû prendre sur lui pour lui demander « avec douceur et gentillesse » de « toujours informer quelqu'un de ses allées et venues et d'indiquer la manière de le joindre au plus vite »[14].

Deux semaines plus tard, Red Fay surprit Jack et Jackie dans leur chambre « blottis l'un contre l'autre »[15]. « Je me suis excusé, mais Jack m'a dit de ne pas m'en faire, qu'ils étaient juste en train de bavarder »[16], expliquera-t-il. Le week-end en question, le couple procéda aux ultimes sélections parmi les sculptures rapportées de Rome par Lem Billings. Kennedy était séduit par la statuette de douze centimètres de haut représentant Héraclès, mais Fay doutait qu'elle datât véritablement de près de deux mille ans. Le Président lui suggéra alors de soumettre à Jackie « toutes les questions qu'il pouvait se poser concernant l'Antiquité romaine ou grecque, notamment au sujet de l'authenticité de cette pièce »[17]. Fay obtempéra. « C'était étonnant ! Elle répondait à tout avec beaucoup d'aisance »[18]. Ensuite, Kennedy lui affirma que de toutes les jolies femmes qu'il avait connues, « il n'y en avait qu'une qu'il aurait pu épouser – et il l'avait épousée »[19].

Durant l'été 1963, Jack se lia davantage avec son frère Teddy, plus jeune de quinze ans. Lorsque Teddy avait été élu au Sénat pour la première fois, au mois de janvier précédent, il avait gardé ses distances, du moins en public. Joan avait commis un faux pas lors d'un entretien accordé à *Look* en révélant que Jackie portait parfois des perruques et que JFK ne pouvait pas soulever John Jr à cause de son dos. « Selon eux, j'avais manqué au politiquement correct. Ils ne m'en voulaient pas. Tout le monde savait ces choses, seulement moi, je les avais dites »[20], expliquera-t-elle.

Le jeune couple Kennedy était « souvent invité » à la Maison-Blanche, se souviendra Joan : « Teddy pensait qu'il valait mieux refuser. Il voulait être lui-même. À son avis, ce n'était pas une bonne idée sur le plan politique. Nous n'avons assisté qu'à deux grandes réceptions, mais nous passions souvent pour dîner ou regarder un film en famille »[21]. En avril, ils avaient accompagné Jack à Camp David et visité avec lui le champ de bataille d'Antietam.

Jackie et Joan devaient toutes deux accoucher en août ; cependant, Joan avait perdu son bébé en juin, « pratiquement à terme » – sa deuxième fausse couche en deux ans. Sur Squaw Island, Jackie l'avait consolée, surtout au moment où Ethel avait donné naissance à son huitième enfant, le 4 juillet. « Jackie était merveilleuse. Quand je me suis confiée à elle en lui disant que je sentais peser sur moi la pression d'agrandir la famille, elle a été formidable. »[22] Joan et Teddy avaient déjà une fille de 3 ans et un fils de 18 mois. Ils attendraient encore quatre ans avant la naissance d'un second fils.

« Célibataires pour l'été », les deux frères se retrouvaient souvent à la Maison-Blanche. En témoignent les confidences de Teddy au biographe Ralph Martin : « Nous aimions vraiment être ensemble. Je m'arrêtais en rentrant du Sénat et j'entrais dans le bureau Ovale par la porte de derrière en fin de journée. Nous prenions un daiquiri, nous nagions ensemble, puis nous échangions tranquillement de menus propos. Je le faisais rire en lui racontant les potins du Sénat. Ensuite nous montions dîner, seuls, et parfois nous passions la soirée à bavarder et à blaguer. »[23]

Désormais, les Shriver occupaient eux aussi une place plus importante. Les autres initiatives défendues par son gouvernement étant bloquées au Congrès, l'organisation de coopération et d'aide aux pays en voie de développement proposée par Sarge constituait alors le programme le plus clair du Président. Eunice usait de sa position influente pour défendre la recherche sur le retard mental et s'efforçait d'obtenir un soutien fédéral aux personnes invalides. En mai 1963, elle avait osé porter une « attaque virulente » contre la politique d'emploi des travailleurs handicapés mentaux. Devant la Commission des femmes du Comité présidentiel chargée du dossier, Eunice avait réclamé un programme permettant de redresser la « sinistre et affligeante » conduite du gouvernement fédéral en la matière. À ses yeux, le comité ne prêtait « pratiquement aucune attention » à l'arriération mentale, concentrant tous ses efforts sur les incapacités telles que la surdité.

« Rien de ce que faisait Eunice n'avait valeur officielle »[24], selon Myer Feldman, qui assurait la liaison entre l'aile ouest et la sœur de JFK. « C'était la seule personne à lui donner du Jack en public. Même Bobby l'appelait M. le Président. » JFK savait que « lorsqu'elle avait quelque chose en tête, rien ne pouvait l'arrêter. Elle terrassait tous ses adversaire »[25], ajoutera la conseillère.

En septembre 1962, Eunice avait révélé, dans un article pour le *Saturday Evening Post*, l'arriération congénitale de sa sœur aînée, alors âgée de 42 ans. C'était la première fois que la famille dévoilait que Rosemary Kennedy n'avait pas été « victime enfant d'une méningite cérébro-spinale »[26]. La lobotomie exigée par le père demeura néanmoins secrète. Certes, Jack Kennedy s'intéressait naturellement au retard mental, mais Eunice approfondit ses connaissances en la matière et le poussa à lancer tout un programme sur le sujet – conférences, commissions, création d'un institut de recherche – et à évoquer le problème dans ses discours. « On commença à traiter les handicapés mentaux en êtres humains au lieu de simplement chercher à s'en débarrasser »[27], précisera Myer Feldman.

Le samedi 3 août s'annonçait tout aussi plaisant que d'ordinaire à Cape Cod. Cependant, la présidence allait vivre l'une de ses plus tristes semaines. Red et Anita Fay étaient venus pour le week-end et Ken Galbraith avait quitté Cambridge pour les rejoindre l'après-midi. Alors qu'ils se promenaient dans le détroit de Nantucket à bord du *Honey Fitz*, le Président fut subitement alerté par radiotéléphone. Phil Graham s'était suicidé. Kennedy adressa immédiatement un message de condoléances, dans lequel il déclara que la mort du patron de presse, âgé de 48 ans, représentait « une lourde perte pour tous ceux qui le connaissaient et admiraient son intégrité et ses compétences »[28].

« Jack n'avait pas moins de chagrin que les autres, mais nous ne pouvions pas nous appesantir sur la question »[29], déclarera Red Fay. Jackie prit sa plume et adressa à Katherine Graham une lettre de huit pages très émouvante. « La plus compatissante et la plus réconfortante de toutes celles que je reçus »[30], affirma la veuve. Bill Walton confiera à Kennedy que la lettre de son épouse l'avait époustouflée et l'avait aidée à surmonter sa peine.

À Washington, le lundi 5, Jack passa la soirée en compagnie de Mary Meyer. Cette dernière était devenue « une agréable distraction familière »[31], selon Anne Truitt. Alors qu'il n'avait

« jamais évoqué » ses problèmes de dos avec Helen Chavchavadze, Kennedy avait pris l'habitude d'en parler à Mary. « Il ne s'en cachait pas en présence de ceux qui le connaissaient. C'était un homme objectif. Il lui fallait vivre avec ce problème qui faisait partie intégrante de sa vie. Il l'affrontait avec le plus grand courage »[32], selon Anne Truitt. Jamais Mary Meyer ne considéra JFK aussi vulnérable ; néanmoins, « elle fut très surprise de découvrir à quel point il souffrait »[33]. « Cela changea radicalement sa manière de le voir. Dépassant l'aspect purement sexuel, leur relation se transforma en une réelle amitié. »[34]

Ce jour-là, les délégations des États-Unis, de la Grande-Bretagne et de l'Union soviétique signèrent le traité d'interdiction des essais nucléaires à Moscou. Kennedy avait fait pression sur de Gaulle pour qu'il se joigne aux signataires, mais le chef d'État français avait évidemment refusé. JFK ne pouvait masquer sa déception. Un mois avant sa mort, il confiera à Hervé Alphand, lors d'un dîner à la Maison-Blanche, qu'il ne pouvait accepter « le désir de de Gaulle de maintenir entre la France et les États-Unis une relation pleine d'acrimonie et d'amertume »[35].

À son arrivée au centre d'équitation d'Osterville en compagnie de Caroline et John, à 11 h le mercredi matin, Jackie ressentit ses premières contractions. L'agent des services secrets qui lui était dévolu la ramena de toute urgence sur Squaw Island, où elle annonça à John Walsh : « Je crois que le bébé arrive ! »[36] – trois semaines avant terme, l'accouchement étant prévu pour le 27 août. Un hélicoptère décolla à 11 h 28 pour les déposer à l'hôpital de la base aérienne d'Otis vingt minutes plus tard. À 12 h 52, Patrick Bouvier Kennedy naissait par césarienne et était immédiatement placé sous couveuse. Pesant 2,100 kg, il souffrait d'une affection pulmonaire, la maladie des membranes hyalines, qui bloquait l'arrivée d'oxygène dans le sang.

Dix-sept minutes après avoir été alerté, Kennedy se mettait en route avec Nancy Tuckerman, Pamela Turnure et Pierre Salinger. Personne n'avait eu le temps de prendre ne serait-ce qu'une brosse à dents. Kennedy « était complètement replié sur lui-même »[37], se souviendra Pamela Turnure. « Il restait assis à regarder fixement par la fenêtre, et manifestement, il ne pensait qu'à elle. »[38] Le Président se présenta à l'hôpital à 13 h 30, alors que Jackie était encore en chirurgie. Après un entretien avec les médecins, il accepta que le petit Patrick soit transféré à l'hôpital pour enfants de Boston. Jackie ne fut pas autorisée à tenir son bébé dans les bras. Elle ne put que l'apercevoir lorsque JFK approcha la couveuse de son lit avant le départ de l'ambulance. Quand Jack lui annonça que l'enfant devait partir, elle parut « profondément bouleversée »[39].

À Boston, Kennedy fit la navette entre la suite dans laquelle il logeait au *Ritz Carlton Hotel* et l'hôpital, où Patrick était soigné par une équipe de médecins de Harvard. « Il voulait savoir ce que nous comptions faire »[40], expliquera le Dr Judson Randolph. Lorsque le jeune interne déclara qu'il devait opérer une trachéotomie – insérer un tube métallique dans la gorge du nouveau-né pour maintenir la ventilation stable et éviter le collapsus pulmonaire – Kennedy le bombarda de questions. « Il voulait savoir en quel matériau était le tube, comment je pouvais placer un tel dispositif dans la trachée d'un si petit bébé. J'avais l'impression qu'il se fichait du tube, qu'en fait, il me jaugeait. J'avais 34 ans et il voulait savoir si je savais ce que je faisais »[41], ajoutera le médecin.

Kennedy fit venir par avion le Dr Sam Levine, spécialiste du Cornell Medical College de New York, qui avait soigné avec succès la petite prématurée de Lee Radziwill, Christina, deux ans auparavant. Bobby arriva également et appela un médecin du Michigan avec lequel il avait étudié à Harvard. « Il était un peu agaçant de voir Bobby faire aussi peu de cas de nous et chercher à se renseigner auprès de sources qui n'étaient pas forcément les meilleures. Le Président se montra un peu plus sérieux, il prit du recul et Bobby se calma »[42], rapportera Randolph.

Le jeudi après-midi, l'équipe médicale décida de placer Patrick en chambre hyperbare, au sous-sol du bâtiment voisin de la Harvard Medical School. Longue de neuf mètres cinquante sur deux mètres cinquante de circonférence, cette pièce pressurisée avait déjà servi près de vingt-cinq fois en chirurgie. Elle permettait d'oxygéner les poumons de force. « C'était une tentative désespérée »[43].

Kennedy et Dave Powers patientèrent dans une salle d'attente du quatrième étage transformée en suite présidentielle, avec un lit, un rocking-chair, un tapis et plusieurs téléphones. À 2 h du matin, les médecins annoncèrent au Président que son enfant était dans un état critique. Il se précipita avec Powers au sous-sol, où on lui remit une tenue blanche de chirurgien, puis il s'assit sur une chaise en bois à côté de la chambre. Régulièrement, il se levait pour regarder par un petit hublot à l'intérieur du caisson inondé de lumière, où le personnel soignant, vêtu d'une sorte de combinaison d'astronaute, s'affairait autour de la couveuse en plastique posée sur un chariot à roulettes.

Lorsqu'il apparut clairement que le bébé ne survivrait pas, l'équipe le sortit du caisson pour qu'il reste avec son père. Il décéda d'un arrêt cardiaque à 4 h 04 le vendredi 9 août, trente-neuf heures et douze minutes après sa naissance. « Il s'est formidablement battu. C'était un beau bébé »[44], glissera Kennedy à Powers. De retour dans ses quartiers de fortune à l'étage, le Président « s'assit sur le lit et pleura »[45]. « Comme il ne voulait pas qu'on le voie en larmes, il m'a demandé de sortir et d'appeler Teddy »[46], se souviendra son compagnon.

Le Dr Walsh annonça la nouvelle à Jackie à 6 h 25. JFK la rejoignit trois heures plus tard. Soutenue par Mary Gallagher, la première dame sécha ses larmes et se rafraîchit pour paraître « aussi présentable que possible »[47]. Elle était affaiblie car elle avait subi une double transfusion sanguine suite à son intervention chirurgicale. En lui racontant le supplice vécu à Boston, Jack se remit à pleurer. Alors que son fils luttait encore, il avait dit à Janet Auchincloss : « Il m'est insupportable de penser à l'effet que pourrait avoir la mort du bébé sur Jackie. »[48] Durant les quatre jours suivants, il multiplia ses visites à l'hôpital. Caroline vint aussi, serrant dans ses bras un bouquet fraîchement cueilli de pieds-d'alouette, de rudbeckias et de fleurs à trompettes roses. Jackie reçut également le réconfort de sa mère et de sa sœur, arrivée le vendredi après que JFK l'eut jointe en Grèce. Lem Billings proposa d'interrompre ses vacances en disant qu'il « se fichait pas mal d'aller en Europe »[49], mais Jack insista pour qu'il ne change rien à ses projets.

Le samedi, le cardinal Richard Cushing célébra une « messe des anges » pour Patrick dans la chapelle de sa résidence à Boston. Aux côtés du Président se tenaient ses frères et sœurs ainsi que leurs conjoint(e)s, Lee et quatre membres de la famille Auchincloss : Janet, Hughdie et leurs deux enfants, Jamie et Janet. Rose Kennedy était en vacances à Paris et Jackie encore trop fragile pour assister à la cérémonie.

Dans le petit cercueil blanc, JFK déposa en souvenir une pince à billets en or ornée d'une médaille de Saint-Christophe que son épouse lui avait offerte en cadeau de mariage. Après l'office, Kennedy versa « de chaudes larmes » et parut tant « submergé par le chagrin qu'il prit le cercueil dans ses bras comme s'il allait l'emporter »[50], rapportera le cardinal. L'enterrement se déroula au cimetière de Holyhood, à Brookline, la première grande propriété familiale acquise par Joe Kennedy.

De retour à Washington, Kennedy appela Enüd Sztanzo pour lui demander de venir à la Maison-Blanche. « Il était très déprimé, mais après mûre réflexion, il m'a semblé que ce n'était pas convenable. Toutefois, je comprenais sa douleur. Nous avons longuement parlé au téléphone, de Dieu, qui laissait mourir ainsi les enfants, mais je n'y suis pas allée »[51], se souviendra-t-elle avec émotion.

Blafarde et chancelante, Jackie quitta l'hôpital main dans la main avec Jack, une semaine exactement après la naissance de Patrick. Avant de partir, elle remit à chacun des médecins et des infirmières une lithographie encadrée et signée de sa main représentant la Maison-Blanche. Plus tard, elle expliquera à Ken Galbraith qu'elle avait été bouleversée de voir la presse faire de leur tragédie un véritable « cirque médiatique »[52]. Lee demeura deux jours à ses côtés à Brambletyde,

Joan lui offrit sa discrète sympathie, renforcée par la perte récente de son propre enfant, et Bunny Mellon lui fit envoyer une splendide corbeille de fleurs. De loin, Harold Macmillan lui écrivit « au milieu de tous ses soucis » pour lui dire que « les malheurs privés sont terriblement plus douloureux que les ennuis publics »[53].

Le reste du mois, Kennedy passa plus de temps que d'ordinaire à Hyannis, où il venait faire un saut en milieu de semaine en plus des week-ends. Chaque fois, il apportait un cadeau. « Son désarroi face à sa femme et son fils décédé marqua le mois d'août de l'empreinte du chagrin »[54], écrira Schlesinger.

Chuck Spalding fut le premier ami à leur rendre visite. Pour lui changer les idées, il proposa à Jack un parcours de golf en début de soirée. À son arrivée le week-end suivant, Bill Walton trouva la maisonnée « bien triste » : « Ils se soutenaient mutuellement. Jackie se cramponnait à Jack, qui l'entourait de ses bras. »[55] Les Fay prirent le relais le week-end de la fête du Travail. « C'est très dur pour Jackie, elle qui a déjà eu tant de mal avec ses grossesses. Cela aurait été merveilleux d'avoir un second fils »[56], confia Kennedy à son ami Red.

Durant la visite de Walton, Jackie reçut un message de sa sœur, partie en croisière en mer Égée en compagnie d'Aristote Onassis et de Maria Callas, sa maîtresse de longue date. Lee avait entamé une liaison avec Onassis plusieurs mois plus tôt. Elle avait embarqué à bord du *Christina*, le luxueux yacht de quatre-vingt-dix-neuf mètres de l'armateur grec, dès son retour de Washington. « J'étais surprise qu'elle ne soit pas restée auprès de sa sœur. Elle ne cessait de nous répéter que Jackie était anéantie par la mort de son enfant. Aristote et moi en étions très contrariés, c'est pourquoi il offrit également au Président et à son épouse de venir nous rejoindre »[57], confiera la diva à une connaissance.

Il était évident que Kennedy ne pouvait pas accepter l'invitation. Par ailleurs, il éprouvait quelque appréhension à laisser Jackie en compagnie d'Onassis. Propriétaire majoritaire du casino de Monte-Carlo, le multimillionnaire n'était pas un inconnu pour la famille Kennedy. Dans une lettre à ses enfants, Rose avait évoqué, en 1955, avoir refusé une invitation à dîner sur son yacht parce que « leur papa » se méfiait « des Grecs et de leurs manigances pour échapper au fisc »[58]. Cinq ans plus tard, après que Rose l'eut repoussé alors qu'il voulait se faire prendre en photo avec elle lors d'un gala, Onassis lui avait fait parvenir quatre douzaines de roses accompagnées d'un mot d'excuses.

En recevant l'invitation de Lee, Kennedy « se remémora un vague procès en suspens contre Onassis »[59]. « Alors, je me suis immédiatement opposé à ce voyage »[60], déclarera Walton. L'armateur avait acheté à l'administration américaine une flotte qu'il exploitait illégalement sous un pavillon étranger. Mis en accusation par le gouvernement fédéral, il avait dû s'acquitter d'une amende de sept millions de dollars. « Onassis est un pirate. C'est un escroc ! »[61], avait commenté Kennedy à sa secrétaire.

Cependant, Jackie demeurait inflexible. Il lui paraissait insurmontable de retourner à Washington et elle « voulait changer un peu d'air »[62]. Si Walton pensait que Kennedy avait cédé, la question était loin d'être réglée. Pour éviter d'embarrasser les Kennedy, Onassis proposa de s'éclipser. Il n'était toutefois pas question pour Jackie d'accepter son hospitalité sans qu'il soit de la partie. Si elle avait insisté, dirait-elle, c'était « par gentillesse ».

Le jour de la fête du Travail, Jackie obtint, à force de cajoleries, que son mari téléphone à Franklin Roosevelt, qui se trouvait dans sa ferme, au nord de l'État de New York. « Lee aimerait que Jackie lui serve d'alibi »[63], expliqua Jack. Lui-même avait d'ailleurs besoin « que quelqu'un de Washington le couvre »[64], racontera Justin Feldman, qui séjournait chez les Roosevelt ce week-end-là. « Vous êtes le seul qu'elle accepte de voir nous accompagner »[65], affirma Kennedy à son ami. Nous « représentions un gage de respectabilité »[66], rapportera Sue Roosevelt : « Jack ne voulait pas laisser partir Jackie. À mon avis, cette idée l'épouvantait. S'il nous sollicitait, c'était pour que cela fasse moins jet-set. »[67]

Or, Roosevelt, qui avait fini par obtenir sa nomination au poste de sous-secrétaire du Commerce au mois de mars précédent, avait d'autres chats à fouetter. L'année précédente, Onassis avait signé un contrat de quatre millions de dollars avec son ministère par l'entremise de l'administration maritime américaine. Roosevelt craignait donc de se mettre en situation de conflit d'intérêts. « Il disait qu'il s'efforçait de changer d'image »[68], se souviendra Jackie. Pour rassurer son ami, le Président lui affirma que sa présence ne poserait aucun problème. Ce dernier décida donc de justifier le voyage par sa participation à une foire-exposition commerciale en Somalie.

Le week-end suivant, à Hyannis, Kennedy tenta une nouvelle fois de dissuader Jackie. « Jack la supplia à genoux de ne pas y aller. Aucun d'eux ne voulait céder. Quand elle voulait quelque chose, elle n'en démordait pas »[69], racontera Martha Bartlett. Pour faire bonne figure, Kennedy défendit la décision de son épouse auprès de Kenny O'Donnell et de Pam Turnure, qui s'inquiétaient des répercussions politiques à l'approche de la campagne électorale. « Je pense que cela lui fera du bien ; c'est tout ce qui compte »[70], déclara le Président à la jeune secrétaire.

Néanmoins, il décida de dissimuler la présence d'Onassis le plus longtemps possible. Début septembre, il rédigea ainsi une proposition de communiqué de presse, indiquant que Stas Radziwill avait « réservé » le yacht de l'armateur grec pour la croisière. Ensuite, il expliqua à son beau-frère que le choix des mots était volontairement « ambigu » pour laisser entendre que Stas « en aurait la possession durant cette période, de sorte que Jackie serait son invitée et non celle d'Onassis »[71].

Finalement, l'annonce de la Maison-Blanche fin septembre ne mentionnera ni la croisière ni Onassis, signalant uniquement que Jackie partirait le 1er octobre pour quinze jours de vacances avec sa sœur et son beau-frère dans une villa de location en Grèce. Une semaine plus tard, un rapport venant de Paris indiquera que l'armateur, un « ami proche » de Lee, avait mis son voilier « à la disposition de la princesse ». La veille du départ, la Maison-Blanche déclara que le yacht avait été

« réservé » par Stas Radziwill. Lorsqu'on lui demanda si Onassis se trouvait à bord, Pam Turnure répondit : « Pas à ma connaissance. »[72]

En septembre, Jack et Jackie célébrèrent deux événements marquants. Le premier, le soixante-quinzième anniversaire de Joe Kennedy, eut lieu à Hyannis, le 6 septembre. Ses onze fils, filles et conjoint(e)s (à l'exception de Peter Lawford, dont Pat s'éloignait de plus en plus) se réunirent dans la maison paternelle un vendredi soir pluvieux et venteux, en compagnie des Bartlett et de Lem Billings. Rose venait de rentrer d'un séjour d'un mois en Europe. Pour marquer le début des festivités, « vingt et un petits-enfants firent leur entrée les bras chargés de cadeaux pour leur «Grampy Joe» »[73], selon le *Time*.

Pimpant, l'Ambassadeur arborait, sous sa robe de chambre bleue, une chemise blanche et une cravate. Sur sa tête était posé de guingois un chapeau en carton rouge, blanc et bleu. Après dîner, il rit de bon cœur en découvrant les cadeaux amusants et les chansons comiques que lui avaient préparés ses enfants. L'ambiance plongea cependant dans la mélancolie lorsque Jack entonna *September Song* (« Les jours diminuent : septembre, novembre, mais ces jours précieux, je les passerai avec toi… »). « Une superbe interprétation. C'était formidable. On aurait dit que Jack savait que son père, dans son fauteuil roulant, ne survivrait pas à l'automne de sa vie »[74], déclarera Martha Bartlett.

Malgré un ciel de plomb et une brise glaciale, Jack et Jackie emmenèrent les Bartlett à bord du *Honey Fitz* le samedi et le dimanche. Jack et Charley évoquèrent « longuement le comportement qu'aurait Lyndon s'il était Président. Jack aimait toujours envisager toutes les éventualités »[75]. JFK s'inquiétait en particulier d'une éventuelle candidature de Bobby contre Johnson en 1968. « Il me donnait l'impression de ne pas être content. Il entendait marquer l'Histoire. Je sentais qu'il voulait que l'administration Kennedy soit la sienne. Bobby risquait de transformer les choses en une histoire de succession. Jack ne voulait pas d'une dynastie ; en revanche, je suis sûr que c'était le souhait de son père. »[76]

Kennedy songeait également à sa vie à l'issue de son mandat. Cela ne l'empêchait cependant pas de se hérisser lorsque Jackie plaisantait : « Je ne veux pas être la femme d'un directeur d'école de filles. » « Au début, cela le déprimait »[77], se souviendra Bartlett. Néanmoins, ce week-end-là, « c'était moins le cas ». Il envisagea l'ambassade d'Italie, parce que cela « plairait à Jackie ». Sa principale inquiétude était de ne pas rester dans les pattes de son successeur à son arrivée à la Maison-Blanche. Il demandera d'ailleurs à Bill Walton de lui servir de prête-nom pour acheter une maison à Georgetown. « Nous pourrions passer quelques années à Cambridge, peut-être voyager un peu et revenir ici lorsque l'agitation serait retombée »[78], lui confiera-t-il.

Le week-end suivant, Jack et Jackie fêtaient leur dixième anniversaire de mariage. La célébration, marquée par un dîner aux chandelles pour dix, eut lieu le jeudi 12, sur les lieux dudit mariage, à Hammersmith Farm. Les cocktails furent servis dans le vaste « salon en avancée », dont les baies vitrées surplombaient Narragansett Bay, sous un haut plafond orné de poutres sombres. Cette fois, l'assemblée se composait essentiellement de membres de la famille Auchincloss, auxquels s'ajoutaient les Bradlee et Sylvia Whitehouse Blake, une ancienne camarade de classe de Vassar qui avait fait partie des demoiselles d'honneur de Jackie.

« Ce fut une soirée assez joyeuse »[79], selon Janet Auchincloss. « J'avais l'impression qu'ils avaient surmonté tous les petits soucis dont souffrent les ménages un peu sensibles. Ils étaient devenus très proches. Je ne crois pas avoir connu de couples se comprenant aussi bien. » Ben et Tony Bradlee eurent une réaction similaire en les voyant « s'étreindre plus affectueusement que jamais »[80].

Le couple présidentiel ouvrit ses cadeaux durant l'apéritif. Jackie offrit à son mari une nouvelle pince à billets en or ornée d'un Saint-Christophe. Jack remit à son épouse un anneau en or agrémenté d'éclats d'émeraude – reflétant le goût de Jack pour « la mystique irlandaise » – qu'elle devait porter au petit doigt en souvenir du petit Patrick. Jackie avait en outre choisi pour le blazer de Jack une paire de boutons dorés portant l'insigne de la brigade irlandaise – qu'il avait appréciée lors de son voyage en Europe. À cela venait s'ajouter un album de photos retraçant la transformation de la roseraie par Bunny Mellon, annoté de citations sur le jardinage écrites pour la plupart par Joe Alsop, que JFK lut à haute voix.

Il éparpilla toutes sortes de présents sur une large table ronde pour Jackie, avec une liste de descriptions et de prix provenant de chez l'antiquaire Klejman à New York : des bracelets grecs et italiens anciens, des sculptures de l'ère préchrétienne et de l'époque étrusque ainsi que des dessins de Degas et de Fragonard. « Attention, tu n'as le droit d'en conserver qu'un »[81], répétait Jack. Jackie en choisit deux – un dessin et un bracelet serpent en or.

Durant les trois jours suivants, les Bradlee et les Kennedy naviguèrent à bord du *Honey Fitz* et se baignèrent sur la plage de Bailey's Beach. Jack parvenait désormais à accomplir un parcours de golf de treize trous. Tandis que les deux couples regagnaient leurs chambres un soir après dîner, Jackie avait fondu en larmes en déclarant : « Vous êtes vraiment nos meilleurs amis tous les deux ! »[82] Cette remarque « désespérée », selon Bradlee, sonnait comme la lamentation « d'un enfant seul et perdu »[83]. Il est difficile de croire que si elle avait eu des soupçons quant à la liaison de son mari avec Mary Meyer, Jackie eût exprimé un tel sentiment.

Néanmoins, c'est à Charley Bartlett qu'elle fit part des commentaires les plus éloquents. Dans une lettre rédigée une semaine après leur anniversaire de mariage, elle affirmait que ce week-end aurait été beaucoup plus heureux si Patrick avait été en vie mais que cela n'avait pas été trop tragique, grâce à Jack, confiait-elle, car il l'avait aidée « à se raccrocher à la vie »[84] et à apprécier « la chance » qu'ils partageaient. Elle remerciait tout particulièrement Charley d'avoir favorisé leur rencontre dix ans plus tôt. Jack aurait sans doute « été heureux même sans ce mariage »[85]. Pour sa part, ajoutait-elle, sans lui, « elle aurait toujours eu conscience que sa vie n'était qu'un désert »[86].

CHAPITRE 29

Un automne inquiétant

Après la tragédie de cet été qui avait paru pourtant si riche de promesses, le dernier automne de Kennedy prenait une tournure inquiétante. « L'ambiance qui animait la Maison-Blanche semble avoir quelque peu disparu. Les propos du Président, en public comme en privé, ont perdu de leur verve »[1], faisait observer le *Time* à la mi-septembre. Ses vassaux devenaient même hargneux. « À tour de rôle, ils s'éreintaient les uns les autres sans épargner leur chef »[2], écrira Katie Louchheim.

S'ils avaient atteint un nouveau degré « de compréhension, de respect et d'affection »[3], selon la première dame, Jack et Jackie n'en passèrent pas moins quarante-deux jours sur soixante-trois, soit les deux tiers des mois de septembre, octobre et novembre, chacun de leur côté. (L'année précédente et en 1961, ils avaient été séparé respectivement deux et quatre fois moins durant la même période.) « Certes, j'étais affligée par la mort de notre bébé, mais je me suis éloignée plus de temps que nécessaire. Si seulement j'avais pris davantage sur moi, Jack aurait eu une vie plus heureuse, surtout dans les dernières semaines »[4], confiera plus tard Jackie, accablée par l'assassinat de son mari, au révérend catholique Richard T. McSorley.

En octobre, Kennedy vit sa cote de popularité chuter à 57 % (alors qu'elle avait plafonné à 82 % après la baie des Cochons). Ses propositions de loi très discutées concernant la réduction des impôts et les droits civiques n'avançaient pas au Congrès. Une série d'impairs en politique étrangère allait en outre entraîner la débâcle du Sud-Vietnam. Et, grâce à l'aide de Bobby, il éviterait de peu un scandale qui eût pu lui coûter la présidence.

Après avoir éludé le problème pendant dix-huit mois, le Président se retrouva impliqué dans les terribles combats entre les diverses factions sud-vietnamiennes. La situation finit par lui échapper. « Il avait indubitablement conscience que le Vietnam représentait son plus grand échec sur le plan international »[5], écrira Schlesinger.

Le président du Sud-Vietnam, Ngo Dinh Diem, inquiétait depuis longtemps Kennedy et son état-major. Pour McNamara, l'homme était un « autocrate suspicieux, cachottier et isolé »[6]. Le gouvernement américain se méfiait encore plus des deux principaux conseillers du dirigeant, son jeune frère Ngo Dinh Nhu et son intrigante belle-sœur, Madame Nhu – « une vraie sorcière »[7], selon McNamara. Ces trois catholiques intransigeants étouffaient toute forme de dissidence et imposaient leurs préceptes religieux à une population en grande majorité bouddhiste.

Or, depuis le milieu des années 1950, les États-Unis apportaient au régime de Diem une aide financière équivalant à 1,8 milliard de dollars actuels (une somme inférieure aux 3 milliards fournis à Israël en 2003 mais supérieure au 1,7 milliard accordé à l'Égypte, second plus grand bénéficiaire de l'aide américaine). De plus, ils soutenaient la lutte de l'armée contre le Viêt-cong, allié aux communistes du Nord-Vietnam. Kennedy admirait les efforts du chef d'État pour maintenir l'unité et l'indépendance du Sud-Vietnam « en dépit des circonstances adverses ». En novembre 1963, le nombre de soldats américains envoyés pour « conseiller » les forces sud-vietnamiennes serait passé, sur ses directives, de deux à seize mille hommes.

Au sein de l'administration, les critiques les plus acerbes émanaient de Ken Galbraith, qui avait remis à JFK toute une série de notes concernant l'incompétence de Diem et les effets dommageables de la présence américaine, qu'il qualifiait de « force militaire coloniale »[8]. En mars 1962, le conseiller avait déjà écrit que « rien ne pourrait faire plus plaisir aux Russes que de voir les États-Unis dépenser des milliards dans ces jungles reculées où ils n'avaient rien à gagner et l'Union soviétique rien à perdre »[9]. Galbraith préconisait un arrangement politique, au risque de déplaire au « soldat Joe Alsop »[10], l'un des faucons les plus tonitruants de Washington. Il déconseillait surtout l'envoi de troupes de combat : « Si on commence, ce sera l'engrenage. Les Sud-Vietnamiens finiront par retourner dans leurs champs et il incombera aux seuls Américains de se battre. »[11]

Ayant d'autres préoccupations en tête, Kennedy se laissait guider par l'optimisme de ses conseillers militaires et civils à Saigon. Le Vietnam ne représentait « qu'un problème marginal dans les années Kennedy »[12], selon Schlesinger. En avril 1963, Charley Bartlett avait publié un article indiquant que « les experts daignaient enfin dire que l'Occident était en train de remporter cette guerre insidieuse »[13]. À peine un mois plus tard, Diem avait lancé une campagne de répression politique et religieuse. Lors d'un rassemblement pacifique organisé par les bouddhistes dans la ville provinciale de Hué, ses forces avaient tué et blessé des centaines de manifestants. Pour protester contre ces brutalités, un moine s'était immolé par le feu en plein Saigon. Deux mois plus tard, le dimanche 24 août, Kennedy – parce qu'il pleurait encore le décès de son fils à Hyannis Port – mais aussi Rusk, McNamara, Bundy et McCone étaient absents de Washington. Au ministère des Affaires étrangères, Harriman, le diplomate Roger Hilsman et l'adjoint de Bundy, Michael Forrestal, rédigèrent un câble à l'adresse du nouvel ambassadeur au Vietnam, Henry Cabot Lodge. Le message autorisait le soutien américain à un coup d'État militaire contre Diem. Regrettant amèrement ce geste, Kennedy tenta, par le biais de télégrammes ultérieurs, de « redresser la barre », expliquera-t-il. Néanmoins, les généraux vietnamiens se sentaient désormais légitimés dans leur action ; ils poursuivirent donc dans cette voie. Averell Harriman, le héros des pourparlers sur l'interdiction des essais nucléaires, ne regagnerait jamais la confiance du Président.

Dans les semaines qui suivirent, les responsables américains tentèrent de faire pression sur Diem pour qu'il instaure des réformes. Leurs vues sur l'implication des États-Unis dans le processus divergeaient cependant grandement. « Seigneur, mon gouvernement tombe en pièces »[14], se lamentait Kennedy auprès de Bartlett après une réunion houleuse. De retour à Washington pour consultation en septembre, David Bruce dira avoir assisté à une « mêlée au sujet du Vietnam »[15]. Après une autre séance agitée, Kennedy se retrouva à participer à la promotion de l'industrie chapelière – un contexte oscillant entre l'incongruité et le comique sombre. Tandis qu'il se livrait, à contrecœur, à l'essayage de divers couvre-chefs, il incita Salinger, O'Donnell et plusieurs autres conseillers à lui soumettre leur propre choix. Chacun opta pour un modèle différent. « Vous me rappelez mes conseillers sur le Vietnam »[16], s'exclama-t-il en plaisantant.

Compte tenu de la confusion régnant au sujet de sa politique sur le Vietnam, JFK décida de transiger en accordant deux entretiens télévisés début septembre, l'un à Walter Cronkite sur CBS, l'autre à Chet Huntley et David Brinkley sur NBC. Les deux fois, il délivra un message mitigé sur les intentions américaines, qui s'orientaient vers un engagement renforcé au Vietnam. « En dernière analyse, il s'agit de leur guerre. C'est à eux de la gagner ou de la perdre »[17], déclara-t-il à Cronkite. Par ailleurs, il promit de maintenir son aide. « Je ne suis pas d'accord avec ceux qui souhaitent que nous nous retirions. Ce serait une grande erreur. Je sais que le peuple américain n'aime pas être mêlé à ce type de combat. Quarante-sept de nos soldats ont été tués lors des affrontements, il n'en reste pas moins que c'est une lutte très importante, même si elle se déroule au loin. On ne peut quand même pas accepter de rentrer chez nous en abandonnant le monde à nos ennemis »[18], ajouta-t-il.

Face à Huntley et Brinkley, Kennedy admit « une sorte d'ambivalence dans l'approche du gouvernement »[19] : « Nous usons de notre influence pour convaincre les dirigeants locaux de prendre des mesures favorisant le retour à la confiance de leur peuple. » Et de nouveau, il ajouta : « Les Américains s'impatientent, ils proposent que nous nous retirions parce qu'ils n'aiment pas la tournure que prennent les événements en Asie du Sud-Est. Cela ne ferait que faciliter la tâche aux communistes. Je pense que nous devons rester. Il nous faut exercer notre influence avec la plus grande efficacité possible et non nous dégager. »[20]

L'administration Kennedy se demanda si elle devait soutenir Diem ou un autre leader. Lyndon Johnson, qui avait passé quelque temps en compagnie du dirigeant vietnamien deux ans plus tôt, s'opposa fermement au soutien à un coup d'État : « Dans un tel cas, on sait ce qu'on perd, mais on ne sait pas ce qu'on gagne ! »[21]

Rappelant l'échec laotien, Kennedy rejeta l'idée d'un gouvernement de coalition intégrant des représentants communistes. En effet, la situation au Laos avait permis aux Nord-Vietnamiens d'emprunter la piste Ho Chi Minh pour ravitailler le Viêt-Cong. Aux yeux de McNamara, « obligé de choisir entre deux maux, JFK conserva beaucoup trop longtemps une position indécise »[22] à l'égard du Vietnam. Il donnait l'impression d'avoir perdu toute la vivacité dont il avait fait preuve pour gérer la crise des missiles.

Fin septembre, Kennedy dépêcha McNamara et Maxwell Taylor à Saigon pour analyser la situation. Après sa dernière rencontre avec Diem, McNamara annonça que les Sud-Vietnamiens remportaient des succès militaires mais qu'il fallait remplacer Diem à moins qu'il ne modérât sa politique. Pour commencer, tout au moins, le régime de remplacement devrait faire preuve d'une « ferme autorité » pour assurer l'ordre. Afin de faire pression sur Diem, McNamara recommandait d'annuler l'aide financière qui lui était apportée. Pour favoriser la progression de la nation vers son autonomie, il exhortait au retrait d'un millier de conseillers américains d'ici la fin de l'année. Kennedy tint compte de son avis et Salinger annonça l'intention du gouvernement de retirer ses troupes, sans dévoiler que le plan serait de toute façon mis à exécution. Les émeutes se poursuivirent dans les rues de Saigon et l'aile ouest se figea dans l'indécision.

Si McNamara demeurait en odeur de sainteté, Kennedy semblait de moins en moins apprécier Rusk. Le ministre de la Défense exerçait une telle domination sur le Pentagone que la presse parlait de « monarchie McNamara »[23]. En revanche, des bruits avaient commencé à courir en mars sur le fait que Rusk serait « le premier remplacé »[24]. Ajoutant au jugement implacable porté par Schlesinger et Galbraith, Dillon répondit à Kennedy, qui lui demandait son opinion sur une éventuelle succession au secrétariat d'État : « McNamara ferait un bon candidat. »[25] « Durant l'été 1963, lorsqu'il évoquait Rusk en ma présence, Kennedy avait l'air exaspéré. Il lui reprochait de ne rien faire par lui-même, de ne prendre aucune initiative »[26], se souviendra Dillon.

À la Maison-Blanche, Bundy intriguait également pour se faire nommer à ce poste. Néanmoins, Charley Bartlett avait fait remarquer, début août, à Katie Louchheim, sur « un ton très autoritaire », que Bundy ne serait « jamais ministre des Affaires étrangères »[27]. Il avait eu des mots tout aussi durs à l'égard de O'Donnell, racontant aux invités de Katie Louchheim qu'il était « un simple secrétaire personnel et rien d'autre » : « C'est le seul à avoir pris la grosse tête. Il est vraiment bouffi d'orgueil ! » [28]

O'Donnell était également à couteaux tirés avec Salinger, l'un des divers conseillers de la Maison-Blanche dont les problèmes conjugaux attiraient une attention indésirable. En octobre, le divorce de Ted Sorensen s'étala sur deux colonnes dans le *Washington Star*, accompagnées de photos du couple désuni. « Il n'est guère plaisant pour l'alter ego du Président de voir son nom associé à un divorce dans les journaux »[29], fera observer Katie Louchheim. L'épouse de Salinger avait fini par quitter le porte-parole, qui en profitait « pour coucher à droite et à gauche »[30]. De plus, son adjoint, Andrew Hatcher, « avait disparu lors du voyage de repérage pour la visite en Europe ; il avait quitté Rome avec un mannequin sans donner de nouvelles pendant dix jours »[31].

Dans les dîners à Georgetown, Walter Heller faisait des remarques ouvertement désobligeantes au sujet de Douglas Dillon, qui l'avait éclipsé aux yeux de Kennedy. À l'écoute de l'une de leurs conversations téléphoniques, durant un week-end à Hyannis Port, Jim Reed fut d'ailleurs surpris par la déférence que témoignait le Président à ce dernier : « M. le Secrétaire, si vous pensez que c'est la meilleure chose à faire compte tenu des circonstances, c'est parfait pour moi. »[32] Heller ne pouvait s'empêcher de ressentir une certaine rancœur et d'éprouver un sentiment d'insécurité. « C'est la tactique de Dillon de faire porter le chapeau aux autres »[33], se plaignait-il auprès de ses amis. Non seulement Kennedy « avait du mal à motiver ses troupes », mais il conservait une « attitude froide et distante »[34] à l'égard de son conseiller économique, qu'il n'invitait même pas à venir nager avec lui à la Maison-Blanche.

Malgré toute l'énergie qu'il déployait pour rallier le soutien nécessaire au vote de la loi sur les droits civiques, le vice-président était retombé dans l'apathie à la fin de l'été 1963. « Johnson s'était alourdi et il avait l'air pitoyable »[35], déclara son confident Harry McPherson. Debout dans la piscine de la propriété de ce dernier, Johnson se lamentait de ne jouer aucun rôle et affirmait ne pas pouvoir continuer à figurer sur les prochaines listes électorales. « Je crois qu'il était sincère »[36], ajoutera-t-il.

Début septembre, Kennedy décida d'envoyer Johnson en Scandinavie pour une visite d'amitié. Avant son départ, le vice-président sollicita un entretien à Hyannis Port. Toujours aussi tyrannique, O'Donnell rejeta sa requête, contraignant Johnson à chercher appui auprès du conseiller militaire Chester Clifton.

Johnson arriva le samedi de la fête du Travail. Red Fay, qui passait le week-end à Hyannis, fut frappé par « son embarras et son manque d'assurance »[37]. Lorsqu'il demanda au Président de jeter un œil sur le discours qu'il avait préparé, ce dernier se contenta de feuilleter rapidement le document. « Il me semble très bien. J'ai toutefois barré quelques paragraphes parce qu'ils comportaient des éléments qu'il vaudrait mieux ne pas évoquer, mais cela ne gâchera en rien le discours. »[38] En outre, Kennedy s'opposa à la demande du vice-président d'ajouter la Pologne à son itinéraire. Ensuite, le Président confia à Fay : « Le pauvre, il a hérité du pire poste au gouvernement, lui qui aimerait tant apporter sa contribution. Je le laisserais volontiers s'amuser un peu, malheureusement, ce n'est pas le moment. »[39]

Dix jours plus tard, JFK envoya un courrier à son représentant. « Je suis désolé d'apprendre que vous êtes fatigué. Promettez-moi d'écouter davantage les médecins. Vous venez d'accomplir l'essentiel du voyage, le reste n'a vraiment pas autant d'importance »[40], écrit-il. Johnson était donc prié de « se ménager ». Le Président le remerciait chaleureusement pour son travail « exceptionnel » à l'étranger : « Vous vous êtes montré le meilleur de nos ambassadeurs, auprès des dirigeants comme des populations. »[41]

Jackie commençait à se reprendre, en témoigne une lettre qu'elle adressa à Bill Walton le 27 août pour lui demander où en était son projet de guérites de surveillance pour la Maison-Blanche. « Cher baron », écrivait-elle en utilisant l'un des petits noms (il y avait aussi « tsar ») qu'elle lui réservait. L'idée de les peindre en vert lui posait des difficultés car c'était déjà la couleur choisie pour celles de Wexford et ces dernières ressemblaient « à des cabinets extérieurs ou à un camouflage de baraques de l'armée »[42].

Les constants éloges dont faisaient l'objet ses travaux de restauration contribuaient également à ragaillardir la première dame. « La Maison-Blanche offre l'image exacte dont je rêvais »[43], écrira-t-elle à Clark Clifford, son conseiller juridique en la matière. Elle souhaitait encore ajouter des rideaux dans le salon est, changer les tentures et les tissus d'ameublement de la salle à manger d'apparat et installer des lanternes et des lustres dans le vestibule du rez-de-chaussée. « Nous avons accompli des merveilles »[44], affirmait-elle à Harry du Pont.

En septembre, Jackie avait déjà commencé à s'intéresser à une série de nouveaux projets : la bibliothèque Kennedy, le livre de l'historien Frank Freidel sur les présidents devant accompagner le guide sur la Maison-Blanche, un ouvrage de photos et un documentaire sur les collections de la résidence présidentielle. Elle sollicita même les suggestions de sa mère à ce sujet.

La plus ambitieuse de ces nouvelles entreprises fut le réaménagement de Blair House et du bâtiment voisin, datant du XIXe siècle, que le gouvernement fédéral avait acquis pour accueillir les hôtes présidentiels. En avril, Jackie avait créé un comité de sauvegarde, mais, en raison de sa grossesse, elle avait confié la supervision de la restauration de Blair House à Robin Duke, l'épouse du chef du protocole Angier Biddle Duke. L'édifice avait été fermé au début de l'été pour permettre l'installation de l'air conditionné et d'une nouvelle cuisine.

« Je m'inquiète pour la résidence des hôtes de marque »[45], écrivit-elle à Harry du Pont, le 20 septembre, déplorant « ses murs écaillés, ses cintres en métal, ses meubles rembourrés et ses affreux téléviseurs ». À ses yeux, il était « parfaitement scandaleux » de ne pouvoir offrir que des « chambres miteuses » dans une annexe de la Maison-Blanche à ses visiteurs qui « avaient dû dormir dans des lits à baldaquin et manger dans la vaisselle en or d'Ivan le Terrible au Kremlin ». Jackie demandait à du Pont de lui venir en aide, espérant que Robin Duke n'avait pas péché par « excès de zèle ». Au contraire, elle découvrirait bientôt que le Comité « piétinait totalement » parce que l'intéressée « avait bien meilleur caractère et était beaucoup moins despotique » qu'elle : « Avec elle, tout le monde a droit à la parole ! »[46], s'exclamait la première dame.

Par ailleurs, Jackie consulta Nancy Tuckerman au sujet des manifestations à venir. Même si elle ne comptait pas faire sa rentrée publique avant la nouvelle année, plusieurs dîners officiels étaient prévus. La Maison-Blanche devait accueillir l'empereur éthiopien Hailé Sélassié, le Premier ministre irlandais Sean Lemass et le chancelier ouest-allemand Ludwig Ehrard. Depuis Brambletyde, elle supervisa de près la visite du 5 septembre.

Malgré la pluie battante qui salua l'arrivée du roi afghan Mohammed Zahir Shah et de la reine Homaira, JFK et Eunice se refusèrent à revêtir un imperméable ou un couvre-chef, et encore moins à se munir d'un parapluie. « Merveilleuse obsession d'une jeunesse resplendissante de santé »[47], commentera Angie Duke. « Toute la manifestation officielle se déroula sous des trombes d'eau. Je revois encore le visage trempé du roi ; la pluie lui dégoulinait dans le cou. Évidemment, le Président affichait une jeunesse et une vigueur magnifiques ainsi dressé sous la pluie »[48], se souviendra le chef du protocole.

Inquiète à cause du temps, Jackie appela à plusieurs reprises durant la journée. Bien que le ciel eût fini par s'éclaircir, elle décida finalement de ne pas laisser ses convives dîner dehors, dans l'herbe mouillée de la roseraie. Le programme prévu après le repas se révéla spectaculaire. Kennedy ayant demandé son illumination – une grande première –, le mémorial de Jefferson brillait au loin, comme le monument de Washington, à la grande admiration des cent seize invités assis sous la véranda sud, devant la chambre Bleue. Sur les directives de Jackie et de Nancy Tuckerman, quelque trois cents officiers de la Marine effectuèrent une démonstration de manœuvres à la lumière de projecteurs. Pour la première fois, la réception s'acheva par un feu d'artifice, ce qui suscita une avalanche d'appels dans les commissariats de police. De nombreux citoyens étaient inquiets à l'idée qu'il eût pu s'agir d'explosions de bombes.

Alors que son manque d'entrain n'avait échappé à personne lors de la fête d'anniversaire de Joe Kennedy et de la célébration de ses dix ans de mariage, Jackie se montra particulièrement enjouée durant son dernier week-end à Newport. Rejoignant les Fay, Vivian Crespi et son fils Marcantonio arrivèrent le vendredi 20 septembre de New York, par le même avion que JFK. Ce dernier venait de prononcer devant l'Assemblée générale des Nations Unies un discours qui faisait les gros titres car il proposait d'unir les efforts américains et soviétiques pour partir à la conquête de la Lune. La veille de son allocution, il était resté tard chez Earl et Flo Smith, dans la Cinquième Avenue, en compagnie de Dave Powers.

Durant le vol qui les avait emmenés à Rhode Island, JFK s'était plongé dans ses papiers tandis que Marcantonio courait partout dans l'appareil. « Comment parvenez-vous à vous concentrer avec tout ce tapage ? »[49], lui avait demandé la mère du petit garçon. « Vous savez, j'ai grandi dans une famille de neuf enfants »[50], lui avait répondu Kennedy. Le samedi, tout le monde partit se baigner et faire du bateau, comme d'habitude, puis Jack décida de tourner un film pour varier. « Vous aurez le rôle principal, lança-t-il à Vivian Crespi, et le sous-secrétaire interprétera celui de votre soupirant. Tout ce que vous aurez à faire, c'est défiler en bikini ! »[51] Après avoir choisi le modèle « le moins conventionnel et le plus coloré », il lui demanda : « Maintenant, faites-moi voir comment vous courez, mon petit ! »[52]

Janet et Hughdie étant partis en Europe, les enfants sous bonne garde avec l'agent des services secrets Bob Foster, Kennedy confia la caméra au photographe de la Marine Robert Knudsen. Ce dernier collaborait avec Cecil Stoughton à la chronique familiale, sous l'œil vigilant de JFK. À partir d'un scénario élaboré à la hâte par Fay, Kennedy joua les « Roger Vadim », pour reprendre les termes de Chuck Spalding, et lança Red Fay en short long et fixe-chaussettes à la poursuite de Vivian Crespi en bikini. Jubilant, Jackie renchérit : « Ce ne serait pas mieux si la scène de viol se déroulait la nuit ? »[53] Sous l'œil de la caméra, les deux protagonistes traversèrent le gazon superbement entretenu de Hammersmith tandis que Kennedy criait : « Vivian, laissez-lui au moins une chance ! »[54] « Cela se termina à l'horizontale dans les buissons par un gros plan sur les pieds de Red Fay surgissant des rosiers Queen Elizabeth de Mrs Auchincloss »[55], se souviendra Vivian Crespi.

Dans la deuxième scène, Fay se faisait tuer. On le fit donc allonger dans un bateau avec du ketchup répandu sur la poitrine tandis que Vivian Crespi, Anita Fay, Jack et Jackie lui marchaient dessus gaiement. « J'étais le méchant. Les agents des services secrets jouaient dedans aussi. Ils déboulaient à toute vitesse dans leur voiture »[56], rapportera le sous-secrétaire. Vivian Crespi évoquerait les rires éclatants du couple présidentiel mais aussi « les égratignures et les épines plantées dans son malheureux derrière »[57].

À la grande consternation des Kennedy, un hélicoptère de la presse saisit cette séquence « meurtrière » et certaines publications ne se privèrent pas de montrer les locataires de la Maison-Blanche « en train de se payer du bon temps »[58]. Selon Fay, après l'assassinat de JFK, Jackie veillerait à faire mettre ce film sous clé « pour éviter qu'il ne tombe entre les mains de n'importe qui »[59].

Jackie rentra à Washington avec les siens le lundi 23 septembre. Elle n'avait pas remis les pieds dans la capitale depuis trois mois. Deux jours plus tard, Caroline devait commencer sa première année d'école primaire. Jackie avait décidé d'agrandir une dernière fois l'école de la Maison-Blanche avant d'envoyer sa fille à Stone Ridge, une école de filles privée de la banlieue de Maryland tenue par des religieuses du Sacré-Cœur. Rose Kennedy, ses filles ainsi que Joan et Ethel Kennedy y avaient également été scolarisées.

« Mrs Kennedy appréciait de pouvoir continuer à protéger l'intimité et la tranquillité de sa fille tant que rien ne s'y opposait sur le plan pratique »[60], commentera Alice Grimes. Jackie souligna : « Ce doit être une véritable classe de cours préparatoire, ils doivent apprendre autant que s'ils allaient à Chapin ou à Brearley. »[61] Par ailleurs, l'institutrice inscrivit Caroline dans une classe de catéchisme de Georgetown Visitation, une école catholique privée du quartier. Jackie souhaitait que sa fille « suive ses petits camarades sur le plan religieux afin qu'elle puisse faire sa première communion en même temps qu'eux »[62].

Tout le monde adorait les enfants Kennedy à la Maison-Blanche. « Ils écoutaient quand on leur parlait. Ils n'interrompaient jamais les adultes. Leur mère refusait qu'ils se sentent privilégiés. Jackie ne cessait de répéter qu'elle ne voulait pas que sa fille ou son fils se considèrent riches ou faisant partie de l'élite »[63], écrira Tish Baldrige.

À peine rentré, Jack quitta à nouveau la Maison-Blanche pour une tournée de cinq jours. Son parcours de quinze mille kilomètres devait le mener dans onze États de l'ouest pour parler de la protection de l'environnement. Ce sujet, qui ne faisait d'ordinaire pas partie de ses priorités, lui valait dans la presse des surnoms qui l'amusaient plus qu'ils ne l'irritaient. La première étape le conduisit à Milford, en Pennsylvanie, où s'étendait la propriété de Grey Towers. La famille Pinchot avait fait don au gouvernement fédéral de cette demeure qui avait appartenu à feu l'oncle de Tony Bradlee et de Mary Meyer, ancien gouverneur de l'État et partisan de la lutte pour la conservation.

Habituellement, ce type de don n'attirait guère l'attention du Président, mais Kennedy voulait voir « où avaient grandi ses amies les filles Pinchot »[64]. Tony et Mary le suivirent donc à bord d'Air Force One, puis de l'hélicoptère qui les déposa dans un pré du domaine. Ce jour-là, Tony ne remarqua rien d'incommodant entre Jack et sa sœur. « Il était à l'aise avec l'une comme avec l'autre. Rien ne laissait transparaître une quelconque relation sexuelle. J'avais toujours eu la sensation qu'il m'aimait tout autant que Mary. On pourrait même dire qu'il y avait une certaine rivalité entre nous »[65].

Après un semblant de cérémonie à Grey Towers, JFK voulut faire un détour par la modeste demeure de Ruth Pinchot. Ancien esprit libéral, cette dernière était devenue une fervente tenante de la droite. « Jack était monté en voiture, Mary et moi courions à côté. Sur place, nous lui avons montré nos photos de famille. Il plaisantait et s'amusait »[66], racontera Tony. Ils posèrent sous le « porche défraîchi », pour « un portrait on ne peut plus figé »[67], se souviendra Ben Bradlee. « Ses deux filles avaient élu un Président démocrate. Elle ne l'avait pas digéré, cela se lisait sur son visage. Jack prenait grand plaisir à la taquiner ainsi »[68], poursuivra-t-il.

Tout en poursuivant sa route d'État en État – à travers le Wisconsin, puis le Minnesota et le Dakota du Nord – Kennedy débitait « des discours parfois décousus »[69], selon le *Washington Post*, sur les parcs nationaux et les ressources naturelles devant une foule frileuse. « Kennedy semblait mal à l'aise dans ce rôle »[70], selon le *Time*. Sous l'impulsion de la ratification par le Sénat du traité sur l'interdiction des essais nucléaires, le 24 septembre, le Président changea néanmoins de registre. Ainsi évoqua-t-il, dans le Montana, le besoin de réduire le nombre des armes nucléaires et de promouvoir la paix dans le monde. Des thèmes qui resurgiraient lors des étapes ultérieures (Wyoming, Washington, Utah, Oregon, Californie et Nevada).

« Cela marqua insensiblement le début de la campagne présidentielle »[71], se souviendra le ministre de l'Intérieur, Stewart Udall. « Devant la réaction fantastique suscitée par ses propos de paix, il cessa de défendre mes idées. Je ne lui en voulais pas. Même si ses discours étaient rédigés par Ted Sorensen et consorts, Kennedy sentait lui-même l'importance de cette voie. La population avait conscience du danger qui planait sur le monde ; or, le traité d'interdiction des essais constituait un premier pas vers la défense de la paix. Les journalistes les plus avisés décelèrent donc dans cette improvisation le thème principal de la campagne de 1964 »[72], expliquera-t-il.

Le dernier week-end de son voyage, Kennedy le passa chez Bing Crosby, à Palm Springs, en compagnie d'O'Donnell et de Powers. Comme lors de sa visite précédente, Pat Lawford vint rejoindre son frère à la messe du dimanche et passa la journée avec lui avant son retour à Washington dans la soirée.

C'est l'air « rougeaud » que Jack Kennedy accueillit Hailé Sélassié à la gare de Washington, le mardi 1er octobre, tandis que sonnaient les trompettes et résonnaient les tambours annonçant l'arrivée du train de l'empereur. Aux côtés du Président, Jackie effectuait sa première apparition en public depuis le décès du petit Patrick. L'air « frais et dispos », elle entama une conversation animée en français, sans prêter attention à la foule, avec le monarque barbu de 71 ans et sa petite-fille de 33 ans. Plus tard dans l'après-midi, Jackie offrit le thé à ses hôtes majestueux, qui lui remirent un long manteau en peau de léopard. « Je suis comblée ! »[73], s'exclama-t-elle. D'ailleurs, elle arbora son présent pour escorter l'empereur jusqu'à la roseraie. « Regarde, Jack, ce qu'il m'a apporté ! », roucoula-t-elle. De marbre, Kennedy rétorqua : « Je me demandais bien pourquoi tu sortais dans le jardin en fourrure. »[74]

Ensuite, Jackie assista à une répétition du spectacle des danseurs du Joffrey Ballet, un vaudeville de style années 1920, prévu pour la réception du soir. Réalisant que les minuscules costumes des danseuses risquaient de heurter le monarque africain, elle envoya Nancy Tuckerman louer des jupes et des hauts plus couvrants. Lorsque les premiers invités se présentèrent, elle était déjà en route pour New York, où l'attendait son vol pour Athènes.

Une fois encore, on avait mis à sa disposition un compartiment spécial en première classe. À cause de la fatigue, elle dut être alimentée en oxygène durant les onze heures de vol. À son arrivée en Grèce, elle avait « l'air pâle et les traits tirés »[75]. On l'entraîna rapidement chez l'armateur Marcos Nomikos, où elle retrouva la quiétude de la villa surplombant le golfe qu'elle avait connue avec Lee deux ans auparavant.

Dès son arrivée, la première dame faillit provoquer un incident diplomatique en refusant de déjeuner avec le roi Paul et la reine Frédérique de Grèce. Elle déclara à l'ambassadeur américain Henry Labouisse qu'elle ne supportait pas la reine – une opinion qu'il l'avait déjà entendue exprimer huit mois plus tôt lors d'un dîner à la Maison-Blanche. Par deux fois, Jackie avait répété : « Je l'ai en horreur ! »[76] Finalement, il réussit à obtenir qu'elle prenne le thé en compagnie des souverains. Elle se ferait accompagner de Lee seule car la reine « détestait » Stas, expliqua l'ambassadeur à Cy Sulzberger le soir même.

Jackie, les Radziwill et les Roosevelt embarquèrent à bord du *Christina* le vendredi 4 octobre pour une croisière qui devait les conduire jusqu'à Istanbul. Le « palais des plaisirs » d'Onassis possédait un équipage de soixante personnes, un orchestre et deux coiffeurs d'Athènes. Le premier soir, les convives se régalèrent autour d'une sole meunière et d'un rôti de bœuf arrosés de champagne millésimé. Lors d'une escale à Smyrne, sur la côte turque, Onassis offrit à Jackie de décider du cap à suivre parmi les îles grecques. Il lui était possible de choisir « selon son cœur » et de concrétiser ainsi « le rêve de sa vie »[77].

« Onassis se montra très courtois envers Jackie, son invitée d'honneur »[78], se souviendra Sue Roosevelt. « Il l'admirait ; toutefois, il ne lui accordait pas plus d'attention qu'aux autres. »[79] Pour sa part, Jackie trouva en la personne de l'armateur « un être plein de vitalité »[80]. Les Roosevelt, eux, se rendirent parfaitement compte de sa relation avec Lee. Stas ne resta à bord que les premiers jours. Pendant la majeure partie de la croisière, Jackie et Lee ne se quittèrent pas, se livrant à toutes sortes de « facéties ». Ainsi, elles versaient de pleines cuillerées de noix de muscade dans la soupe de Franklin Roosevelt Jr au déjeuner parce qu'elles avaient entendu dire que cette épice était hallucinogène. « Elles le taquinaient ; on aurait dit deux adolescentes ; elles gloussaient tout le temps »[81], racontera Sue. Néanmoins, c'était un soulagement de voir Jackie retrouver le moral. Onassis soignait ses invités, maintenait une « humeur légère » et offrait aux femmes d'extravagants cadeaux : des bracelets en or et en diamants à Lee, une minaudière Van Cleef & Arpels en or et diamants plus trois bracelets en or à Sue Roosevelt et un collier de diamants et de rubis à Jackie.

Jack et Jackie se téléphonaient régulièrement. Les deux sœurs appelèrent d'ailleurs une fois la Maison-Blanche pour expliquer que le *Christina* avait été capturé par des pirates, une mauvaise blague finalement sans conséquence. Une autre fois, Kennedy joignit par erreur l'épouse d'un officier consulaire américain nommé Moorhead Kennedy.

Des années plus tard, lors de son interview en vue de son célèbre livre *Mort d'un Président,* William Manchester recevrait des mains de Jackie une lettre de dix pages adressée à son mari. À partir du document, le journaliste établira que la première dame « regrettait tristement » de ne pouvoir partager avec son mari « l'ambiance totalement détendue »[82] de cette croisière en mer Égée. En réalité, ce courrier avait été rédigé en Italie plus d'un an auparavant ; en effet, il fait référence aux défaillances du réseau téléphonique de Ravello, à la facilité d'adaptation de Caroline et à un futur week-end à Newport en compagnie de David et Sissie Gore. L'erreur de l'historien fut reprise par d'autres auteurs au fil du temps jusqu'à devenir une preuve de la « complexité » de la personnalité de Jackie et de « l'amour authentique »[83] renoué après la mort du petit Patrick.

La participation du couple présidentiel aux « festivités organisées à bord de ce bateau brillamment illuminé » déclencha des réactions critiques dans la presse et chez les adversaires politiques de Kennedy. Évoquant ses « réjouissances nocturnes à l'étranger »[84], William E. Miller, président du parti républicain, reprocha au gouvernement son « manque de bienséance et de dignité ». De son côté, le représentant républicain de l'Ohio, Oliver Bolton, dénonça les relations entretenues par Jackie et Roosevelt avec Onassis. Même le *Washington Post* rajouta son grain de sel. Lorsque la Maison-Blanche apprit que le journal comptait publier un éditorial décriant la situation de conflit d'intérêts de Roosevelt, JFK demanda à Mac Bundy d'appeler Katharine Graham, qui avait succédé à son mari à la tête du *Post* à la fin septembre, pour solliciter le retrait de l'article. Malgré ses recommandations, le rédacteur en chef Russ Wiggins maintint son éditorial.

Jackie n'en écourta pas pour autant son voyage puisqu'elle se rendit ensuite au Maroc, un pays qu'elle rêvait de visiter autant que Jack rêvait de l'Irlande. Elle fut invitée avec sa sœur par le roi Hassan II, qui voulait ainsi rendre l'hospitalité reçue aux États-Unis au mois de mars précédent. Les deux sœurs passèrent trois jours au palais Bahia, dans une suite garnie de meubles marocains et contemporains en cuir blanc, donnant sur un bosquet de palmiers et la chaîne de l'Atlas. Des garçons en djellaba blanche, coiffés de fez rouges, leur servaient des dattes sur des plateaux de cuivre et du lait avec des louches en argent. À cela le roi ajouta deux coiffeurs et une manucure. Jackie et Lee se levaient tard et flânaient dans les bazars.

Un après-midi, alors qu'elles attendaient le roi, on leur présenta « près d'une centaine de femmes souriantes habillées en caftan doré »[85] – le harem des défunts père et grand-père de Hassan. Après avoir épuisé tous les sujets de conversation possibles, Jackie annonça que Lee allait chanter. Ravie de l'embarras de sa sœur, Jackie explosa d'un « rire hystérique ».

Durant cette période que Manchester qualifierait plus tard de « curieux hiatus entre comédie et tragédie »[86], JFK se montra rarement en société. Le week-end, il emmenait Caroline et John à Camp David, sinon il distrayait son père à la Maison-Blanche. Un soir, il invita Vivian Crespi, Red Fay et Teddy à dîner. « Jack voulait me montrer les cadeaux de Noël qu'il comptait acheter pour Jackie. Il savait que je connaissais ses goûts »[87], racontera l'amie de la première dame.

Autre surprise pour Noël, il avait entrepris de prendre des cours de français en secret auprès de Jacqueline Hirsh, que Jackie avait engagée pour enrichir le programme scolaire de la Maison-Blanche. Ils se virent à quatre reprises et, chaque fois, Kennedy ne « cessa de l'interrompre en posant des questions »[88], se souviendra le professeur. Elle fut frappée par « l'extrême gêne » qu'il semblait éprouver : « Il ne cessait de tripoter sa cravate, de se lever et de s'asseoir. » Lorsqu'elle lui demanda pourquoi il voulait tant « surprendre le monde », il répondit : « Il est toujours bon de faire des progrès, même dans un domaine que l'on connaît. »[89]

Pendant quatre jours, le photographe Stanley Tretick eut carte blanche. Il réalisa près d'un millier de photos montrant Kennedy en compagnie de ses enfants à la Maison-Blanche et à Camp David – des intrusions que Jackie aurait fortement désapprouvées. Sur la double page que publia *Look* figurait une mémorable série de portraits de John Jr lançant un regard, caché sous le bureau de son père, ou perché sur le rocking-chair présidentiel. Pendant les prises de vue, la collègue de Tretick, Laura Bergquist, trouva Kennedy exceptionnellement distant. « Il ne détendait plus l'atmosphère par sa bonne humeur et ses joyeuses plaisanteries comme lors de nos premières séances. Il donnait l'image d'un homme sérieux, préoccupé et arrivé à pleine maturité »[90].

Jim Reed se fit une remarque analogue lors du dîner d'État offert en l'honneur du Premier ministre irlandais le mardi 15 octobre. À cette occasion, le rôle d'hôtesse fut dévolu à Jean Smith. Kennedy se chargea d'organiser le spectacle, animé par les joueurs de cornemuse de l'armée de l'air « en

traditionnel kilt irlandais safran ». Sur la liste des invités prédo-
minaient des Américains d'origine irlandaise. Pour le danseur
Gene Kelly, ce fut « une soirée à faire pleurer dans les chau-
mières », avouant que « chaque air irlandais lui avait tiré les
larmes »[91]. Ensuite, Kennedy invita une quinzaine de personnes
à venir écouter d'autres musiciens dans ses appartements.
Gene Kelly dansa et Dorothy Tubridy, une amie de la famille
Kennedy, entonna une ballade de la rébellion irlandaise de
1798. « Ce fut une superbe interprétation, mais la chanson
était très triste. Le Président se tenait seul sur le seuil. C'était
émouvant. Je ne l'avais jamais vu ainsi. C'est la seule fois, dans
mon souvenir, où je vis son visage aussi défiguré par la
tristesse »[92], se souviendra Reed.

Jackie rentra le jeudi soir, « bronzée mais épuisée »,
commentera l'huissier en chef J. B. West. Elle partit avec les
enfants passer le week-end à Wexford, tandis que Jack filait
en Nouvelle-Angleterre. La visite se révélera aussi nostalgique
que politique. Alors qu'il assistait à un match de football opposant Harvard à Columbia en compagnie de Powers, O'Donnell
et O'Brien, il décida de s'éclipser à la fin de la première mi-
temps. « Je souhaite me rendre sur la tombe de Patrick »[93],
annonça-t-il. Durant vingt minutes, il se recueillit devant la
stèle portant la seule inscription du nom de Kennedy. « Il a l'air
si seul, ici »[94], finit-il par prononcer. Après une glace au caramel
prise en compagnie de Powers dans un établissement local, le
Président et ses conseillers retournèrent à l'hôtel préparer la
manifestation du soir, un gala de six mille fidèles organisé à
Boston au profit du parti. « Les gens se pressaient autour de
lui. Il offrait une image souriante et vivante et dégageait une
énergie électrique. C'était une soirée familiale réunissant les
plus vieux serviteurs et adhérents du parti, moi compris »[95],
écrira l'historien James MacGregor Burns.

Pour l'un des membres de l'entourage présidentiel, ce fut
le dernier voyage. Au lieu de retourner au Wheaton College en
septembre, Mimi Beardsley avait décidé de rester à la Maison-
Blanche tellement elle était « fascinée », se souviendra sa camarade Wendy Taylor. La jeune stagiaire partit néanmoins peu

après pour préparer son mariage avec Anthony Fahnestock. « Ma mère m'avait demandé de rentrer », ajoutera Mimi. Le couple divorcera par la suite et la jeune femme n'achèvera ses études que quarante ans plus tard. En mai 2003, alors qu'elle occupait un poste administratif à l'Église presbytérienne de la Cinquième Avenue, à Manhattan, son témoignage conservé à la bibliothèque Kennedy de Boston fut publié après des années de confidentialité, révélant sa liaison avec le Président. Elle décida alors de rompre le silence et admit : « J'ai eu des relations sexuelles avec le Président Kennedy de juin 1962 à novembre 1963. »[96] Grand-mère sexagénaire de quatre petits-enfants, elle déclara que ses révélations la « soulageaient » et représentaient un « cadeau » dont elle souhaitait faire enfin profiter ses deux filles mariées.

Le dimanche 20 octobre, JFK se rendit à Hyannis pour faire une croisière sur le *Marlin* et rendre visite à son père. Avant de repartir en hélicoptère le lundi matin, il embrassa Joe Kennedy à deux reprises. En se retournant vers le vieil homme assis dans son fauteuil roulant, sous le porche, Kennedy confia à Powers : « Dire que c'est grâce à lui si j'en suis arrivé là... Et maintenant, regardez-le... »[97]

Le Président retourna une dernière fois dans son Massachusetts natal le samedi suivant pour inaugurer la bibliothèque Robert-Frost au Amherst College. Le poète était décédé au mois de janvier précédent, à l'âge de 88 ans. À la fin de sa vie, ses commentaires sur la faiblesse américaine au retour d'un séjour en Union soviétique l'avaient éloigné de Kennedy. Sa maladie, en décembre 1962, avait fait la une des journaux. Des télégrammes lui avaient été adressés du monde entier, mais pas un mot ne lui était parvenu de la Maison-Blanche. « Frost était profondément blessé que Kennedy ne communique plus avec lui. Je n'étais pas content. Je trouvais cette attitude froide et dure »[98], déclarera Stewart Udall, un ami proche de Frost.

Kennedy n'en demeurait pas moins un grand admirateur de l'œuvre du poète. Il décida donc de lui rendre hommage. Durant le vol qui l'emmenait à Amherst ce samedi 26 octobre, il retravailla les quelques phrases rédigées par Arthur Schlesinger pour l'occasion. Udall l'avait averti que Leslie Frost était furieuse qu'il ait désavoué son père à la fin de sa vie. « Elle va faire un scandale ? »[99], s'était inquiété JFK. « Je ne pense pas, mais si vous me voyez lutter à terre contre une femme, vous saurez de qui il s'agit »[100], avait répondu le ministre de l'Intérieur. « Quoi que vous fassiez, Stewart, nous vous accorderons le bénéfice du doute »[101], avait rétorqué Kennedy.

Il prononça l'un de ses plus beaux discours. Dans sa réflexion sur le rôle de l'artiste dans une société civilisée, il éleva Frost au rang de « l'une des plus grandes figures américaines de l'époque »[102]. « Il a connu les heures sombres comme la gloire, il comprenait les épreuves que peut traverser l'esprit mais aussi son triomphe, il a donné à ses contemporains la force de surmonter le désespoir », déclarait-il. Acclamant sa capacité à marier « la poésie et le pouvoir », il poursuivait : « Il considérait la poésie comme un moyen de sauver le pouvoir de lui-même. Lorsque le pouvoir corrompt, la poésie purifie. Il n'est guère de chose plus importante pour l'avenir de notre pays et de notre civilisation que de reconnaître à l'artiste sa place dans notre société. Je rêve d'une Amérique qui récompense l'œuvre des artistes comme elle gratifie la réussite en affaires ou en politique. »

CHAPITRE 30

Le voyage tragique à Dallas

Le jour même où Kennedy évoquait le pouvoir purificateur de la poésie, un honteux scandale politique éclaboussa son gouvernement. Ayant flairé la mystérieuse expulsion d'Ellen Rometsch, Clark Mollenhoff, journaliste d'investigation, avait publié un article dans le *Des Moines Register* intitulé « Une jeune femme liée à des responsables du gouvernement expulsée des États-Unis. » Ce « mannequin connu des milieux noctambules » avait été vu en compagnie « d'influentes personnalités de la sphère exécutive »[1]. Au même moment, le *Washington Post* dévoila les activités du *Quorum Club* de Bobby Baker sur la colline du Capitole et, le dimanche 27 octobre, tint des propos encore plus incendiaires en s'appuyant sur les révélations de Mollenhoff.

Le journal promettait « le récit pimenté d'une intrigue politique sur fond de parties de jambes en l'air impliquant les plus hauts niveaux »[2]. Sans nommer Ellen Rometsch, il signalait que « le Sénat allait bientôt soumettre les activités extra-professionnelles de ses fonctionnaires à un examen approfondi »[3]. Le mardi 29, le sénateur républicain John J. Williams, du Delaware, devait présider une séance à huis clos du Comité sur le règlement intérieur où seraient entendus des témoignages « au sujet d'une affaire extrêmement sensible et dangereuse » impliquant « une jeune Allemande de 27 ans au physique avantageux et un matamore désinvolte »[4]. L'article mentionnait l'expulsion précipitée de la jeune femme, le 21 août, mais n'évoquait pas la participation de Bobby Kennedy à l'affaire.

La semaine précédente, Harold Macmillan avait démissionné de son poste de Premier ministre. Bien que la raison invoquée fût l'opération de la prostate que le chef du gouvernement britannique avait dû subir en urgence début octobre, son désistement était en réalité directement lié à l'affaire Profumo, ce qui attristait et inquiétait Jack Kennedy.

L'affaire Rometsch avait refait surface un mois plus tôt lorsque le FBI et le ministère de la Justice avaient lancé une enquête sur les activités de Bobby Baker suite à un procès intenté contre ce dernier par un fournisseur de distributeurs automatiques de Washington. Le secrétaire du Sénat était désormais soupçonné d'avoir reçu des pots-de-vin, à la fois en espèces et sous forme de faveurs sexuelles, contre l'attribution de contrats publics. À l'annonce de sa démission, le 7 octobre, le *Washington Post* avait consacré sa une à ce sujet et Mollenhoff avait avidement interrogé ses contacts. Selon Evan Thomas, biographe de Robert Kennedy, certaines sources du FBI avaient sans doute renseigné le journaliste au sujet d'Ellen Rometsch puisque son nom était associé à la fois à JFK et à George Smathers dans ses archives. À son tour, Mollenhoff avait informé Williams des activités de l'Allemande en insistant pour que le sénateur délivre des citations à comparaître afin de dénicher d'autres détails.

Kenny O'Donnell racontera plus tard que JFK lui avait demandé, en plaisantant au sujet de l'enquête sur Baker, de s'enquérir auprès des conseillers de la Maison-Blanche du genre de contacts qu'ils avaient entretenus avec l'ancien secrétaire du Sénat. En entendant Kennedy tourner Ellen Rometsch et Baker en ridicule, Ben Bradlee avait senti que le Président « disposait d'amples informations » sur le secrétaire. JFK lui avait en effet déclaré que Baker était « un dévoyé mais pas un escroc », qu'il « lui disait toujours qu'il pourrait lui dégoter les plus jolies filles, mais qu'il ne l'avait jamais fait »[5]. Kennedy avait en outre ironisé sur les éléments dont Hoover disposait pour « traîner dans la boue » certains sénateurs. « On n'imagine même pas »[6], avait affirmé le Président.

Il ne s'agissait pourtant pas d'une mince affaire à en juger par le nombre d'appels téléphoniques échangés les 25 et

26 octobre entre JFK, Bobby, O'Donnell, Hoover, le patron de Mollenhoff – John Cowles – et Duffy, un enquêteur au service de Bobby qui avait été l'amant d'Ellen Rometsch et l'avait escortée en Allemagne de l'Ouest en août. Bobby renvoya d'urgence Duffy sur place s'assurer du silence de la dame et le gouvernement allemand fit une déclaration affirmant n'avoir aucune relation avec elle. « La correspondance échangée par Rometsch et Duffy laisse penser que ce dernier lui envoyait de l'argent mais n'en indique ni le montant ni la source »[7], écrira Thomas.

La meilleure preuve de l'inquiétude des Kennedy reste néanmoins la rencontre entre Bobby et Hoover, le lundi 28 octobre. De l'avis du ministre de la Justice, si l'enquête menée par Williams établissait un rapport entre des sénateurs et une femme soupçonnée d'espionnage pour le compte des communistes, on risquait de déclencher une crise nationale. Plus tard dans la journée, Hoover s'entretint avec les chefs de file du Congrès, Mike Mansfield et Everett Dirksen. Le directeur du FBI déclara qu'aucune preuve ne permettait d'accuser Ellen Rometsch d'espionnage ou de relations sexuelles avec des membres du pouvoir exécutif – toutefois, il produisit des documents attestant de ses liaisons avec des sénateurs. On ignore s'il s'agissait de la vérité ou d'une ruse pour protéger JFK : c'est l'un des nombreux secrets que Hoover a emportés dans sa tombe. Lors de son audition, le lendemain, Williams cantonna son approche aux activités commerciales de Baker et le scandale fut évacué.

Bobby Kennedy avait payé honteusement cher l'aide du directeur du FBI. Après des mois de résistance, il avait cédé à ses pressions et autorisé, le 10 octobre, la mise sur écoute de Martin Luther King. Sous prétexte de vouloir prouver que le leader du mouvement pour les droits civiques entretenait des liens avec les communistes, Hoover s'intéressait en fait aux aventures extraconjugales du révérend. Compte tenu de la menace que représentait à l'époque l'affaire Rometsch, Bobby n'avait guère eu d'autre choix que d'apaiser son interlocuteur, même s'il savait qu'il abuserait sans doute des écoutes.

La crise du Vietnam allait atteindre un point culminant. Tout au long du mois d'octobre, les généraux sud-vietnamiens fomentèrent un coup d'État au sujet duquel Kennedy et ses hommes se contentèrent de se tenir au courant. Parallèlement, l'ambassadeur Lodge continuait de faire pression sur Diem pour qu'il change de politique. Finalement, le 29 octobre, Lodge prévint par câble de « l'imminence » du coup d'État et JFK réunit ses conseillers en matière de sécurité nationale pour débattre de la conduite à suivre. Bundy envoya donc un câble à Saigon le 30 octobre pour informer l'ambassade que les États-Unis « rejetteraient toute demande d'intervention directe »[8]. Néanmoins, le conseiller ajouta qu'une fois lancée, il était de l'intérêt des Américains que l'entreprise « soit couronnée de succès »[9].

Le vendredi 1er novembre, les généraux passèrent à l'attaque et le lendemain matin, la salle de situation de la Maison-Blanche apprenait que Diem et son frère avaient été abattus d'une balle dans la nuque et criblés de coups de baïonnette. À l'annonce de la nouvelle, Kennedy quitta brusquement la pièce, « avec un air de désarroi mêlé d'indignation que je ne lui connaissais pas »[10], se souviendra Maxwell Taylor. À Schlesinger, Kennedy parut « sombre et bouleversé » : « Je ne l'avais pas revu aussi déprimé depuis la baie des Cochons. »[11] Dans un enregistrement sonore deux jours plus tard, le Président attribuera la responsabilité de cette tournure des événements à un premier câble daté du 24 août. « Il était mal rédigé et il n'aurait jamais dû être envoyé un samedi », affirmait-il. D'ailleurs, il n'aurait pas dû l'approuver « sans avoir organisé un tour de table où McNamara et Taylor auraient pu soumettre leurs points de vue »[12].

Durant les semaines suivantes, Kennedy continua de tenir un langage ambigu, tant en public qu'en privé, sur les intentions américaines. Alternant les propos belliqueux et pacifiques, il laisserait maints arguments aux partisans des deux bords pour étayer leur théorie sur la manière dont il aurait procédé au Vietnam s'il avait vécu plus longtemps. Les loyalistes tels que Kenny O'Donnell affirmeront qu'il souhaitait un retrait total des troupes. « Pour cela, je dois attendre 1965, après ma réélection »[13], aurait-il déclaré, d'après son conseiller. Or, Robert McNamara assurerait à Stewart Alsop que les États-Unis « auraient de toute façon lancé une opération terrestre au Vietnam en raison de l'intérêt national »[14].

D'après ses derniers propos à ce sujet – le texte du discours qu'il comptait prononcer le 22 novembre à Dallas –, si le Président semblait inquiet à l'idée d'engager le combat, il réaffirmait sa détermination de barrer la route au communisme au Vietnam. « Le soutien américain aux nations situées à la périphérie du monde communiste est certes douloureux, risqué et onéreux, comme c'est le cas en Asie du Sud-Est aujourd'hui ; néanmoins, nous ne devons pas relâcher notre effort. Si nous réduisions l'aide que nous leur apportons pour entraîner, équiper et assister leurs armées, nous ne ferons qu'encourager la marche communiste, ce qui, à long terme, nécessitera un déploiement encore plus important de forces américaines à l'étranger. Nos adversaires n'ont pas renoncé à leurs ambitions, le danger n'a pas faibli, nous devons demeurer vigilants. Ce pays, cette génération, sont – par destin plus que par choix – les défenseurs de la liberté dans le monde »[15], écrivait-il.

Le jour de l'assassinat de Diem et de Nhu, Kennedy avait prévu de prendre l'avion pour assister à un match de football opposant les armées de terre et de l'air à Chicago. Finalement, après la réunion d'information sur le Vietnam, il invita Mary Meyer à la Maison-Blanche pour l'après-midi. « Il l'a appelée au moment où la situation avait basculé. C'était naturel puisqu'elle était une amie. C'est ce que j'ai compris d'après ce que m'a raconté Mary. »[16] Quoi qu'il se passât entre eux, Kennedy et Mary Meyer ne se revirent plus jamais.

Après une autre réunion d'une heure sur le Vietnam, le Président prit l'hélicoptère pour rejoindre Jackie et les Fay à Wexford le soir même. C'était seulement le second week-end que JFK passait en famille dans la nouvelle maison de campagne. Les voisins eurent pleinement conscience de leur présence car la résidence sur la colline était « inondée de lumière »[17], éclairée même par des projecteurs. Néanmoins, selon Mary Gallagher, Kennedy déplorait « le manque de placards et de chambres d'amis ». « Il était déjà question d'agrandir la maison »[18].

Wexford satisfaisait cependant pleinement Jackie. Ayant repris la chasse le 26 octobre, elle avait emmené Caroline le lendemain matin traquer les lapins dans les sentiers avec une meute de chiens de chasse et Paul Fout. Vêtue de jeans, les cheveux ramenés sous un large foulard, on l'avait d'abord aperçue faire du lèche-vitrine à Middleburg en compagnie de John Jr, puis acheter des soupes en conserve, des légumes frais et des magazines à l'épicerie.

Ce premier week-end, les Kennedy passèrent le dimanche en compagnie de Lem Billings et de la princesse Irène Galitzine, la créatrice italienne qui avait accompagné Jackie plusieurs jours à bord du *Christina*. Pour distraire leurs invités, ils proje-tèrent des films de la croisière ainsi que des images des débats entre Kennedy et Nixon tournées en 1960. Irène Galitzine notera que le Président était « perdu dans ses pensées » : « Sans faire attention, il but mon verre de champagne. »[19]

En fait, Jackie avait voulu inviter la styliste italienne à la Maison-Blanche le vendredi 25 octobre, mais JFK s'y était opposé. Cette semaine-là, les Kennedy avaient dû supporter du lundi au jeudi la présence pesante et le flot continu des ques-tions de Jim Bishop, qui rédigeait un article pour le *Reader's Digest* intitulé « Un jour dans la vie du Président Kennedy. » JFK avait donné son assentiment au projet. « Compte tenu de la situation présente, tout peut nous servir. Nous pourrons toujours exercer notre droit de réserve »[20], avait-il expliqué. Le troisième jour, au dîner, Jack et Jackie avaient raconté à Ben et Tony Bradlee diverses anecdotes illustrant l'attitude intru-sive du journaliste. Jackie était contrariée de le voir « fureter autant dans leur vie privée ». Sa séance avec lui ce jour-là n'avait cessé d'être « perturbée par les chiens qui s'attaquaient les uns les autres, les enfants qui criaient et couraient dans tous les sens tandis que la sonnerie du téléphone retentissait à tout bout de champ »[21]. JFK était furieux contre son valet George Thomas, qui avait révélé que le Président possédait vingt-cinq paires de chaussures.

Lors de son entretien avec le gouverneur John Connally et Lyndon Johnson à El Paso, au mois de juin précédent, Kennedy avait envisagé un voyage au Texas à l'automne. « Kennedy souhaitait se rendre là-bas depuis très longtemps »[22], affirmera plus tard Charley Bartlett à William Manchester. Connally avait officiellement renouvelé l'invitation lors d'une visite à la Maison-Blanche, le 4 octobre, et demandé si Jackie se joindrait au Président. À l'époque, elle était encore en Grèce, et il semblait peu probable qu'elle accepte. Elle avait refusé de faire campagne avec son mari depuis les primaires de 1960 et il n'était pas prévu qu'elle remplisse à nouveau ses fonctions de première dame avant début 1964.

Pendant la croisière, Irène Galitzine avait décelé chez Jackie une trace de remords au sujet des retombées politiques négatives de ses activités mondaines. « Cela la tourmentait », rapportera l'Italienne. Cinq jours après son retour, JFK avait joué sur ce « sentiment de culpabilité » au cours d'un dîner avec les Bradlee. « Peut-être que tu viendras avec nous au Texas, le mois prochain », avait-il dit à Jackie. « Bien sûr, Jack ! », avait-elle répondu. Ouvrant son carnet de rendez-vous rouge, avec « Jacqueline Kennedy » écrit en lettres d'or sur la couverture, elle avait inscrit « Texas » aux 21, 22 et 23 novembre.

La décision de Jackie avait surpris Pamela Turnure. « C'était important car c'était la première visite officielle qu'elle effectuerait dans le pays depuis l'élection présidentielle de son mari »[23], se souviendra la secrétaire. Cette dernière s'était demandée comment en informer la presse. « Vous n'avez qu'à leur dire que j'accompagnerai mon mari, que ce sera le premier, j'espère, d'une longue série de déplacements. Expliquez-leur que je compte effectivement faire campagne avec lui et que je suis prête à tout pour aider à sa réélection »[24], avaient été les instructions de Jackie.

Cependant, la Maison-Blanche avait différé l'annonce en raison des hésitations de la première dame. Au dîner, le vendredi 25 octobre, Jackie fit part à Irène Galitzine, aux Roosevelt et aux Alphand de son inquiétude au sujet d'un terrible incident survenu la veille lors de la visite d'Adlai Stevenson à Dallas. Soixante-dix manifestants hostiles avaient pris à partie l'ambassadeur américain aux Nations Unies après un discours en faveur de la paix dans le monde. Alors qu'il venait d'être acclamé par une foule de vingt mille personnes au Dallas Memorial Auditorium, les protestataires l'avaient abreuvé d'injures et de crachats et lui avaient frappé sur la tête avec une pancarte tandis que la police escortait sa sortie. En présentant leurs plus profondes excuses, les pères de la ville avaient déclaré que de telles « actions dignes de troupes d'assaut » étaient une « honte » pour Dallas.

Les Roosevelt prônèrent la plus grande prudence. Jackie répondit qu'elle aurait aimé « suivre l'avis de ses médecins et faire l'impasse sur ce voyage au Texas, mais que Jack la voulait à ses côtés »[25], notera l'ambassadeur français dans son journal. Durant les jours suivants, elle hésitait toujours. Finalement, John Connally appela la Maison-Blanche pour « faire la loi », se souviendra George Christian, alors porte-parole du gouverneur : « Il commença par faire une scène de tous les diables parce qu'elle ne venait pas. Elle était appréciée au Texas et il fallait absolument qu'elle soit là. »[26]

Le 7 novembre, Pamela Turnure annonça que Jackie accompagnera le Président. Cette visite lui permettrait de se rendre pour la première fois au ranch du vice-président à Stonewall. Les Johnson se mirent en quatre pour satisfaire leurs hôtes, préparant pour Jack un matelas ferme, une provision de Poland Water, son eau minérale préférée, et pour Jackie un cheval de randonnée. Il prévirent des baignades, un tour du domaine et une démonstration de maniement du bétail autour d'un barbecue.

Le gouverneur Connally comptait organiser un gala de bienfaisance dans sa propriété d'Austin, le vendredi 22 novembre au soir. À part cela, la visite présidentielle consistait en divers discours que JFK prononcera lors de manifestations « indépendantes » à San Antonio, Houston, Fort Worth et Dallas.

« Kennedy venait au Texas pour récolter des fonds. Il avait besoin de soutien. C'était son idée, et le point de mire en était Austin »[27], expliquera George Christian.

C'était en grande partie à cause de sa position sur les droits civiques que le Président avait vu sa cote de popularité chuter au cours de l'année 1963. Les Blancs, surtout dans le Sud, trouvaient qu'il allait « trop vite et trop loin », tandis que les Noirs étaient déçus par le manque d'envergure de sa législation. Selon un sondage commandé par *Newsweek* début octobre, Kennedy était « le Président démocrate le plus largement détesté du siècle par les habitants du Sud »[28], dont 67 % se déclaraient « mécontents de la manière dont il gérait les problèmes raciaux »[29]. Représentant le plus grand État du Sud, le Texas conservait une importance aussi cruciale qu'en 1960 pour sa réélection en 1964. À l'automne 1963, « une grande partie du Texas avait décidé que Kennedy était un grand libéral de l'Est et Johnson son petit chien. Il souhaitait être réélu et, pour cela, il avait désespérément besoin de s'allier cet État »[30], ajoutera Christian.

D'après les sondages, le principal adversaire de JFK était le sénateur conservateur Barry Goldwater, de l'Arizona, sans compter le gouverneur de New York, Nelson Rockefeller, et le gouverneur du Michigan, George Romney. Néanmoins, Kennedy conservait une avance considérable sur chacun d'eux. Les sondages indiquaient en outre que Goldwater était le grand bénéficiaire de l'hostilité du Sud à l'égard du Président.

Non seulement JFK applaudit la candidature du sénateur, mais il la bénit à l'occasion de nombreux discours et conférences de presse. Après son allocution à Boston, fin octobre, les journalistes avaient d'ailleurs commenté qu'il prenait un certain « plaisir politique » à l'idée de s'emparer de l'Arizona. Kennedy appréciait Goldwater, notamment pour sa vivacité d'esprit, mais il sentait que son extrémisme le perdrait.

Romney était un mormon qui avait parfaitement réussi dans le domaine de l'automobile. Il représentait certes une menace en raison de sa réputation impeccable, mais un homme « sans aucun vice » suscitait toujours la méfiance chez Kennedy.

À son avis, le plus redoutable de ses adversaires serait Rockefeller, un centriste de 55 ans dont les opinions paraissaient beaucoup plus acceptables que celles de Goldwater. De plus, il avait du charisme, une immense fortune et l'aura d'une famille mythique encore plus illustre que les Kennedy. « Jack redoutait Rockefeller »[31], affirmera Charley Bartlett. JFK déclarera à Ros Gilpatric qu'avec lui, « le combat serait serré »[32].

Toutes les occasions étaient bonnes pour questionner Gilpatric, qui connaissait les Rockefeller depuis des décennies. « Il ne cessait de m'interroger sur leur vie. »[33] Chaque fois que le gouverneur de New York venait pour affaires à Washington, Kennedy demandait à ses subordonnés de « l'espionner de près, en surveillant ses rencontres et ses moindres faits et gestes »[34], se souviendra l'adjoint de McNamara. Dans le cadre de ses fonctions à Washington, jamais « il ne vit un sujet politique susciter autant d'attention »[35] que celle que Kennedy porta à Nelson Rockefeller.

Le 7 novembre, ce dernier fut le premier à annoncer sa candidature – six mois et trois jours après son mariage avec Margaretta « Happy » Murphy. Tout comme sa nouvelle épouse, mère de quatre enfants, il était déjà divorcé, ce que la plupart des observateurs politiques tenaient pour un handicap insurmontable. Cela n'empêcha pas Rockefeller de sortir le grand jeu et d'attaquer d'une part Kennedy sur ses « échecs à l'intérieur comme à l'extérieur du pays »[36] et, d'autre part, Goldwater, pour son opposition aux idées progressistes, y compris à la loi relative aux droits civiques.

Une semaine plus tard, Kennedy tenait sa première réunion de stratégie pour la campagne de 1964. Pour l'occasion, se rassemblèrent à la Maison-Blanche Bobby Kennedy, Steve Smith, Ted Sorensen, Kenny O'Donnell et Larry O'Brien. « Comme d'habitude, la campagne sera organisée d'ici », annonça le Président. Steve Smith en serait le responsable et elle aurait pour thème « la paix et la prospérité ».

Lyndon Johnson brilla tellement par son absence que la presse en fit des gorges chaudes, allant même jusqu'à conjecturer qu'il serait rayé des listes. « C'est ridicule. Nous devons remporter

le Texas et peut-être même la Géorgie »[37], rétorqua Kennedy à
Ben Bradlee. « Il se tourna vers moi, furieux », se souviendra le
journaliste. « Pourquoi ferais-je une chose pareille ? Ce serait
complètement stupide. Cela détruirait nos relations et se retournerait contre moi au Texas »[38], avait lancé le Président.

Cette idée avait surgi en grande partie suite à l'enquête
menée sur Baker, qui avait été largement interprétée dans les
cercles politiques et journalistiques comme une tentative de
Bobby pour nuire au vice-président, ancien mentor du secrétaire du Sénat. Johnson, qui avait l'esprit paranoïaque, avait
fermement cru en être la cible réelle.

Lorsque George Smathers l'avait interrogé au sujet de cette
rumeur, Kennedy avait explosé : « Sincèrement, vous me voyez
foutre en l'air toutes mes chances dans le Sud en me battant
contre Lyndon Johnson ? George, vous savez très bien comment
cela serait interprété si Bobby Baker était mis en accusation
demain matin pour un lien avec l'affaire de cette fille. Le
magazine *Life* publierait vingt-sept nus de superbes femmes
plantureuses, vingt-sept photos de Bobby Baker et de truands,
je serais sur la dernière photo avec pour légende : "Cafouillage
à Washington sous le régime Kennedy", et 99 % des gens pense-
raient que je fréquente vingt-sept filles parce qu'ils ne liraient
pas l'article et je me coulerais moi-même. Croyez-vous que
mon frère n'apprécie pas ses fonctions de ministre de la Justice ?
Qu'il aimerait renoncer à ce poste ? Franchement, vous avez
perdu la tête ! Et si Lyndon le pense aussi, il ferait mieux d'y
réfléchir. Je n'ai aucune envie d'être battu ! Je me fiche que
Lyndon le soit, mais moi, je ne veux pas être battu ! Et il sera
mon vice-président parce qu'il m'apporte son aide ! » [39]

Pourtant, lors d'une réunion de famille au cours de l'automne, « Bobby avait vertement critiqué Lyndon ». « Cela confir-
mait les rumeurs selon lesquelles il faisait de même en ville après
l'affaire Bobby Baker »[40], écrira Orville Freeman, le ministre de
l'Agriculture. En apprenant ses attaques, « Jackie Kennedy s'en
était prise à Bobby, disant qu'elle ne voulait rien entendre de tout
cela, que Lyndon était gentil, fidèle et serviable et que ce n'était
pas juste. Elle ne tolérerait pas d'écouter ce genre de propos »[41].

Sachant que l'affaire Rometsch était classée, on ne risquerait plus de faire le lien entre JFK et de « superbes femmes plantureuses », Bobby Kennedy ne lâcherait pas Baker. Le secrétaire du Sénat finirait par être reconnu coupable, en 1967, de vol, d'escroquerie et de fraude fiscale pour avoir accepté, en 1962, cent mille dollars de « dons électoraux », pour reprendre ses propres termes. Condamné à trois ans de prison ferme, il purgerait dix-huit mois de sa peine.

Durant les quinze jours précédant le voyage au Texas, Jack et Jackie passèrent autant de temps ensemble que séparés, en raison de leurs emplois du temps chargés. Lors de plusieurs dîners en comité restreint, Jackie fit écouter à ses invités des disques de musique folklorique marocaine et leur raconta, à grand renfort de démonstrations, les « nids-de-poule » des rues de Marrakech tandis que Jack discutait fiévreusement des futures élections. « Il attendait 1964 avec impatience. Cela ne fait aucun doute : il était très confiant ! »[42], déclarera Bradlee. Aux Alsop, Jackie vanta le programme de la visite au Texas ; néanmoins, Susan Mary sentit que son enthousiasme était forcé. Un soir, Jack et Jackie invitèrent Ben, Tony, Bobby et Ethel à venir regarder *Bons Baisers de Russie*, le dernier James Bond. Bradlee fera remarquer que JFK « semblait en apprécier la désinvolture, la sensualité et la brutalité » et que Bobby était « vêtu comme un beatnik de chez Brooks Brothers »[43].

La soirée la plus divertissante, le 13 novembre, fut organisée en l'honneur de Greta Garbo. JFK était parvenu à faire venir cette grande solitaire à la Maison-Blanche grâce à l'aide de Florence Mahoney, qui l'avait rencontrée à *La Fiorentina*, la maison que possédait la philanthrope Mary Lasker sur la Côte d'Azur. L'actrice suédoise devait venir accompagnée de sa meilleure amie, la créatrice russe Valentina Schlee, et de son mari. Georges Schlee était l'amant de la légende du cinéma.

JFK entendait par ailleurs profiter de l'occasion pour faire une blague à Lem Billings. Après sa rencontre avec Garbo chez Mary Lasker, où il se rendait souvent, Billings s'était targué d'avoir vécu « de formidables aventures » avec l'actrice. Sa curiosité piquée, Kennedy avait décidé qu'il était « temps d'entendre la version de Garbo »[44]. Cet automne-là, Billings n'avait guère été convié à la Maison-Blanche. L'invitation du Président revêtait donc une importance particulière. « J'avais fini par avoir l'impression que Jackie essayait d'exclure Lem »[45], se souviendra Bartlett. La soirée avec Garbo serait pour Billings la dernière occasion de voir son plus vieil et plus cher ami.

Helen Chavchavadze fut également invitée – sa précédente visite à la Maison-Blanche datait de près d'un an. Jackie lui avait proposé de venir écouter avec ses filles le Black Watch Regiment sur la pelouse sud. Les joueurs de cornemuse donnaient une représentation en matinée pour mille sept cents enfants déshérités. Les spectateurs étaient assis sur des gradins en plein soleil, tandis que la famille présidentielle et leurs invités étaient installés sur le balcon de la chambre Bleue.

Les deux invitations avaient suscité des sentiments mitigés chez la jeune femme. À sa sortie de l'hôpital, elle avait passé l'été et l'automne à se reconstruire. Après avoir retrouvé un emploi de professeur de russe à l'Université Américaine, elle avait récupéré ses enfants et regagné son foyer. Ayant rencontré l'homme qui allait devenir son second mari, elle envisageait enfin l'avenir avec optimisme. « Après avoir été si déprimée, voilà que je retournais à la Maison-Blanche. J'étais soulagée d'avoir tourné la page et je ne voulais plus me laisser entraîner. »[46]

Ravi à l'idée de revoir Greta Garbo à la Maison-Blanche, Billings s'exclama en la voyant entrer dans la salle à manger en compagnie de Jackie. Le fixant d'un regard vide, l'actrice déclara à Kennedy : « Je n'ai jamais vu cet homme »[47] – une ruse concoctée de concert avec JFK quelques minutes avant l'arrivée de l'intéressé. À la plus grande confusion de ce dernier, la supercherie dura jusqu'au service du deuxième plat. Kennedy s'en délecta jusqu'à la dernière goutte. Davantage intriguée par le ménage à trois de Garbo, Helen Chavchavadze perçut que Jackie aussi s'émerveillait de cet arrangement complexe.

Après le dîner, Kennedy emmena l'actrice dans le bureau Ovale, où elle admira les ivoires sculptés et évoqua sa propre collection. Sur une impulsion, il lui fit cadeau de l'une de ses superbes dents de baleine. Dans la lettre qu'elle adresserait plus tard à Jackie pour la remercier de cette « prodigieuse soirée », elle écrirait : « J'aurais l'impression d'avoir rêvé si je n'avais entre les mains la «dent» du Président ! » Selon Helen Chavchavadze, « Jackie fut très contrariée, car c'était elle qui avait offert cette magnifique pièce à Jack. »[48]

Jack et Jackie invitèrent les Bradlee à venir les rejoindre pour un troisième week-end à Wexford. Malgré le froid, le temps était clair et le quatuor prit l'apéritif sur la terrasse. S'il trouvait la maison « épatante », Ben n'en fera pas moins remarquer qu'elle avait « l'air d'un décor inhabité ». Kennedy avoua que son coût s'élevait à plus de cent mille dollars, comme l'avait parié Bradlee, mais refusa de s'acquitter de sa dette.

JFK se faisait du mauvais sang pour sa visite au Texas parce que Connally était à couteaux tirés avec le sénateur Ralph Yarborough, qui s'était lui-même querellé avec Lyndon Johnson. Le gouverneur et le vice-président représentaient l'aile conservatrice du parti démocrate texan, tandis que Yarborough se situait du côté libéral – une rivalité à l'échelle de l'État datant de l'époque de Roosevelt. Connally avait exaspéré Yarborough en excluant la délégation texane au Congrès du gala de bienfaisance d'Austin et limité les invités politiques aux législateurs démocrates de l'État. Kennedy se plaignit auprès de Bradlee en affirmant qu'on ne « pouvait plus compter sur les talents de médiateur de Johnson comme autrefois »[49]. En outre, l'incident survenu à Dallas quelques semaines plus tôt l'incitait à penser que « la ville était dans une sale humeur »[50].

Pat Lawford, dont la séparation conjugale avait été révélée dans les journaux, se présenta le dimanche à l'heure du déjeuner, « l'air bouleversé et tendu »[51], commentera Bradlee. Durant l'après-midi, elle but plus que de raison et Jackie resta « littéralement toute la nuit à parler »[52] avec elle alors que tout le monde était parti se coucher.

Le lundi 11 novembre, jour de commémoration, le petit groupe passa une matinée tranquille à se promener, lire les journaux et regarder Jackie monter à cheval. Kennedy fut le premier à partir, en hélicoptère, avec John Jr pour assister à la cérémonie organisée au cimetière d'Arlington. « Ce fut la dernière fois que je le vis »[53], écrira Bradlee.

À Arlington, Kennedy parut « tour à tour sombre et souriant »[54] devant la tombe des soldats inconnus. Au lieu de repartir immédiatement, comme il l'avait prévu, il emmena John Jr écouter la musique et les discours dans l'amphithéâtre. Alors que le Président marchait au pas aux côtés des officiers, le petit garçon échappa à la surveillance de son garde du corps pour se joindre au défilé, au plus grand plaisir de son père, qui éclata de rire.

À la mi-novembre, le budget prévu pour la loi sur les réductions d'impôts – la plus importante de l'histoire à l'époque – avait été revu à la baisse et le texte demeurait bloqué au comité parlementaire de Wilbur Mills tandis que le comité sénatorial des Finances et le Comité judiciaire du Congrès traînaient des pieds pour entamer les débats. De même, Kennedy s'inquiétait d'un probable obstructionnisme de la part du Sénat.

Sur le plan de la politique extérieure, il demeurait très fâché par l'attitude française. Hervé Alphand avait récemment apporté un ferme démenti aux allégations selon lesquelles la France souhaitait « dominer » l'Europe et justifié le refus de de Gaulle de signer le traité d'interdiction des essais nucléaires. En « l'absence de signes évidents » de véritable détente, avait expliqué l'ambassadeur, il était vital pour la France de maintenir sa force de dissuasion nucléaire.

Kennedy s'était amèrement plaint auprès d'Alphand du refus du chef de l'État français de se plier aux « règles de l'Alliance », ce à quoi l'ambassadeur avait rétorqué que la France ne souhaitait pas « devenir un protégé mais demeurer un simple allié »[55]. Néanmoins, JFK attendait avec impatience la visite de de Gaulle en février 1964, espérant même que ses progrès avec Jacqueline Hirsh lui permettraient d'impressionner son homologue en négociant dans sa propre langue. Il souhaitait une visite de cérémonie avec parade à Washington ; or, Alphand insistait sur le fait que de Gaulle voulait « une visite de travail », loin de la capitale « afin d'éviter les démons-trations en public ». « Cependant, l'Irlandais ne voulait pas en démordre »[56], notera l'ambassadeur dans son journal.

Lors de sa soixante-quatrième et dernière conférence de presse, le 14 novembre, Kennedy répondit avec une remar-quable sérénité aux questions exceptionnellement rudes des journalistes. Interrogé sur l'intransigeance du Congrès à l'égard de ses projets de lois, il déclara : « En fait, ces lois devraient déjà être votées. »[57] En cas de retard supplémentaire, « l'économie souffrira », avertissait-il. Citant un poème d'Arthur Hugh Clough, il ajouta qu'il conservait cependant sa confiance au quatre-vingt-huitième Congrès. Aussi sombre que pût sembler l'avenir, il demeurait persuadé que sa nouvelle législation serait approuvée à l'été 1964.

Le spectacle offert par les joueurs de cornemuse du Black Watch marqua le retour de la première dame aux commandes. Deux jours auparavant, la Maison-Blanche avait annoncé qu'outre le voyage au Texas, Jackie reprendrait ses fonctions officielles six semaines plus tôt que prévu. Elle organiserait la réception annuelle en l'honneur de la magistrature, le 20 novembre, et le dîner d'État offert au chancelier Erhard le 25.

Trois mois après la perte de son bébé, Jackie semblait plus sereine. Robin Douglas-Home, journaliste britannique qu'elle avait connu à Ravello, vint lui rendre visite à Wexford le samedi 16 novembre. Alors qu'il ne comptait pas s'attarder, il resta pour dîner. Au cours de leurs longues conversations, Jackie fit montre d'une « nouvelle humilité ». « Son humeur était moins changeante, son esprit moins mordant. »[58] Lors de leurs précédentes rencontres, il avait craint qu'elle ne tourne ses « cruelles moqueries » contre lui comme elle le faisait « avec les autres, les usages, les protocoles et les institutions »[59]. Cette fois, il se sentit plus détendu en sa présence.

Elle lui raconta, comme elle l'avait écrit à Charley Bartlett, que JFK l'avait aidée après la mort de Patrick à apprécier la chance d'avoir Caroline et John et que cela la réconfortait de voir « à quel point leur présence lui était précieuse »[60]. La

traversée commune de cette rude épreuve, disait-elle, avait
« renforcé la bulle familiale »[61].

Jackie évoqua également sa visite à Dallas la semaine
suivante. « Ma décision est prise, même si je sais que je n'y
trouverai aucun plaisir. Tout ce qui compte, c'est que Jack me
veut à ses côtés. C'est tellement important à ses yeux que cela
mérite bien un petit sacrifice de ma part. »[62]

Ce week-end-là, Kennedy était parti pour une tournée de
cinq jours à New York et en Floride. Le jeudi, il était allé dîner
chez Steve et Jean Smith, sur la Cinquième Avenue. Bobby et
Ethel, Oleg Cassini, Adlai Stevenson et le romancier William
Styron avaient également été conviés. « J'ai entendu Stevenson
déconseiller au Président de se rendre au Texas »[63], se
souviendra le couturier. Ébranlé par l'accueil violent qui lui
avait été réservé trois semaines plus tôt à Dallas, Stevenson avait
demandé à Schlesinger de dissuader JFK. Cependant,
Schlesinger craignait une mauvaise réaction de la part du
Président et d'O'Donnell, qui risquait de taxer à nouveau
Stevenson de « vieil enquiquineur ». Devant ses hésitations,
l'ambassadeur avait rappelé « pour retirer ses objections ». Ce
soir-là, il renouvela néanmoins ses doutes. « Pourquoi allez-
vous là-bas alors que votre propre équipe vous le décon-
seille ? »[64], avait demandé Cassini à Kennedy par la suite. Ce
dernier avait simplement « souri en haussant les épaules »[65], se
souviendra le couturier.

Son escale à Manhattan fut surtout marquée par sa décision
de « ne pas faire de cérémonies » et de se dispenser de son habituelle escorte motorisée, une résolution qui « fit frémir son
garde du corps »[66], selon le *Time*. Dans la circulation intense
du centre-ville, alors que la limousine présidentielle s'arrêtait
au feu dans Madison Avenue, une femme se précipita sur la
voiture avec son appareil photo et JFK reçut le flash en pleine
figure. « Ça aurait aussi bien pu être un assassin »[67], déclara un
officier de police.

Cette intrépidité, un trait de caractère valorisé dans la
famille Kennedy, était devenue courante chez lui. Sa mère lui
dit qu'elle avait été ravie d'entendre les « prolétaires » new-

yorkais – un garçon d'ascenseur, un coiffeur et un chauffeur de taxi – applaudir sa décision de se débarrasser de son escorte pour « être comme eux ». À ses yeux, Jack avait réussi un « coup » politique en séduisant ainsi l'électorat.

Dans le même esprit, il avait permis à une foule de jeunes Irlandais, auxquels il s'était empressé de serrer la main, de s'agglutiner autour de la voiture. L'été précédent, il s'était d'ailleurs fait bousculer sur la pelouse sud par plus de deux mille étudiants étrangers qui lui avaient dérobé sa pince à cravate et sa pochette avant que la police ne soit venue à sa rescousse. « Compte tenu de sa personnalité, il lui était impossible de prendre des précautions, de se garder contre les maniaques, de penser que sa vie puisse être en danger et d'accepter une protection »[68], écrira Katie Louchheim.

Kennedy passa le dernier week-end de sa vie en Floride en compagnie du fidèle Dave Powers et du parlementaire Torbert Mcdonald, vieil ami de Harvard avec lequel il courait les jupons et que Jackie tenait à l'écart depuis trois ans. Ils arrivèrent à *La Guerida*, à Palm Beach, en début de soirée le vendredi 15 novembre. O'Donnell et Smathers les rejoignirent le samedi matin à Cap Canaveral, où ils assistèrent au lancement réussi d'un missile Polaris et inspectèrent la gigantesque fusée Saturne, en cours de construction, qui devait servir à envoyer l'homme sur la Lune.

De retour chez Joe Kennedy, JFK passa l'après-midi à se baigner et à regarder un match de football à la télévision. Après le dîner, il chanta *September Song*, « mieux que d'habitude »[69], remarqua Powers. Le dimanche fut consacré à un nouveau match télévisé, suivi du truculent *Entre l'alcôve et la potence* récemment sorti dans les salles. « En général, à cette époque de l'année, le vent souffle sans discontinuer, mais cette fois-là, nous avons eu droit à quatre journées agréables sans un nuage. C'était comme en 1939, quand personne n'avait l'esprit préoccupé par rien. Bien sûr, nous avons parlé de politique, mais de manière beaucoup plus détendue que d'habitude »[70], commentera Macdonald.

Le lundi, lors d'une virée à Tampa et Miami, Kennedy jura à ses invités que les États-Unis étaient prêts à venir en aide à tous les pays d'Amérique latine si cela pouvait permettre « d'éviter qu'il ne se crée un autre Cuba dans cette région du monde »[71]. À bord de l'avion présidentiel, durant le retour à Washington, il confia à Smathers qu'il était inquiet au sujet de son voyage au Texas. « J'aimerais qu'on en ait déjà terminé », dit-il, en ajoutant rapidement « comme bien souvent » : « Il faut vivre chaque jour en se disant que c'est peut-être le dernier, car c'est peut-être le dernier ! »[72]

Ce soir-là, Jackie décida de rester se reposer à Middleburg avant de partir pour le Texas. Une fois encore, Kennedy invita Enüd Sztanzo à la Maison-Blanche « juste pour parler ». « Il semblait un peu déprimé »[73], se souviendra la jeune femme, frappée par « une certaine urgence » dans sa voix. « J'avais peur de me laisser séduire si j'acceptais l'invitation. J'ai refusé parce que Jackie n'était pas là. » Plus tard, la Hongroise « regrettera de ne pas l'avoir revu quand cela était encore possible » et, pendant des années, « déplorera de n'avoir pu lui apporter le réconfort d'une amie »[74].

Jackie hésitait à rentrer à Washington pour jouer son rôle d'hôtesse à la réception de la magistrature prévue le mercredi 20. « Cela posait un véritable problème. Elle ne nous donnait aucune réponse claire »[75], se souviendra Nancy Tuckerman. Le mercredi matin, elle sortit avec son cheval Sardar effectuer une randonnée de huit kilomètres. À son retour à Wexford, elle demanda à son garde du corps, Clint Hill, d'informer Evelyn Lincoln qu'elle ne se rendrait pas à la réception.

Jackie avait la manie de disparaître ainsi, mais cette fois, Kennedy refusa de céder à son caprice. Il lui téléphona sur-le-champ et, selon la description pleine de tact de Hill, « il fut décidé qu'elle rentrerait plus tôt »[76]. Un peu avant 13 h 30, sa voiture franchit le portail sud-ouest.

À midi, lors de sa baignade quotidienne, Kennedy déclara à Dave Powers être « particulièrement heureux » que Jackie l'accompagne au Texas. JFK venait de s'entretenir avec Jim Reed au sujet du renouvellement de la location de Brambletyde pour le mois de juillet suivant. Connaissant le propriétaire, Reed avait obtenu de faire baisser le loyer de trois mille à deux mille trois cents dollars le mois. Au moment de signer le bail, « Kennedy était en grande forme et d'excellente humeur, mais il râla contre le loyer »[77], se souviendra son ami. Le couple présidentiel avait déjà signé un contrat de location pour Annandale Farm, à Newport, pour les mois d'août et septembre. Voisine de Hammersmith Farm, la propriété de trente hectares offrait une grande maison à colonnades blanches, une vue panoramique semblable et une plus grande intimité. Après un mois passé sur Squaw Island, l'été 1964 s'annonçait encore plus prometteur que les autres années.

À 18 h 30, Jack, Jackie, Bobby et Ethel accueillirent les membres de la Cour suprême dans le salon ovale avant l'arrivée de quelque sept cents invités appartenant à la magistrature fédérale, au ministère de la Justice et à la Maison-Blanche. Jackie portait une tenue de soirée en velours grenat avec un chemisier en satin rose et un simple rang de perles. Kennedy conservait son bronzage acquis en Floride. Alors qu'il bavardait aimablement, Ethel le sentit parcouru par une vague d'inquiétude. « Ce fut la seule fois où je le vis préoccupé. Je m'étais approchée pour le saluer et il me regardait sans me voir »[78], expliquera-t-elle.

Les jeunes Kennedy descendirent ensuite derrière le couple présidentiel accompagné du chef du Judiciaire, Earl Warren, et de son épouse. À la dernière minute, JFK décida de délaisser la traditionnelle haie d'honneur formée dans la salle est. Nancy Tuckerman lui ayant rappelé que l'année précédente, certains juges avaient été « vexés » de ne jamais parvenir à se glisser jusque-là, il passerait avec Jackie dans tous les salons d'apparat. Après sa longue absence, Jackie se retrouva au centre de l'attention. Quantité d'invités la félicitèrent pour sa beauté. C'est avec grand plaisir que le conservateur de la Maison-Blanche, James Ketchum, la regarda « faire le tour des épouses des juges »[79] en compagnie de Bobby. En apercevant Douglas Dillon, JFK sourit chaleureusement et s'exclama : « Vous partez pour le Japon, moi je dois me rendre au Texas. Si seulement nous pouvions faire échange ! »[80]

Le couple présidentiel ne s'attarda pas plus d'une demi-heure. JFK se réfugia dans son bureau pour lire quelques câbles avant de rejoindre Jackie, Bobby et Ethel à l'étage. Les jeunes Kennedy partirent ensuite car ils organisaient une soirée pour soixante personnes à Hickory Hill en l'honneur du trente-huitième anniversaire de Bobby.

Tandis que l'orchestre de la Marine jouait pour faire danser les invités de la salle est, Jack et Jackie dînèrent chez eux et préparèrent leurs bagages pour leur départ le lendemain matin. JFK décida d'aider Jackie à prévoir sa garde-robe, gardant en tête l'image des « riches républicaines » texanes « arborant visons et bracelets en diamants »[81] – sans doute oubliait-il que son épouse possédait elle aussi des diamants, des toilettes de haute couture et un manteau croisé en vison. Comme s'il fallait lui rappeler les vertus de la sobriété vestimentaire, il lui conseilla : « Reste simple… sinon on ferait honte à ces Texans. »[82] Ainsi, elle choisit un assortiment de tailleurs pastel, dont un ensemble Chanel en laine rose doté d'un col bleu marine et une toque assortie pour Dallas.

Après le dîner, Jackie lut les petits mots d'encouragement envoyés par Janet Auchincloss et Rose Kennedy. « Amusez-vous bien au Texas ! Je suis ravie pour vous et je suis sûre que ce voyage vous plaira malgré son programme chargé », écrivait la mère de Jackie. Sur un ton plus pragmatique, sa belle-mère lui signalait avoir envoyé des guides de la Maison-Blanche aux couvents du Sacré-Cœur du monde entier. Jack montra par ailleurs à Jackie une lettre pleine de taquineries de la part de Lee. Adressée à « Mon cher Commandant », elle indiquait que, lors de ses voyages, notamment de sa récente croisière avec Onassis, Jackie avait pris l'habitude de recevoir de somptueux cadeaux, alors qu'elle-même devait se contenter de « trois malheureux petits bracelets que même Caroline refusait de porter pour son anniversaire »[83].

Une fois les enfants couchés, Jack et Jackie téléphonèrent à Eunice, Peter Lawford, George Ball et Charley Bartlett. JFK et ce dernier évoquèrent l'ancien ministre de la Santé et de l'Éducation Abe Ribicoff. Bartlett demanda pourquoi il avait choisi de devenir sénateur du Connecticut. « Il aimerait être le premier Président juif et c'est une voie plutôt dégagée »[84], avait répondu Kennedy. Chuck Spalding demeurait injoignable. Le Président tentera de le contacter à trois reprises avant d'arriver à Dallas. A posteriori, Spalding s'imaginera que son ami tentait de l'inviter à la campagne le week-end suivant, mais il ne comprenait pas pourquoi il y mettait « tant d'insistance »[85].

Les rivalités entre Connally et Yarborough avaient donné lieu à des spéculations dans la presse, certains articles laissant à penser qu'elles risquaient « d'amenuiser le bénéfice politique que le Président pouvait espérer tirer »[86] de son voyage au Texas. Il était essentiellement question de l'exclusion du sénateur du dîner d'Austin, auquel aucun autre membre du Congrès n'était invité, omettaient de préciser les journalistes. Selon Kenny O'Donnell, Kennedy se montrait assez peu préoccupé à cet égard, considérant la chose comme simplement « ennuyeuse » et non comme un problème. Il n'avait aucune intention de « se rendre là-bas pour recoller les morceaux ». À ses yeux, le Texas était un « repaire de pleurnicheurs en proie aux luttes intestines »[87], affirmera George Christian.

À 6 h 30, le jeudi 21, Kenneth Battelle se présenta pour la coupe de cheveux de Jackie. « Elle avait répertorié toutes sortes de choses : qui serait là, ainsi que les petits détails qu'on oublie toujours »[88], se souviendra-t-il. Le coiffeur était venu de nombreuses fois à la Maison-Blanche depuis l'investiture, mais ce matin-là fut l'un des rares moments où il vit le Président et la première dame ensemble.

« À 7 h, j'étais assis dans le hall à l'étage. Le Président est arrivé. Il avait l'air dans sa meilleure forme – détendu et bronzé, portant un costume de couleur pâle. Elle aussi était décontractée et heureuse. Je me souviens d'avoir pensé qu'il émanait quelque chose de particulier de tous les deux »[89].

Selon Kenny O'Donnell, JFK annonça : « Je me sens parfaitement bien. Il y a des années que mon dos ne m'avait fait aussi peu souffrir. » D'ailleurs, lorsque Jackie avait demandé à son mari ce qu'il avait envie de faire au ranch des Johnson, contre toute attente, il avait répondu : « J'aimerais faire du cheval. »[90] Néanmoins, sous sa chemise, il portait son espèce de corset.

Kennedy passa une heure dans le bureau Ovale avant de remonter préparer son départ. Il s'irrita brièvement en entendant le bulletin météo annoncer un temps plus chaud que prévu car Jackie n'emportait que des vêtements en laine et il se souciait de son confort. Il avait également prévu d'emmener John Jr en hélicoptère à la base aérienne d'Andrews, mais Miss Shaw s'y opposait à cause de la pluie, parce qu'elle ne voulait pas que le petit garçon se mouille. « Dans ce cas, je vais l'habiller »[91], annonça-t-il, ce qui fit glousser Jackie. « Elle considérait toujours les petites choses drôles avec simplicité »[92], déclarera Kenneth.

Père, mère et fils grimpèrent dans le premier des trois hélicoptères. O'Brien, O'Donnell, Powers et Evelyn Lincoln, de même que Pam Turnure et Mary Gallagher, étaient du voyage. À l'aéroport, John Jr pleura au moment où ses parents embarquèrent à bord d'Air Force One. JFK embrassa son fils, puis l'agent des services secrets Bob Foster fit de son mieux pour distraire l'attention du petit garçon en lui racontant des histoires pendant que l'avion décollait. Durant le trajet, Kennedy interrogea séparément Powers et O'Donnell au sujet de la soirée d'anniversaire de Bobby qui avait eu lieu la veille : « Qui était là, que s'est-il dit, que s'est-il passé ? »[93]

Jack et Jackie attirèrent une immense foule chaleureuse ce jour-là à leur arrivée à San Antonio, puis à Houston – quelque cent vingt-cinq mille personnes les attendaient rien que dans la première ville. Pour le plus grand plaisir du public hispanique, Jackie prononça quelques mots – soixante-treize à peine – en espagnol. « Elle s'en tire très bien »[94], se dira lady Bird.

Au sujet du programme spatial, Kennedy s'inspira de Frank O'Connor, l'un de ses auteurs irlandais préférés, qui racontait l'histoire d'un petit garçon lançant son chapeau par-dessus les hauts murs qu'il avait peur d'escalader. « L'Amérique a lancé son chapeau par-dessus le mur de l'espace, nous n'avons plus d'autre choix que de le suivre »[95], déclara-t-il à San Antonio.

À Houston, le responsable des relations publiques, Jack Valenti, se glissa sous l'estrade pendant le discours. Fasciné par les mains du Président, il racontera : « Par moments, il tremblait si violemment qu'on aurait dit un paralytique. À plusieurs reprises, il faillit laisser échapper ses fiches. »[96] Valenti supposa que JFK était simplement tendu ; or, son tremblement semblait plus important que la nervosité dont il faisait parfois preuve en public. Lors d'une réunion dans le bureau Ovale à la mi-novembre, l'agent de liaison du FBI, Cartha De Loach, avait déjà remarqué chez lui « un mouvement incontrôlable »[97] des mains.

Quelques ombres vinrent assombrir cette première journée au Texas. *The Thunderbolt*, bulletin de droite, publia un article sur Pamela Turnure intitulé « Kennedy entretient une maîtresse », d'après des accusations portées par Florence Kater. À bord de l'avion présidentiel, Ralph Yarborough eut également un écart de conduite en indiquant aux journalistes que son adversaire avait refusé de l'inviter à Austin parce qu'il « ignorait tout de l'étiquette » et qu'on ne « pouvait guère attendre mieux de sa part »[98]. Bien que Connally et Johnson lui eussent serré la main à l'aéroport de San Antonio, le sénateur demeurait irascible. À deux reprises, il déclina l'invitation du vice-président à monter en voiture avec lui dans le cortège.

En retrouvant Johnson au *Rice Hotel* de Houston, Kennedy déchargea sa colère. « À ses yeux, le comportement de Yarborough était proprement outrageant. S'il ne voulait pas les accompagner, il n'avait qu'à partir. »[99] Après une discussion avec Larry O'Brien, le sénateur se laissa fléchir. Par ailleurs, l'ancien parlementaire démocrate Albert Thomas convainquit Connally d'inviter Yarborough à Austin.

Les Kennedy passèrent la nuit à Fort Worth, au *Texas Hotel*, où leur suite avait été spécialement décorée de tableaux et de sculptures d'une valeur de deux cent mille dollars – seize pièces, dont un Monet, un Picasso, un Van Gogh et un Prendergast, prêtées par des collectionneurs locaux et accompagnées d'un catalogue. Trop épuisés, Jack et Jackie ne remarquèrent pourtant pas cette attention. Il était déjà plus de minuit lorsqu'ils arrivèrent. « Tu as été formidable, aujourd'hui ! »[100], commenta Jack en embrassant son épouse avant que chacun ne rejoigne sa chambre pour un repos bien mérité.

Le lendemain matin, les journaux qualifiaient Jackie d'« arme secrète » pour la campagne électorale de son mari. Lorsque Jack s'enquit de l'estimation du nombre de spectateurs, Powers le rassura : « À peu près autant que la dernière fois que vous êtes venu ici, sauf qu'aujourd'hui, près d'une centaine de milliers ont fait le déplacement pour Jackie ! »[101]

Kennedy devait d'abord prononcer un discours lors d'un meeting organisé sur le parking de l'hôtel, puis Jackie le rejoindre dans la salle de réception pour le petit déjeuner avec les membres de la chambre de Commerce de Fort Worth. Sous un petit crachin, Kennedy exhorta la foule et plaisanta lorsque des syndicalistes tapageurs réclamèrent Jackie. Montrant du doigt la fenêtre de leur suite, il déclara : « Mrs Kennedy se prépare. Il lui faut un peu plus de temps, mais c'est aussi pourquoi elle est plus belle que nous. » [102]

Pendant que Jackie « se préparait », Mary Gallagher fit l'inventaire du sac à main de sa patronne : rouge à lèvres, peigne, mouchoir, lunettes de soleil et cigarettes mentholées Newport, Jackie ayant abandonné les L & M. Se découvrant une ride dans le miroir, Jackie s'exclama : « Il suffit d'un jour de campagne pour prendre trente ans ! »[103]

Dix minutes après son arrivée prévue à 9 h 15, Kennedy envoya chercher Jackie. Elle n'avait pas encore tranché la question des gants. Finalement, elle opta pour une courte paire blanche au lieu d'un modèle long plus habillé. Concentrée sur l'escale à Dallas, elle avait oublié le petit déjeuner. Lorsque l'ascenseur s'arrêta dans le hall, elle demanda à Clint Hill : « Ne devions-nous pas partir ? »[104] L'agent lui rappela le petit déjeuner. Son entrée par la cuisine déclencha une salve d'applaudissements au sein des deux mille texans rassemblés dans la salle de réception. Dans ses remarques, Kennedy adopta un ton plus sombre. « Nous vivons dans un monde dangereux et incertain, il ne faut pas s'attendre à avoir une vie facile, ni dans cette décennie, ni dans ce siècle. »[105]

En attendant le vol pour Dallas, le couple présidentiel retourna se reposer et eut cette fois le temps d'admirer les œuvres d'art exposées dans sa suite. JFK suggéra d'appeler Ruth Carter Johnson, le premier nom de la liste figurant sur le catalogue. Jack lui exprima sa gratitude et Jackie ajouta : « Ils vont avoir bien du mal à me faire quitter ces merveilles. Nous sommes tous les deux très touchés. Merci beaucoup ! »[106]

Le Président et la première dame se frayèrent un chemin à travers la foule, serrant une multitude de mains tendues, pour gagner l'aéroport. Sous le regard approbateur de lady Bird, Jackie entreprit « quelque chose de tout nouveau pour elle, avec grâce et gentillesse, répandant le bonheur autour d'elle »[107] : « C'est merveilleux ! », ai-je pensé. Bob Pierpoint, le correspondant de CBS, fut frappé de voir Jackie « subitement décider de devenir une bonne épouse d'homme politique, de s'efforcer et même de parvenir à faire croire qu'elle prenait plaisir à ce périple. »[108] « Elle avait l'air éperdument amoureuse de son mari, voire amoureuse de sa fonction politique »[109], commentera-t-il.

Dans le cortège menant au Dallas Trade Mart, les Kennedy et les Connally occupèrent la même voiture décapotable. Pam Turnure avait suggéré une voiture équipée d'un toit vitré pour protéger la coiffure de Jackie, mais le Président avait décliné : « Ce n'est jamais une solution satisfaisante. »[110] En effet, la population devait pouvoir distinguer clairement le couple présidentiel. Lorsque Roy Kellerman, le responsable de la garde rapprochée, avait posé la question à Fort Worth, O'Donnell avait répondu qu'on utiliserait le toit seulement en cas de pluie.

Le cortège s'ébranla sous le soleil, la température frisant les 25 °C, pour le plus grand inconfort de Jackie vêtue de son tailleur en laine. Lorsqu'elle chaussa ses lunettes noires, Jack lui demanda rapidement de les poser afin de dégager son visage. Les conservant à la main, elle les remettait régulièrement, lorsque la foule devenait plus clairsemée. Tandis que le cortège remontait lentement l'artère principale, les spectateurs massés le long du trajet acclamèrent à grands cris l'arrivée du Président.

« Le cortège est une rude épreuve à cause de tous ces visages rivés sur vous. Il faut avoir l'air agréable et il est impossible de mener une conversation dans la voiture. Alors nous plaisantions »[111], se souviendra Nellie, l'épouse de John Connally. Kennedy lui demanda ce qu'elle ferait si quelqu'un dans la foule lançait une insulte à son mari. « Si j'étais suffisamment près, je lui arracherais les yeux ! »[112], répondit-elle, ce qui le fit rire. Roulant au pas, les voitures bifurquèrent dans Elm Street et Nellie commenta : « M. le Président, on ne peut pas dire que Dallas ne vous aime pas. » « Effectivement ! »[113], répliqua-t-il.

Trente secondes plus tard, à 12 h 30, trois coups de feu retentirent. Lee Harvey Oswald venait de tirer du haut du sixième étage du Texas School Book Depository. En l'espace de six secondes, une balle atteint Kennedy dans le dos pour ressortir par la gorge – le coup n'était pas mortel. Une deuxième balle le frappe à la nuque, lui transperce la tête, faisant voler un morceau de son crâne. Connally fut touché dans le dos, mais la blessure ne fut pas mortelle. « Seigneur, ils ont tué Jack ! Ils ont tué mon mari ! Jack ! Jack ! »[114], hurla Jackie. Alors que la voiture fonçait vers le Parkland Hospital, Kennedy s'effondra sur les genoux de son épouse. Du sang et des fragments de cervelle se répandirent sur sa jupe.

En quelques minutes, le Président fut transféré au service de traumatologie. Dans les faits, il était déjà mort, mais son cœur battait encore. Les médecins l'intubèrent au niveau de la trachée, de la poitrine, de la cheville et du bras pour le transfuser, puis lui administrèrent trois cents milligrammes d'hydrocortisone pour sa maladie d'Addison et pratiquèrent un massage cardiaque. Lorsqu'ils abandonnèrent la lutte, Jackie s'approcha du chariot, embrassa le pied de son mari et lui tint la main tandis qu'un prêtre lui donnait l'extrême-onction. Le décès de John Fitzgerald Kennedy fut prononcé à 13 h, heure locale.

Jackie demanda à un agent de police de lui retirer ses gants maculés de sang. De même qu'elle avait déposé dans le cercueil de son père un bracelet conservé précieusement et que Jack avait laissé sa médaille de Saint-Christophe au petit Patrick, elle voulait remettre à son mari une chose lourde de signification. Ce serait la simple alliance en or qu'elle portait depuis dix ans, décida-t-elle.

Malgré ses efforts, elle ne parvenait pas à retirer l'anneau taché de sang. Vernon Oneal, l'entrepreneur des pompes funèbres, un homme « courtaud, poilu et lugubre comme il se doit »[115], vint à sa rescousse avec un pot de lubrifiant pour lui masser le doigt. Elle enfila l'alliance au doigt de Kennedy. Incapable de lui faire franchir l'articulation, elle laissa retomber sa main. Kenny O'Donnell attendait sur le pas de la porte et plusieurs autres personnes allaient et venaient. Demeurant seule avec Jack, elle lui déposa un baiser sur la main et les lèvres, puis voulu l'étreindre mais se retint, confiera-t-elle bien plus tard. Dehors, elle prit O'Donnell à part : « L'alliance, vous croyez que c'était bien ? Maintenant, il ne me reste plus rien. » « Oui, elle est très bien où elle est »[116], répondit-il.

CHAPITRE 31

Le courage de Jackie, digne malgré la douleur

Après l'horreur de ces six secondes dans Elm Street, toute la cour vint apporter son soutien aux Kennedy. Durant trois journées étranges, ils se réconfortèrent les uns les autres tout en préparant l'enterrement prévu pour le lundi 25 novembre. « C'était comme si l'espoir et la jeunesse avaient subitement volé en éclats »[1], déclarera Bunny Mellon.

Dans l'avion pour Washington, O'Donnell, Powers et O'Brien restèrent aux côtés de Jackie pour veiller le corps. Leur fidélité leur valut la gratitude de la première dame, qui porta sur eux un nouveau regard. Ils lui rapportèrent des anecdotes au sujet de Jack. Elle évoqua les funérailles d'Abraham Lincoln et sa volonté de retrouver « le livre » consacré à ce sujet. Tout en parlant, on sentait « qu'elle esquivait le regard », se souviendra Powers.

Bobby fut le premier à monter dans l'avion lorsqu'il atterrit sur la base aérienne d'Andrews. « Salut, Jackie », dit-il en la prenant dans ses bras. « Il minimisait, comme toujours »[2], commentera Pam Turnure. « Oh, Bobby, je ne peux pas croire que Jack soit mort »[3], murmura Jackie.

Devant son téléviseur, chez lui à McLean, le Dr Frank Finnerty se rendit compte, en la voyant débarquer dans son tailleur éclaboussé de sang, de « l'état de choc dans lequel elle était »[4]. « Je me souvenais qu'elle avait souvent mentionné ne pas supporter la moindre petite tache sur un chemisier ou une jupe »[5], expliquera le thérapeute secret de Jackie. Cette fois, elle avait catégoriquement refusé lorsqu'on lui avait

593

suggéré de changer de vêtements. « Non. Qu'ils voient ce qu'ils ont fait ! »[6], avait-elle insisté.

Jackie et Bobby montèrent ensemble dans l'ambulance qui emporta le cercueil à l'hôpital de la Marine de Bethesda. L'intérieur étant éclairé, on les voyait discuter sans relâche – triste miroir de l'image de la limousine emmenant Jackie, Walton et Jack à la soirée de gala de l'investiture. (« Allumez les lampes, qu'ils puissent voir Jackie ! »[7])

À Bethesda, les proches se réunirent durant huit heures dans une enfilade de chambres au dix-septième étage pendant que les médecins procédaient à l'autopsie. Les entrepreneurs des pompes funèbres firent de leur mieux pour reconstituer la tête du Président. Auprès de Jackie étaient rassemblés sa mère, Hughdie, les Bradlee, les McNamara, les Bartlett, Nancy Tuckerman, Ethel et Bobby, Pam Turnure, Evelyn Lincoln, Jean Smith, Kenny O'Donnell, Larry O'Brien, Mary Gallagher et Dave Powers, qui versait des manhattans et des scotches à ceux qui en éprouvaient le besoin.

Bradlee aperçut Jackie en conversation avec O'Donnell, à qui elle parlait de son alliance. « Finalement, elle voulait la garder »[8], rapportera Ben. « Je vais aller vous la chercher »[9], lui dit O'Donnell. Il alla trouver le Dr George Burkley, médecin de la Maison-Blanche, qui retira l'anneau de la morgue pour le remettre à Jackie.

Dans la confusion, Caroline et John avaient d'abord été emmenés chez les Auchincloss à Georgetown, puis ramenés à la Maison-Blanche à la demande de Jackie, qui les voulait « dans leurs propres lits »[10]. Ben et Tony s'étaient immédiatement précipités à la Maison-Blanche pour s'occuper des enfants. Ben avait failli leur annoncer la nouvelle quand Tony l'avait arrêté : « Ce n'est pas à toi de prendre cette responsabilité. »[11] Plus tard dans la soirée, Jackie demandera à Maud Shaw de s'en charger, ce que la nounou dévouée fera avec délicatesse et compassion. Alors que Caroline et John s'endormaient, elle leur dit : « Votre père est parti rejoindre Patrick. Il se sentait si seul au Paradis. Maintenant, il a le meilleur ami qu'on puisse avoir. Dieu va transformer votre père en ange gardien pour qu'il veille sur vous et sur votre mère, et sa lumière brillera toujours sur vous. »[12]

En embrassant sa mère, Jackie faillit s'écrouler, mais elle se ressaisit très vite. « Pauvre Nancy, dire que tu es venue exprès de New York pour ce travail. Et maintenant, tout est fini. C'est tellement triste. Tu vas rester un peu avec moi, n'est-ce pas ? »[13], dit-elle en se tournant vers sa plus vieille amie. Durant ces heures passées à Bethesda, « Jackie nous stupéfia par sa chaleur et son empressement envers chacun »[14], se souviendra Ethel Kennedy. Cette dernière tenta de la rassurer : « Jack est monté directement au ciel, sans escale. »[15] Après que Jackie lui eut confié à quel point Bobby avait été merveilleux, elle lui affirma : « Je le partagerai avec toi. »[16]

C'est en termes très imagés que Jackie raconta l'horreur de Dallas à chacun des arrivants à l'hôpital. « J'étais très surprise et bouleversée de l'entendre répéter ainsi dans les détails ce qui s'était passé. C'était une torture, elle employait un ton tellement clinique »[17], ajoutera Ethel. A posteriori, Jackie expliquera qu'elle avait ressenti « une étrange tension »[18]. L'attention dont elle entourait chacun « tenait de la mascarade »[19].

Dès qu'il la vit, Bradlee étreignit Jackie. « Pauvre enfant »[20], songeait-il en lui disant : « Inutile d'être courageuse, pleure. »[21] Elle ne put cependant réprimer que quelques sanglots secs. « Oh, Benny, tu veux que je te dise ce qui s'est passé ? »[22], s'enquit-elle, ajoutant d'instinct par prudence : « Pas en tant que journaliste de *Newsweek*, d'accord ? » Et elle raconta à Ben avoir vu « son visage se décoller », ajoutant qu'il « avait eu le réflexe de le retenir d'un geste gracieux mais qu'il n'était plus là ». « Ses origines françaises », dit alors Ben à Ethel, lui expliquant que Jackie « essayait de surmonter tout cela et de se soulager en en parlant »[23].

La force dont Bobby fit preuve impressionna en particulier Bradlee : « Tout en retenue, il soutenait Jackie. »[24] McNamara, « seconde silhouette imposante » aux yeux du journaliste, ne se livra « à aucun subterfuge, aucun sourire particulier »[25] : « La force nue. Un homme sans hypocrisie. » Le ministre de la

Défense passa des heures assis par terre dans une petite cuisine à écouter Jackie. « Elle voulait simplement parler. Il fallait que je sois calme avec elle, sans me soucier des autres »[26], se souviendra-t-il. Ethel Kennedy établit un parallèle entre son mari et McNamara : « J'essayais de me figurer ce qui pouvait le rendre si fort et si compatissant dans sa philosophie »[27].

À l'heure où Charley et Martha Bartlett arrivèrent le soir, Ben Bradlee avait déjà décidé que « subitement, cela faisait trop longtemps que nous étions là »[28]. Face aux épanchements de Jackie, Charley eut la même réaction que Ben. « Pure imagination française », pensa-t-il. Il fut également frappé que Jackie se soucie autant de Dave Powers et d'Evelyn Lincoln. « Je ne pleurerai pas avant trois ou quatre jours »[29], lui expliqua Jackie. Dans un effort pour distraire l'assemblée, elle tenta d'évoquer le dernier dîner qu'elle et Jack avaient organisé à la Maison-Blanche.

« Veux-tu dormir à la Maison-Blanche, ce soir ? »[30], demanda-t-elle à sa mère, insistant pour qu'elle occupe avec « oncle Coo » (surnom donné à Hughdie par Caroline et John) la chambre de Jack. « Où tu voudras », lui répondit-elle. « Je me sentais néanmoins sacrilège »[31]. Janet n'en était pas moins « touchée » que sa fille la désire près d'elle.

À Georgetown, Mary Meyer demanda à Anne Truitt de passer la nuit chez elle. « Elle était tellement triste. J'ai essayé de la réconforter. Nous avons pleuré, mais nous n'avons pas beaucoup parlé »[32], se souviendra Anne. Helen Chavchavadze était en train de repasser lorsqu'elle avait appris la nouvelle. « J'étais là à repasser et à pleurer »[33], se souviendra-t-elle. Mais elle devait aussi admettre : « Lorsqu'il a été tué, une partie de moi s'est sentie libérée. »[34]

L'heure venue de quitter Bethesda, vers 4 h du matin, Jackie prit Pam Turnure, en larmes, dans ses bras. « Pauvre Pam, qu'allez-vous devenir maintenant ? »[35], lui dit-elle. À l'arrivée de Jackie et du cercueil recouvert du drapeau américain, l'allée de la Maison-Blanche était illuminée par de petits pots enflammés, une note décorative du plus bel effet apportée par Sarge Shriver. À l'intérieur, Walton avait préparé la salle est avec Nancy Tuckerman. Après avoir étudié un livre sur les obsèques de Lincoln, découvert dans le salon de Jackie, l'artiste trouvait que le catafalque ouvragé des années 1850 affichait un style trop « larmoyant et sentimental »[36]. Il demanda au tapissier de Bunny Mellon, Larry Arata, de créer de simples drapés noirs. Sur ses instructions, les urnes placées aux quatre coins furent agrémentées de branches prélevées sur le grand magnolia d'Andrew Jackson qui se dressait près du portique sud.

Au passage, Chuck Spalding croisa le regard de Jackie : « Nous nous sommes dévisagés. Ses vêtements portaient encore les taches de l'accident et le choc avait figé ses traits dans une expression douloureuse. Je repensais à tout ce que nous avions prévu, tout ce pour quoi nous nous étions battus, tout ce que nous avions accompli, tout ce qu'il restait à faire, tout ce que nous avions subitement perdu. »[37]

Grâce à sa force de caractère et au poids de son éducation, Jackie Kennedy parvint à prendre sur elle pour superviser les préparatifs de l'enterrement. Elle se fia à ses connaissances historiques et à son goût instinctif. « Jackie a le sens de la mise en scène. Il n'y a pas eu une seule fausse note »[38], témoignera sa mère.

Jackie rassembla quelques objets auxquels elle tenait pour les déposer dans le cercueil de Jack : les boutons de manchette en or qu'elle lui avait offerts pour leur premier anniversaire de mariage, son dernier cadeau de Noël (une dent de baleine gravée et ornée du sceau présidentiel), un bracelet de saphirs donné par Lee, le rosaire en argent qu'Ethel avait offert à Bobby pour leur mariage et l'épingle de cravate de Bobby à l'effigie d'un patrouilleur torpilleur. Jackie ajouta trois lettres. Caroline s'était appliquée à écrire deux phrases pour exprimer son amour à son papa et lui dire qu'il lui manquerait. Assise sur une petite chaise de la chambre des enfants, Jackie avait aidé John Jr, qui fêterait ses 3 ans le jour de l'enterrement de son père, à faire quelques gribouillages. Sa propre lettre commençait par « Mon tendre Jack », une « formule très particulière » qu'elle considérait comme une « marque d'affection rare »[39].

Elle écrivit avoir dormi la veille dans son lit, dont le matelas lui avait paru aussi dur qu'une plaque de béton, et sangloté pendant des heures. Elle lui parla de leurs enfants, lui rappelant qu'après la perte de Patrick, elle avait déclaré que sa mort à lui serait « un malheur qu'elle ne supporterait pas »[40]. Au fil des pages, les larmes effaçaient la plupart des mots rédigés sur le papier à lettre bleu pâle. « Cela n'avait pas d'importance puisque personne ne lirait jamais cette lettre »[41], dira Manchester.

Bobby accompagna Jackie pour déposer tous ces objets auprès de Jack, dans la salle est. Jackie embrassa son mari, lui caressa les cheveux et en coupa une mèche avec les ciseaux de J. B. West. De retour dans son dressing, elle sépara la mèche en deux et plaça chaque moitié à l'intérieur d'un petit cadre en céramique. Elle en donna un à Bobby et conserva l'autre.

Ses parents et ses amis de confiance s'employèrent à exaucer ses vœux. Chargé de dresser les listes d'invités et de gérer les horaires, Sarge Shriver révéla dans son souci du détail une grande maîtrise de la logistique. « La tâche était rude pour Sarge ; pourtant, tout fut préparé avec la plus grande efficacité »[42], commentera Sorensen. Jackie souhaitait la présence du Black Watch venu donner une représentation la semaine précédente à la Maison-Blanche. Tish Baldrige finit par localiser le régiment à Knoxville, dans le Tennessee. La garde d'honneur serait composée de trente cadets de l'Académie militaire irlandaise. JFK avait été impressionné à Dublin par leur panache, et leurs boutons dorés – l'un des cadeaux d'anniversaire de mariage de Jackie – ornaient désormais son blazer préféré.

Convaincu que JFK devait être enterré au cimetière national d'Arlington, Bob McNamara défendit ardemment sa position contre celle de la famille Kennedy et de la « mafia irlandaise ». Ces derniers préféraient Holyhood à Brookline, où Patrick avait été enterré trois mois et demi plus tôt. Aux yeux du ministre de la Défense, l'emplacement idéal se situait en contrebas de la demeure du général Lee, où Jack et Charley Bartlett s'étaient rendus un dimanche après-midi, au mois de mars précédent. McNamara affirmera par la suite qu'un employé du parc lui avait confié avoir entendu le Président dire pendant la visite qu'il s'agissait du « plus beau site de Washington »[43] – mythifiée, cette remarque serait interprétée comme le souhait de Kennedy de « rester là pour toujours »[44]. « On entend toutes sortes de gens se souvenir de choses que Jack Kennedy n'a jamais dites. Je ne l'ai jamais entendu exprimer le désir de reposer là. Ce n'était absolument pas dans son caractère »[45], confiera Bartlett à Katie Louchheim.

Lors d'une série de visites le samedi, sous une pluie battante, McNamara tenta de rallier Walton, Billings, Reed, Bobby, Jean, Eunice et enfin Jackie à son point de vue. Jackie se laissa finalement convaincre par la beauté et la portée historique du site. Avec son œil d'artiste, Walton voyait déjà l'emplacement précis de la tombe, dans l'alignement de l'ancienne résidence du général. Il s'avéra qu'il avait vu juste, à quinze centimètres près.

Héritier du titre de chef de famille, Bobby aida Jackie à prendre toutes les grandes décisions. L'une des premières concernait le cercueil. Apparemment, Jackie souhaitait qu'il demeure fermé, mais Bobby sollicita l'avis de plusieurs proches. Spalding se rendit dans la salle est pour soulever le couvercle. « Son visage ressemblait à un masque en caoutchouc comme il s'en vend dans les magasins de jouets. Je me suis prononcé en faveur du cercueil fermé »[46], témoignera l'ami de JFK. Arthur Schlesinger tomba d'accord, de même que Nancy Tuckerman et Bill Walton. « On voyait que le visage avait été reconstitué. Il ne se ressemblait plus »[47], affirmera le conseiller. Walton fut stupéfié de découvrir un « mannequin de cire », doté de « faux cheveux » et affichant « une expression idiote »[48].

Teddy et Eunice s'envolèrent pour Hyannis pour informer leur père. Eunice passa la majeure partie du temps avec Rose, à effectuer de longues promenades sur Squaw Island. « Nous parlions de Jack comme s'il était encore vivant »[49], racontera sa sœur. Joe avait un mauvais pressentiment, mais la famille attendit le samedi pour lui annoncer la nouvelle. « Il regardait la mer. Il s'est tourné vers moi et m'a regardé droit dans les yeux. Il était suspendu à mes lèvres lorsque j'ai prononcé : "Voilà, il est mort" »[50], se souviendra Teddy. Incapable de parler, Joe pleura. « Papa comprit. Il pleura avec Teddy, c'est tout. Il ne s'effondra pas. Vingt-cinq minutes plus tard, il regardait la retransmission de la salle est à la télévision »[51], déclarera Eunice.

La Maison-Blanche était comble. Bobby occupa d'abord la chambre Lincoln, puis céda la place à Rose. Pat Lawford fut installée dans la chambre de la reine, tandis que Lee et Stas occupèrent la chambre de Jack. Peter Lawford, son agent Milt Ebbins, Lem Billings, Chuck et Betty Spalding, Steve et Jean Smith, Larry O'Brien et Kenny O'Donnell se répartirent les chambres d'amis du troisième étage.

« On aurait dit un groupe de survivants après un naufrage. Je crois que la famille ne s'en serait pas sortie sans Bobby. Il courait partout, toujours un bras autour des épaules d'un ami ou d'un proche, à réconforter l'un ou l'autre, à leur dire qu'il fallait aller de l'avant. »[52] À un moment donné, le samedi, tout le monde se retrouva comme paralysé dans la chambre de Bobby. « Jack a connu la vie la plus formidable »[53], déclara-t-il. Déjà très secouée par l'échec de son couple, Pat Lawford était dans le pire état. Selon Schlesinger, « Pat buvait trop » et Bradlee remarqua que Peter marchait « comme si on le retenait par le paletot »[54].

Rose, modèle de force d'âme et de foi profonde, eut moins besoin du soutien de son fils que les autres. À Janet Auchincloss, Rose parut « extraordinaire » mais « à l'écart » : « Elle avait déjà perdu son premier fils, puis sa fille, ensuite son mari et voilà que c'était le tour de Jack. J'avais le sentiment qu'elle se retrouvait terriblement seule. Sa foi m'impressionnait. »[55] Lorsque Sarge Shriver fit une remarque sur son attitude admirable, Rose rétorqua sur un ton brusque : « Que voulez-vous, on ne peut quand même pas rester à pleurer dans un coin ! »[56]

Le samedi matin, le clan des Kennedy assista à une messe autour du cercueil dans la salle est. Walton étreignit Pam

Turnure, qui semblait « étranglée » par les sanglots. Ne pouvant réprimer ses spasmes, Ben Bradlee se retira dans le salon Vert pour se calmer. Red Fay se réfugia pour pleurer derrière les rideaux, dans un coin de la salle est. « C'est Jackie qui tint le plus longtemps »[57], racontera David Gore. « Au moment où j'ai enfin pu lui parler, elle allait s'effondrer »[58], la voix à peine plus audible qu'un chuchotement. Elle confia à David et Sissie que si Patrick avait vécu, Sissie aurait été choisie comme marraine.

Dans l'après-midi, Janet et Hughdie allèrent chercher Lee ainsi que la sœur et le beau-frère de Stas à l'aéroport. En apprenant qu'elle devait loger dans la chambre de Jack, Lee déclara : « Je ne peux pas. Je le vois encore arpenter la pièce et appeler George en criant fort. »[59] Janet répliqua : « Il le faut. Nous l'avons bien fait. »[60] Stas, qui avait organisé une partie de chasse en Angleterre, avait décidé d'attendre un jour de plus « parce qu'il ne souhaitait pas s'immiscer entre les deux sœurs au moment de leurs retrouvailles »[61].

Bunny Mellon était arrivée d'Antigua le vendredi soir après minuit, après avoir essuyé de violents orages en vol. Le visage en larmes, J. B. West l'avait informée que Jackie souhaitait qu'elle s'occupe des fleurs pour le Capitole, l'église et la sépulture. Bunny s'était assise auprès de la bière dans la salle est. La décoration choisie par Walton rencontrait son approbation : « Tout était très digne, sans sentimentalisme, rappelant la simplicité, la jeunesse et la distinction de Jack Kennedy. » Pendant plus d'une heure, « Je ne pus arrêter mes larmes »[62], se souviendra-t-elle.

D'instinct, Bunny savait que Jackie ne voudrait pas de couronnes « funéraires », c'est pourquoi le samedi matin, elle avait orné la rotonde du Capitole de palmiers provenant des jardins botaniques de Washington. Elle avait disposé toutes les compositions florales offertes dans les couloirs menant à la rotonde, qui resterait, elle, intacte pour l'arrivée du cercueil.

Le samedi après-midi, Bunny s'était entendue avec Jackie au sujet des fleurs pour la messe à la cathédrale Saint-Matthieu, emblème du XIXe siècle se dressant dans Rhode Island Avenue, près de la Dix-huitième Rue. « Je ne veux pas d'une ambiance d'enterrement. J'aimerais que l'église respire le printemps. Je ne veux pas que cela soit triste parce que Jack n'était pas un homme triste. C'était un homme simple. Il a détesté les couronnes envoyées pour Patrick parce qu'elles sentaient trop l'enterrement. Les gerbes mortuaires ne lui plairaient pas, il aimait trop les fleurs pour cela. »[63] Bunny voulant utiliser « deux urnes simples »[64], Pam Turnure lui avait suggéré les vases bleus de la Maison-Blanche offerts par la France.

Dans les sous-sols de la Maison-Blanche, Bunny avait croisé J. B. West, dépité de ne pouvoir mettre la main sur la tenue de deuil réclamée par Jackie. « J'avais beau me creuser la tête, je ne voyais pas quoi lui suggérer. »[65] « Finalement, il décidera de la faire confectionner par une servante noire »[66].

Les Dillon passèrent également le samedi, les bras chargés d'un panier doré rempli de petites fleurs blanches arrangées par Phyllis. À leur arrivée à la Maison-Blanche, ils aperçurent Larry O'Brien en pleurs dans le vestibule. Comme elle l'avait fait la veille, Jackie leur raconta le drame en détail.

Charley Bartlett s'appliqua à accomplir les tâches qu'il avait si souvent l'habitude de s'imposer pour JFK. Il fouilla la bibliothèque du Congrès à la recherche de récits sur les funérailles de Lincoln et, le dimanche, se rendit à l'aéroport pour chercher Tish Baldrige, venue à la demande de Sarge Shriver pour aider à organiser les choses autour de la sépulture. Avec les conseillers militaires de JFK, ils décidèrent de l'endroit où la garde irlandaise se tiendrait et du minutage du passage des avions militaires.

Sorensen s'effondra à deux reprises, la première au moment du débarquement du cercueil à Andrews, la seconde en prononçant « Monsieur le Président » à l'adresse de Johnson : « J'ai raccroché et j'ai pleuré. »[67] Sa tâche la plus importante consista à rassembler les allocutions pour la cérémonie à l'église, puis au cimetière. Bundy fit de son mieux pour l'aider : « C'est pour lui que le coup a été le plus dur. »[68] Johnson ayant décidé de ne pas s'installer dans le bureau Ovale avant la fin des obsèques, Bundy avait fort à faire pour préparer le terrain. « J'étais heureux de pouvoir travailler car cela m'occupait »[69], commentera-t-il. Schlesinger fera remarquer que Bundy « contrôlait tout d'une main de fer »[70]. Plus tard, Bundy notera : « J'ai pleuré le vendredi et le samedi à la maison, mais plus après. »[71]

Schlesinger consulta Bobby, Sarge et Steve Smith avant de réunir les documents de l'administration Kennedy pour la bibliothèque présidentielle, puis promit de tenir Jackie au courant. Lorsque Franklin Roosevelt Jr vint le réconforter, l'historien fut touché par « sa gentillesse et sa bienveillance »[72]. Il passa le week-end à boire, mais surtout à écrire, de manière compulsive, dans son journal – les premières lignes de son futur *A Thousand Days*. Il composa un panégyrique pour le *Saturday Evening Post*, avec la dédicace suivante : « À ma très chère Jackie, qui fut mon inséparable compagne tout au long de cette merveilleuse aventure, la plus heureuse et la plus passionnée qu'il m'aura été donné de vivre. »[73]

Le samedi soir, Jackie dîna à l'étage. Pour le deuxième jour d'affilée, le Dr John Walsh, son médecin personnel, lui administra de l'amobarbital sodique pour l'aider à dormir. À Bethesda, il lui avait déjà fait une piqûre d'un autre tranquillisant puissant (hydroxyzine embonate) mais, à son grand étonnement, elle n'avait pas fermé l'œil. Lee, qui avait reçu une injection de neuroleptique avant son voyage transatlantique, demanda aussi au Dr Walsh une « pilule pour ne pas pleurer ». Néanmoins, la maîtrise de soi était innée chez les Bouvier, mère et filles. « J'ai appris à traverser les épreuves en me coupant de tout »[74], confiera Jackie à son amie Jessie Wood.

Au rez-de-chaussée, une douzaine de proches du défunt se réunirent dans la salle à manger familiale : les Dillon, les McNamara, les Shriver, les Lawford, Bobby et Ethel et les Smith. « Tout le monde évitait de parler de ce qui s'était passé. Nous n'étions pas très sérieux. Cela peut paraître horrible, mais cela ne l'était pas »[75], racontera Dillon. Dans le chahut, Ethel retira un moment sa perruque (qu'elle portait lorsqu'elle n'avait pas le temps d'aller chez le coiffeur) et la fit passer à table. Aussi invraisemblable que cela puisse paraître, elle finit par atterrir sur la tête de McNamara. « Cela aurait amusé

Jack »[76], commentera le ministre. Ensuite, les Dillon retournèrent dans la salle est pour s'agenouiller près du cercueil, et Dillon dit en pensée : « Au revoir, Monsieur le Président. »[77]

Le dimanche, Mike Mansfield, Earl Warren, le chef du Judiciaire, et John McCormack, le président de la Chambre des représentants, prononcèrent leurs oraisons funèbres dans la rotonde du Capitole. Marquée par une sorte de refrain – « Alors, elle retira son anneau et le passa au doigt de son mari »[78] –, celle de Mansfield faisait le plus appel aux sentiments car elle évoquait le calvaire de Jackie au Parkland Hospital. « Mauvaise poésie »[79], pensa Janet Auchincloss. « J'ai cru que j'allais crier s'il le répétait encore une fois »[80]. David Gore jugea aussi ces excès « navrants ». Joe Alsop enverra le message suivant à Jackie : « Je vous aime autant que je l'aimais. Je ne peux que vous adresser mes remerciements et mes félicitations pour avoir joué votre rôle à la perfection lors de ce grand épisode de l'Histoire, pour votre chaleur et votre vérité constantes, pour être toujours demeurée vous-même sous les feux de la rampe – la chose n'est pas aisée, c'est le moins qu'on puisse dire. »[81]

Charley Bartlett rédigea en hâte une lettre de condoléances sur du papier à en-tête de la Maison-Blanche : « Nous avions pour ami un héros. Il avait un courage hors du commun, un humour infaillible, une écoute profonde, une intelligence curieuse, mais surtout une grâce incomparable. Il était le meilleur. Il ne sera pas remplacé, ni oublié. Nous nous souviendrons toujours de lui, avec amour, et certainement, au fil des années, avec émerveillement. »[82]

Comme de coutume, Lem Billings se fondit dans le décor, le rire éteint, et participa discrètement aux décisions de la famille. Lorsque Lee était arrivée, il avait provoqué son courroux en lui disant que c'était gentil d'être venue. « Comment pouvez-vous dire cela ? Pensiez-vous que je ne viendrais pas ? »[83], s'était-elle exclamée.

Bobby avait demandé à Red Fay et à Jim Reed de « rester dans les environs pour donner un coup de main »[84]. Ils firent ce qu'ils purent le dimanche à la Maison-Blanche, après la messe. Le soir, Reed se rendit à McLean chez Red et Anita Fay pour dîner avec Vivian Crespi. À la fin du repas, ils évoquèrent leurs souvenirs en se promenant.

En arrivant, le dimanche après-midi, Stas embrassa Bunny Mellon. « On dirait Versailles à la mort du roi, lorsque le roi est parti pour toujours »[85], pensa-t-il. Refusant de coucher dans le lit de Jack, il déclara préférer dormir sur un lit de camp dans un coin. « Pauvre Stas »[86], dira Jackie plus tard. « Drapé dans sa dignité d'Européen vieux jeu, il assura qu'il serait confortablement installé. Il refusa même d'utiliser la salle de bains et parcourut toute la maison pour faire ses ablutions ailleurs. »[87] Stas demanda simplement qu'on dépose dans le cercueil un rosaire parisien qu'il conservait depuis l'enfance. Jackie cueillit un œillet rouge autour duquel son beau-frère enroula le chapelet et un agent des services secrets le plaça à l'intérieur du cercueil.

Johnson « avait l'air d'une statue de glace, très dur et très grave »[88], se souviendra lady Bird. « C'était un Johnson différent. La frustration avait disparu, il semblait détendu. On semblait retrouver le pouvoir, la confiance et l'assurance du chef de la Majorité »[89], fera observer Orville Freeman. Selon Sorensen, Johnson « n'aurait pu se montrer plus humble et plus discret durant ces premiers jours de la nouvelle administration »[90].

Pourtant, Johnson continuait de souffrir de son sentiment d'insécurité. En se couchant, la veille des obsèques de JFK, il avait demandé à Horace Busby, son collaborateur de longue date, de « rester là jusqu'à ce qu'il s'endorme », malgré la présence de son épouse. Chaque fois que Busby se levait, il lui ordonnait de se rasseoir. Il avait fallu attendre jusqu'à plus de 2 h du matin pour que le sommeil le libère enfin.

Des amis triés sur le volet furent conviés à venir tenir compagnie à Jackie le dimanche, après la cérémonie à la rotonde. David et Sissie Gore trouvèrent Jackie, Lee et Bobby assis dans le salon ouest. Gore prit Jackie à part pour lui proposer deux grandes chambres à l'ambassade de Grande-Bretagne, dans

Massachusetts Avenue, où elle pourrait installer l'école de la Maison-Blanche. Elle reconnut que ce serait un paradis pour les vingt-deux enfants car cette belle propriété close préserverait leur intimité. Plus tard, l'ambassadeur présenta ses excuses à Jackie pour s'être montré « faible et égoïste » en laissant paraître son propre chagrin. « C'était plus que je ne pouvais supporter que de vous voir ainsi soumise à pareille épreuve. »[91] Il lui confia qu'il aimait Jack « par-delà les mots ».

Bientôt, Chuck Spalding descendit de sa chambre au troisième étage, puis arriva sur ses pas Ken Galbraith, qui logeait chez Katharine Graham. Jackie offrit un verre à Galbraith, qui l'accepta alors qu'il ne buvait plus d'alcool depuis des mois. Il la trouva déterminée à maintenir « toute la pompe » que Jack aurait souhaitée. Jackie insista pour que ses proches organisent un cortège funèbre à pied parce qu'elle ne voulait pas voir « tout le monde disparaître dans de grosses Cadillac noires »[92].

S'inspirant de la tombe du Soldat inconnu sous l'Arc de triomphe, elle demanda qu'on allume une flamme éternelle sur le tombeau. Comme il n'existait alors qu'une seule autre flamme semblable aux États-Unis, à Gettysburg, l'idée parut d'abord extravagante. Walton avança que ce serait « esthétiquement fâcheux », mais Jackie rejeta son objection. La compagnie du gaz de Washington fournit un flambeau alimenté au propane pouvant être allumé en toute sécurité lors de l'inhumation en attendant la mise en place d'une installation permanente.

Lorsqu'elle évoqua l'exiguïté de la maison de ses parents à Georgetown pour recevoir sa famille, Galbraith se rendit compte que Jackie n'avait nulle part où aller en quittant la Maison-Blanche. Immédiatement, il demanda à Averell Harriman de l'héberger – dans sa grande et jolie maison de ville en briques rouges de style Fédéral située au 3038 N Street, à Georgetown. Cette dernière présentait « l'avantage particulier d'abriter certains des plus beaux tableaux impressionnistes du monde »[93]. Le diplomate accepta volontiers de s'installer à l'hôtel pour céder la place à Jackie.

Lors d'une discussion au sujet du programme des obsèques, Jackie proposa, « avec beaucoup de calme », selon Gore, de remplacer l'éloge funèbre habituel par de brèves interventions composées de citations de discours de Jack et de ses passages préférés de la Bible. Excluant d'office le Psaume 23 de David, trop « évident » et « banal », elle préféra l'Ecclésiaste 3 (1-8) : « Il y a un moment pour tout et un temps pour toute chose sous le ciel... » (Deux ans plus tard, le tube *Turn, Turn, Turn* des Byrds reprendra ces vers pour lancer un appel à la paix dans le monde.) « Pensez-vous qu'il existe un prêtre anglais à Washington capable de lire ce texte convenablement ? »[94], demanda-t-elle sur le ton de la plaisanterie. Sorensen ne put s'empêcher de sourire au souvenir de Jack lisant ces vers à son épouse, en ajoutant : « Et un temps pour arrêter de tergiverser. »[95]

Le dimanche soir eut lieu un nouveau dîner mouvementé dans la salle à manger présidentielle, réunissant cette fois Eunice, Bob McNamara, les Spalding, Phyllis Dillon et Dave Powers. Le plus incongru fut la présence d'Aristote Onassis, venu rejoindre Lee à Washington. Pour le taquiner, l'assemblée tenta de se faire inviter à bord du yacht de l'armateur l'été suivant. (Le lendemain matin, James Ketchum, récemment nommé conservateur de la Maison-Blanche, découvrit à sa grande surprise le milliardaire endormi sur un sofa du salon ovale.)

À l'étage, Stas s'était installé avec Rose dans la salle à manger pendant que Jackie, Lee, Bobby et Teddy dînaient dans le salon ouest. Bunny Mellon, qui vit Jackie en privé en début de soirée, fut ahurie par le récit des circonstances de la mort de Jack. « Jackie me raconta qu'elle n'en avait pas cru ses yeux. Elle disait qu'elle n'avait pas été dégoûtée, que c'était effroyable, mais pas dégoûtant. »[96] « Je voulais tellement le cacher, le protéger, prendre soin de lui », avait-elle ajouté. Serrant dans sa main le faire-part avec la photo de Jack, elle parlait du Ciel. « Je crois aux nuages et aux pâturages. Je crois vraiment en Dieu, je crois au paradis, mais où est passé Dieu ? », s'interrogeait-elle.

Pour la cérémonie à Arlington, elle donna à Bunny des instructions encore plus précises que pour la messe. « Je vous serais reconnaissante de préparer une corbeille semblable à celle que vous aviez envoyée à l'hôpital pour la mort de Patrick, uniquement composée de fleurs de la roseraie. Tout au fond, vous pourrez glisser votre propre message pour Jack, dans la mousse humide. »[97] Compte tenu de la saison, Bunny ne pensait pas pouvoir trouver grand-chose. Il lui faudrait sans doute se rabattre sur la production de sa serre, dans laquelle elle avait planté des rejetons de toutes les fleurs utilisées pour le réaménagement du jardin de la Maison-Blanche.

Elle se rendit dans la roseraie munie d'un panier et d'une paire de ciseaux. « Miraculeusement, des dizaines de rosiers blancs étaient encore en fleur en ce mois de novembre. Il faisait presque nuit noire »[98]. Elle cueillit tout ce qu'elle trouva – de la sauge bleue, des chrysanthèmes, des roses, mais aussi des baies d'aubépine et des branches de pommier sauvage. À cela, elle ajouta des nicotianas, des géraniums rouges, des bleuets et des œillets de sa serre. Chez elle, elle disposa la composition dans une corbeille en osier de la Martinique, puis inséra une note : « Merci, Monsieur le Président, pour votre confiance et votre inspiration. Affectueusement, Bunny. »[99]

Bunny Mellon partit déposer sa corbeille à Arlington le lundi matin. Elle avait déjà fait répartir « en un immense tapis », à flanc de colline, la profusion des autres fleurs déposées sur la tombe. Bunny et Paul Mellon furent parmi les derniers à arriver à l'église. Seule Nancy Tuckerman ne put assister au service funèbre ni à l'inhumation parce qu'elle était de garde. Elle regarda la retransmission à la télévision.

Avant le départ du cortège, qui devait effectuer à pied le trajet de la Maison-Blanche à la cathédrale, les amis du défunt se réunirent dans la salle à manger d'apparat. « Nous n'étions qu'entre hommes, il n'y avait pas une femme »[100], fera observer Walton. Parmi l'assemblée se trouvaient Fay, Billings, Spalding et Bartlett, Ben Smith et Rip Horton, deux amis d'école de JFK et David Gore, qui avait choisi de ne pas accompagner le corps diplomatique. Red Fay s'approcha de Dave Powers, qui imaginait Kennedy le sermonnant d'en haut : « Bon sang ! Powers, tu m'auras eu de quelques verres ! »[101]

Le visage masqué par son long voile noir, Jackie marchait en tête de la procession, entre Teddy et Bobby, Sarge Shriver et Steve Smith placés directement derrière elle. Lem Billings accompagnait Ken Galbraith tandis que David Gore avançait aux côtés de Red Fay. Eunice, qui était enceinte, avait accepté de monter dans une limousine, une décision qu'elle avait immédiatement regrettée. Derrière le corbillard tiré par des chevaux, un coursier noir sans cavalier symbolisait le chef d'État décédé. Il s'agissait d'un hongre de 16 ans nommé Black Jack – sinistre coïncidence que Jackie ignorait à l'époque. La garde d'honneur effectua de complexes manœuvres tout au long du trajet, au rythme de quatre tambours battant la cadence sur des instruments de style XVIIIe.

À l'intérieur de l'église, Bunny Mellon avait disposé de simples mais élégantes compositions de marguerites, de chrysanthèmes blancs et de jasmins de Madagascar. Aidés de soldats, des amis de Kennedy, dont Ben Bradlee et Hugh Sidey, s'occupèrent de faire asseoir les invités, parmi lesquels figuraient soixante-deux chefs d'État. Jackie fit une entrée majestueuse et solennelle, tenant par la main ses deux enfants. « Elle a reçu une bonne éducation »[102], murmura Charles de Gaulle à Nicole Alphand. Une fois l'assemblée installée, la cérémonie commença. Il était midi. Le son aigu des cornemuses du Black Watch retentit par les portes ouvertes. Puis le cardinal Richard Cushing célébra la messe pontificale de requiem en latin. Ce grand personnage au visage taillé à la serpe avait partagé tous les moments de bonheur et de malheur de la famille Kennedy.

C'est au révérend Philip Hannan, évêque auxiliaire de Washington, que revint la charge de prononcer l'allocution de onze minutes reliant habilement certains passages bibliques aux propos tenus par Kennedy, notamment lors de son discours à Houston, quelques jours plus tôt : « Vos vieillards auront des songes, et vos jeunes gens des visions ; sans vision, le peuple périt. »[103] Outre l'extrait de l'Ecclésiaste indiqué par Jackie, il cita des fragments des Proverbes ainsi que des Livres de Joël, de Josué et d'Isaïe. Le prêtre termina par des passages du discours d'investiture. Pour la première fois, Jackie perdit tout contrôle de soi en public. Entre deux sanglots, elle chargea Clint Hill « d'aller demander à Lee une pilule bleue » pour se calmer. Le garde du corps la « dépanna » en outre de son mouchoir.

Pour Eunice, « la tristesse avait remplacé l'espoir », la cérémonie « fut plus triste qu'elle aurait dû ». Elle n'avait « pas le moindre souvenir d'avoir vu Jack triste dans sa vie »[104]. À sa grande stupéfaction, Tony Bradlee nota que sa sœur, Mary Meyer, assise à côté d'elle, « ne semblait pas particulièrement émue »[105].

Il fallut une heure au cortège de voitures pour rejoindre Arlington. Au moment où le corbillard arriva à la sépulture, cinquante avions de l'armée de l'air et de la Marine survolèrent le cimetière en formation, suivis par Air Force One, qui inclina l'aile pour rendre un dernier hommage. Lee éclata alors en sanglots. Arthur Schlesinger se souviendra toujours « de l'attitude imperturbable des chefs d'État du monde entier malgré le gazouillis des oiseaux »[106].

Après la dernière prière du cardinal Cushing pour « cet homme merveilleux qu'était Jack Kennedy »[107], vingt et un coups de canons furent tirés, puis le drapeau américain fut plié, Jackie et Bobby allumèrent la flamme éternelle et Jackie reçut le drapeau. Bobby et Teddy s'étaient préparés à dire quelques pensées après les quelques notes du clairon, mais au moment où le cardinal voulut présenter l'intervention, Teddy se déroba. « Cette grande carcasse n'en pouvait plus »[108], expliquera Joan, son épouse. La fin de la cérémonie d'inhumation apparut à Mac Bundy comme « un tombé de rideau, la rupture brutale d'une corde tendue »[109].

Jackie reçut les chefs d'État et autres dignitaires à la Maison-Blanche. Avec beaucoup de dignité, « telle une reine romaine, une statue de pierre »[110], fera remarquer Nicole Alphand, dont le visage faisait la couverture du *Time* encore la semaine précédente. Une poignée d'invités soigneusement choisis furent accueillis dans le salon ovale, où Jackie avait remplacé les quatre tableaux de Cézanne par de gigantesques aquatintes de villes américaines du début du XIXe siècle. « J'ai envie d'un décor américain »[111], avait-elle expliqué à Jim Ketchum.

Au cours de ses quinze minutes d'entretien avec Jackie, Charles de Gaulle glissa : « Il est mort en soldat. »[112] Faisant écho à ce qu'elle avait entendu son mari dire à Hervé Alphand un mois plus tôt, Jackie rappela au président français le désir de Jack « de devenir un ami de la France et de lui-même » : « Vous ne lui en avez jamais laissé la possibilité et, maintenant, il est trop tard. » Elle ajouta cependant : « Jack n'en tira jamais la moindre amertume. »[113] Selon Jean Smith, Jackie indiqua également à de Gaulle : « On ne peut se fier qu'à trois personnes – Bobby, McNamara et Mac Bundy. »[114] Elle montra au chef d'État la commode dont il avait fait cadeau aux Kennedy après leur visite à Paris. Dessus trônait un vase rempli de marguerites. Elle prit une fleur et lui remit « en souvenir du Président Kennedy »[115]. De Gaulle glissa la marguerite dans la poche de sa veste d'un geste « tendre et délicat »[116].

Après la réception, Vivian Crespi retrouva Jackie à l'étage, dans un état de fatigue avancée. John, Caroline et leurs cousins fêtaient l'anniversaire du petit dernier dans la salle à manger. « Jackie disait qu'elle n'aurait pas pu décevoir John »[117], se souviendra Vivian. « C'était une vraie fête avec des ballons et des langues de belle-mère. Ce fut un véritable choc de passer d'un enterrement à une fête pour les enfants. Après avoir vu Hailé Sélassié, la reine de Grèce et Charles de Gaulle, monter et voir les enfants sauter partout, c'était macabre. »[118]

Le soir, Jackie improvisa une veillée dans le salon ouest pour évoquer des souvenirs et regarder l'enregistrement télévisé des obsèques. « Cela correspondait bien à Kennedy. Il adorait se regarder »[119], fera remarquer Bradlee. Par moments, Jackie « semblait parfaitement détachée, comme si elle regardait la cérémonie de deuil de quelqu'un d'autre. Parfois, elle demeurait silencieuse, manifestement déchirée par la douleur. Souvent, elle se tournait vers un ami pour raconter un souvenir »[120], racontera le journaliste.

Lorsque Powers et Teddy se mirent à chanter, Bobby « s'étrangla et dut quitter la pièce »[121], relatera Ethel. Pour détendre l'atmosphère, Powers se lança dans l'évocation d'anecdotes éculées datant des premières campagnes électorales. « Avec sa voix flûtée et chaleureuse »[122], pour reprendre la description de William Manchester, il dérida les proches qui s'attardaient « sans s'imposer, en leur rappelant gentiment que Kennedy aussi savait rire même lorsqu'il semblait que le rire avait totalement déserté le monde ». L'assemblée parut « réconfortée », observa Bradlee, « à l'exception de Jackie, qui avait les yeux rougis »[123]. Lorsqu'on se sépara, Tony ne put résister à l'envie de jeter un dernier coup d'œil à la chambre de Jack, où tant de soirées s'étaient terminées. Elle aperçut Stas, endormi sur son lit de camp.

Vers minuit, Jackie demanda à Bobby : « Si nous allions rendre une visite à notre ami ? »[124] Ils se rendirent à Arlington et se recueillirent sur la tombe, puis Jackie déposa un bouquet de muguet sur les branchages recouvrant la terre fraîchement retournée. Au moment de se coucher, elle découvrit un mot sur son oreiller adressé à « Jacks » de la part de « Pekes »: « Bonne nuit, ma tendre Jacks – la plus courageuse et la plus noble. Lee. »

Jackie demeura encore onze jours à la Maison-Blanche en attendant que la maison des Harriman soit prête. Ken Galbraith, qui lui rendit visite le mardi à midi, la trouva « plus perdue » maintenant qu'elle était confrontée « au grand vide ». Il l'encouragea à écrire, à passer du temps avec ses amis. « Je suis comme un animal blessé, j'ai envie de me terrer dans mon coin »[125], expliqua-t-elle à Nicole Alphand. Lee et Pat lui tinrent compagnie pendant qu'elle se préparait au départ. Régulièrement, elle appelait le Dr Finnerty. Ses propos entrecoupés de soupirs trahissaient l'angoisse et la dépression. Elle se demandait comment faire pour maintenir la presse à l'écart et préserver sa vie privée mais aussi que faire de la garde-robe de Jack.

Plusieurs jours après les obsèques, Jackie envoya sa mère et Teddy Kennedy faire exhumer Patrick, à Brookline, et sa fille mort-née, à Newport. Le 4 décembre, les deux cercueils vinrent rejoindre celui de leur père à Arlington.

Avec sa discipline coutumière, Jackie s'attabla à son bureau, dans le salon ouest, pour rédiger ses courriers de remerciements. À Nellie Connally, elle indiqua qu'elle était heureuse que Jack soit « mort en compagnie d'un homme tel que John Connally » : « Nous aurions pu être avec le maire d'une obscure municipalité – auquel cas, il n'aurait pas eu une mort aussi noble. »[126] La lettre la plus importante s'adressait au chef du gouvernement soviétique, Nikita Khrouchtchev. Après révision par le ministère des Affaires étrangères, Mac Bundy se chargea de transmettre son message manuscrit par la voie diplomatique.

Elle expliqua au leader russe que son courrier était motivé par l'importance que revêtait la paix aux yeux de son mari. De son point de vue, à vouloir éviter la destruction du monde, les deux hommes étaient devenus des alliés qui se vouaient un respect mutuel. Restait le danger de voir « la guerre déclenchée non pas par les grands hommes, mais par leurs subalternes »[127]. Il incombait donc aux « grands hommes » de promouvoir la diplomatie pour déjouer les conflits.

Si elles n'apportaient rien de plus sur le fond, les parties supprimées reflétaient assez bien l'état d'esprit de Jackie et la vision qu'elle avait de son rôle. Elle s'excusait de paraître « présomptueuse » : « Je ne me suis jamais mêlée de politique du vivant de mon mari. Pourquoi oserais-je vous écrire maintenant qu'il est mort ? »[128] Elle s'inquiétait surtout de « la prochaine fois qu'un convoi serait arrêté sur l'autoroute en Allemagne » : « Si un de nos soldats tire, si l'un des vôtres riposte et si un général quelconque en donne l'ordre, la guerre pourrait éclater en l'espace de quelques minutes. » D'une manière poignante, elle ajoutait : « Je ne me soucie pas pour moi, car je n'ai plus grand-chose à attendre de la vie, mais pour les rêves de mon mari. »[129]

À son arrivée à Hyannis Port, pour le week-end de Thanksgiving, Teddy White trouva Jackie entourée de « consolateurs de bonne volonté » : Dave Powers, Chuck Spalding,

Pat Lawford et Franklin Roosevelt Jr. « J'ai compris que j'allais en entendre bien plus que je ne le désirais »[130].

Le déménagement était prévu pour le vendredi 6 décembre (« Ne vous inquiétez pas, ce n'est pas Pearl Harbor », déclara Jackie à lady Bird). « Nous avons accompli beaucoup de choses, Jack et moi, en deux ans dix mois et deux jours, alors je suis sûre que je peux vous céder la place en quatre jours et demi »[131], écrivait-elle le 1er décembre. Elle laissa à ses successeurs des consignes très détaillées concernant la restauration de la Maison-Blanche (« Chaque pièce possède les tableaux et le mobilier historiques qu'elle peut contenir ») ainsi que des conseils sur la vie au sein de la résidence présidentielle. « On se souviendra de vous comme de celle qui l'aura préservée »[132], assura-t-elle à lady Bird. Soulignant l'importance de l'Association historique de la Maison-Blanche et du maintien en fonction du conservateur au sein de la Smithsonian Institution, elle affirmait que sinon, « une future femme de Président, qui ne s'intéresse pas à l'histoire comme vous, risquerait de nommer à ce poste Tante Nellie, qui tient une petite boutique de bibelots dans Elm Street »[133].

La veille du déménagement, Jackie organisa une fête d'anniversaire commune pour Caroline et John. Janet Auchincloss fut invitée, au côté de trois conseillers militaires de JFK et de Dave Powers. L'orchestre de la Marine, tout de rouge vêtu, « joua avec un zèle inaccoutumé pour masquer sa peine »[134], écrira Molly Thayer. Jackie voulait que ses enfants « gardent un souvenir joyeux de la Maison-Blanche »[135].

Pour accueillir les Johnson le vendredi, Jackie laissa un vase de muguet, sa fleur préférée. Après leur avoir serré la main dans le salon ouest, elle remit à chacun des membres du personnel une copie d'une peinture du salon vert, « en mémoire du Président ». Accompagnée de Lee, Bobby et Ethel, elle traversa la salle de réception des diplomates vêtue d'un simple ensemble noir, les enfants arborant les mêmes manteaux bleu pâle qu'ils portaient pour l'enterrement, puis franchit la porte du portique sud pour monter dans la limousine qui les attendait.

Publié durant la première semaine de décembre, l'interview que Jackie avait accordée à *Life Magazine* connaissait déjà un certain retentissement ; toutefois, elle n'en prit pas toute la mesure. Même s'il regrettera plus tard d'avoir véhiculé toute cette imagerie romantique, Teddy White éprouva le besoin de se conformer à tous les désirs de Jackie. Certes, Jack Kennedy avait exercé les plus hautes fonctions dans ce monde, mais sa veuve de 34 ans détenait le pouvoir de sa mémoire. « Jackie a fait de l'homme qu'elle aimait un être inoubliable. C'est à elle qu'on doit cet héritage »[136], soulignera la mémorialiste Katie Louchheim.

Épilogue

« Washington me semblait peuplé de veufs »[1], écrit Joseph Alsop. L'assassinat de Jack Kennedy affecta le journaliste plus profondément que le décès de son propre père. Bob McNamara, Mac Bundy et Doug Dillon lui confièrent n'avoir jamais surmonté ce deuil. Même le directeur de la CIA, John McCone, « un républicain coriace et objectif », avouera à Walt Rostow n'avoir jamais rencontré aucun homme dans la vie publique inspirant une telle affection à ses collaborateurs particuliers. « Il est vrai que Jack Kennedy avait le don extraordinaire de captiver et de transformer autrui. À mes yeux, c'était sa plus singulière qualité »[2], écrit Alsop.

L'entourage proche de JFK poursuivit sa vie avec plus ou moins de réussite selon la personnalité de chacun. Certains familiers se réunirent régulièrement en symposiums universitaires, perpétuant la légende de Kennedy et de son administration. Néanmoins, la plupart se dispersèrent. « Lui parti, le ciment qui nous unissait n'existait plus »[3], déclara Sorensen.

À tout jamais marqués par leur collaboration au gouvernement, beaucoup resteraient convaincus que la mort violente du Président constituait un tournant décisif pour les États-Unis. Le samedi soir précédant les funérailles, la journaliste Mary McGrory reçut quelques amis à dîner. « C'en est fini de nos rires »[4], dit-elle à Daniel Patrick Moynihan. « Mais non. En revanche, c'en est fini de notre jeunesse »[5], lui répondit le futur sénateur démocrate de New York.

Jacqueline Kennedy demeura un mois chez les Harriman avant d'acquérir une grande maison en briques de l'autre côté de la rue. Sa fragilité psychologique finit par inquiéter Bobby

Kennedy au point qu'il demanda au révérend Richard T. McSorley de s'occuper d'elle. Au cours de leurs entretiens privés durant le printemps et l'été 1964, Jackie confessa à cet ami jésuite avoir des pensées morbides : « Pensez-vous que Dieu me séparerait de mon mari si je me suicidais ? Ne comprendrait-il pas que je souhaite simplement être auprès de lui ? »[6] En juillet, elle avait retrouvé un certain équilibre et jurait au prêtre « qu'elle restait occupée, veillait à sa santé »[7] et se consacrait à ses enfants.

Cet été-là, elle fuit Washington et les hordes de touristes qui, envahissant son trottoir, arrachaient des bandes d'écorce sur ses magnolias en guise de souvenir. Elle s'installa au 1040 de la Cinquième Avenue, au carrefour de la Quatre-vingt-cinquième rue, à Manhattan, dans un appartement de quinze pièces, rempli de livres, lui rappelant les endroits où elle avait vécu dans son enfance, avant le divorce de ses parents.

Dix-huit mois après l'assassinat de son mari, Jackie affirmait à Harold Macmillan être déterminée à faire de Caroline et de John « ce qu'il aurait voulu qu'ils soient ». « Il faut bien trouver une motivation à sa vie ; maintenant, j'en ai une »[8], avait-elle ajouté. Elle ne remettrait pas les pieds à la Maison-Blanche avant février 1971, sous la présidence de Nixon. À cette occasion lui serait présenté, ainsi qu'à ses enfants, son nouveau portrait officiel réalisé par Aaron Shikler.

En 1968, le monde fut choqué d'apprendre son mariage avec Aristote Onassis, quelques mois après l'assassinat de Bobby Kennedy. Cette alliance lui apporta certes la fortune, mais ternit sa réputation. Au bout de plusieurs années, le couple commença à passer de plus en plus de temps séparé. En 1975, l'armateur décéda des suites d'une myasthénie, maladie dégénérative des muscles. Jackie reprit une vie discrète à Manhattan, travaillant comme éditrice respectée et luttant pour la conservation du patrimoine historique. Son fidèle compagnon, le riche diamantaire Maurice Tempelsman, qui n'avait qu'un mois de moins qu'elle, paraissait beaucoup plus âgé. Marié, il était père de trois enfants. Il géra de main de maître les vingt-six millions de dollars dont elle avait hérité d'Onassis et partagea son intérêt pour la littérature et la culture française.

Le 19 mai 1994 – date anniversaire de Black Jack Bouvier –
Jackie décéda d'un cancer à l'âge de 64 ans, entourée de ses
amis intimes et de sa famille. Sept ans plus tard, le Metropolitan
Museum of Art effacerait à tout jamais l'image associée à
Onassis en baptisant l'exposition consacrée à son style indé-
lébile « Jacqueline Kennedy, les années Maison-Blanche »[9].

Lyndon Johnson se montra attentif et risiblement flirteur
envers Jackie durant les premiers mois de son mandat. Il lui téléphonait fréquemment, lui donnant du « mon chou », « ma
chère » et même « chérie ». « Venez-là, prenez-moi par la taille
et allons marcher un peu derrière dans la cour »[10], implorait-
il. Jackie répondait avec coquetterie, se prêtant à son jeu en le
flattant. « C'est gentil de m'appeler, Monsieur le Président. Vous
devez pourtant avoir du travail par-dessus la tête »[11], gloussait-
elle comme une petite fille. Néanmoins, elle rejetait ses prières :
« J'ai trop peur de me remettre à pleurer. Je ferai tout ce que
vous voudrez, mais ne me demandez pas de revenir à la Maison-
Blanche. »[12]
Johnson ne se sentit jamais à l'aise ni en sécurité au sein de
l'équipe de Kennedy. Ses frictions avec Bobby évoluèrent vers
un « mépris mutuel ». « Il me regarde comme si je n'existais
pas »[13], confiera-t-il à John Connally. Ce qui ne l'empêchait pas
de tout faire pour essayer de le calmer. « Je ne veux pas entrer
en conflit avec la famille, l'aura de Kennedy est importante pour
nous tous »[14], affirmait Johnson.
Porté par une victoire électorale écrasante en 1964, Johnson
entra dans l'Histoire en concrétisant les projets de Kennedy
sur le plan des réductions fiscales, des droits civiques, de l'assurance santé des personnes âgées et de l'aide à l'éducation. Le
doigt sur la poitrine de Walter Heller, il annonça : « Je veux
que vous et vos amis libéraux sachiez que je ne suis pas conservateur, je suis un démocrate partisan du New Deal ! »[15] Joignant
le geste à la parole, il étendit l'aide fédérale aux déshérités à
travers son projet de « Grande Société ». Finalement, l'échec
américain au Vietnam aura raison de lui. Après la virulente
campagne d'opposition à la guerre menée par Bobby Kennedy,

il renonça à se porter candidat à sa réélection en 1968. Atteint d'une maladie cardio-vasculaire, Johnson décéda cinq ans plus tard, à l'âge de 64 ans. Jackie, qui la considérait comme une amie, tenait compagnie l'été à lady Bird sur l'île de Martha's Vineyard.

Robert F. Kennedy conserva son poste de ministre de la Justice jusqu'en septembre 1964, puis remporta les élections sénatoriales de New York. Il devint le confident le plus intime et le protecteur de Jackie. « C'est une âme passionnée et invincible »[16], dira-t-elle de lui à Harold Macmillan. Sur la suggestion de Jackie, Bobby étudia les tragédies grecques pour tenter de répondre à son questionnement existentiel. « Ils avaient un besoin émouvant l'un de l'autre. C'était de la pure amitié »[17], affirmera Tish Baldrige. Comme Jackie l'avouera elle-même à William Manchester : « À mes yeux, mon beau-frère adoré ne faisait jamais rien de mal. »[18] C'était devenu une obsession, Bobby considérait Lyndon Johnson comme l'usurpateur de son frère. « Comme si la famille dirigeante avait été destituée par un malheur injuste »[19], commentera Joe Alsop. Durant l'arrogante campagne présidentielle qu'il mena en 1968, Bobby remporta les primaires de Californie. Le 5 juin, en quittant la salle de réception de l'hôtel après son discours de victoire, il fut abattu d'une balle dans la tête par Sirhan B. Sirhan, un immigré d'origine palestinienne. Le sénateur décéda le lendemain, à l'âge de 42 ans. Jackie sentit sa mort étendre sur elle « un voile étouffant »[20]. Elle déclara à Joe Alsop que le deuil « faisait désormais partie intégrante de sa vie, au même titre que la mer, le ciel ou la terre »[21]. Ethel demeura à Hickory Hill et donna naissance à leur onzième enfant, Rory, le 12 décembre 1968 – six mois après l'assassinat de son père.

Joseph P. Kennedy déclina progressivement au fil des années qui suivirent la mort de JFK. En apprenant l'assassinat de Bobby, il « pleura sans parvenir à se dominer »[22]. Dévouée à son beau-père, Jackie continua de venir lui rendre visite à Hyannis Port. Il décéda, aphasique, à l'âge de 81 ans, en novembre 1969, après huit années passées dans un fauteuil roulant.

Épilogue

Rose Kennedy conserva ses habitudes – marche quotidienne par tous les temps, baignade dans l'océan, messe tous les matins – jusqu'à 80 ans passés. En dehors de ses séjours estivaux à Cape Cod et hivernaux à Palm Beach, elle demeura une voyageuse intrépide. Par ailleurs, elle se rapprocha de Jackie, qui l'emmenait dîner chez *Maxim's* deux fois par an, lors de ses visites chez les grands couturiers parisiens. « Elles étaient unies par une affection naturelle »[23], expliquera Jessie Wood, qui dînait avec elles à Paris. Le dimanche de Pâques de 1983, Rose eut une grave attaque à l'âge de 90 ans. Privée de l'usage de la parole et condamnée au fauteuil roulant, elle vécut encore dix ans avant de s'éteindre en 1995, à 104 ans.

Edward M. Kennedy prit la tête de la famille après l'assassinat de Bobby. À peine un an plus tard, il provoquait un scandale en tuant sa passagère, une jeune femme qui l'avait accompagné à une soirée, après que sa voiture eut dérapé d'un pont. Sa candidature aux élections présidentielles de 1980 se solda par un échec. L'année suivante, il divorça. Avec l'aide des Alcooliques Anonymes, Joan surmonta l'alcoolisme dans lequel elle avait sombré. Elle parvint même à décrocher un diplôme en pédagogie. Plus tard, Teddy se remaria et racheta sa réputation en devenant un sénateur travailleur et efficace.

Patricia Lawford « était déjà sur la mauvaise pente avant la tragédie, c'est pire depuis »[24], confiera Jackie six mois après l'assassinat. Après avoir divorcé de Peter en 1966, elle se battrait durant des années contre son abus d'alcool. Elle partit s'installer à New York pour mener une vie plus tranquille que son ancien mari, demeuré en Californie. Sa carrière d'acteur stagnant, il succomba à la drogue et à l'alcool. En 1984, il mourut d'insuffisances rénale et hépatique à l'âge de 61 ans.

Eunice Shriver poursuivit son œuvre auprès des handicapés mentaux et moteurs en créant l'organisation mondiale *Special Olympics*. Sarge travailla pour Lyndon Johnson, d'abord en chapeautant son projet de « Lutte contre la pauvreté », puis comme ambassadeur en France. En 1972, George McGovern l'associa à sa candidature, mais le vieil adversaire de Jack Kennedy, Richard Nixon, leur fit subir une défaite écrasante.

Jean et Stephen Smith demeurèrent à New York, où Steve gérait les entreprises de la famille Kennedy. Malgré ses liaisons multiples, leur mariage tint bon. En 1974, Jean fonda Very Special Arts, une association caritative destinée à promouvoir les arts auprès des personnes invalides. Steve décéda d'un cancer en 1990, à l'âge de 62 ans. Trois ans plus tard, le Président Bill Clinton nomma Jean ambassadrice en Irlande, où elle exerça ses fonctions pendant cinq ans.

Joseph Alsop passa un temps considérable à consoler Jackie. Lorsqu'elle emménagea à Georgetown, il lui fit cadeau d'une boîte en laque du Japon noir et or, « les couleurs de l'amour et de la mort »[25], fera-t-elle remarquer. « On dit toujours que tout s'arrange avec le temps, mais ce n'est pas vrai pour Jack. Au contraire, pour vous comme pour moi. Comme il est terrible de ne plus voir personne solliciter le meilleur de soi »[26], écrira Jackie à Alsop, neuf mois après l'assassinat. Le journaliste perdit de son influence après la mort de Jack. Il décida de se consacrer à la rédaction d'ouvrages sur les arts et les antiquités dont l'érudition lui valut quantité d'éloges. Après trois ans de lutte, Stewart, son frère, décéda d'un cancer en 1974, à l'âge de 60 ans. Un an plus tard, Joe et Susan Mary divorçaient. Pour financer sa retraite, Alsop vendit la maison de Dumbarton Avenue et loua celle d'un ami dans les environs. Il demeura le grand amphitryon de Georgetown jusqu'à son décès, suite à un cancer du poumon, à l'âge de 78 ans, en 1989.

Janet Auchincloss eut la présence d'esprit, le week-end suivant les obsèques de JFK, de dire à la femme de chambre de Jackie, Provie, de ne pas faire nettoyer le tailleur rose. « J'avais le sentiment que c'était le dernier lien. Il me semblait qu'il ne fallait pas effacer ce sang précieux »[27], déclarera-t-elle. Après avoir inscrit « porté par Jackie le 22-11-63 » sur la boîte, elle le rangea dans le grenier de sa maison de Georgetown, au côté de la robe de mariage de sa fille. (Finalement, le tailleur rose serait envoyé aux Archives nationales pour y être conservé.) Jackie et ses enfants continuèrent de venir en vacances à Hammersmith Farm. Lorsque Janet et Hughdie virent leur fortune fondre, Jackie leur apporta son soutien financier. Dix ans après la mort de Hughdie, en 1976, Janet fut atteinte de la maladie d'Alzheimer. Jackie créa un fonds d'un million de dollars pour ses soins et se rendit fréquemment à Newport au cours des quatre dernières années de la vie de sa mère. À la mort de Janet, en 1989, à l'âge de 81 ans, Jackie était à son chevet à Hammersmith Farm.

Letitia Baldrige travailla six ans au Merchandise Mart de la famille Kennedy, à Chicago, avant de publier un livre de mémoires à grand succès. Mariée à l'âge de 38 ans, elle eut deux enfants, puis déménagea à New York, où elle fonda une société de relations publiques prospère. Elle se forgea une solide réputation auprès des employés de banque et des hommes d'affaires en écrivant et en donnant des conférences sur l'étiquette. Elle retourna à Washington avec son mari en 1988.

Charles et Martha Bartlett continuèrent de voir Jackie par intermittence et gardèrent contact avec John, dont Martha était la marraine. En 1967, le couple se rendit au Cambodge en compagnie de Jackie, mais les choses n'étaient déjà plus les mêmes : ils semblaient rappeler à Jackie un passé auquel elle ne voulait plus penser. Charley travailla pour le *Washington Star*, et pendant un temps collabora avec Cord Meyer, mais son audience s'amenuisa. Pour finir, il entreprit d'écrire pour un bulletin politique hebdomadaire jouissant d'une diffusion respectable parmi les leaders d'opinion.

Lem Billings fut sans doute le plus attristé de tous les « veufs » de Kennedy. « À bien des égards, Lem pensait sa vie finie après la mort de Jack »[28], expliquera Bobby Kennedy Jr. Billings s'occupa d'abord de récolter des fonds pour le centre culturel de Washington, rebaptisé *Kennedy Center for the Performing Arts.* Jackie se tint néanmoins à l'écart du vieil ami de son mari. Avec la génération suivante, il tenta de perpétuer l'esprit de la famille à travers ses témoignages. « Il faisait le lien avec nos pères décédés »[29], commentera Bobby Kennedy Jr. Les jeunes Kennedy se retrouvaient dans sa maison remplie d'œuvres d'art et d'antiquités à New York. Tout en leur narrant des anecdotes, Billings s'adonnait avec eux à l'alcool et aux drogues illicites. Le 28 mai 1981 – la veille du soixante-quatrième anniversaire de JFK – il succomba à une crise cardiaque, à l'âge de 65 ans.

Ben et Tony Bradlee virent Jackie à plusieurs reprises après la mort de Jack, mais perdirent rapidement contact. « La relation que nous entretenions à quatre ne pouvait pas fonctionner à trois »[30], conclura Ben. Tony avait le sentiment de « raviver de tristes souvenirs »[31]. Ben et Tony se séparèrent en 1973. Cinq ans plus tard, le journaliste épousa l'écrivaine Sally Quinn. En 1975, il publia *Conversations avec Kennedy,* un livre basé sur son journal intime. Considérant l'ouvrage comme une atteinte à sa vie privée, Jackie lui reprocha surtout ses allusions à l'impiété de Jack. Jamais elle ne lui reparla. Bradlee devint célèbre à titre de rédacteur en chef du *Washington Post,* supervisant les investigations du Watergate qui causeraient la perte du Président Nixon.

McGeorge Bundy demeura le conseiller de Lyndon Johnson en matière de Sécurité nationale pendant plus de deux ans. Avec Robert McNamara, il présida à l'escalade de l'engagement des forces américaines au Vietnam. Bundy quitta Washington en mars 1966 pour diriger la fondation Ford. Après avoir pris sa retraite en 1979, il enseigna l'histoire à l'Université de New York et publia *Danger and Survival,* une analyse de la politique nucléaire américaine durant la guerre froide. Il succomba à une crise cardiaque en 1996, à l'âge de 77 ans.

Oleg Cassini prospéra grâce à son image associée aux Kennedy. Il se lança dans le prêt-à-porter. Travaillant dans une élégante maison de ville à Manhattan, il passait ses week-ends dans sa propriété de vingt hectares sur Long Island.

Vivian Crespi demeura proche de Jackie, partageant sa vie new-yorkaise. Il se trouvait par hasard qu'elle habitait dans l'immeuble où Jack Bouvier avait passé la fin de sa vie. Durant plus de dix ans, elle vécut une histoire d'amour avec l'écrivain italien Luigi Barzini. Ils passèrent du temps avec Jackie et Tempelsman, qui apporta la « paix d'esprit » à Jackie, selon Vivian.

Douglas Dillon fut ministre de l'Économie de Johnson jusqu'en 1965. Ensuite, il retourna à Wall Street et présida, de 1970 à 1978, le Metropolitan Museum of Art, dont il dirigea le conseil d'administration pendant cinq ans encore. Il mena une vie de vrai gentleman entre ses diverses demeures à Manhattan, Hobe Sound (Floride) et Isleboro (Maine). Il demeura actif jusqu'à sa dernière heure : quelques semaines avant sa mort, en 2003, à 93 ans, il prenait encore des décisions concernant les acquisitions du Met depuis son lit d'hôpital.

Paul Fay retourna dans l'entreprise familiale en Californie. En 1966, il écrivit *The Pleasure of His Company*, un affectueux livre de mémoires consacré à son amitié avec Jack. À la demande de Jackie, Bobby Kennedy, presque aussi proche de Fay que Jack, révisa le manuscrit. Outrée par « l'humour de vestiaire » de l'auteur, Jackie soutenait que le livre risquait de « diminuer » son frère. Bobby demanda donc à Fay d'en supprimer les deux tiers. Malgré quelques coupes, Fay maintint la plupart des éléments personnels qui offensaient les Kennedy.

Eve et Paul Fout revirent régulièrement Jackie lorsqu'elle reprit la chasse en Virginie en 1984, après de nombreuses années passées en week-end dans la région équestre de Far Hills, dans le New Jersey. Ayant commencé à fréquenter le poney club, enfant, avec Eve, Caroline revint plus tard apprendre l'équitation à ses enfants chez les Fout.

John Kenneth Galbraith continua d'enseigner l'économie à Harvard et d'écrire des livres. Jackie maintint une relation affectueuse avec lui, sollicitant régulièrement ses conseils. En quittant le gouvernement au moment où il l'avait fait, Galbraith s'était déjà libéré et était passé à autre chose. Comme il l'écrira plus tard : « la mort de Roosevelt signifiait la fin d'un monde. La perte de Kennedy fut celle d'un ami cher. La vie continua. »[32]

David Ormsby Gore devint Lord Harlech à la mort de son père en 1964. Admirant profondément « l'esprit fier et indépendant » de Jackie, il considérait « qu'il ne fallait pas toucher ni dévoiler aux yeux de tous sa personnalité, car personne n'avait le droit de pénétrer jusqu'au tréfonds du cœur d'autrui »[33]. David Gore acheva son mandat d'ambassadeur en 1965. Deux ans plus tard, Sissie fut tuée dans un accident de voiture à l'âge de 45 ans. Il eut une idylle avec Jackie durant plusieurs mois, qui les mena en voyage jusqu'au Cambodge et en Thaïlande fin 1967. En 1985, il mourut à son tour dans un accident de voiture, à l'âge de 66 ans.

Robert McNamara demeura ministre de la Défense pendant cinq ans sans que Johnson ne cesse de le soupçonner de divulguer des informations à Bobby Kennedy. Intimidé par l'intellect de McNamara, Johnson recherchait activement son approbation. Néanmoins, il n'hésitait pas à « le presser comme une orange » en réunion. Principal artisan de l'échec de la politique du Vietnam, McNamara demeura hanté par cet héritage. Après son départ du gouvernement en 1968, il dirigea la Banque mondiale pendant treize ans et écrivit deux livres, *In Retrospect* et *Argument Without End,* cherchant à expliquer ses points de vue sur le Vietnam.

Bunny Mellon se rapprocha de Jackie tout en se retirant davantage de la vie sociale. Après la vente de Wexford, dont elle se sépara pour deux cent vingt-cinq mille dollars en 1964, Jackie sembla avoir oublié la Virginie pendant près de vingt ans. Néanmoins, elle fréquenta les Mellon à New York, à Cape Cod et à Antigua. À son retour, elle devint l'hôte permanent d'Oak Spring, où elle plaça ses chevaux en pension et vint monter en toute intimité. Jackie sollicita l'aide de Bunny sur divers projets, du dernier aménagement du tombeau de JFK à Arlington à la maison qu'elle fit construire sur l'île de Martha's Vineyard. Par ailleurs, Bunny redessina le jardin est de la Maison-Blanche. Jackie refusa cependant d'assister à l'inauguration par lady Bird Johnson, en avril 1965, de ce nouvel espace qui porterait désormais son nom. Les souvenirs qui lui étaient associés demeuraient trop douloureux, expliquera-t-elle à lady Bird. « Pour moi, cela restait le jardin de Jack, car c'est lui qui l'avait conçu »[34], écrira Jackie.

Mary Meyer « reprit en quelque sorte sa vie »[35], commentera Cicely Angleton. Elle continua de peindre, dans un atelier situé derrière la maison des Bradlee à Georgetown. Ses œuvres étaient exposées et elle semblait plutôt heureuse. Si elle demeura en contact avec son amie Helen Chavchavadze, jamais elle ne lui dévoila son secret au sujet de JFK. Remariée en 1964, Helen se consacra à la poésie, partageant son temps entre Key West et Cape Cod. Le 12 octobre 1964, lors de l'une de ses promenades coutumières sur le chemin de halage du Chesapeake & Ohio Canal le long du Potomac, Mary Meyer fut abattue, en plein jour, de deux balles dans la tête tirées à bout portant – sinistre répétition du sort de son ancien amant. Elle mourut sur le coup, deux jours avant son quarante-quatrième anniversaire. Raymond Crump Jr, un jeune Afro-américain à la dérive, fut accusé du meurtre. Malgré son récit confus sur ses activités ce jour-là, l'arme du meurtre ne fut jamais retrouvée et son avocat mit en doute le témoignage d'une personne ayant vu, à distance, un Noir penché sur le corps de la victime. Après onze heures de délibérations, le jury, composé de membres de diverses communautés raciales, acquitta Crump. Comme lors de l'assassinat du Président l'année précédente, la mort violente de Mary Meyer donna lieu à maintes théories de complot, laissant entendre qu'elle avait été tuée parce qu'elle en savait trop sur Kennedy.

Lawrence O'Brien avait toujours entretenu des relations cordiales avec Johnson, ce qui faisait de lui l'homme de la Nouvelle Frontière le plus compatible avec l'administration Johnson. « O'Brien se savait côtoyer le meilleur législateur de l'ère moderne. Il était comme un coureur automobile impatient d'avoir l'opportunité de conduire une Ferrari. Lorsque Johnson était vice-président, il n'avait pas le droit de se servir de la Ferrari. Désormais, il s'en donnait à cœur joie »[36], commentera Harry McPherson, le conseiller de Johnson. En récompense, Johnson le nomma ministre des Postes et Télécommunications. Ensuite il prit la tête du Comité national démocrate. En 1972, c'est dans son bureau, au siège du Comité installé dans l'immeuble du Watergate, que des « plombiers » républicains mirent en scène un cambriolage pour poser des micros – début du scandale qui entraînera la démission de Richard Nixon deux ans plus tard. O'Brien décéda en 1990 à l'âge de 73 ans[37].

Kenneth O'Donnell réagit à la mort de Kennedy en cherchant à réconforter Jackie, avec laquelle il passa de nombreux après-midi, en compagnie de Bobby. De ses propres aveux : « Elle nous consolait probablement davantage que nous ne l'aidions, elle. »[38] Kenny O'Donnell demeura dans l'aile ouest, sous Johnson, jusqu'à la victoire de Bobby Kennedy au Sénat. À deux reprises, il se présenta aux élections pour le poste de gouverneur du Massachusetts sans connaître la fortune des Kennedy. En campagne, il se montra malhabile, un candidat « sans aucune présence politique, ne vivant que pour Jack »[39], déclarera William Manchester. Déjà, il était tombé dans la spirale d'autodestruction dont Manchester avait eu un aperçu au bar de l'hôtel *Mayflower*, au printemps 1964 : « Il s'était fait servir onze cocktails, puis les avait descendus les uns derrière les autres. »[40] Sa propre fille reconnaissait les terribles dégâts de l'alcool sur lui, mais aussi sur sa mère. « Ils étaient morts bien avant de rendre leur dernier souffle »[41], écrira Helen O'Donnell. O'Donnell et sa femme (également prénommée Helen) divorcèrent et décédèrent tous les deux en 1977. Il avait 53 ans.

David Powers se rendait tous les jours chez les Harriman pour déjeuner et jouer avec John Jr. Durant des mois, il souffrit « de violentes douleurs derrière la nuque, où la dernière balle avait frappé »[42]. Les migraines s'estompèrent et Powers demeura à la Maison-Blanche jusqu'au début de l'année 1965. En 1970, il publia avec Kenny O'Donnell un émouvant livre de mémoires sur JFK, intitulé *Johnny, We Hardly Knew Ye*. Jusqu'à sa mort, à l'âge de 8⊂ ans, en 1998, Powers se consacra à entretenir le souvenir de Jack Kennedy à titre de conservateur de la bibliothèque John F. Kennedy, un majestueux édifice dessiné par I. M. Pei, avec une vue panoramique sur le port de Boston.

Lee Radziwill resta de nombreuses semaines aux côtés de Jackie chez les Harriman, où les deux sœurs reçurent la visite régulière des amis et des collaborateurs de Jack. Dans son angoisse, Jackie s'en prit violemment à Lee. « Elle me frappe au visage alors que je n'ai rien fait »[43], expliquera-t-elle à Cecil Beaton. Son idylle avec Onassis ne dura pas, mais, en 1973, elle se sépara de Stas, qui mourut d'une crise cardiaque deux ans plus tard. Installée à New York, Lee s'essaya à l'architecture d'intérieur et à la comédie, connut un gros revers financier et de graves problèmes de boisson. Une très large publicité fut faite autour de ses aventures avec le photographe Peter Beard et l'homme de loi Peter Tufo. Jackie l'aida financièrement, mais son mariage avec Onassis entraîna un long éloignement. Lee finit par renoncer à l'alcool et se réconcilia avec sa sœur durant son cancer.

James Reed assista au premier dîner organisé par Jackie à Georgetown, aux côtés de Bobby, Red Fay et Bob McNamara. « Red chantait et dansait. Jackie se tenait en retrait, cordiale et adorable. Nous n'avons pas évoqué le Président »[44], se souviendra Reed. Spécialiste du droit, il dirigea une société de conseils financiers pendant cinq ans à New York, puis dans le Maine. « Je n'ai jamais vraiment travaillé pour quelqu'un et je n'ai jamais pris ma retraite »[45]. Son ancienne épouse, Jewel, déclarera : « Il considéra toujours les années Kennedy comme le zénith de sa carrière. »[46]

Franklin D. Roosevelt Jr et sa femme Suzanne divorcèrent en 1969. Il se remaria trois fois. Dans les mois qui suivirent la mort de JFK, Roosevelt compta parmi les fidèles visiteurs de Jackie à Georgetown. Ayant quitté le ministère du Commerce en 1965, il présida sous Johnson le Comité sur l'égalité des chances au travail durant la première année de son existence. De retour à New York, il tenta vainement de décrocher l'investiture démocrate pour l'élection du gouverneur. Les années suivantes, il travailla pour diverses organisations chargées de la gestion du patrimoine de ses parents et se consacra à l'élevage dans sa ferme, au nord de l'État. Lorsqu'il décéda, à l'âge de 74 ans, en 1988, Jackie confia à sa veuve, Tobie : « J'adorais Franklin. C'était un vrai gentleman. »[47]

Arthur Schlesinger quitta la Maison-Blanche fin janvier 1964 et divorça de Marian l'année suivante. « Nous vivions comme dans une cocotte-minute à la Maison-Blanche. À mon avis, le choc de Dallas a subitement plongé chacun dans une réflexion sur sa vie et son couple. Le mien ne marchait plus »[48], expliquera-t-il. Il déménagea à New York et devint un écrivain reconnu. « J'avais passé quarante ans à Cambridge. Il était temps pour moi d'élargir mes horizons »[49], commentera-t-il. Marian fera remarquer : « Arthur devint une célébrité, et même un play-boy pendant un temps. »[50] Avec *A Thousand Days* et la biographie de Robert Kennedy, Schlesinger se découvrit un rôle beaucoup plus important que celui qu'il avait pu jouer à la Maison-Blanche. C'est en effet sur son récit déterminant que s'appuie le mythe Kennedy.

Florence Smith souffrait déjà d'une leucémie à la fin de l'administration Kennedy, ce qu'Earl lui avait caché, comme à leurs amis. À sa mort, à l'âge de 45 ans, en novembre 1965, Jackie écrivit à son « Très cher Earl » : « Tant de souvenirs des temps heureux que nous avons connus ensemble sont maintenant partis avec notre chère et tendre Flo. Qui aurait cru que nous serions les deux seuls à rester ? »[51] Earl s'établit de manière permanente à Palm Beach, où il fut élu maire à maintes reprises. Il décéda en 1991, à l'âge de 88 ans.

Épilogue

Theodore Sorensen ne se remit jamais complètement de l'assassinat de Jack Kennedy. Sorensen « vivait à travers cet homme, il pensait comme lui et parlait le même langage »[52], dira Katie Louchheim. Par la suite, notera-t-elle, il devint « non pas morose, mais réduit au silence, et souvent amer »[53]. Sorensen fut le premier à quitter la Maison-Blanche, à la mi-janvier 1964. À New York, il entra dans un prestigieux cabinet d'audit. Sa biographie de Kennedy parut en 1965, en même temps que celle de Schlesinger. Comme son collègue, il dressa un portrait fièrement partisan. Devenu l'un des plus proches conseillers de la famille Kennedy, il rédigea les discours des campagnes sénatoriale et présidentielle de Bobby. Plus tard, il travailla pour le parti démocrate, donna des conférences et écrivit des billets d'humeur sur l'actualité. Jackie lui accordait son entière confiance. Plus il la connaissait, plus il « vouait à Jackie une admiration mêlée de respect »[54].

Charles et Betty Spalding divorcèrent. Lui partit s'installer en Californie, elle resta dans le Connecticut avec les enfants et devint une ardente féministe. « Après son divorce difficile, elle prit fait et cause pour les cas de bigamie et de défaut de pension alimentaire »[55], expliquera Nancy Tenney Coleman. À l'âge de 71 ans, Betty obtint une licence à Yale. Chuck se remaria deux fois. Son principal contact avec l'ancien entourage de Kennedy restait Red Fay, avec qui il jouait de temps à autre au golf à San Francisco. Chuck décéda à l'âge de 81 ans, en 1999, Betty, deux ans plus tard.

Adlai Stevenson adressa un tendre message à Jackie après la mort de Kennedy : « Je vous aime (ce qui clarifie la situation sans l'établir). Je sais que l'avenir vous réserve la joie, la paix et l'épanouissement. Comme disait Fra Lianni, il y a toujours une clarté dans les ténèbres pour celui qui sait voir. Or, vous savez voir. »[56] Il demeura ambassadeur des États-Unis aux Nations Unies et conserva une pléiade d'admiratrices. Alors qu'il traversait Grosvenor Square à Londres en compagnie de la plus intime d'entre elles, Marietta Tree, un après-midi de la fin juillet en 1965, il succomba à une crise cardiaque à l'âge de 65 ans. Peu avant sa mort, Stevenson avait confié à Eric Sevareid, correspondant de CBS, qu'il souhait quitter son poste : « J'aimerais pouvoir m'asseoir un peu à l'ombre avec un verre de vin et regarder les gens danser. »[57]

Nancy Tuckerman suivit Jackie à New York, où elle travailla de longues années à gérer les affaires de sa vieille amie et ses relations avec la presse. Elles demeurèrent des confidentes jusqu'à la mort de Jackie, puis « Tucky » se retira dans le Connecticut.

Pamela Turnure collabora durant plusieurs années avec Jackie à New York avant d'épouser un riche homme d'affaires canadien du nom de Robert Timmins. Elle ouvrit une société de décoration, puis à la mort de son mari, s'installa dans le Colorado pour s'adonner au ski entre deux ventes immobilières.

William Walton poursuivit sa carrière d'artiste. Tony Bradlee se souviendrait d'un « tableau abstrait avec une grande tache rouge » : « J'ai immédiatement compris qu'il s'agissait de l'assassinat. » Il reprit également l'écriture. En 1966 parut *The Evidence of Washington,* un élégant ouvrage sur la capitale. Il se rapprocha de Jackie, lui servant d'escorte et de confident. En 1980, alors éditrice chez Doubleday, Jackie publia son premier roman, *A Civil War Courtship,* que son ami Teddy White qualifia « de merveilleuse histoire tendre et folle »[58]. Walton décéda en 1994, à l'âge de 85 ans.

Jayne Wrightsman régna sur le monde des grands collectionneurs de New York. Au Metropolitan Museum of Art, dont elle fit partie du conseil d'administration pendant des décennies, elle fit don de mobilier français et de tableaux de maîtres (dont un Vermeer, un Tiepolo, un Greco et un Poussin) d'une valeur inestimable. Après la mort de Charles Wrightsman, en 1986, à 91 ans, elle devint une grande figure du cercle raffiné de Manhattan, cultivant son mystère en se tenant à l'écart du monde extérieur. « Je pense qu'elle a appris beaucoup au contact de Jackie Kennedy. Moins vous vous rendez disponible, plus vous devenez exclusif »[59], commentera l'une de ses connaissances.

CET OUVRAGE
A ÉTÉ ACHEVÉ D'IMPRIMER
SUR ROTO-PAGE
PAR L'IMPRIMERIE FLOCH
À MAYENNE EN SEPTEMBRE 2004